FIFA mafia

FIFA mafia

Thomas Kistner

Traducción de
Pablo Manzano Migliozzi

© Título original: *Fifa Mafia*

Revisado y ampliado en la edición de bolsillo de Knaur de marzo de 2014
© Droemer Verlag, 2012
Uno de los sellos del grupo editorial Droemerschen Verlagsanstalt
Th.Knaur Nachf. GmbH & Co. KG, Múnich.

Este libro ha sido negociado a través de Ute Körner Literary Agent, Barcelona.
www.uklitag.com

Primera edición: julio de 2015

© de la traducción: Pablo Manzano Migliozzi
© de esta edición: Roca Editorial de Libros, S. L.
Av. Marquès de l'Argentera 17, pral.
08003 Barcelona
info@editorialcorner.com
www.editorialcorner.com

Impreso por Liberdúplex, s.l.u.
Crta. BV-2249, km 7,4, Pol. Ind. Torrentfondo
Sant Llorenç d'Hortons (Barcelona)

ISBN: 978-84-15242-86-4
Depósito legal: B. 15.503-2015
Código IBIC: WSJA

RC42864

Introducción

«¿Soy una mala persona?»

$\mathcal{L}$a vida es bonita cuando la ovación ruge en el estadio como un huracán. Hoy es uno de esos días: 11 de julio de 2010. Todo está bien y Joseph S. Blatter se encuentra satisfecho en el palco de honor. Apretones de manos, abrazos, el destello de las medallas ante las luces y las cámaras. El presidente de la FIFA, rodeado de su directiva, recibe a los futbolistas españoles campeones del mundo. «¡Y ahora —exclama el locutor—, la entrega del trofeo!» Los *flashes* centellean en el estadio de Johannesburgo y las vuvuzelas resuenan como nunca. Joseph S. Blatter desciende los escalones. Una bufanda de seda cae con una blancura sacerdotal sobre su traje azul noche, la copa de oro descansa en su brazo izquierdo. ¿Sería posible prolongar el instante eternamente, una vuelta al estadio y otra más? Pero el capitán del equipo español, Iker Casillas, ya se encuentra frente a él. Y Joseph S. Blatter, en un acto solemne, hace entrega del trofeo a los nuevos campeones del mundo.

Es la cima de la felicidad. No solo para los futbolistas profesionales, sino también para el alto directivo de ese deporte único que consigue sacar de la rutina diaria a gente de todo el planeta. Un público de millones de personas lo observa, el mundo entero tiene la mirada puesta en él y vibra extasiado. Ningún jefe de estado conoce una autoescenificación similar. No hay héroes del cine ni estrellas de la música que lo hayan experimentado. Es el instante que debería durar eternamente.

A menos que a uno le toque ser el villano.

Blatter también conoce ese papel. Del Mundial de Corea y Japón en 2002, y del de Alemania en 2006. El rol de villano hiere profundamente, y viene acompañado de la peor sensación que alguien como él puede experimentar: impotencia. Cuando los aficionados abuchean, pitan o despliegan pancartas con insultos, o cuando la ola recorre las gradas en señal de protesta ante la incipiente aparición de Blatter en la pantalla..., bueno, esos son momentos que nadie quiere vivir. Para Blatter es el momento de la verdad.

En el Mundial de 2006, el público lo había abroncado con indignación en cada partido, por eso en la final de Berlín no se atrevió a pisar el césped en la ceremonia de entrega de premios. La imagen era grotesca: todos de pie allí abajo, alrededor de la copa, sin saber qué hacer. El presidente Horst Köhler, los directivos de la FIFA, el jefe de organización del Mundial Franz Beckenbauer; los más importantes representantes del mundo del fútbol estaban esperando al jefe. Y Blatter no venía. ¿Acaso se había escondido por miedo a la gente de las gradas? ¿Tenía miedo de los aficionados, de esas personas que no sacan ningún beneficio del fútbol y que aman el juego hasta el punto de haberlo convertido en el acontecimiento más importante del planeta?

Son los que infligen a Blatter una humillación. La parte de la sociedad que todavía puede permitirse pitarlo, a él y a su gabinete. Es el público. El vínculo de esta gente con el fútbol no pasa por el negocio, el poder o los delirios de grandeza, sino por la alegría, el placer y la diversión. Para eso pagan. Incluso cada vez más.

El resto colabora hasta la abnegación, siempre que Blatter está de gira por el mundo, atendido por ilotas y guardaespaldas, espías y secretarios. Vuelo en primera clase, hotel cinco estrellas. Luces de sirena y caravanas de coches constituyen el cuadro indispensable para el anciano infatigable de los Alpes suizos y sus fieles. Blatter tiene la Cruz Federal al Mérito y cátedras honoríficas, la Orden Olímpica y hasta el premio Bambi, y un montón de condecoraciones que guarda en su armario. Calificarlo como jefe de una federación deportiva empieza a ser una blasfemia. ¿Acaso no es mucho más, no es el patrón de una comunidad de creyentes que ha superado ampliamente la dimensión de la Iglesia católica? Los directivos del fútbol están convencidos. Y, hasta cierto punto, es así.

Le basta con chasquear los dedos para que reyes y presidentes le abran las puertas de palacios, casas de gobierno, cancillerías y ministerios, ya sea el Kremlin, la Casa Blanca o el Vaticano. Ningún político con ambición puede adoptar una postura neutral frente al fútbol. Desde hace ya tiempo, este deporte ha dejado de ser un terreno imparcial. Quien busque popularidad tiene que rendirle honor al balón. Tiempo atrás, en la final de 1986, el canciller Helmut Kohl ya había despertado la alegría de todo el país al estrechar a los jugadores entre sus brazos durante la ceremonia de entrega de premios. Hoy, Angela Merkel, hija de un pastor protestante, se presenta en el vestuario del equipo alemán en un partido de la fase de grupos, donde posa para algunos fotógrafos privilegiados junto a los héroes sudados que solo llevan una toalla alrededor de la cintura. Y luego la Cancillería y la Federación Alemana de Fútbol discuten durante días si la visita estaba concertada o no; un numerito para el pueblo futbolero. Pero la política, inmersa en la borrachera del fútbol, no solo pierde constantemente su dignidad, sino lo más importante: su deber de crítica y control.

¿Se le puede reprochar algo a Blatter y a su gente cuando ellos mismos se consideran seres superiores? Hoy en día, en los estadios, apreciamos formas de veneración que hasta no hace mucho tiempo solo se producían en la basílica de San Pedro. En los encuentros importantes hay coros y directores de orquesta, multitudes que sostienen velas, o más bien mecheros, para aumentar la sensación de que se está viviendo un acontecimiento de gran trascendencia, provocando el descenso gradual de un sentimiento de inmortalidad. Es algo del más allá, un mundo espiritual de heroísmo y emoción: la forma híbrida del futuro que mezcla deporte y religión.

Además existen razones profanas para intentar ganarse la simpatía de Blatter y compañía. Todos los países aspiran a organizar algún día la Copa del Mundo, incluso si su extensión geográfica equivale a la mitad de Hesse, como es el caso de Catar. Así que incluso la razón de estado exige el trato cuidadoso con Blatter, que desde hace décadas es el potentado que reina en el fútbol. Sonreír, asentir, ceder. Y al final pagar la cuenta con el dinero de los contribuyentes.

Los dioses del fútbol temen aún menos a la industria publicitaria que a los políticos. En tiempos de crisis (un estado permanente en una FIFA contaminada de corrupción), se suele decir respecto de las corporaciones: «¡Atención, ojo al loro, que si los anunciantes se enfadan la FIFA las pasará canutas!». Es un misterio cómo ha llegado a trascender ese cuento chino. En realidad, la economía y los patrocinadores se inclinan con devota lealtad ante el producto Copa Mundial de la FIFA y ante Blatter y sus camaradas, los propietarios. Pues el torneo es el mejor escenario publicitario de toda la galaxia. Al que no obedece se lo puede cambiar en cualquier momento, incluso por un rival directo en el mercado, ya que la competencia hace cola.

Pero un momento. ¿Además no están los medios? Así es. Solo que los periodistas deportivos son a menudo aficionados que se han saltado la valla y que rara vez abordan el tema con rigor periodístico. Con pasión y grandes intereses personales, realizan el servicio de prensa para el deporte pasión blatteriano, elevando el acontecimiento aún más. La FIFA remuneró este servicio, en cierta ocasión, con una generosa donación de cincuenta mil francos para la Asociación Internacional de Prensa Deportiva.[1] Como fruto de la labor de transfiguración mediática, tenemos la pérdida de percepción más original que la sociedad moderna ha experimentado: un negocio de miles de millones, marcado por crecientes agresiones y nacionalismos, por la infiltración de gánsteres y del crimen organizado, se convierte en un modelo de valores e ideales al que incluso los ejércitos de aficionados y analistas deportivos se adhieren con entusiasmo.

Lamentablemente, suele ocurrir que los líderes de opinión rara vez disponen de una documentación propia sobre el deporte, una que abarque más que la saludable preparación física, como correr o montar en bicicleta. El acceso al conocimiento deportivo, sobre todo en lo referente al fútbol, lo obtienen con ayuda mediática, lo que en la mayoría de los casos deriva en la exaltación. Para el que nunca ha practicado deportes de competición, el primer contacto con la vitalidad y el cuerpo en los años de madurez puede ser tan excitante como una adquisición postergada de la masculinidad. Ciertamente, es un efecto placentero. Solo que esta perspectiva no facilita el mejor acceso al significado social del mundo del cuerpo, a sus recursos humanos, a los problemas y peligros que amenazan justo al deporte.

La caricaturización del fútbol a través de los medios se ha fortalecido tanto que el conocimiento es un contrapeso insuficiente. Especialmente porque los medios, también los públicos, tratan los temas de fondo cada vez menos. Está claro que es mucho más fácil, y sobre todo mucho más lucrativo, convertir a los espectadores en aficionados. El conocimiento pasa a ser secundario. El acento se desplaza poco a poco del doble pivote, el rombo en el medio campo y la línea de cuatro al temario Schweinsteiger-Podolski, Löw-Flick, banderitas-colores nacionales. Se trata de cine de acción. Y el fútbol es el máximo generador de acción, de emoción. Y aquí es donde los medios arrancan la última lagrimita, que a veces incluso es sincera. Esta toma de posesión del consumidor avanza cada vez más. Los grandes temas críticos de la sociedad, desde el alzhéimer hasta el *burnout*, son aquellos que se comercializan cuando los afectados son los héroes del deporte del balón. El periodismo y las relaciones públicas trabajan codo con codo bajo el lema protector de que aquí hay tabúes inquietantes por romper. Hay mucho por transmitir bajo la cúpula soleada del fútbol. El culto es enorme.

Dirigir esta locura global galopante es algo que no se le da nada mal a una asociación con beneficios fiscales que, en realidad, persigue un único propósito: «seguir mejorando el fútbol». Es inútil apelar a Blatter con semejante banalidad, ni hablar de mejorar la calidad del juego. Él no se ocupa de nada que esté por debajo de su mensaje redentor. Siempre que se pronuncia, y lo hace casi a diario, derrama sobre el auditorio una palabrería sobre el respeto, la paz, un mundo mejor, la educación, la integración, la transparencia, la esperanza, la solidaridad, la formación del carácter, la escuela de la vida, tan valiosa como el respeto, y otra vez el respeto. Repite lo mismo desde hace quince años como un conejito de Duracell colocado de éxtasis. No puede ser de otra manera, siempre tiene que soltar el rollo. ¿Que si es crónico? ¡La competición de fútbol de Blatter está salvando al mundo!

Seguro que hay gente que ya empieza a creérselo.

No aquellos que están en su sano juicio, esos no toman parte en el juego. Son los que desde hace tiempo perciben que algo se está torciendo en el fútbol. Y que el deporte sufrirá daños si sigue estando en manos de las personas equivocadas durante mucho más tiempo.

La gente equivocada gobierna en el fútbol desde hace décadas. Y el deporte ya ha sufrido daños considerables. El fútbol mundial ha perdido su símbolo, el logo con los dos hemisferios, y nadie lo ha notado. Ha sido incluso acusado en una investigación de delitos de corrupción. La asociación mundial, bien entendida, la FIFA como institución, compareció ante el juez de lo criminal, donde se presentaron pruebas irrefutables como resultado de una investigación. La FIFA los archivó y pagó millones en concepto de indemnización. Solo así pudo verse en un proceso penal ante los ojos del mundo. Pero ¿por qué la FIFA se vio bajo la amenaza de aquel proceso? ¿Se puede acusar a una organización? Sí, en el caso de que el fiscal no pueda imputar concretamente a los altos directivos sobre los que recaen las acusaciones. Por eso la FIFA acabó en el banquillo de los acusados, representada por aquellos que se ocultan tras ella. Como Blatter.

Este y otros hechos se han encubierto durante mucho tiempo. ¿Cómo es posible? Pues es perfectamente posible en un entorno de clientelismo y vacío legal con el que ese centro de la economía llamado Suiza atrae desde hace años al deporte. No es casualidad que la FIFA y otras varias decenas de asociaciones tengan su sede en ese país. Funciona con la ayuda de un aparato enorme que se dedica a la ocultación de asuntos turbios, gracias sobre todo al dinero que se traga ese mismo aparato tan poderoso. Pero para la FIFA el dinero no tiene importancia. Los beneficios del ciclo de la Copa del Mundo equivalen a cuatro mil millones de euros, es decir, mil millones por año.

Con dinero pueden levantarse tapaderas más eficaces. Cada vez son más necesarios los muros para blindar a la propia gente de las altas esferas y su ética empresarial, pues con Blatter el término FIFA se ha convertido en sinónimo de corrupción. Los ciudadanos suizos eligieron como expresión no deseada de 2010 «Comisión Ética de la FIFA». Ni siquiera ellos pueden seguir oyendo disparates sobre la maravillosa autopurificación. Desde hace ya tiempo, el término «familia FIFA» está asociado a la variante familiar siciliana, la mafia. Está la mafia de la basura, la mafia de la construcción y la mafia del fútbol. Ya es parte del sentido común creer que la imagen de la federación se ha visto mancillada con Blatter, y relacionarla con intrigas y una trama de dependencias que gobierna el fútbol en todo el mundo, en la que se mezclan la corrupción, la lealtad y la ley del silencio. En la confirmación jurídica de estos hechos trabajan actualmente los servicios de investigación de todo el mundo, con el FBI a la cabeza.

La FIFA ha tenido incluso que tratar algunos de sus casos. En 2010, ocho de sus veinticuatro directivos, incluido el presidente del Comité Ejecutivo, fueron apartados o discretamente expulsados por corrupción. En el momento en que se escribe este libro, hay investigaciones abiertas contra el resto de los miembros. Sin embargo, las averiguaciones del FBI y de la policía de los países europeos alimentan la sospecha de que solo estamos ante la punta del iceberg. Las actividades de la policía federal estadounidense tienen su base en el Departamento de Lucha contra el Crimen Organizado en Eurasia. Es algo notable, pues son miembros de los países del este quienes se han erigido como nueva fuerza dentro del negocio internacional del fútbol, a pesar de que, precisamente en esa zona, el fútbol tiene grandes problemas con la corrupción, las finanzas e incluso los derechos humanos.

Al mismo tiempo, los miembros de este hemisferio han instalado a Michel Platini al frente de la Unión de Federaciones de Fútbol Europeas (UEFA), un hombre que no solo encarna su propia esperanza de futuro, sino la de muchas federaciones de todo el mundo. Se supone que, a larga, este Platini será la última gran jugada de Blatter: su sucesor. El francés colaboró con Blatter desde el comienzo, como ejecutivo electoral, asistente y pupilo deportivo. Hoy es su principal adversario.

¿Cuáles son los flancos abiertos de la FIFA? ¿Cómo se consiguió que el Mundial 2022 se dispute en la calurosa tierra desértica de Catar? ¿Cómo convencieron los rusos de Putin a los directivos de la FIFA para que les concedieran el Mundial 2018? Estas son las preguntas más populares del cuestionario. La doble adjudicación de estos Mundiales se efectuó el 2 de diciembre de 2010 en Zúrich, y fue renovada por las partes interesadas entre bastidores. Aquí el FBI también se empleó a fondo. Se llevaron a cabo investigaciones en dos continentes. También intervinieron legiones de detectives y empresas de seguridad privada. Unos por encargo de candidatos embaucados que querían tramitar una nueva adjudicación en caso de que se pudiera comprobar soborno en las últimas. Los otros trabajaban para clientes cuyas huellas debían borrarse. Y la FIFA, manteniendo siempre sus tropas en movimiento.

Aquí es donde aparece otro foco de peligro. El deporte que se mueve en espacios de vacío legal reservados en gran parte solo para él crea su propio servicio de seguridad e información, ligado al mundo de los investigadores y los agentes secretos. Aquí se desdibujan las fronteras entre las autoridades y el aparato de una asociación con oscuros gestores a los que se investiga de cerca. Chris Eaton, un antiguo director de la Interpol muy bien conectado, desempeñó durante dos años el cargo de jefe de seguridad en la FIFA. En su ocupación anterior, había tenido muy buenas relaciones con las autoridades, y seguía manteniéndolas tras el cambio de bando. Esto de por sí ya es grave, y hasta peligroso. ¿Es que no saltan a la vista conexiones necesariamente informales?

A partir de marzo de 2010, el antiguo miembro de la Interpol ya no trabajaba para la policía criminal internacional, sino para una federación de fútbol en permanente estado de corrupción. Allí tenía que proteger a dirigentes que a menudo estaban en la mira de la lucha contra la delincuencia. Extrañamente, al cabo de un tiempo, se llegó a vislumbrar la primera simbiosis. Esto culminó en una cooperación memorable, una negociación a modo de asalto entre la FIFA y la Interpol que duró diez años. Durante ese tiempo, el servicio de investigación recibió de la federación de fútbol la donación más generosa de su historia: veinte millones de euros. Siempre ha habido muchas críticas al respecto por parte de la institución policial, sobre todo en relación con las estrechas redes de relaciones personales que se crearon. En febrero de 2012, Eaton, el exdirector de la Interpol, fue sustituido como jefe de seguridad de la FIFA por el alemán Ralf Mutschke. El sucesor también es un exdirector de la Interpol que fue trasladado de la Policía Criminal Alemana (BKA) a la FIFA. Luego la Interpol intervino activamente en la reforma de la FIFA, que no es otra cosa que el simulacro de una reforma.

Desde el punto de vista de la sociedad y el estado democrático, ¿no deberíamos preguntarnos si contactos de este tipo pueden resultar comprometidos en términos de política y seguridad, sobre todo si se apoyan en relaciones personales? En la justicia europea y en los círculos de seguridad sigue siendo un tema de debate. Y el hecho de que el antiguo miembro de Interpol haya sido trasladado por la FIFA no significa, en ningún caso, que se haya alejado de los discretos circuitos de seguridad del deporte. Por el contrario: fue trasladado al Centro para la Seguridad en el Deporte. Supuestamente, se trata de una organización privada con sede en Catar, que en los últimos tiempos realiza una labor conmovedora al servicio de la protección y la seguridad en el deporte, bajo la dirección de gente que trabajaba para los servicios de información, el ejército y el Ministerio del Interior de Catar.

Estos entramados compuestos por policías altamente especializados, bien conectados y mejor pagados aún, resultan inquietantes. Y es hasta absurdo, si se tienen en cuenta los problemas de integridad que rodean a muchos de los altos representantes de la federación.

¿Cómo puede un ejecutivo del fútbol con un cargo honorario amasar una fortuna de millones? ¿Acaso la FIFA ha repartido sus áreas de negocios entre los miembros de la familia, como Vito Corleone en la película, en lugar de ofrecerlos en el libre mercado para recaudar óptimos beneficios para el fútbol? La respuesta es evidente: sí, la FIFA opera como ese tipo de familia. Por ejemplo, al conceder a un directivo de la propia federación los derechos de retransmisión televisivos por un precio favorable.

Podemos seguir dándole vueltas al tema de la corrupción hasta la saciedad. ¿Cuán corrupta es una federación cuyo presidente honorario, João Havelange, la dirigió durante veinticuatro años y que en 2013 dimitió de su cargo antes de que lo destituyeran?

¿Qué sabía, qué hacía su pupilo y sucesor Blatter, el siempre ingenioso Joseph, que se encargó de que la FIFA siguiera operando con la misma agencia de márketing? Esta agencia, la ISL, protagonizó en 2001 una de las quiebras más sonadas en la historia de la economía suiza. En la crisis de la insolvencia se descubrió que la agencia sobornó a altos ejecutivos del fútbol y de otros deportes con sumas cuantiosas de, por lo menos, 142 millones de francos suizos.

En los expedientes judiciales, figuran cifras que desglosan este sistema de soborno por parte de la agencia. También hay un documento penal que revela las grandes líneas de esta trama corrupta por parte del destinatario, y que demuestra cómo los altos ejecutivos de la FIFA y la ISL hacían negocios juntos. Durante las últimas décadas, la orden de sobreseimiento ha sido para la federación mundial y sus dirigentes la declaración de la bancarrota moral. Ya se había terminado de redactar a principios del verano de 2010, pero la FIFA y los ejecutivos afectados, con ayuda de onerosos abogados, retrasaron su divulgación durante dos años. A estos abogados se les paga con el dinero de una federación internacional que sus mismos miembros administran de tal manera que se ha visto imputada en una trama de corrupción.

¿Y cuál es la cuestión más delicada? Una que también involucra al jefe de la familia. Blatter blinda su despacho y oculta los gastos corrientes que allí se generan, incluso ante su comité ejecutivo. Y eso levanta sospechas, pues hasta 2013 tenía el derecho de firmar en nombre de la FIFA. Desde 1998 podía suscribir en solitario operaciones financieras de miles de millones. En aquel año había conquistado el trono en una batalla electoral que hoy sus colaboradores de entonces califican de fraude.

Todas estas cosas han metido a la FIFA en un buen lío. Tanto es así que en el verano de 2011 tuvieron que prometer mejoras, como siempre pasa. Al principio, Blatter creía que todo se arreglaría con eminencias que despiertan simpatía, y quiso fichar al cantante de ópera Plácido Domingo para limpiar su imagen. Pero como aquello no funcionó, decidió contarle a la gente que quería instalar un sistema de gestión decente, buenos gobernantes. Su federación había invertido enormes sumas de dinero (por supuesto que el dinero es lo de menos) y se había apresurado a encontrar a las personas apropiadas. Nadie demasiado crítico, ningún miembro de Transparencia Internacional. Si bien los expertos anticorrupción tomaron parte desde el principio, no solo querían elaborar una normativa; sobre todo querían esclarecer el pasado de Blatter. De manera urgente, innegociable. Continuamente enfatizaban que no se podía ser decente en un entorno corrupto, y que no podía haber buenos gobernantes que estuvieran a las órdenes de personas que se habían llenado los bolsillos durante décadas. Pero ¿esclarecer el pasado y dar con las pistas de los sobornos hasta el presente? ¡Por el amor de Dios! ¡Qué va! Blatter y sus amigos prefieren dejar el pasado allí donde está: en la oscuridad.

Así que se alistaron expertos en cumplimiento de las normas, técnicos de la buena conciencia empresarial, pragmáticos a los que les da igual para quién trabajan. Blatter designó a Mark Pieth para tutelar el proceso de reforma, un catedrático de criminología con la mejor reputación profesional. El equipo de Pieth intentó dar con la cuadratura del círculo: la renovación ética en la FIFA, encabezada por gente a la que el fiscal siempre le anda pisando los talones. Y así fue como este hombre acabó recibiendo muchas críticas, el mismo que un día hiciera grandes méritos en el esclarecimiento del caso de corrupción Petróleo por Alimentos. Pues, si uno se fija bien, se da cuenta de que incluso el cumplimiento y el buen gobierno también constituyen un negocio próspero, y aún más, que con este nuevo sistema de seguridad se beneficia más de un círculo profesional.

Una situación extravagante. El jefe de la reforma de Blatter intentó, al menos en sus declaraciones, contrarrestar la imagen del que ingenuamente se deja corromper. Por eso existen un montón de declaraciones claras y oportunas que arrojan luz desde una perspectiva profesional sobre el mecanismo mafioso que rodea al jefe de la FIFA.

«El enojo de la opinión pública es comprensible —dijo el experto anticorrupción al principio—. Desde el derecho penal es perfectamente comprensible. Hay reclamaciones contundentes que nunca se han atendido. Es frustrante e inaceptable.» Según ha oído, las decisiones sobre el nombramiento de ejecutivos, la adjudicación de los Mundiales y la publicidad tendrían un precio, y los fondos para el desarrollo desaparecen. «Ya hemos elaborado para nosotros una hoja de cargos, y la lista será cada vez más larga.» Según dijo Pieth, no tendría reparos en informar a la fiscalía si llegaran a surgir implicaciones penales o algo que debiera darse a conocer. Pues sí, con respecto a eso dedujo: «La FIFA se encuentra al margen de la justicia. Más allá solo está el cielo».[2]

El catedrático de Basilea, siempre que le preguntaban, hablaba también sobre verdaderos criminales que operan dentro de la FIFA. «En todas partes se percibe una resistencia por parte del aparato del poder. Debemos procurar que los gánsteres no escapen protegidos por los críticos de la reforma.» De acuerdo, pero ¿cómo va a impedir una reforma centrada en el futuro que escapen los gánsteres del pasado? Qué más da. Pieth, el contratista de la FIFA, ha visto tunantes en todas partes. «Miro de reojo hacia el pasado. Quiero saber cuáles son los riesgos. Para eso no tengo que probar la culpabilidad de ningún gánster. No tengo que probar que

Havelange se embolsó muchos millones más de una vez».[3]

Pasaron dos años y no hizo casi nada. Pieth sabía desde el principio que en la FIFA nada cambiaría. Se dio cuenta de que con Michel Platini, el pupilo de Blatter, la continuidad del viejo régimen estaba asegurada. Y a él se refería Pieth siempre que denunciaba los obstáculos que interponían los críticos de la reforma. «Se trata de gente que promete cambios en la FIFA para el futuro, pero que, en realidad, no quiere que las cosas cambien de un modo sustancial.»[4]

Por un lado, Platini; por el otro, los contactos franceses que tiene Blatter en la FIFA, encabezados por el secretario general Jérôme Valcke, ya lo están disponiendo todo para la era que vendrá después del pequeño dictador..., con la ayuda de Blatter. Pero antes Blatter quiere ser reelegido en 2015. Nunca tiene bastante, y el simulacro de reforma de Pieth, que se quedó en nada, le brindó puertas adentro la posibilidad de conseguirlo, como si fuera el salvador de esa FIFA que él mismo llevó al borde del abismo. Y así fue como el tren del viejo sistema se abría paso hacia el futuro, mientras los expertos en cumplimiento iban puliendo la normativa. O mientras Blatter continuaba, o colocaba al poco transparente Valcke en el cargo, un personaje con una trayectoria profesional grotesca que nada tiene que ver con el fútbol. Pero también Platini, su reciente adversario, tiene un pasado. Fue él quien una vez encumbró a Blatter. Los dos sabían demasiadas cosas sobre el otro. Eso ya no garantiza a Blatter que tras su salida echen el cerrojo a las puertas de su despacho. No como él lo ha hecho con Havelange desde 1998, con la garantía de que se archivara su expediente.

Esto es y seguirá siendo una lucha sin escrúpulos entre bastidores. No es que el que se marche ya estará fuera, ni mucho menos. Se trata de miles de millones, se trata de carreras. Se trata de la Copa Mundial de Fútbol y de especular con el futuro. Se trata de una forma de sustento para los ciudadanos y el mundo financiero.

La última vez que en la vida de Blatter todo estaba bien fue allá por el año 2010, en Sudáfrica. La gente de Ciudad del Cabo no sabía mucho sobre la FIFA. ¿A quién de aquel lugar le pueden interesar las sentencias y expedientes que señalan a la FIFA como una organización fraudulenta? Qué va. El tío Blatter y su corte futbolera eran los *sugar daddy* que repartían entradas gratis para estudiantes y trabajadores: su papel era el de los tipos con los que había que hablar si se quería organizar un mundial de fútbol en cualquier país del mundo.

«De la belleza del fútbol ya no queda nada, desde que el campo de fútbol se ha convertido en un escenario bélico», escribió Tyrone August, jefe de redacción del *Cape Times* después de que los partidos de la eliminatoria del Mundial se hubieran convertido en un asunto de estado. Y no solo en países como Nigeria, donde el presidente Goodluck Jonathan, indignado, disolvió la selección nacional y la retiró de todos los torneos internacionales por el triste papel de las «Águilas Verdes». O como en Corea del Norte, donde unos cuantos jugadores y delegados fueron llevados a campos de concentración tras el regreso a casa (algunos desaparecieron, según se informó). No, también en países como Francia, Italia e Inglaterra fluía una energía patriótica desmesurada, y los políticos se mostraban cabreados como colegiales gamberros si los héroes del balompié no recibían el suficiente apoyo del país. En el mundo occidental, las noticias tuvieron como protagonistas durante días a futbolistas compungidos y a ministros echando chispas.

Aquella Copa del Mundo estuvo marcada por los nacionalismos como ninguna de las anteriores, y nada indica que esta tendencia vaya a revertirse. Todo se desarrolla en el plano de las emociones, donde todo vuelve a oscilar entre la gloria y el ocaso. Y, como no podría ser de otra manera, la política seguirá degenerando en una feria mientras los grupos de reflexión y los asesores solo sigan pensando en la colocación del producto: quién se deja ver, cuándo, dónde y con quién. Primeros ministros y cancilleres rivalizan en las tribunas, como exaltados simpatizantes de alto rango; es una forma moderna de entablar el contacto directo con el electorado.

La Copa del Mundo en Alemania sirvió como ejemplo de nacionalismo, cuando, a lo largo de semanas de buen tiempo, un nuevo pueblo emergió de su caldo de entretenimiento.

Otro mito como muchos. El Mundial 2002 de Corea del Sur y Japón se presentó bajo el aspecto de la unión y la comprensión universal. Cosa seria. Sin embargo, antes los dos países se habían enfrentado en una lucha de corrupción durante la presentación de la candidatura. Finalmente, por intereses políticos, la misma FIFA los obligó a aliarse, pero la crisis diplomática entre las dos potencias se mantuvo.

O Francia en 1998, otro ejemplo: cuando los futbolistas de origen norafricano Zidane, Henry y Trezeguet ganaron la Copa, quisieron venderlo como un triunfo de la integración. En las universidades se escribieron monografías sobre el tema, que reflexionaban sobre hasta qué punto el triunfo en el mundial había promovido una política de integración. Esta cuestión quedó aclarada tres años después en la calle, cuando los parisinos provocaron incendios en los barrios periféricos.

¿Quién puede sorprenderse de tales resultados cuando la política se convierte en un carnaval? Como en 2004, cuando los griegos celebraron la Eurocopa como un triunfo del helenismo moderno, como la victoria de la resistencia demostrada en el césped y quién sabe cuántas cosas más. Claro que la celebración solo duró un par de semanas, hasta que los irreductibles griegos se dieron cuenta, tras una serie de incendios devastadores en los bosques, de que ni siquiera tenían oficinas de catastro con registros de propiedad. El resto ya se conoce.

Aquel 11 de julio de 2010 en Johannesburgo, en la noche de celebración de Blatter, había acudido al estadio un hombre al que llevaron hasta allí en una silla de ruedas: Nelson Mandela. El hombre más importante de África se rendía por última vez ante las exigencias de los mandamases del fútbol. Todo un honor, una revalorización. Poder brillar a la luz de uno de los hombres más sobresalientes del siglo XX es todo un placer para la corte deportiva mundial, para los patrocinadores, ejecutivos y representantes de cualquier minúsculo país.

«La FIFA nos sometió a una presión extrema, exigió que mi abuelo estuviera presente en la final», lamentó Mandla, el nieto de Mandela.[5] La familia llevaba semanas afligida por la bisnieta de Mandela, Zenani, la chica de trece años que había perdido la vida en un accidente de coche mientras regresaba a casa tras los festejos del inicio del Mundial. A Mandela le rompió el corazón y no acudió a la ceremonia de apertura. Sin embargo, en la final, la FIFA se negó a aceptar su ausencia, según confesó su nieto: «No mostraron ningún respeto por nuestras costumbres y tradiciones. Querían tener a ese icono universal en el estadio, a toda costa».

Tal vez si los espectadores lo hubieran sabido, también se habrían oído en Sudáfrica gritos de «Blatter vete ya». Lo que es seguro es que dentro de la FIFA jamás se ha oído un grito así. En los treinta y nueve años que el suizo lleva como presidente, director o secretario general, la federación se ha convertido en una especie de instrumento privado. Blatter dicta las reglas. Él es la ley.

Por eso el fútbol tiene que depositar las esperanzas en el FBI y otros organismos de investigación. Debe confiar en la labor independiente de los fiscales que investigan en diferentes partes del mundo. O en que los camaradas de Blatter disgustados hagan de una vez por todas lo que vienen anunciando públicamente: desembuchar todo lo que saben sobre el jefe de esta familia.

«¿Soy una mala persona?», dice Joseph Blatter alzando la voz. Esta vez se encuentra en el Pabellón de Congresos de Seúl. Es el 29 de mayo de 2002 y Blatter acaba de defender su trono en la FIFA tras una campaña electoral legendaria y turbia. Los delegados que se encuentran frente a él aplauden a rabiar. Son ejecutivos que embolsan miles o millones de dólares al año a través de sus federaciones. Muchos han acudido con sus mujeres e hijos. La mayoría de ellos representan a países desérticos, principados o estados pequeños. La extensión de algunos es apenas mayor que la de doscientos campos de fútbol, y la mayoría no dispone de una competición que valga la pena mencionar. Pero el dinero les llega regularmente. Es la familia del fútbol. Se han reunido todos en la jornada electoral. Y arden de entusiasmo.

«¿Soy una mala persona? —les pregunta Joseph Blatter levantando la voz—. ¡Vosotros no podéis ser tan malos como para elegir a una mala persona como presidente! De modo que aquí todos somos buena gente. Tomaos de las manos. ¡Todos somos buenos! Tomaos de las manos. ¡Por la unión del fútbol! ¡Por el fútbol!»

Esta lógica tiene validez. Hasta que acabe el partido.

THOMAS KISTNER
Múnich, octubre de 2013

Un club de caballeros

21 de mayo de 1904. París, Rue de Saint-Honoré. Un edificio trasero. Aquí es donde se crea la FIFA: Federación Internacional de Fútbol Asociación. Los padres fundadores son el francés Robert Guérin y el holandés Carl Anton Wilhelm Hirschmann. Como padrinos de bautismo están presentes representantes y asociaciones de siete países europeos: Francia, España, Suecia, Dinamarca, Bélgica, Países Bajos y Suiza. Francia y Suecia todavía no cuentan con una federación nacional reconocida, y a los españoles los representa el Madrid F.C., que en 1920 pasará a ser el Real Madrid.

La Federación Alemana de Fútbol ingresa desde el primer día en la asociación internacional a través de un telegrama. También se suman otras asociaciones. Guérin, periodista del diario *Le Matin,* se convierte en el presidente fundador de la FIFA. La primera competición se disputa en los Juegos Olímpicos de Londres en 1908. Para entonces, el inglés Daniel Burley Woolfall ha asumido la dirección. Durante su mandato, que durará hasta 1918, ingresarán en la FIFA los primeros países no europeos: Sudáfrica, Argentina, Chile y Estados Unidos.

Los fundadores de la FIFA se consideran cosmopolitas, algo típico en la época de los pioneros. En una declaración del Congreso de la FIFA de junio de 1914, poco antes de la Primera Guerra Mundial, se manifiesta lo siguiente: «El 11.º Congreso declara su disposición para apoyar toda iniciativa que acerque a las naciones y sustituir la violencia por un arbitraje para la resolución de los conflictos que entre ellas pudieran surgir». La guerra interrumpió la fase de desarrollo y no se disputó ningún partido más, y algunas asociaciones, entre ellas Inglaterra, abandonaron la federación.

Inmediatamente después de la guerra y de la muerte de Woolfall, el fundador Hirschmann reanudó la actividad de la federación. En 1921, el francés Jules Rimet fue nombrado presidente, y con él llegó el auge deportivo mundial. Rimet permaneció en el cargo hasta 1954. En sus años de juventud se había comprometido con el movimiento social católico. Al igual que su compatriota Pierre de Coubertin, fundador de los Juegos Olímpicos modernos, Rimet ve en el deporte una fuerza para el bien. El sello cristiano de Rimet tiene su influencia en el fútbol internacional desde el comienzo. Promueve la creación de una familia mundial de orientación cristiana. El fútbol debe unir a las personas y las naciones, fomentar el entendimiento entre los pueblos, conseguir un progreso en lo deportivo y lo moral, así como también proporcionar un tipo de recreo sano y una fuente de alegría. En 1924, Rimet y Enrique Buero, un mecenas del deporte, crean el torneo mundial de fútbol. En 1930, se lleva a cabo el primer Mundial de Fútbol, en Uruguay, la tierra natal de Buero. Rimet se retira en 1954, después de haber entregado cinco veces la Copa del Mundo. En ese momento, la FIFA cuenta con ochenta y cinco países miembros.

El belga Rodolphe William, sucesor de Rimet, fallece después de un año de mandato. En 1955 le sucede el inglés Arthur Drewry, que junto con Stanley Rous había continuado con la iniciativa de Rimet para que la Federación Inglesa se reincorporara a la FIFA tras la Segunda Guerra Mundial. En 1961, Stanley Rous fue el tercer inglés en ocupar el cargo de presidente. Rous era director de la Federación Inglesa de Fútbol y exárbitro.

En 1974, con el fin del mandato de Rous, concluye también la época de los caballeros de la FIFA. El sucesor es João Havelange, que gobernará con puño de acero hasta 1998. Luego su protegido Joseph Blatter subirá al podio. Durante la era del comercio y con este dúo encaramado en la cúpula directiva, la FIFA se convertirá en un consorcio de miles de millones. Y con el dinero vendrá el escándalo.

La FIFA, que, según el Registro Mercantil, es una asociación inscrita en el marco del Código Civil suizo, es considerada hoy en día una organización liderada por un clan masculino en la que el concepto de familia del fútbol, acuñado por Rimet, ha adquirido un rasgo amenazador. Concretamente el de una familia de la mafia, con un jefe que lo controla todo y que no tiene que rendir cuentas por nada, con miembros leales que cumplen con el código del silencio y que han convertido a la FIFA en una tienda de autoservicio.

En el Registro Mercantil de Zúrich se describe a la asociación de la siguiente manera: «Entre los objetivos de la FIFA está mejorar de forma constante el fútbol y entregarlo al mundo, considerando su carácter universal, educativo y cultural, así como sus valores humanitarios, concretamente mediante programas de desarrollo y juveniles, y la organización de competiciones internacionales; establecer normas y reglamentos y velar por su cumplimiento; ejercer el control del fútbol asociado en todas sus formas, y tomar las medidas necesarias para evitar la contravención tanto de los estatutos, normas y decisiones de la FIFA, como del reglamento del juego; para evitar, a su vez, prácticas y métodos que pudieran amenazar la integridad del juego o las competiciones, o derivar en abusos por parte del fútbol asociado». En ninguna parte pone que el control debe estar en manos de un solo hombre. Pero está claro que un solo hombre fue la persona autorizada en esta empresa millonaria para firmar en solitario durante un periodo de corrupción de quince años: Joseph Blatter, el presidente. Solo en 2013, la FIFA modificó esta estructura de liderazgo arcaica. Ahora, según el Registro Mercantil, deben firmar él y otra persona. Tal como exige el régimen de gobernanza moderno a los altos directivos, el cual rige, ya desde hace tiempo, en la economía privada.

Blatter se encuentra aislado y por encima de la directiva, el llamado Comité Ejecutivo. Es el máximo órgano dentro de la FIFA, sin tener en cuenta el Congreso, que se celebra cada dos años. Entre otras cosas, adjudica las sedes de los Mundiales de fútbol y nombra a los miembros de las comisiones y los órganos judiciales permanentes. El comité está formado por veinticinco personas. Entre ellas, el secretario general, que no tiene derecho a voto, por ejemplo, cuando el comité se pronuncia sobre la adjudicación de la Copa del Mundo. Los demás integrantes de esta directiva son el presidente, ocho vicepresidentes y otros dieciséis miembros honoríficos. Son designados por sus federaciones internacionales bajo un esquema determinado. La UEFA (Unión de Federaciones de Fútbol Europeas) puede enviar ocho miembros a la directiva de la FIFA; la AFC (Confederación Asiática de Fútbol) y la CAF (Confederación Africana de Fútbol) mandan cuatro miembros respectivamente. Las federaciones de Sudamérica (Conmebol), Centroamérica y Norteamérica (Concacaf) cuentan con tres representantes cada una. La Federación de Oceanía (OFC) nombra a un solo miembro ejecutivo.

Cada miembro del comité está en otras comisiones, y, por lo general, al frente de una. La FIFA les paga a cada uno cien mil dólares al año, en concepto de «compensación». En Zúrich, la tasa tributaria para ellos es del diez por ciento, en lugar del veinticinco por ciento establecido. Los gastos corren por cuenta de la FIFA: hoteles, vuelos y otros transportes en primera clase, restaurantes, etc. A eso se añaden las dietas de quinientos dólares por día, más doscientos cincuenta dólares diarios para acompañantes en numerosos eventos. Luego están los fondos de pensión, las entradas para la Copa del Mundo y, sobre todo, los contactos en palacios presidenciales, parlamentos, el sector de las altas finanzas y la publicidad. Eso es algo que no tiene precio.

Cada miembro del comité dispone, al igual que el presidente, de un presupuesto propio a través del cual se canalizan los gastos. El órgano directivo también autoriza los gastos para las treinta comisiones permanentes de la FIFA, que les aseguran un sustento abundante a otros tantos centenares de ejecutivos en cargos honoríficos. En diciembre de 2013, el ejecutivo alemán de la FIFA Theo Zwanziger anunció el fin de las gratificaciones y de pagos similares en los círculos de los directivos, a excepción de Blatter. Sin embargo, este enroque financiero también carece de transparencia. Parece que ahora habría una estructura de remuneración clara. ¿Y cómo es? ¿Cómo era la anterior? Zwanziger hizo como la FIFA y casi no dio cifras concretas. En todo caso, parece seguro que los ejecutivos de tiempo libre de la Federación Suiza siguen conservando su prerrogativa anual de seis dígitos.[6]

El especialista en el tema FIFA Andrew Jennings ha publicado toda clase de ejemplos sobre cómo los miembros del comité presentan facturas de torneos menores de la FIFA, cuyos gastos (sin justificar) ascienden a cinco dígitos. La FIFA usa el dinero del fútbol para pagar a cientos de abogados que van a por ellos. Pero, según el crítico británico, a él le saltaron al cuello cuando empezó a husmear en la política de gastos de Blatter. Aunque eso ya lo habían hecho antes algunos adversarios de Blatter en el Comité Ejecutivo. Una vez intentaron averiguar a través de una denuncia cuánto dinero iba a parar al bolsillo de Blatter. Pero tampoco ellos recibieron explicaciones al respecto. Y, en el caso de Jennings, la FIFA pudo obrar de otra manera: desterró al inglés de los congresos y las conferencias de prensa. Eso ocurrió en febrero de 2013, dos años después del colapso de la agencia de sobornos ISL, un viejo socio de la FIFA. Desde entonces, la actividad está regulada en el marco de una nueva empresa de márketing de la FIFA, para la que Blatter puede firmar en solitario, al igual que para la FIFA misma y para el servicio de viajes FIFA Travel.

Además de los cargos honoríficos, hay una junta permanente que está subordinada tanto al presidente como al secretario general Jérôme Valcke. En la web de la FIFA, codo a codo con Blatter, figura como razón social la directora del departamento presidencial, Christine Botta, antes Salzmann. Blatter y la hija de un amigo de su juventud, a la que conoce desde pequeña. Como resultado tenemos un conjunto armonioso: dos descendientes de un pueblecito de los Alpes suizos adornan la cúpula del organigrama del fútbol mundial. La directora de la oficina de Blatter está casada con el arquitecto Charles Rotta, que también figura en la página web de FIFA.

Un hombre que construye estadios. En Sudáfrica, en Brasil, dondequiera que la gente se pasee por las calles donde se han invertido los miles de millones que se gastan en la construcción de estadios para la Copa del Mundo. Su empresa constructora, además, llevó a cabo la obra del suntuoso palacio de la FIFA en la cima de la colina de Zúrich.[7]

Además de la confidente de Blatter de toda la vida, también figuran en la razón social los nombres de otros directores de derechos, comunicación, finanzas, márketing, televisión, publicidad, recursos humanos y desarrollo.

En total: nueve directores, un secretario general, más veinticinco directivos, incluido el presidente. La FIFA es, en teoría, una organización sin fines de lucro; sin embargo, se pagan primas como en el sector financiero. Según el propio informe financiero, los «órganos competentes» de la FIFA recibieron en 2010 un total de 32,6 millones de dólares en concepto de «retribuciones a corto plazo». Se consideran órganos competentes a los integrados por los miembros del Comité Ejecutivo y directores. Así también se cuenta a los seis miembros del comité de finanzas, aunque al mismo tiempo pertenecen al Comité Ejecutivo. Son 32,6 millones de dólares: esto incluye sueldos, compensaciones y las llamadas primas. En 2012, según el informe de actividad, se repartieron 33,5 millones de dólares. A lo sumo entre treinta y cinco personas. Si se calcula que los directores reciben como mucho quinientos mil dólares, y si se toma como modelo al exmiembro del comité Mohamed Bin Hammam, que siempre habría cobrado cómo máximo entre doscientos y trescientos mil al año, entonces hay que preguntarse: ¿cómo se reparte todo lo que sobra? ¿Quién cobra más? ¿Y cuánto cobra?

Este es uno de los muchos asuntos de interés que trataremos en este libro.

Un hombre quiere ascender

El Padrino

Abril de 1987. En este día solo están presentes los más íntimos. Es un círculo muy exclusivo que le rinde el último tributo a Horst Dassler. «Monika Dassler encabezaba el pequeño cortejo fúnebre que acompañaba el ataúd de su marido. João Havelange, Juan Antonio Samaranch y Sepp Blatter seguían a la viuda y sus hijos.»[8]

Horst Dassler apenas tenía cincuenta y un años cuando el cáncer acabó con su vida. Pero había cambiado el deporte con mayor eficacia que todos los empresarios, ejecutivos y atletas que estuvieron antes y después. Era un visionario y un captador, un forjador de alianzas y un agente secreto en sus propios asuntos. Fue el inventor del márketing deportivo. También fue un factor determinante para dejar sin efecto todos los mecanismos de control en este negocio, ya que siempre se le complació con respecto a la idea de que el deporte fue y será un ámbito de la sociedad con autonomía jurídica. Dassler hizo descender el deporte a la arena de los negocios, tomando prestados sus ideales y valores con fines publicitarios.

Su idea era simple. Él quería ver a los deportistas profesionales vestidos de Adidas, para que los deportistas aficionados siguieran el ejemplo, y luego el mundo entero, en la era de la televisión y las prendas informales deportivas. En los comienzos se requería del contacto con los deportistas, pero pronto fue indispensable tratar con los directivos de las federaciones, que querían ganar dinero mediante la aprobación de los contratos de patrocinio. Finalmente, Dassler procuró hacerse con el control de todas las federaciones. Lo consiguió desmantelando las viejas cúpulas directivas, y aupando él mismo a los nuevos jefes en esos cargos. En una década había sacado de sus cargos a la vieja generación anglófona de dignatarios y caballeros, y los había reemplazado por una pandilla de creadores de redes de contacto adictos al dinero. Con esta nueva gente pudo convertir el deporte en un negocio puro y duro.

Ahora ya han pasado veinticinco años desde la muerte de Dassler, la mente maestra. Pero sus hombres de confianza de aquella época se han repartido el deporte mundial, sobre el que siguen reinando. A la manera del patrono, del que lo aprendieron todo.

Para todo iniciado, el deporte, hoy en día, parece inmenso, inabarcable en sus ramificaciones. Pero las apariencias engañan. En realidad, lo gobierna un pequeño grupo de personas creado y educado por Dassler en la década de los setenta. Y quizá lo sigan haciendo durante mucho tiempo más.

La herencia personal de Dassler: el que gobierna el fútbol mundial es el presidente Joseph Blatter, que en el año 2011 fue reelegido para un cuarto mandato de cuatro años. Así describió Blatter su relación con el maestro: «Desde el principio, Horst Dassler y yo nos sentimos como almas gemelas. Él me enseñó los pequeños detalles de la política en materia deportiva. Para mí fue un gran maestro».[9]

En el Comité Olímpico Internacional (COI), Samaranch gobernó desde 1980, cuando el propio Dassler lo colocó al frente, hasta 2001, cuando tuvo que renunciar a causa de una grave crisis de corrupción. Desde 2013, ocupa el cetro uno de los últimos hombres de confianza de Dassler: el alemán Thomas Bach. En 1985, Bach accedió al puesto de director de estrategias internacionales de promoción y de relaciones internaciones de Adidas.[10] No solo los expedientes del Ministerio para la Seguridad del Estado (Stasi) sugieren que estaba más al servicio de Dassler que de Adidas. El propio Bach lo explicó así: «No me sentía comprometido con Adidas, sino que tenía un compromiso personal con Dassler».[11] Su antiguo colega alemán del COI, Walther Tröger, lo describió como «el chico para los recados de Dassler».

De hecho, Bach se incorporó enseguida al núcleo íntimo de Samaranch. Hasta hoy se sabe muy poco sobre el abogado que abandonó Adidas tras el fallecimiento del patrón para ascender en el mundo de la política deportiva. El propio Bach siempre ha negado todo conocimiento o vinculación con el juego sucio de Dassler. Eso también se refiere a los encuentros clandestinos del grupo de lobistas partidarios de Dassler, en los que él habría participado, según los expedientes de la Stasi. (Este es el único punto sobre el que el informante más tarde se retractó, lo que provocó una ruptura lógica en el desarrollo de los informes.)

El 10 de septiembre de 2013, fue nombrado presidente del COI en una elección acompañada de muchos rumores. El jeque de Kuwait, Ahmed al-Sabah, había facilitado votos claves para el candidato alemán, que tenía estrechos vínculos profesionales con Kuwait y en la región del Golfo. El mismo jeque lo divulgó; además dijo frente a las cámaras de la televisión que tenía un acuerdo con Bach desde hacía doce años, es decir, desde el final del mandato de Samaranch en 2001. Eso alimenta la sospecha de que el paréntesis del belga Jacques Rogge en la presidencia obedeció al hecho de que en aquella época el Comité Olímpico Internacional de Samaranch, debido a los escándalos de corrupción y dopaje, estaba al borde del abismo y necesitaba una figura creíble como la del doctor Rogge.

Sin embargo, estábamos con Bach, con el que Blatter mantiene una relación mucho más relajada. Y es de suponer, pues hay varios indicios, que el amo de la FIFA, faltando a todas sus promesas, quiera continuar en 2015, con lo que el mundo del deporte pronto podría cumplir medio siglo de dasslerismo. Pues en 1974, en las elecciones de la FIFA que llevaron a Havelange a la presidencia, el maestro de Adidas ya había entrado en acción.

Esta misteriosa continuidad, que solo suele darse en los tejidos empresariales de estructura familiar, también es relevante porque la persona y la influencia de Horst Dassler representa todo aquello por lo que las federaciones deportivas que él ha recauchutado permanecen en el blanco de la crítica global, la FIFA más, el COI menos (gracias a la reforma de Jacques Rogge): corrupción, clientelismo, espionaje. Todo a la sombra de una rentabilidad que crece sin límites y la prensa deportiva acrítica celebra, y de una credibilidad que se desvanece rápidamente.

Si, hoy en día, el deporte todavía está gobernado por grupos de personas que solo velan por sus propios intereses, se lo debemos a la falta de controles externos y de transparencia. El deporte se controla a sí mismo. Eso se llama autonomía, y así se gestionaba en la época amateur de Rimet y Coubertin, porque había buenas razones. En la actualidad, esa autonomía es el último vestigio que los ejecutivos y hombres de negocios han preservado en la era moderna de la rentabilidad y que quieren conservar a toda costa. ¿Por qué? Porque la autonomía del deporte los mantiene a salvo de la justicia estatal. Un ejército cada vez mayor de juristas del deporte se lanza a la conquista de nuevos territorios con altos beneficios e intentan consolidar este estatuto del deporte al margen del derecho civil y la justicia. Lo más ventajoso de todo esto es que en el deporte, en el seno de la familia del deporte, los dirigentes pueden crear su propia jurisprudencia. Estas circunstancias antidemocráticas constituyen un caldo de cultivo favorable para conexiones mafiosas internacionales.

Eso conduce a situaciones tan extravagantes como la campaña electoral de la FIFA en 2011. Poco antes de las elecciones, el titular del cargo obsequia con un millón de dólares a una federación continental y, cuando el hecho trasciende, declara públicamente que se trata de una ayuda al desarrollo por el aniversario de la federación. Así hace referencia a la normativa que le permite entregar donaciones de millones sin consultarlo. Al mismo tiempo, a su oponente lo suspenden de por vida por haber querido hacer llegar con suma discreción la misma cantidad (un millón de dólares) a la misma federación. También el oponente declaró públicamente que se trataba de una tradición de la casa, un regalo, una ayuda al desarrollo. ¿Hay alguna diferencia? Pues no, en principio no hay ninguna. Ambos querían asegurarse votos. Pero el presidente tiene privilegios. Tiene el poder fáctico sobre las leyes, e incluso el derecho de firmar sin consultar. Puede interpretar cualquier hecho que ocurra dentro de la FIFA según le convenga... y decidir la sanción correspondiente.

Cualquier intento por comprender la lógica interna de esta pequeña familia imperial del deporte debe empezar por su creador: Horst Dassler. Su método de trabajo y su personal seleccionado siguen siendo sumamente influyentes hoy en día.

Familias enfrentadas

La influencia de la familia Dassler en el deporte tiene su origen antes de la Segunda Guerra Mundial. Estamos en los años veinte en Herzogenaurach, Baviera. El zapatero Adolf (Adi) Dassler junto con su hermano mayor Rudolf cosen zapatos a mano en la lavandería de su madre. El placer íntimo por la labor se convertirá en un éxito empresarial. El primer gran salto se produce con la llegada de los Juegos Olímpicos de 1936, cuando Adi Dassler diseña las primeras zapatillas de clavos y, astutamente, las pone en circulación, regalándole un par al velocista norteamericano Jesse Owens, que ganaría cuatro medallas de oro.

La guerra todavía no ha terminado cuando los hermanos Dassler se pelean a muerte. En 1948, Rudolf se muda al otro lado de Aurach y funda Puma. Los hermanos no vuelven a hablarse nunca más, y los trabajadores de ambas empresas no pueden dirigirse la palabra. Las tumbas de las dos familias se encuentran en los dos extremos más distantes del cementerio de Herzogenaurach. La discordia, sin embargo, es un incentivo para competir. Ambas empresas quieren aventajarse mutuamente, la lucha se vuelve despiadada.

Adi Dassler aventaja a su hermano, gracias a su contribución al llamado «milagro de Berna». En la lluviosa final de la Copa del Mundo de 1954, cambia los tacos de las botas a los futbolistas de Sepp Herberger, cosa que les da estabilidad sobre el terreno de juego frente a los húngaros, que no paran de resbalar. Así es como Adi se convierte en uno de los héroes de aquella final. En los partidos internacionales, el zapatero de la patria se sienta en el banquillo junto a su amigo Sepp Herberger. Los técnicos de Puma se atribuyen en vano la invención de los tacos intercambiables; hasta pueden presentar anuncios de periódico que Puma publicó en mayo de 1954 con el campeón alemán, el Hannover 69. Esto demuestra que las botas de Puma estaban provistas con los tacos reglamentarios y eficaces. Pero ¿a quién le interesa ahora? En las fotografías de los héroes, se ve a Adi en medio de los futbolistas del milagro. La frase de Herberger se hace famosa en el mundillo del fútbol: «¡Los tacos, Adi, los tacos!». La producción de la marca de las tiras se expande por toda Europa. Los periódicos deportivos ingleses no tardan en aclamar los modelos de prendas deportivas que llegan desde Alemania: «¡Vaya Adi!».

En esta época, el hijo de Adi Dassler, Horst, empieza a familiarizarse con la empresa. A los veinte años tiene una experiencia de aprendizaje sumamente provechosa, durante los Juegos Olímpicos de 1956 en Melbourne, a los que asiste porque es el único de la familia que habla inglés. El día anterior al comienzo de los juegos, las autoridades portuarias australianas retienen toda la mercancía de Adidas, que el joven Dassler consigue liberar gracias a los atletas norteamericanos, que escriben cartas de indignación. Al mismo tiempo, se encarga de que la entrega de Puma permanezca retenida en la aduana hasta el final de los Juegos. Luego el joven empresario irrumpe en el mundo olvidado del deporte amateur con grandes maletas, se acerca a los atletas de las villas olímpicas y les regala calzado deportivo. Sí, también los héroes del deporte se muestran receptivos. Aquel Horst Dassler de veinte años ya empezaba a mostrar su olfato.

En los Juegos Olímpicos de Roma de 1960, los atletas esperan ansiosos la llegada del alemán con sus maletas repletas. Solo que para entonces Puma también ha comprendido en qué consiste el juego y ha engatusado a los deportistas amateurs. El forcejeo culmina de la siguiente manera: el velocista vencedor Armin Hary usa zapatillas Puma en la final de los cien metros y unas zapatillas Adidas en la ceremonia de entrega de medallas.

Al comienzo de los años sesenta, debido a una tensión familiar, a Horst Dassler lo envían a Alsacia. Ahora debe abrir una filial francesa cerca de Estrasburgo. Para él es una liberación. Sus empleados le aman y le temen. El infatigable y joven empresario se ocupa de todo; algunos días se levanta a las tres de la mañana. Horst Dassler construye un imperio de la nada, con vínculos internacionales que ya en 1978 superan en mucho a los de la casa central. Camufla sus actividades a través de testaferros, pues teme constantemente que sus padres adviertan el riesgo implícito en su juego y lo den por terminado. El imperio clandestino en Landersheim crece a través de coparticipaciones. Arena, la compañía más grande de artículos para natación, se une al grupo. También el fabricante norteamericano de artículos deportivos Pony, y las empresas francesas de ropa y accesorios deportivos Le Coq Sportif y Façonnable. El *holding* con sede en Suiza dispersa los rastros del propietario. Allí figura como razón social el jefe de una sociedad matriz, un socio discreto llamado André Guelfi.

El corso, un personaje sumamente oscuro, financia el ascenso de Horst Dassler. A Adi Dassler no le habría gustado el socio de su hijo. Los negocios que dirige André Guelfi son tan turbios como productivos. Dos veces pierde una fortuna y, de algún modo, la recupera. En su juventud era piloto de competición de Le Mans y se casó con una sobrina del presidente francés Georges Pompidou. En Algier trabaja para el servicio de inteligencia gaullista. Más tarde pierde la gracia del rey de Marruecos Hassan II. El general Oufkir, ministro de Defensa y buen amigo de Guelfi, ha intentado llevar a cabo un golpe de estado. Guelfi debe huir. Oufkir es ejecutado, su mujer y sus hijos pasan dieciocho años en la cárcel. Al poco tiempo, Guelfi se instala en París como hombre de negocios y, de repente, vuelve a tener dinero. Algunos suponen que se habría apropiado de la fortuna de Oufkir una vez que la había desviado a una cuenta en Suiza.

En asuntos importantes, Dassler se entiende con este hombre, que incluso tiene avión privado y está a su disposición como piloto. Listo, visionario, sin escrúpulos, intrigante. Se dividen el consorcio Le Coq Sportif, en cuyo reparto Dassler se queda discretamente con la mayor parte. En Landersheim va creciendo de forma progresiva el centro de control político del mundo del deporte. Al lado de la fábrica y del campo de deportes está el restaurante Auberge du Kochersheim, donde se preparan unos platos de cocina francesa exquisitos. El albergue tiene una estrella Michelin y un gorro de chef de Gault Millau. Dassler usa el Auberge como oficina. Según las fuentes, la importancia política de este templo de comilona alsaciano consistía en que allí se alimentaba a las personas indicadas para luego firmar contratos con ellas.

Dassler tiene una memoria legendaria para los rostros, los nombres y las historias. No tarda en recoger datos sobre cada ejecutivo importante, sobre cada deportista famoso. Toma nota de todo, tanto del peso y la talla de calzado como de las preferencias y aversiones, e incluso del tipo de mujer que prefieren. Esta información personal se va actualizando permanentemente a lo largo de los años. Él quiere reunir datos sobre aquellos que participan con voz y voto en las comisiones deportivas. Así los miembros se vuelven dóciles y se les puede chantajear. Por lo general, cuando se cuenta con diez o quince personas entre cien votantes, es suficiente para crear una mayoría simple que cumpla con el objetivo deseado. ¿Acaso hay una sola persona intachable en el mundo del deporte, alguien que no haya hecho negocios a escondidas? El patrón Dassler se jacta ante sus amigos de tener información más fiable que el KGB.

Los ficheros preceden a esos dosieres que más tarde adquieren las ciudades postulantes a los Juegos Olímpicos para luego venderlos, y que todavía circulan en las adjudicaciones de los Mundiales de fútbol y Juegos Olímpicos. Para Dassler son el último paso en el proceso de creación de su servicio de inteligencia en torno al deporte: la CIA del deporte. Se crea en los años setenta. Entre los confidentes se lo conoce como el «Departamento de Política Deportiva». Como suele pasar con los clanes, hoy nadie se acuerda de su existencia, o al menos nadie que haya colaborado.

El ascenso de Dassler hasta convertirse en «el hombre más poderoso del deporte», como tituló *Der Spiegel*, en el «verdadero jefe del deporte mundial», como lo definió la antigua directora general del COI Monique Berlioux, contrasta sobremanera con sus modestas apariciones. El *glamour* y la exposición no son lo suyo. Puede pasarse horas en el vestíbulo de un hotel vigilando el ascensor, a la espera de que salga una persona de su interés. Escucha mucho y habla poco. Domina cinco idiomas a la perfección. Por su aspecto regordete y el traje de confección que no acaba de sentarle bien, es fácil confundirlo con un titubeante vendedor de zapatos.

En el bando enemigo, Horst Dassler tiene que vérselas con su primo Armin, de Puma. En la guerra mediática de promoción, los dos primos engañan más que los actores en el teatro. Si en los Juegos de Roma en 1960 los atletas ya no se conformaban con el equipamiento, sino que exigían vacaciones y billetes de avión para sus familiares, en los Juegos de 1964, en Tokio, llegan a amontonarse los sobres con dinero en las cafeterías de las villas olímpicas, tal como comprobó el periódico francés *Libération*.

En la final de Wembley del Mundial de 1966, Adidas amenaza por primera vez con ser el gran vencedor: los dos finalistas, Inglaterra y Alemania, llevan las tres tiras. Pero Puma no se da por vencido; de repente, el guardameta inglés Gordon Banks y el defensa Ray Wilson salen al campo con botas Puma. Antes, Banks y Wilson han hecho el calentamiento con botas Adidas, pero se las han cambiado en el lavabo. Allí les esperaban las botas dentro de la cisterna del retrete. Por la carrerilla hasta el baño cada uno se habría llevado unos diez mil francos.

Los Juegos Olímpicos de 1968, en México, suponen una revolución, ya que por primera vez se transmiten por televisión para todo el mundo. Los atletas del deporte amateur, como es de prever, se perfilan como los nuevos héroes de la televisión. Las transmisiones televisivas de aquel gran acontecimiento duran horas y son la forma de publicidad más intensiva y económica.

Meses antes, en Landersheim, la gente de Dassler corteja a diversos grupos de deportistas, entre ellos velocistas norteamericanos, a los que ofrecen contratos por los que cada atleta ganará quinientos dólares. Los deportistas firman y enseguida se desplazan hasta el otro lado del pueblo, donde está Puma, para presentarse ante la competencia con los contratos en la mano. Dassler se pone furioso. En las eliminatorias de Estados Unidos, en el lago Tahoe, «los vestuarios están repletos de sobres marrones».[12]

El que no obedece es víctima de una conspiración. Es lo que le ocurre a Lee Evans. Antes de los juegos, el norteamericano marca el récord de los cuatrocientos metros lisos con unas zapatillas Puma, que llevan numerosos tacos de goma, en lugar de los seis clavos reglamentarios. El que apela ante la federación de atletismo no es un atleta ni un ejecutivo, sino el empresario Dassler, y lo hace con un argumento absurdo: los tacos tienen que contarse como clavos, ya que, sin lugar a dudas, son más de seis: anulan el récord de Evans.

El Padrino es un experto en los mejores trucos. Algunos años antes de los Juegos, Dassler encarga la producción de zapatillas de clavos a una empresa mexicana. Eso le garantiza a Adidas una licencia especial para la importación de mercancías libre de impuestos aduaneros. Por cada par de zapatillas Puma, en cambio, se cobra un arancel de diez dólares. Cuando la gente de Puma intenta hacer pasar sus productos como mercancía de Adidas, se encuentra en una situación parecida a la de 1956 en Melbourne: la partida queda retenida en la aduana. Y, por la noche, Armin Dassler recibe la visita de los funcionarios aduaneros en el hotel, que lo acusan de falsificación de documentos y le sugieren que abandone el país. El mánager de Puma consigue liberar algunos cientos de pares de zapatillas. En parte con dinero, en parte gracias al reclamo de sus atletas, que se presentan en la aduana con cajas vacías y afirman que necesitan zapatillas nuevas. Un juego arriesgado, como si los atletas olímpicos no tuvieran otras ocupaciones antes del comienzo de los juegos.

La revista americana *Sports Illustrated* titula «El soborno de los cien mil dólares», y cuenta que, durante los Juegos de 1968, los atletas hacían cola en la puerta de las suites donde se alojaban Horst y Armin Dassler. Uno habría llegado a pillar diez mil dólares por cambiar de Adidas a Puma, y de vuelta a Adidas. Tales mercadeos pasan inadvertidos durante mucho tiempo, ya que se producen en medio de los minutos de escándalo de aquellos Juegos Olímpicos: mientras los atletas afroamericanos Tommie Smith y John Carlos recogen sus medallas tras la carrera de los doscientos metros y levantan sus puños envueltos en guantes negros, llevando solo calcetines negros en los pies. La escenificación se recibe como una protesta política. El poder negro aprieta el puño, Los Ángeles está en llamas, Estados Unidos se encuentra profundamente dividido. Solo que habría que llamar la atención sobre un pequeño detalle: Tommie Smith y John Carlos se han acercado al podio cada uno con una zapatilla Puma detrás de la espalda, que han dejado a la vista sobre la tarima. Al final de los Juegos de México, un directivo holandés de la Federación Olímpica, Adriaan Paulen, considera que se debería acabar con este negocio nuevo y corrupto en torno al deporte. «Y enviar a los hermanos Dassler a Siberia.» [13]

Sin embargo, Horst Dassler no se contenta con perseguir a los deportistas uno por uno. En lugar de comprar a sacrificados atletas, ahora se trata de ir a por las federaciones, los hombres de negocios, los países. Su frente de combate se desplaza de los vestuarios sudorosos a las suites de los grandes hoteles. Su objetivo son los ejecutivos del deporte. El que los controla es el que manda en el deporte. Quien no encaje en el nuevo esquema tendrá que encajar, o será reemplazado por una pieza apropiada.

La oportunidad se presenta en las elecciones federativas. La FIFA siempre se ha regido por el principio «Un país, un voto». Un sistema que lamentablemente es demasiado propenso a la corrupción, pues supone que la república bananera más sospechosa o un pequeño estado insular con un solo campo de fútbol tienen el mismo peso en el Parlamento de la FIFA que la Federación Alemana de Fútbol con sus 6,8 millones de federados. Los ejecutivos del deporte siguen considerando que este principio idealista y concebido a comienzos del siglo XX es una forma de democracia popular. A quien necesite votos en el marco de este sistema electoral le conviene tratar con las pocas federaciones más poderosas, pues en un plazo brevísimo es posible multiplicar el apoyo de los países minúsculos. Casi cada uno de los incontables *affaires* demuestra que tal cosa se consigue a través de ventajas concedidas, y no por medio de la creación de estructuras eficaces de desarrollo.

Sin embargo, en los años setenta, no se abordaba en solitario a directivos y federaciones. Por eso Dassler crea un grupo de relaciones públicas. Este equipo está formado por «*lobbistas*» que se reparten la cartera de ejecutivos del deporte en función de la ubicación geográfica y la lengua, y que por su parte consultan a agentes externos en las distintas federaciones. Si, en sus comienzos, Dassler tenía información de todos sus contactos, ahora cuenta con los informes de todo un equipo. Información privada y personal. Un material que se puede utilizar a favor o en contra de la persona espiada. Se lleva un registro de los nombres de las personas de confianza y de los familiares de cada interlocutor. Y también de los regalos.

El primer golpe de los agentes del que se tiene constancia se produce en 1974. Colaboran con João Havelange para derrocar al entonces presidente de la FIFA, Stanley Rous. En varios aspectos, Rous era un hombre de la vieja escuela inglesa. Había organizado los Juegos Olímpicos de Londres en 1948 y había sido nombrado caballero. Al frente de la FIFA trabaja bien, aunque se niega a aceptar todo lo que contradice sus valores. Rous no cree que sea urgente reconocer a la Federación de Fútbol de la China comunista, aunque reconoce sin inconvenientes a la de Sudáfrica, donde gobierna el régimen del *apartheid*.

El candidato oponente de Rous para la presidencia de la FIFA se llama Jean Marie Faustin Godefroid Havelange, y tiene una visión del mundo imperial muy diferente a la del caballero inglés. Ya en aquella época, el brasileño tenía fama de corrupto. En marzo de 1974, los medios internacionales informan de que Havelange habría intentado sobornar a directivos africanos con ayuda del jefe continental Yidnekatchew Tessema, de Etiopía. El hecho se habría destapado en el congreso de la Federación Africana de Fútbol en El Cairo.[14] Havelange está metido en todo. Es el predilecto de las juntas militares de Brasil y Bolivia. Está implicado en la venta de armas por ser accionista de las empresas proveedoras. Además, según investigaciones policiales, se beneficia del juego ilegal en su país. Así es su vida entre los bastidores del deporte. Sin embargo, en el escenario ostenta título, condecoración y honorabilidad.

En 1974, Havelange, hijo de un traficante de armas belga con raíces inmigrantes, arruina hasta tal punto la federación deportiva local que las voces más influyentes exigen la privación de sus derechos civiles. Intenta redimirse en el trono de la FIFA. Como jefe del fútbol mundial podría reinventarse y, finalmente, aumentar su patrimonio, sobre el que en aquella época hay declaraciones contradictorias. Durante la gira electoral visita ochenta y seis países, promete aumentar las plazas mundialistas para los países de fuera de Europa y América, así como contribuir a la construcción de estadios y brindar apoyo técnico, educativo y sanitario.

Havelange hace el papel de intermediario entre el primer y el tercer mundo, y llega incluso a atacar al régimen del *apartheid* en Ciudad del Cabo, donde más tarde trasciende la noticia del tráfico de armas por parte de aquella empresa en la que él tiene acciones. Además saca partido de una especie que el mundo del fútbol acaba de descubrir para su juego de conspiraciones y de la que empieza a abusar: los políticos y sus servicios de inteligencia. En 1974, el corresponsal del periódico londinense *Times* describe un despliegue de diplomáticos de África Occidental en Fráncfort, donde se celebran las elecciones; mucha gente de alto rango con una educación francesa elevada. La presencia de estos diplomáticos desvinculados del deporte en el congreso de elección de la FIFA es una mala noticia para Rous. Sin embargo, el británico cree ingenuamente en sus posibilidades.

De hecho, durante las elecciones, en el hotel Steigenberger, poco antes del comienzo del Mundial, Havelange recibe asesoramiento de Dassler, en el último minuto. Adidas provee el equipamiento deportivo a muchos países de África, cuyos directivos dependen de Dassler. En el último instante, los sobres con dinero van a parar a las habitaciones de los delegados escogidos. Así es como el *Sunday Times* comentó el hecho: «El olor a dinero sucio hizo que la trillada melodía de *Rule Britannia* se perdiera una vez más entre las olas. Los pequeños sobres marrones circulaban en un ambiente de confraternidad, como si el lema fuera: "Si no es suficiente, avísame"».[15] En el primer escrutinio, Rous se coloca apenas por debajo de Havelange: 56-62. En el segundo es claramente superado: 52-68.

Para Havelange supone un triunfo sobre la odiada Europa. Más tarde, en Brasil, declara para el periódico *Fohla* que los Mundiales de 1966 y 1974 estaban amañados en beneficio de los países organizadores, Inglaterra y Alemania. «Ganar la elección a la presidencia en el 74 y que además Brasil ganara la Copa habría sido demasiado, así que me serraron la silla». Dijo que Brasil, en 1966, había viajado a Inglaterra con un equipo casi idéntico a la selección campeona del 62, «pero el presidente de la FIFA era un inglés». Su queja: «En la fase de grupos, tres árbitros y seis asistentes dirigieron los partidos de Brasil contra Portugal, Hungría y Bulgaria. Siete eran ingleses, y los otros, alemanes. La idea era simple: eliminar a Brasil». La *canarinha* quedó eliminada en la fase de grupos. Inglaterra y Alemania lo habrían arreglado todo para encontrarse en la final. «El partido de cuartos de Alemania lo dirigió un árbitro inglés; el de Inglaterra contra Argentina, un alemán.»[16]

La elección de Havelange en Fráncfort es una obra maestra de Dassler. Los traductores tienen mucho trabajo con la delegación de África. Allí su equipo está muy presente, donde predominan los jefes de estado autocráticos y la costumbre de la ofrenda. Y la fórmula de cortesía preferida de los directivos, eso de que deporte y política no tienen nada que ver, siempre fue una tontería. Los jefes de las federaciones internacionales influyen en las altas esferas. Como lo hacía Dassler con el aparato del partido soviético, o Havelange con los dictadores más sangrientos de África y Sudamérica, así lo hará Blatter años más tarde en el tercer mundo, donde preferirá reunirse con los jefes de estado y no con los dirigentes del fútbol. Y en caso de reunirse con ambos, lo hará en ese orden.

No hay miedo al contacto político. En la Unión Soviética, a Horst Dassler se le recibe y se le trata como a un invitado del gobierno, sin ningún procedimiento aduanero de por medio. Su asistente Christian Jeannette recibe incluso una autorización de viaje permanente para la Unión Soviética. Por su parte, los rusos arrasan con todo cuando viajan de visita al oeste. Es una relación comercial costosa. Jeannette cuenta que en París una delegación rusa le hizo gastar hasta el último céntimo en una ronda por las joyerías de la ciudad. Erich Honecker también se deja conquistar por los capitalistas, y firma en primera persona un contrato de exclusividad para el equipamiento deportivo de los atletas sistemáticamente dopados de la RDA. Un asistente de Dassler de aquella época cuenta que los funcionarios de la Alemania del Este cobraban el dinero en sus visitas al oeste y que se lo gastaban allí mismo. También se habrían efectuado compras a través de patrocinios y primas para el socio publicitario del este: desde trineos de *bobsleigh* hechos por un herrero italiano o carrozas de lujo alemanas hasta medicamentos provistos en Suiza, almacenados en Herzogenaurach y transportados por los funcionarios deportivos de la RDA en furgonetas o monovolúmenes hasta el otro lado de la frontera. Las tarjetas de acceso especiales para la RDA lo hacían posible.

Sin embargo, Honecker y el gran aficionado del fútbol Erich Mielke no pueden operar como Dassler. Eso será una suerte para la historia del deporte. Desde luego, la Stasi espía a su vez al servicio secreto de Dassler.

La mejor fuente es el colaborador no oficial Karl-Heinz Wehr, alias «Gaviota». El directivo de la zona este de Berlín informa detalladamente a la Stasi durante veinte años sobre las intrigas del grupo de «*lobbistas*» de Dassler, en el que consigue ser admitido. El grupo lo coloca incluso como secretario general de la Asociación Internacional de Boxeo Aficionado (AIBA). Wehr escribe: «En mi opinión, este departamento de política del deporte dirigido personalmente por Dassler es, al mismo tiempo, el departamento de espionaje en el deporte más importante que opera hoy en día en los países capitalistas». En sus informes para la Stasi describe minuciosamente la manera en que los agentes de Dassler designan a directivos internacionales, cómo los presionan y los corrompen. «Nos encontramos frente a una situación en la que nada es posible en el deporte sin este grupo. Desde mi punto de vista, se hace sobre todo lo que este grupo quiere.»[17]

En las dictaduras del este de Europa, Dassler se siente especialmente a gusto. Allí encuentra a su candidato ideal para ocupar la cúpula directiva del COI: Juan Antonio Samaranch. El español tiene sorprendentes puntos en común con Havelange, que coinciden con el perfil de requisitos de Dassler. Los dos son hijos de empresarios, ambos tuvieron una juventud alejada del mundo del deporte, que más tarde cambian por completo y gobiernan a sus anchas. Samaranch juega al hockey sobre patines, que nunca ha sido deporte olímpico. Havelange, el amo del fútbol, llega a competir en los Juegos Olímpicos de 1936 en natación, y en waterpolo en 1952. Ambos gozan de favoritismos por parte de las dictaduras militares. Los dos tienen fuertes seguidores, con lo que compensan las irregularidades económicas ocasionales.

También Samaranch resucita con el cargo en el COI. Antes ha sido gobernador del general Franco durante algunos años, justo en la tradicionalmente rebelde Cataluña. Allí cuida de los lazos privados con el dictador y levanta convencido el brazo derecho para hacer el saludo fascista. Tras la muerte de Franco, el pueblo lo destituye. «¡Samaranch, lárgate!», le grita la gente furiosa frente a su despacho.[18] Escapa por una puerta lateral protegido por los guardias de seguridad. En 1977, Samaranch parte como embajador rumbo a Moscú, donde en 1980 se celebran los Juegos Olímpicos. Allí recibe al asistente de Dassler, Christian Jeannette: un total de sesenta y dos visitas en cinco años. Al comienzo de los Juegos en Moscú, a Samaranch lo elevan al trono del COI, gracias a los votos obtenidos por la CIA de Dassler. El irlandés lord Michael Killanin expresa su espanto tras la renuncia: «Pensaba que el cargo de presidente del COI no estaba a la venta».[19]

Tal como hacen Havelange y Blatter con el fútbol, Samaranch lleva el deporte olímpico por los derroteros de Dassler. El COI no tarda en dictar las reglas determinantes, y la central de Samaranch en Lausana reclama, más que un papel razonable, un liderazgo indiscutible frente a las asociaciones deportivas. Un año después de la entronización de Samaranch, en el Congreso de Baden-Baden, el COI retira la regla según la cual solo los deportistas aficionados pueden competir en los Juegos Olímpicos. Sin embargo, ya hace tiempo que en los deportes lucrativos para Adidas los deportistas son profesionales. Con ellos se pueden firmar contratos de exclusividad. En esto, los amateurs deben tener cuidado.

Sin embargo, para Dassler no siempre se trata de un aumento de las ventas. En los años ochenta, muchos países reclaman la oportunidad de presentarse ante el mundo a través de los acontecimientos deportivos. Es sobre todo a Japón al que se le adjudica la organización de todo lo que hay para repartir (dos décadas más tarde, los estados del Golfo asumirán este papel). Pronto Dassler tiene en vista otros objetivos más rentables que la venta de artículos deportivos: el deporte en sí mismo como producto de mercado. Hay que comercializarlo. Y él mismo empieza a hacerlo.

La gente de Dassler inventa nuevas competiciones. Gobiernan a la par de los príncipes de las federaciones y crean intrigas a más no poder. Las federaciones deportivas se instalan en Suiza, atraídas por los privilegios fiscales y una protección efectiva contra el seguimiento de la corrupción. Allí se crea un nuevo mundo empresarial, que hasta hoy permanece oculto tras la puerta de cámara acorazada de la autonomía deportiva. Y es que con la entrada del dinero de los derechos de televisión y publicitarios comienza el empuje de los directivos. A partir de los ochenta se puede vivir muy bien ocupando un alto cargo en una federación.

Viajar, comer, gastar y estrechar la mano se convierte en el principio de una nueva casta de directivos. Mediante la permanente creación de puestos y comisiones, la adjudicación de mandatos de asistencia y asesoría, y otros trucos, se forma una red de vividores entre los cuales no se encuentran personas con capacidad de liderazgo, que, en el campo de la economía o la política, estarían obligadas a presentar acreditaciones. Más bien son gente de valores flexibles que está abierta al trato con socios clandestinos. Pronto se multiplican los personajes con una vida profesional mediocre, los perdedores, los *bon vivants* de ascendencia noble y los mantenidos de la política. Son la gente chic del mundo del deporte.

En esta época emocionante, Horst Dassler se convierte en víctima de la paranoia que él mismo ha generado en el mundo del deporte. Por la Europa del Este solo viaja con un detector de aparatos de escuchas telefónicas, con el que registra las habitaciones de hotel en busca de micrófonos ocultos antes de deshacer el equipaje. Su exsocio Patrick Nally describe cómo en Moscú intentan hacerles perder el rastro a presuntos agentes del KGB. Las conversaciones sobre asuntos de importancia solo se mantienen en el baño del hotel, con el grifo abierto. Dassler también le enseña a usar el detector a su gente de confianza. Se realizan auténticos cursos de formación para agentes, en los que Dassler aconseja a sus hombres guardar documentos falsos en los maletines de cuero para poder engañar a los rateros.

Según ciertos testimonios, también se colocan micrófonos en los dos hoteles que son propiedad de Adidas: el Auberge de Landersheim y el Sporthotel de Herzogenaurach. En este último, un representante comercial estadounidense, que se encuentra en su habitación buscando en la radio la emisora del Ejército, capta de repente las nítidas conversaciones procedentes del bar del hotel en la planta baja.[20] Más tarde, dos mayoristas norteamericanos de Adidas usan esta información para vencer a Dassler con sus propias armas.

Han venido desde Estados Unidos para negociar una fusión. Dassler les presenta una oferta a la baja. Ellos recuerdan el informe de su colega: si en el bar del hotel hay micrófonos, sin duda habrá en las habitaciones. Allí comentan en voz alta que, mañana, cancelarán el acuerdo, regresarán a Estados Unidos y demandarán a Adidas. Al día siguiente, Dassler les habría presentado un acuerdo muy generoso. Y Jörg Dassler, hijo del propietario de Puma, Armin, cuenta que una vez estaba sintonizando la radio en su habitación mientras su padre hablaba por teléfono, cuando «de repente oí la voz de mi padre. Entonces supimos que el teléfono estaba pinchado. Abrimos el auricular y encontramos un micrófono oculto».[21]

Horst Dassler intenta engañar de todas las maneras posibles. Asusta a la gente con historias inventadas para poder estudiar sus reacciones. Su asistente personal, Klaus Hempel, que más tarde creó con su agencia Team la Champions League, da fe de que Dassler jugaba permanentemente al juego del escondite: «Llamaba a gente desde la oficina y les decía que se encontraba de viaje en el otro lado del mundo». En este ambiente de histeria, hay quien es víctima de falsas sospechas: nadie puede estar seguro. Un mánager cuenta que Dassler una vez se volvió loco cuando vio a Franz Beckenbauer de lejos en el estadio hablando con alguien de la competencia. Al día siguiente, Dassler le habría preguntado a la policía «dónde podía conseguir micrófonos direccionales para escuchar ese tipo de conversaciones».[22]

Un hombre se retira

Policía, servicio de información, prácticas de seguimiento. Entre las operaciones sucias de Dassler está la supresión de Helmut Käser, secretario general de la FIFA. Para ocupar el puesto, ya hay un guardián más idóneo formado en la escuela de Dassler: Sepp Blatter.

Al jurista suizo siempre le han parecido sospechosos el autócrata Havelange, ese hombre que opera a la sombra del llamado Dassler, y sus aliados. El escepticismo persiste después de que Havelange, al acceder al cargo en 1974, lo engatusa con dinero, aumentándole el sueldo considerablemente. Pese a ello, el secretario general se mete en problemas. Reclama el acatamiento de contratos, normas y estatutos, promueve una gestión contable transparente y no muestra ninguna debilidad por el ambiguo mundo de transacciones con el que sueñan los nuevos asistentes.

Desde 1962, Käser había organizado los Mundiales de forma discreta. Con Havelange se ve sometido cada vez a una mayor presión. Necesita apoyo. Käser se acerca a Rolf Deyhle, el empresario suabo que había facilitado a Havelange la ubicación de la sede central de la FIFA en Zúrich. A cambio, en el año 1978, la FIFA le asegura a Deyhle la explotación comercial del logo de la FIFA y de las mascotas de los mundiales durante doce años.

Dassler se pone furioso. Él ya tiene sus propios planes de márketing para la FIFA a partir del Mundial de 1982. Havelange afirma que el acuerdo con Deyhle lo habría firmado Käser en solitario, saltándoselo. Dassler intenta en vano comprar a los rivales, y el intento de Havelange de cancelar la venta de derechos también resulta inútil: Deyhle demanda... y gana.

Así que Dassler cambia de estrategia. Ahora Käser debe largarse, da igual cómo. Dassler le pide ayuda a su amigote André Guelfi, el hombre con contactos en los servicios de inteligencia y las agencias de detectives. «Horst me pidió que pensara una forma de eliminarlo (a Käser). Le dije que, si se negaba a renunciar, le haríamos la vida imposible», confesó el corso años más tarde.[23] Él se habría ocupado, él mismo habría amenazado a Käser.

Así lo confirman las notas de Käser que el autor de este libro recibió del entorno familiar en 1977. Allí se describe el *mobbing* que Guelfi orquesta en perjuicio del secretario general de la FIFA. A Käser se le espía incluso dentro de la FIFA: alguien hace copias de sus cartas y se las envía a Havelange. Pronto, el secretario general se da cuenta de que adentro trasciende cada vez más la idea de que «Käser debe marcharse, y Blatter debe sustituirlo»

Käser tiene que firmar el contrato con una nueva agencia

de márketing que al final ha obtenido la concesión para los derechos del Mundial de 1982 en lugar de Deyhle. La empresa se llama Rofa, y Käser nunca antes ha oído siquiera hablar de ella. No es extraño: la agencia acaba de crearse.

Käser se queja ante el jefe de la Federación Alemana de Fútbol (DFB), Hermann Neuberger, de quien espera apoyo. No lo recibe. Empieza a ver cada vez más claro que ya no trata con ejecutivos extraños, sino con redes de mafiosos. Käser investiga. Descubre que Havelange pone condiciones a la adjudicación de contratos de seguros para la Copa del Mundo de 1982: el veinte por ciento de los contratos debe transferirse a la empresa Atlantica-Boavista-Gruppe, con sede en Río de Janeiro. Käser anota esto en su carpeta, llamando la atención sobre el nombre de la empresa: el director de la aseguradora Atlantica Boavista es Havelange. Esto salta a la vista en el punto F de su historia curricular, que reparte por todo el mundo con motivo de su campaña electoral en 1974. Incluso, en 1982, la BBC consigue que Havelange confiese que es el director de una aseguradora que se esforzó por conseguir la adjudicación para el Mundial de 1982. En el mundo de las aseguradoras se dice que la agencia de Havelange habría estado entre las aseguradoras de la Copa del Mundo hasta 1990.

Käser deja constancia de lo que está viviendo: primero son «las cartas ponzoñosas donde se me acusa de ser un secretario general poco transparente que no merece confianza». Luego siguen «mentiras y más mentiras, afirmaciones y más afirmaciones» que llegan a asegurar que Käser habría recibido casas y caballos de Deyhle. El «movimiento clandestino», como el socio de Dassler en aquel entonces definía a este tipo de campañas orquestadas por Adidas, lo pone todo de su parte. Pronto se llega a las «investigaciones con ayuda policial», según los apuntes de Käser. Un hombre llamado Guelfi estaría detrás de todo esto. Luego un desliz de su inquietante perseguidor juega a su favor: «En su buzón apareció una carta de una agencia de informes que me habían enviado por error».[24]

Käser se reúne con Guelfi en Zúrich. Guelfi le pide disculpas. Según los resultados de la investigación, Käser está limpio, lo cual significa que a Guelfi le habrían ido con cuentos. También Dassler acepta reunirse con Käser. El Padrino no tiene problemas, del resto tiene que ocuparse Havelange. Dassler arrastra a Käser a una pequeña guerra interna, en la que siempre remarca la competencia de su amigo Blatter. Incluso Havelange le hace llegar sus informes directamente a Blatter, su director técnico, y envía la liquidación de cuentas directamente a Contabilidad. Allí es donde Käser averigua lo siguiente: «Dos pagos de treinta mil y cincuenta mil dólares, por alquiler y costes de la oficina en Río, se han depositado en una cuenta en dólares en Nueva York». Y se topa con otros hechos extraños, como «el asunto de los relojes Longines: 103.000 francos», o «el caso de Café do Brasil: 100.000». Käser toma nota de muchos otros casos.

Pero ya no se estudiarán. En mayo de 1981, durante la reunión de la directiva de la FIFA en Madrid, se trama su destitución. Aquel *meeting* se convertiría en un clásico del arte de la intriga en el mundo del deporte. Primero, Havelange confiesa a sus dirigentes que la FIFA, al final de su segundo mandato, estaría en bancarrota. Si bien en el presupuesto del periodo 1978-82 figuran ingresos de nueve millones de francos por el Mundial de Argentina, solo se han cobrado 5,6 millones. A la mesa está sentado en silencio el hombre que podría explicar con todo lujo de detalles adónde ha ido a parar el dinero faltante: el jefe de finanzas Alberto Lacoste. El argentino se ha incorporado recientemente al mundo del fútbol; antes fue titular del Ente Autárquico del Mundial 78 (la comisión organizadora) y un destacado miembro del Proceso de Reorganización Nacional, que incluso llegó a presidir durante algunos días. Lacoste encarna «todo el horror y toda la brutalidad de la dictadura», según describió el periódico mexicano *La Jornada*. El autor Eugenio Méndez escribió un libro con el título: *Almirante Lacoste, ¿quién mató al general Actis?*

Omar Actis precedió a Lacoste en la comisión organizadora del Mundial de Argentina. Era un hombre muy estricto con los gastos y que tal vez había cometido un error fatal al oponerse a la construcción de estadios y a la instalación de un nuevo sistema para la retrasmisión televisiva en color. El 19 de agosto de 1976 tenía el propósito de dar a conocer al mundo su rígido plan de austeridad en una conferencia de prensa. Pero no llegó a hacerlo. Omar Actis murió horas antes tiroteado por un asesino. Su sucesor, Lacoste, le reemplazó como titular de la comisión organizadora y del campeonato mundial en el país de los generales; y, de repente, se volvió muy receptivo con los patrocinadores. Más tarde, en Brasil, *La Folha de São Paulo* escribió: «Se sabía que la retransmisión televisiva en color era una exigencia de la FIFA de Havelange, que está a las órdenes de Horst Dassler».

Lacoste, que había abandonado su país cuando las investigaciones por el asesinato (que más tarde se suspendieron) apuntaban a él, encuentra en la FIFA un nuevo hogar. Havelange lo nombra vicepresidente, y cuando la justicia aprieta también le echa una mano. Interviene cuando Lacoste no puede explicar la procedencia de un crédito de medio millón de dólares con el que habría comprado tierras en Uruguay. Havelange es el acreedor que acude al rescate.

Volvamos a Madrid en 1981, donde Havelange sentencia el destino del secretario general Käser, valiéndose de sus pronósticos alarmistas sobre el futuro de la FIFA. Un último informe sobre las faltas de Käser resulta decisivo. Käser se da por vencido, y poco más tarde acepta el despido dorado que le ofrecen Havelange y Dassler. Casi trescientos mil francos al año, eso hasta el salario acordado en 1986, ya que en 1977 Havelange le había ofrecido a Käser, que ya tenía sesenta y cinco años, un contrato de una década de duración. A eso hay que añadir dos cheques que suman en total de más de un millón y medio de francos, una cantidad negociada entre Käser y el entonces vicepresidente de la FIFA, Harry Cavan. Cavan, un exsindicalista inglés que alcanzó una prosperidad tardía, figura en la nómina de Dassler como «asesor de calzado». En una ocasión le dice a un abogado de la FIFA: «Si necesita información más detallada de las liquidaciones, diríjase al señor Blatter».[25]

Más de un millón de francos: es una retribución realmente magnífica. Sin embargo, queda a cuenta de la FIFA. Ahora Havelange y Dassler pueden continuar tranquilos con su trabajo y nombrar a un tercero. Por fin ha quedado vacante el puesto de secretario general para Blatter, que tiene preparada una sorpresita para su antecesor: se casará en segundas nupcias con la hija de Käser, Barbara, sin que se entere el suegro. Käser se entera más tarde por casualidad, a través de un conocido, tal como afirma su viuda: «A pesar de todo lo que sufrió en la FIFA, aquella fue la única vez que vi a Helmut llorar».[26]

El trío infernal con Blatter es perfecto. El suizo es carismático y despierto, pero le falta el carisma señorial de Havelange de cara a la galería, por lo que Dassler lo considera un esbirro. Es la misma percepción que tienen los colaboradores y familiares de Dassler, como así también la de los viejos compañeros de ruta. Christian Jeannette cuenta que Dassler simplemente impartía órdenes a Blatter que este debía cumplir. Y así es como Barbara Smit cita a Guelfi: «Horst se refería de forma abierta a Blatter como una marioneta y lo presentaba como uno de los nuestros. Era alguien sin importancia, Horst lo tenía comiendo de su mano. Cuando nos reuníamos los tres para comer, Blatter miraba a Horst como si fuera un dios, porque sabía perfectamente que sin Dassler él no habría tenido ninguna posibilidad de ocupar ese puesto en la FIFA».[27]

Sin duda alguna: esa es la clase de hombre predestinado para el puesto.

El gran negocio

A mediados de los años setenta, Dassler descubre en el negocio de los derechos una nueva fuente de ingresos, y una fuente de financiación para la FIFA. Se une con un talentoso experto en relaciones públicas: el británico Patrick Nally. Nally vende conceptos publicitarios a las multinacionales a través de su agencia West Nally. Para su nuevo cliente importante, la FIFA, Nally asocia Coca-Cola a la imagen triunfal y juvenil del gran acontecimiento deportivo. Es un golpe mortal: un contrato de veinticinco años. Y donde anuncia Coca-Cola, se apuntan los demás. Por su parte, la empresa de bebidas puede por fin deshacerse de la imagen oscura según la cual es el símbolo de Estados Unidos, la gran potencia explotadora. Ahora Coca-Cola ofrece algo magnífico a la gente: el deporte. Havelange necesita con urgencia a Dassler y a Nally. Le ha hecho grandes promesas a su electorado en el tercer mundo, y para cumplirlas necesita dinero. Y los millones de Coca-Cola apenas cubren una parte de las necesidades.

En 1977, Nally y Dassler crean la empresa SMPI en el paraíso fiscal de Mónaco, destinada principalmente a la venta de vallas publicitarias para los grandes eventos. Quienes lleven a cabo la investigación posterior lo tendrán difícil para rastrear los fondos e ingresos de esta sociedad, pues los flujos de dinero van de Suiza a Mónaco y de allí a Holanda o a las Antillas Holandesas. Dassler ya está dentro del mercado publicitario, un sector próspero. Los anuncios televisivos tienen un nuevo enemigo: el mando a distancia. Durante la tanda publicitaria, los televidentes cambian de canal y las cuotas publicitarias caen. Los agentes publicitarios dan con la solución: deben anunciarse directamente en los programas. Para eso nada resulta más apropiado que un acontecimiento deportivo que se transmite por televisión para todo el mundo.

Dassler y Nally hacen el primer negocio millonario en la Copa del Mundo de 1978 en Argentina. La alegría por los jugosos beneficios la empañan más tarde los inspectores de Hacienda franceses, que descubren que el dúo hacía circular las ganancias por diversas empresas fantasmas para evadir impuestos y disposiciones legales. Las investigaciones se basan en un maletín que Jean-Marie Weber, el portador de los secretos de Dassler, se olvida en el aeropuerto de Ginebra. ¡Ay!

La explotación comercial del Mundial de 1982 es inminente, por lo que Dassler y Nally tienen una doble misión. Por un lado, conseguir que la FIFA les conceda los derechos de comercialización. Además tienen que reunir treinta y seis millones de francos suizos, que el anfitrión, España, reclama a la FIFA. La Copa del Mundo se ha encarecido mucho debido a las promesas electorales que Havelange continúa pagando, y para eso es necesario ampliar la participación hasta veinticuatro equipos. Eso le comunica Dassler a su socio Nally durante un encuentro conspirativo en el lavabo de caballeros del Palacio de Congresos de Madrid. Lo primero ya está resuelto. Después de firmar el acuerdo por los derechos con Havelange, Dassler regresa a Landersheim con una buena noticia: por un soborno de un millón de dólares ya tendrían el contrato en el bolsillo. Havelange niega que ese millón haya desaparecido. Por otra parte, *Der Spiegel* informa un año más tarde: «Hay constancia de que el millón figura en la contabilidad y que los derechos de explotación comercial corresponden a Dassler». Ahora queda el asunto de los treinta y seis millones para España. Dassler transfiere los derechos de márketing a la compañía Rofa en Suiza, la empresa de la que Käser no tenía conocimiento cuando tuvo que firmar el contrato para el Mundial de 1982. Lo que nadie sabe, salvo unos pocos enterados, es que la sigla Rofa significa Robert (Schwan) y Franz (Beckenbauer). Schwan es el mánager del káiser del fútbol. El nombre del resto de los inversores permanece en el anonimato. Por supuesto que cuando Rofa adquiere los derechos para el mundial, Schwan y Beckenbauer ya no pertenecen a la empresa. Gracias a Guelfi, Coca-Cola y otros inversores reúnen para Dassler los treinta y seis millones que exige España. Al mismo tiempo, Dassler rompe sus relaciones con Nally, pues sospecha que lo está embaucando.

Horst Dassler se alía con el gigante publicitario japonés Dentsu, que entra como socio con un cuarenta y nueve por ciento. Ahora la sociedad lleva un nuevo nombre: International Sport and Leisure (ISL). De ahí en adelante, Dassler negociará con la FIFA de Havelange y el COI de Samaranch para adquirir los derechos regularmente, sin competencia y a puerta cerrada. En el Mundial de 1986, adquiere los derechos de explotación comercial por cuarenta y cinco millones de francos y los vende a los patrocinadores. Al final, la ISL factura doscientos millones de francos. La revista *Forbes* estima que los beneficios del Mundial de 1990 ascienden a unos trescientos millones de francos. Y los expertos en economía de todo el mundo se preguntan: ¿por qué esta ISL, una empresa creada de la nada, gana en los Mundiales más dinero que la FIFA?

Pero ¿realmente gana más?

Pues no. Esa es la respuesta correcta, aunque solo desde 2008 es algo que se sabe públicamente. Para conseguir los derechos a buen precio, la ISL tiene que sobornar a directivos del deporte en un radio enorme, a los de la FIFA, a los del COI, a los de la Asociación Internacional de Federaciones de Atletismo (IAAF) y a otros. Solo el periodo que va de 1989 hasta la bancarrota en mayo de 2001 arroja una suma inimaginable de 140.785.618 francos suizos... con 93 céntimos. Ese es el resultado del balance que se realiza durante el procedimiento de insolvencia. Durante el juicio en el cantón de Zug en marzo de 2008, los altos directivos imputados por fraude admitieron plenamente ante el tribunal penal la ola de corrupción.

Sin embargo, ya en la década de los ochenta, la sensación de alarma empieza a invadir el sector. La guardia de Dassler observa desconfiada y finalmente temerosa. Su filosofía empresarial consiste en «comprar el mundo entero», según críticos como Leonardo Servadio, director de la fábrica italiana de ropa deportiva Ellese. Patrick Nally, el exsocio excluido por Dassler, opina sobre la corrupción: «Horst siempre ha comprado a la gente desde el primer momento».[28] En 1986, *Der Spiegel* dedica un artículo de portada a Dassler; en la imagen de la portada se ve a la selección alemana del Mundial de México dentro de una caja de zapatillas Adidas, y encima el titular: «El Mundial de Adidas. El deporte comprado». En ese entonces, el *Sugardaddy* del deporte, como lo bautizó el *Wall Street Journal,* ya ha creado su red de deportistas, directivos y federaciones. Y eso le cuesta una fortuna. Se dice que, en los años ochenta, Adidas se habría gastado entre ciento cincuenta y doscientos millones de marcos al año en inversión en el deporte.

El entonces ministro de Deportes británico Denis Howell presentó a finales de 1983 una amplia investigación sobre la política en el deporte internacional, notificando la magnífica amalgama entre el grupo Adidas y los asuntos deportivos internacionales relacionados con la explotación comercial y la organización. El informe manifiesta «preocupación por el vínculo estrecho que mantienen el señor Dassler y Adidas con la FIFA y el COI». También el sector comercial de los artículos deportivos muestra inquietud. Dassler «tiene mejores contactos que la mafia», dice el tirolés Erwin Stricker, exesquiador y agente de relaciones públicas. Y en la empresa de esquíes Blizzard se comenta que Dassler gobierna como un «dictador».

Así están las cosas. Pero también a Dassler lo rodean los demonios que él mismo ha creado, y cada vez más. En los últimos años de su vida se obsesiona con las persecuciones y el control. La clínica de Nueva York, donde le están tratando un tumor, lo mantiene en absoluto secreto. Su odiado primo Armin, a cuyos espías ve detrás de cada arbusto, no debe enterarse de su enfermedad. El jefe de la empresa, escuálido y moribundo, sigue engañando a sus directivos hasta el último instante. A través de un documento interno les comunica: «Para que el asunto del intestino y el estómago no se vuelva crónico tengo que hacer reposo y dieta durante dos semanas más».[29] En ese momento, le quedan dos semanas de vida.

La última imagen en el cementerio, adonde acuden sus familias de sangre y de negocios, simboliza todo lo que fue y lo que será. La herencia que Horst Dassler le deja al deporte es esa hilera de hombres taciturnos que siguen a su mujer y a sus hijos. Las tres tiras personificadas que se encargan de que el modelo de negocio sobreviva al paso de las décadas: Samaranch, Havelange, Blatter.

Después de su muerte, todo son homenajes y elogios para Dassler, por parte del mundo del deporte y sus directivos. Sin embargo, su esfuerzo enorme e innegable contrasta con el estado financiero en que deja a su empresa principal. Tras la muerte de Dassler, Adidas está a punto de hundirse, pues él destinaba la mayor parte de la fuerza de trabajo al cuidado del panorama político y el negocio emergente de los derechos comerciales, desatendiendo a las modas y las nuevas tendencias en Estados Unidos. Nike superó a Adidas y nunca más volvió a entregar el liderazgo en el mercado de la ropa deportiva, por mucho que Adidas consiguiera preservar el papel de patrocinador destacado en los Juegos Olímpicos.

En 1990, las cuatro hermanas de Dassler venden su parte de la empresa (el ochenta por ciento) al empresario francés Bernard Tapie por cuatrocientos cuarenta millones de marcos alemanes. Solo se quedan con la joya de la corona de aquel entonces, la próspera ISL, una mala broma que pasaría a la historia. Algunos años más tarde, Tapie, comprador de Adidas y presidente del Olympique de Marseille, comparte algunas semanas de prisión preventiva con Guelfi en la cárcel parisina de La Santé. En la segunda mitad de los años noventa, la justicia le echa el guante al empresario francés por su implicación en el escándalo Elf-Aquitaine. Se trata de una malversación de fondos de unos trescientos cinco millones de euros: es el caso de corrupción más grave en la historia de Francia. Se dice que Guelfi habría lavado unos cuarenta millones de dólares para complacer a políticos de Europa y África.

En la ISL está metido el jefe de familia, Christoph Malms, cuñado de Horst Dassler. Malms es nombrado presidente del consejo de administración, y pronto comienzan las tensiones con la alta gerencia. Finalmente, los jefes Klaus Hempel y Jürgen Lenz se bajan del barco y montan su propia agencia de márketing: TEAM (Television Event and Media Marketing). Le presentan a la federación europea un concepto alternativo a la estancada Copa de la UEFA, la piedra fundacional de la Champions League, cuyos derechos de explotación comercial les serán otorgados. El entonces presidente de la UEFA Lennart Johansson y su equipo han comprendido la dimensión gigantesca de los beneficios que se pueden obtener con esta competición y cuáles son las reservas financieras latentes en el fútbol. Sus nuevos socios les advierten sobre el peculiar modelo de negocio que mantiene la FIFA con la agencia que vende los derechos. Y así los directivos de la UEFA empiezan a desconfiar y a indagar en los contratos de márketing de la FIFA con la ISL.

En efecto, el negocio televisivo de la FIFA no resulta convincente. La Unión Europea de Radiodifusión (European Broadcasting Union, EBU) solo ha tenido que desembolsar trescientos cuarenta millones de francos suizos para los derechos de televisión de tres Mundiales, 1990, 1994 y 1998. Una suma que la UEFA puede reunir tranquilamente con una sola temporada de la Champions League. Hasta los medios más críticos se muestran atentos, y califican el negocio de Havelange y Blatter con su brazo comercial como el peor error de cálculo en la historia del deporte.

Aquí es donde surge por primera vez el escepticismo europeo hacia las prácticas empresariales de Havelange. Y hacia su secretario general Blatter, cuya firma también figura en los contratos. En cuanto tengan ocasión, intentarán quitarse de encima al estafador (la decisión no tarda en tomarse). Y tal vez de paso a su ejecutor, Blatter.

El mundo se inclina ante ti

Es incomprensible. Pero en 2007 Blatter le cuenta al periódico financiero *Bilanz* que, siempre que puede, visita la sala de recogimiento en el edificio de la FIFA y se pone a cantar: «Santo Dios, alabamos tu nombre», un canto fabuloso en medio de una acústica maravillosa. «El mundo se inclina ante ti. Y admira tu obra.» Si se contempla la vida de Blatter con sus propios ojos, es posible pensar que este salmo también está enalteciendo su propia obra. Cada vez que el amo del fútbol habla sobre su obra, sus motivos y su visión del mundo, la conciencia de su misión siempre está presente. Encaramado en el púlpito, no es solo un trabajador del deporte, sino un filántropo. Un elegido, un candidato no reconocido al Premio Nobel de la Paz. Blatter expresa sin reparos pensamientos que no cualquiera se atrevería a confesar, como que ya antes de nacer jugaba al fútbol en el vientre de su madre, o que el fútbol crea un mundo más bello y mejores personas. Y lo dice en serio. Y entre frases hechas como estas deja caer que le hubiera gustado ser futbolista, y se apoya una mano en el costado de su chaqueta de lujo, donde cree que tiene el corazón.

Sabiendo que el fútbol es popular en todo el mundo, Blatter lo sitúa astutamente por encima de todas las fronteras y religiones, y se erige él mismo en líder de ese deporte, pues ¿acaso la pasión mundial por el fútbol no supera en seguidores a las masas de creyentes de cada religión? Y así, en el sótano del búnker de la FIFA, convoca también a las religiones del mundo: «Es un lugar para encontrarse, donde las propias creencias cobran vida». La sala de mármol ónix es apenas más grande que una sauna comunitaria. Una flecha verde en la pared indica dónde está el este, para que los musulmanes que quieran rezar allí puedan hacerlo mirando hacia la Meca.

En la infancia de Blatter, como en la de cualquier hombre prominente, se encuentran anécdotas simbólicas. La del parto prematuro que en 1936 trajo al mundo a un niño de un kilo y medio «sin uñas», de ahí esa garra tan especial. O las historias sobre los trabajillos que habría hecho el joven Sepp en la comarca de Visp, en los Alpes. A los doce años empieza a trabajar en los hoteles como botones, limpiabotas, telefonista, camarero, contable. Sus futuras cualidades, como el servilismo y la astucia, las desarrolla como ayudante de campaña de su hermano Peter, que ingresa en el Ayuntamiento como concejal. Sepp Blatter ya tiene un coche en la época en que poca gente del cantón de Valais tenía uno, y lleva a los indecisos a votar, indicándoles, por supuesto, a quién deben votar.

También están sus historias de futbolista. Blatter según Blatter: «Siempre fui más que un aficionado. El fútbol ya me gustaba mucho desde niño. Llegué a jugar en primera división, en el FC Sierre».[30] Para ser precisos, se refiere a la división amateur. En Suiza.

Visp, su tierra natal, en la que fue nombrado ciudadano de honor, no es lo que uno podría imaginarse como un lugar bonito de Los Alpes. Hay poca cosa, aparte de la Lonza, una fábrica de productos químicos humeante en la que el padre de Blatter trabajaba como jefe de taller. En el Alto Valais, hay unas setenta y cinco mil personas que todavía hablan el antiguo alto alemán, mientras que en el valle del Ródano se habla francés. Blatter también le ha sacado partido a su origen humilde. Siempre se lo subestima. Los periodistas deportivos creen que ha tenido que sacrificarse. Y puede que así sea, incluso en el extraño negocio que Blatter dirige. Nunca ha tenido que hacer carrera en las Naciones Unidas, ni en el ámbito académico universitario, ni como artista ni como economista, solo como administrador del negocio autónomo del fútbol. Aquí es donde él aporta las pruebas de que cuando uno viaja en avión unos doscientos mil kilómetros al año, como en su caso, no es necesario leer ni documentarse, pues basta, como les cuenta a los periodistas, con matar el tiempo resolviendo crucigramas y sudokus. Alguien así no tiene problemas en pensar que todas las cuestiones del mundo moderno quedan reducidas al fútbol.

Su antecesor, Havelange, tenía el porte de un hombre de poder. Una barbilla prominente y una voz sonora, una mirada fría con la que podía calcinar a su interlocutor. Los rasgos de Blatter, a quien le gusta brillar como conferenciante, son más bien de comedia. Sobre todo frente a los medios, desempeña el papel de pueblerino pícaro. Puede ser campechano y divertido. Pero es un camaleón. Un hombre poco sociable, desconfiado y veleidoso. Tres matrimonios. El acercamiento a Corinne, su única hija, solo se produjo cuando había llegado a la presidencia: la imagen lo es todo. Ella antes había trabajado para la Federación Australiana. En 2003, su padre se casó en terceras nupcias con una gran amiga suya, que aguantó poco. En Zúrich, Blatter no tiene vida social. Los fines de semana le gusta regresar a Visp, donde se ha instalado a vivir.

En las entrevistas deja ver la terrible soledad del hombre al que la revista *Forbes* colocó en el puesto sesenta y tres de la lista de las setenta personas más poderosas del mundo.[31] En su domicilio de Zúrich tiene instalada una sala de cine en una planta superior («con Dolby-Surround-System», como cuenta él, orgulloso) que aparentemente se usa bastante. Allí invita a gente de vez en cuando. Y aclara: «No es que invite a mucha gente. Jean-Paul Brigger, que también trabaja en la FIFA, vive cerca y viene a visitarme a menudo. No suelo hacer fiestas. Vivo solo, sí, pero no aislado.» Y después de tardar un rato en responder a la pregunta de si se siente solo: «¿Solo? La verdad es que no. No. Cuando estoy en casa y me siento solo, entonces voy a la oficina de la FIFA y ya me siento otra vez en compañía».[32]

Para Blatter fue fundamental su experiencia en el DDPD (Departamento Federal de Defensa, Protección de la Población y Deporte). A la pregunta del periodista Roger Köppel sobre si ya de niño creía que tenía una misión, Blatter responde: «Me atraía la carrera militar. Quería continuar. Llegué a oficial, pero fantaseaba con la idea de ser general». La formación militar le habría proporcionado armas para usar en la vida: disciplina y respeto. En otra entrevista destaca: «Yo quería ser comandante de mando. Oficiales con el rango de coronel los hay a montones. La cantidad de comandantes es considerablemente menor. Estos desempeñan una función de liderazgo».[33] También traza paralelismos. En 2004 describió una situación de crisis en la FIFA para el *Bilanz*: «En aquel momento, era sargento y pensé: atención, protejan los puestos de mando. ¡Estamos en peligro! ¡Bajen los visillos, apaguen las luces! Si nos amenaza un peligro mayor, nos protegeremos con sacos de arena. Luego corrí hasta el cuartel para buscar alambre de espino. Mientras tanto, ascendí a teniente, monté puestos de vigilancia y envié grupos de exploración. No me di cuenta de que teníamos al enemigo en casa». En el ejército de verdad, Blatter estaba al frente de la Unidad de Abastecimiento 12. Así que podía usar su vehículo privado y hacer que el chófer le llevara su teléfono móvil antiguo, del tamaño de una maleta grande.

Pascal Couchepin, exmiembro del Consejo Federal de Suiza, estuvo con Blatter en la Infantería de Montaña. No tiene un recuerdo tan marcial de aquella época. Entonces los tenientes llevaban en sus mochilas «más botellas de vino que municiones». Según Couchepin, se decía que la tarea más importante de Blatter era encontrar todos los días un restaurante para su comandante.[34] Hasta aquí puro folclore, si pasamos por alto la relación cada vez más estrecha con los militares. En Suiza, según se dice en el extranjero, los militares de alto rango tienen acceso a la información de los servicios secretos. «Me gusta el espionaje —afirma Blatter—. En cierto modo, es parte de mi trabajo. Y, después de mil cuatrocientos días de servicio, cualquier oficial suizo es tan bueno como James Bond.»[35]

Blatter termina el bachillerato en 1954 y estudia Administración de Empresas en la Universidad de Lausana. De 1959 a 1964, es jefe de relaciones públicas de la Oficina de Turismo del Cantón de Valais, y luego secretario general de la Federación Suiza de Hockey sobre Hielo durante dos años, y en los dos siguientes jefe de prensa de la Asociación Nacional Suiza del Deporte y del Comité Nacional para el Deporte de Élite. A partir de 1968 trabaja como director de relaciones públicas del fabricante de relojes Longines. Luego aparece Dassler. En 1975, Blatter ostenta el cargo de director de los programas de desarrollo de la FIFA, de donde surgen los campeonatos mundiales en las categorías de jugadores sub-17 y sub-20, así como los mundiales femeninos y de futsal (fútbol sala).

Se convierte en el hombre de Dassler y Havelange dentro del mundo del fútbol. La opinión que Dassler tiene de Blatter es tajante: «Un cabrón desagradecido», según la cita de un colaborador que aparece en la historia de las empresas de Herzogenaurach. «¿Acaso no se lo he enseñado todo?»[36]

Y tanto que sí. Los testigos afirman y los archivos demuestran que, entre 1974 y 1975, Sepp Blatter fue instruido en el cuartel general y en la sede central de Adidas en Landersheim para su función en la federación, y de paso aprendió cómo se corrige el reglamento de un torneo. Allí es donde Blatter conoce a otras piezas del tablero de Dassler. Nace una bonita amistad con un alsaciano larguirucho especialmente amable: Jean-Marie Weber. Al igual que Blatter, Weber es un producto de Dassler. Es su secretario, y pronto se convierte en el hombre de las maletas con dinero. Entre

1980 y 1982, según la declaración de Weber, en la empresa global diversificada de Dassler se habría generado una situación que solo él y su patrón comprendían en su totalidad.

El mismo Blatter niega su proximidad al servicio secreto de Landersheim. Pero es algo que todos niegan. Sin embargo, desde que se hicieron públicos los informes de la Stasi en los años noventa, se conocen muy bien los métodos y las actividades que se desarrollaban allí, además de la fabricación de equipamiento deportivo. Blatter contradice incluso la información facilitada por Robert Louis-Dreyfus, posterior propietario de Adidas, quien tras echar un vistazo a los archivos afirmó que Dassler le habría pagado a Blatter en sus comienzos como director de los programas de desarrollo en la FIFA, allá por 1975. Blatter siempre declaraba indignado para los periódicos suizos que aquello era completamente falso. Adidas solo habría puesto una oficina a su disposición «durante tres meses» en Landersheim, Alsacia. «¡Pero a mí nunca me ha pagado Adidas! Como director de los programas de desarrollo, yo disponía de un presupuesto propio exterior a la FIFA y financiado por Coca-Cola. Yo era el hombre de Coca-Cola en la FIFA.»[37] Por otra parte, está lo que Louis-Dreyfus contó en la revista de deportes *Kicker*, según lo cual se habría enterado de que la remuneración de Blatter corría al principio por cuenta de Adidas, pues la FIFA no tenía dinero para pagarle. Más tarde, Dreyfus destruyó un montón de documentos que, como nuevo dueño de Adidas, no quería dejar para la posteridad. El mismo recuerdo tiene un trabajador de Adidas de aquella época que todavía trabaja en la empresa.

Como estrategia político-deportiva parece coherente. Blatter trabajó un tiempo en Landersheim y fue el hombre elegido por Dassler para sustituir al impopular secretario general de la FIFA Helmut Käser. Claro que hay otras versiones sobre la personalidad de Blatter, como la que presentó en la entrevista con Roger Köppel: «Yo traje el calor humano a la empresa».[38]

Blatter, el arribista subestimado, aprende de su maestro Dassler rápidamente y con avidez. El 11 de marzo siempre celebran juntos sus cumpleaños en el Auberge fumando puros. Blatter nació el 10 de marzo de 1936, y Dassler el 12 de marzo del mismo año. Allí el menor es el jefe, que despierta admiración. «Gracias a él aprendí los pequeños detalles de la política deportiva —dijo Blatter sobre Dassler—. Para mí fue un gran maestro.»[39] Puede que la participación, al menos como cómplice, en el acoso y derribo de Käser haya sido para Blatter el bautismo de fuego. A partir de entonces, entra en el juego y se convierte en el jefe, por debajo de un predispuesto presidente Havelange y de Dassler, el hombre que ha llegado a controlar el fútbol.

Tras la muerte de Dassler, el dinero de la ISL va de manera fiable a la FIFA. Havelange gobierna con mano dura, siempre y cuando esté presente. En Zúrich, por otro lado, gobierna Blatter. Y detrás de la fachada se construyen algunos canales para las transferencias futuras de dinero. Así se van gestando los primeros escándalos financieros que sitúan a la federación en el centro de la escena, y que permiten echar un vistazo fugaz, pero claro, a la segunda obra de la FIFA, aparte de la ISL. En 1985, la federación mundial reemplaza al que había sido su auditor hasta entonces, la empresa Fides-Treuhand, por un pequeño revisor de cuentas. Emil Sutter es un amigo del reciente director de Finanzas de la FIFA, Erwin Schmid. Sutter y Schmid forman parte de la directiva del club amateur FC Blues de Zúrich, donde figuran hace mucho tiempo como miembros honorarios. Junto con Blatter, dicho sea de paso. Durante diez años, la gente de finanzas trabaja sin inconvenientes, hasta que, de repente, surge la necesidad de esclarecer este cambio de auditor en la FIFA poco acorde con los tiempos. A mediados de los años noventa, sale a la luz que alrededor de la FIFA se han acumulado diversas «empresas buzón» y sociedades. Según publicaciones suizas, Sutter, el auditor, tiene un estrecho vínculo empresarial con un alto directivo de la casa. También el jefe Blatter está bajo la lupa de los periodistas. Se calcula que, en ese momento, gana un sueldo de ochocientos mil francos anuales. Se comprueba que los impuestos de su salario no los paga en Zúrich, sino en el rentable cantón de Appenzell. Los periodistas empiezan a desconfiar cuando Blatter ni siquiera se sabe de memoria el domicilio de su primera residencia en ese lugar. Incluso viajan a Appenzell, donde resulta ser que, en la supuesta dirección de Blatter, hay un edificio destartalado con una zapatería en la planta baja. En las etiquetas de los buzones figuran cerca de una docena de empresas con nombres conocidos de la FIFA. Algunas de estas empresas, según los investigadores, están bajo el mando del director de finanzas de la FIFA, Erwin Schmid. Su supervisión está a cargo del administrador fiduciario suizo Bruno Sutter, cuyo nombre figura a su vez en los buzones. Emil, padre de Bruno, también es administrador y tiene apartados de correos en el edificio destartalado. Esto da como resultado una constelación explosiva, ya que, al fin y al cabo, la sociedad Sutter Kontroll, de Emil, es el auditor oficial de la FIFA. En los informes financieros, es Sutter el que responde por los millones que factura la federación.

Lo que sale a la luz es una maraña típica de la FIFA. A la federación más grande del mundo la inspecciona un pequeño administrador, que, por otra parte, está bajo la supervisión de su hijo. A su vez, el hijo Bruno Sutter es auditor de Immobilien AG, a cargo de la FIFA, como así también de diversas empresas que supuestamente pertenecen al director financiero. Una entrevista que le hicieron a Emil Sutter apenas contribuye a un esclarecimiento, ya que el auditor explica los numerosos buzones como «participaciones y bienes inmuebles» en Brasil y Portugal. ¿Precisamente en Brasil?

En cualquier caso, es el secretario general Blatter el que controla las finanzas de la FIFA. Otro error del sistema: no hay ningún tesorero, solo una comisión de finanzas. El que controla a la comisión es el que dispone del dinero. Y las personas que actúan en su nombre se controlan a sí mismas.

Cuando se da a conocer lo de las empresas buzón en Appenzell, el presidente de la UEFA, Lennart Johansson, deja claro que, como vicepresidente del Comité Ejecutivo de la FIFA, revisará de inmediato los libros de la federación. Es una amenaza en toda regla a la cúpula directiva: Johansson va en serio. Se presentará como candidato a la presidencia. Y, si gana, los herederos de Dassler se las verán negras.

En este punto, las relaciones internas entre Havelange y Blatter se complican bastante. Si bien Havelange siempre ha dicho que le gustaría que Blatter lo suceda en el cargo, lo cierto es que quiere permanecer en el puesto el máximo tiempo posible. Nada más acabar el Mundial de 1990, que se celebró en Italia, anuncia que en 1994 quiere asumir la responsabilidad de un sexto mandato, por amor al fútbol. Blatter se inquieta. ¿Qué se puede hacer? ¿Acaso Havelange no sufrió un colapso en los Juegos Olímpicos de 1992? ¿No tenían que llevarlo a Suiza para un tratamiento? ¿No hay acaso señales de decadencia que incluso se perciben desde fuera? En marzo de 1994, tras una conferencia, la gobernadora de Nueva Jersey cuenta irritada que Havelange se dirigió tres veces a ella llamándola *monsieur*. A los setenta y ocho años, a uno pueden pasarle estas cosas. Solo cabe preguntarse si un lapsus de ese tipo no contradice la imagen de dinamismo y juventud que la FIFA y su clientela publicitaria quieren proyectar.

Luego Havelange empieza a cometer errores graves que conmocionan a personas que no entienden ni jota de las maquinaciones e intrigas que se llevan a cabo entre los bastidores de la FIFA: los aficionados. En 1993 se realiza en Las Vegas el sorteo de grupos para la Copa del Mundo del año siguiente. Poco antes de la transmisión en directo para todo el mundo, el anciano aristócrata excluye del sorteo a un invitado de honor: Edson Arantes do Nacimento. Abreviado: Pelé. *O Rei*, como se lo conoce en su país, es el mejor futbolista de todos los tiempos, la única estrella del *soccer* que los anfitriones estadounidenses conocen. En los años setenta, Pelé jugó en el Cosmos de Nueva York.

En el centro de convenciones, treinta minutos antes del comienzo de la transmisión televisiva, se produce un alboroto. Pelé no da crédito. Blatter intercede. Beckenbauer y diversos directivos de la FIFA también lo intentan. Es inútil. El padrino ha bajado el pulgar. Y cuando Alan Rothenberg, jefe del Comité Organizador de Estados Unidos, insiste en que el mejor futbolista del mundo no puede quedar excluido del sorteo, el presidente de la FIFA le replica con una mirada fría: «Seguramente, el señor Rothenberg se llevaría una gran decepción si decidiéramos retirarle a Estados Unidos la adjudicación de la sede del Mundial».[40]

La sangre es más espesa que el agua, dicen los mafiosos. El motivo de esta manera de proceder sumamente autodestructiva de Havelange es la desavenencia entre Pelé y Ricardo Teixeira, el yerno del padrino. Teixeira, un hombre de negocios en la ruina, pertenece, como Havelange, al círculo reducido de brasileños a los que en su juventud no les gustaba el fútbol. Por supuesto, después de casarse con Lucia, la única hija de Havelange, empieza a tener mayor acceso a las cajas fuertes del fútbol. Y Teixeira no se lo piensa dos veces.

La desavenencia con Pelé se debe a que el astro del fútbol se niega a pagar un soborno de un millón de dólares a la Confederación Brasileña de Fútbol (CBF), presidida por Teixeira desde 1989. La agencia de márketing de *O Rei* había querido comprar los derechos de televisión del Mundial de 1994 para Brasil, pero sin pagar el soborno. Esta es la versión de Pelé, al que, al cabo de poco tiempo, nombraron ministro de Deportes de Brasil: «Llamé a Teixeira para comunicárselo. Pero él no me creyó. Así que le dije que no iba a negociar bajo esas condiciones, y que iba a contarle a la prensa por qué me retiraba. Entonces se volvió loco y me amenazó con demandarme».[41]

La guerra del padrino brasileño Havelange y Teixeira contra el mejor futbolista de su país pone de manifiesto cómo la locura que surge de la plenitud de poderes de un directivo de la FIFA puede afectar al deporte más popular del mundo. Havelange echa a Pelé, y así termina aquello. Al poco tiempo, Pelé pierde su contrato como embajador del *fair-play* para la FIFA. Sin embargo, un poco más tarde, Cardoso, el nuevo jefe de estado de Brasil, lo nombra ministro de Deportes. Pelé presenta una ley que contempla la transformación de los clubes más corruptos en sociedades de capital. Teixeira está que echa chispas. Su poder se tambalea, pues se apoya en los caciques ricos de los clubes, para quienes estos no son más que tiendas de autoservicio. Así que el padrino del padrino tiene que volver a sacar la porra para impedir la ley de Pelé: esta vez, Havelange amenaza con dejar a Brasil fuera del Mundial de 1998 en Francia. Y en el sorteo de 1997 que se celebra en Marsella, vuelven a excluir a Pelé.

En 2001, después de las investigaciones en paralelo del Parlamento y del Senado, se presenta en Brasilia un informe de 1129 páginas sobre la piratería de Teixeira. El documento oficial certifica que la CBF es un «espacio delictivo donde reinan la anarquía, la incompetencia y la falsedad». Son 536 páginas dedicadas a Teixeira, en las que figura una lista larga de delitos, desde falsificación de contratos, delitos fiscales y malversación hasta especulación financiera con los fondos de la CBF, con cuyas ganancias se habría quedado.

Sin embargo, las denuncias no llegan a ninguna parte, pues en Brasil, desde hace mucho tiempo, el brazo de la familia del padrino es más largo que el de la ley (en la CBF se entremezclan primos, tíos y amigos de Teixeira). En la guerra contra Pelé, los padrinos Havelange y Teixeira también movieron los hilos. El mismo Pelé describió todo esto al autor de este libro. Antes del comienzo del Mundial de 1994, se topó en Estados Unidos con un grupo de abogados de Río. «Gracias a este encuentro casual —dijo Pelé—, me enteré de que la CBF de Teixeira había invitado al Mundial a los representantes de la comisión que estaban tramando una demanda en mi contra.» Todo incluido: vuelos, comida, alojamiento. «La CBF lo pagaba todo.» [42] Para la intervención de Pelé, la comisión en Río fue renovada.

Más tarde, la investigación del Congreso contra Teixeira da sus frutos. Entre las instituciones sospechosas de la trama empresarial que se descubren en torno al mundo del fútbol está la firma llamada Sanud, con sede en Liechtenstein, a través de la cual se mueven millones de dólares. Años después, el nombre aparece en otros documentos judiciales en Suiza: la ISL había pagado sobornos a esta empresa ficticia de Liechtenstein.

Sin embargo, por entonces, en 1993, a Havelange se le

pone el viento en contra después de dejar a Pelé fuera del sorteo. El pueblo futbolero cree que esta vez ha ido demasiado lejos. En Río comienzan las investigaciones de los periodistas, que se topan con los negocios de las armas y con enormes agujeros en las cuentas de la federación. Descubren la lista secreta de Castor de Andrade, el rey del juego de bicho (lotería ilegal), en la que figura Havelange como beneficiado. Nadie sabe todavía que también figura en la nómina de la ISL.

¿Ha llegado, entonces, la hora de Sepp Blatter? ¿Está en condiciones de destronar al viejo padrino de la FIFA?

Una revolución se agita en el aire. De repente, en la FIFA se empieza a debatir sobre la gestión financiera del presidente. Por otra parte, nadie ha visto jamás el supuesto diploma de abogado del jefe. Y el hecho de que viaje doscientos cincuenta días al año en representación de la FIFA también puede interpretarse del siguiente modo: 62.500 francos para el presidente honorario, y dietas diarias, que, en aquel entonces, ascendían a 250 francos. El despacho privado de Havelange en Río, con un par de colaboradores, cuesta una fortuna. Käser ya había descubierto que además se esfumaban cantidades alarmantes. Los extraños movimientos bancarios indican que, hasta mediados de los años noventa, Havelange tuvo problemas de dinero. También se discute sobre el derroche en invitaciones y regalos por parte de Havelange. Entre los colaboradores circulan las historias, se habla de lingotes de oro comprados en Zúrich y del discreto servicio de correo a través de un chófer. Para una persona con pasaporte diplomático, como Havelange, los envíos internaciones sin control de aduana no suponen ningún problema.

De repente, en el plan de financiación de la FIFA se muestra el presupuesto del presidente por separado. Los expertos alucinan. *The Wall Street Journal* publica lo siguiente: «El presupuesto de la organización pone a disposición un millón de francos anuales para las actividades del presidente, pese a que este figura como honorario».

En este momento, Blatter se encuentra de gira, tomando carrerilla para asumir su responsabilidad como jefe. Antes de las elecciones de la FIFA en junio de 1994, en la víspera del Mundial de Estados Unidos, las federaciones continentales se reúnen en un congreso. Allí Blatter posa y coquetea. A principios de marzo, en el Congreso de la UEFA en Holanda, se presenta ante los europeos como el candidato opositor de Havelange. Los europeos se escandalizan y lo mandan a paseo. Así describe la escena el delegado de Islandia Ellert Schramm: «Blatter se autopostuló él solo. En el congreso, la gente no podía creer la franqueza con la que se presentó. Dijo que era imposible seguir trabajando con Havelange. No aceptaron su candidatura. Yo mismo dije que quizá no deberíamos hablar del presidente, sino de su desleal secretario general». Así lo confirman el entonces presidente de la DFB, Egidius Braun, y otros participantes.[43] Blatter tiene otra versión. A él se lo habrían pedido, eso nunca habría sido *motu proprio*.

Se dice que más tarde Blatter habría intentado lo mismo en el congreso de la Concacaf (las federaciones de Centroamérica y Norteamérica), y que el presidente Jack Warner habría informado a Havelange. Cuando se entera, el padrino se pone furioso y defiende como un león su trono tambaleante. Incluso en el congreso de la CAF (Confederación Africana de Fútbol) manda amenazar a su compinche Warner, líder del electorado de la Concacaf, con desvincular a sus federaciones de la FIFA. Cuando se trata de conservar el poder personal, la idea de unidad de la FIFA no vale nada.

En el mundo del fútbol, hay mucha agitación. La intención de voto varía. Entonces, en una reunión en Zúrich con los presidentes de todas las federaciones del mundo, pero sin los miembros restantes de la directiva y sin Blatter, Havelange inicia el ataque general. Hace salir al secretario de actas y les suelta un sermón a sus ovejas: «¿Queréis colgarme por lo de Pelé?», pregunta el padrino a la silenciosa concurrencia. Luego les da a todos la buena nueva, les promete que, para la Copa del Mundo de 1998 en Francia, la nómina de participantes se ampliará a treinta y dos equipos. Así los príncipes de cada continente se llevan un buen regalo a casa que servirá para consolidar su posición: ahora más países podrán ir al Mundial. Es el viejo truco con el que Havelange, allá por 1974, conquistó el trono de la FIFA, cuando amplió las plazas de participación de dieciséis a veinticuatro equipos y se aseguró el apoyo de muchas federaciones continentales y nacionales. Una mayor participación aumenta las posibilidades de que el propio país esté en el Mundial. Los números siempre funcionan. También el asunto de Pelé lo soluciona a su manera. Havelange hace correr el rumor de que el astro se habría disculpado. Pero *O Rei* dice que es mentira. Pronto a nadie le interesa más este asunto.

En junio de 1994, en Chicago, Havelange, en medio de una ovación, es reelegido. No deja asomar ni una sola sonrisa. La guerra no ha terminado. Europa se subirá al cuadrilátero en el próximo asalto y el asunto con Blatter debe quedar zanjado. Definitivamente. Pero Havelange no quiere ningún escándalo durante la Copa del Mundo. Havelange disfruta del Mundial y de las zalamerías de sus cerca de doscientos invitados, que asisten al torneo por cuenta de la FIFA. Esta corte real o ejército de gorrones mantiene terriblemente ocupado al personal de la FIFA. Mientras Blatter deambula por todas partes como una sombra, todos hablan sobre su inminente despido. Havelange ya lo ha señalado como el autor de la revolución: «El señor Blatter ingresó en la FIFA en 1975. Yo le asigné responsabilidades y lo nombré en el puesto que ahora ocupa. Ha prestado un servicio extraordinario. Sin embargo, en los últimos meses se han producido ciertas intrigas con el fin de elegir al señor Blatter como presidente de la FIFA. Tales hechos no deberían haber ocurrido a mis espaldas. Yo esperaba lealtad».

Sin embargo, no ocurrió lo que todos esperaban. En octubre de 1994, en un *meeting* de la FIFA en Nueva York, Havelange pone orden en las comisiones. Como corresponde a un patrón ya recuperado. El tema del día «Renovación de los órganos» lo deja para el final. Se limita a repartir una lista en la que figuran todos los miembros de las comisiones que se han de renovar. Los delegados tienen dos minutos para leer el documento atentamente, y luego la sesión se da por concluida. Sin debate, sin votación. El padrino ha decidido. Ha procedido a un cambio radical de papeles entre los representantes de la federación: la mayoría de ellos están despedidos. Los trabajadores, como Havelange los llamaba, «despertaron la desconfianza del presidente después de la metedura de pata de Blatter», explica el entonces directivo de la FIFA Miguel Galán. Sin embargo Teixeira, el yerno de Havelange y nuevo directivo, entra en dos comisiones claves: la de árbitros y la de la organización del Mundial de 1998.

El hecho demuestra el poder absoluto del jefe de la federación. A menudo las comisiones no se votan, se nombran. Son actos de arbitrariedad con importantes consecuencias para los favorecidos: influencia, poder, viajes en primera clase, servicio de coches, dietas diarias muy generosas, banquetes, relojes y regalos. Por eso, cuando las cosas se complican, todos están dispuestos a hacer lo que quiere el jefe. Pero ¿qué hay de Blatter?

De repente vuelve a tener la posición asegurada. El motivo solo puede suponerse, y lo primero que se rumorea es un intercambio de información con Havelange. En ese momento, Blatter lleva veinte años enterándose de todo. De hecho, a comienzos de 1995, ruedan cabezas. La FIFA despide a Miguel Galán, jefe del Departamento de Competiciones, y a Guido Tognoni, jefe de prensa y relaciones públicas, «por falta de confianza mutua entre ambas partes».

Pero ¿qué hizo Blatter para calmar a Havelange? ¿Acaso el hombre que atiende cada día del año los negocios de la FIFA y los asuntos más importantes le enseñó al jefe sus armas? ¿Le expuso sus conocimientos sobre lo estrictamente confidencial, acerca de lo más secreto de la gestión de Havelange? ¿Cómo fue que le dejó claro al viejo que podía arrastrarlo en su caída? Nunca se sabrá. En adelante, Blatter dirá que su intento de golpe de estado es un invento de los medios.

De todos modos, al padrino y a su protegido suizo les conviene unirse de inmediato. Europa se moviliza. En las elecciones de 1998, Johansson quiere terminar con décadas de clientelismo en la FIFA. Él y sus compañeros de armas denuncian cada vez más a menudo esa gestión dudosa. La gente de Johansson alberga muchas sospechas y algunos conocimientos sobre un hecho real: el clan del padrino se sigue financiando con el dinero del fútbol a través de la ISL. Sin embargo, eso solo se probará diez años más tarde, y tendrá consecuencias que Havelange y compañía todavía no se imaginan.

Canales oscuros

La ofensiva de Johansson resulta peligrosa para el patrón y su secretario general, pues la influencia de la UEFA es cada vez mayor. Tiene mucho dinero, incluso ha desarrollado un programa de cooperación para toda África, el proyecto Meridiano. Desde luego, esto encierra un peligro discreto para Havelange y para Blatter. ¿No son acaso los programas de desarrollo el mejor canal para efectuar pagos de favores? Havelange y Blatter necesitan dinero, ahora mismo tienen que dar un golpe. Pues la lealtad de los Nibelungos hacia la ISL no solo parece sospechosa, sino que los beneficios de los Mundiales hasta el momento son ridículos en comparación con los ingresos que la UEFA obtiene por la Liga de Campeones. Para los Mundiales del nuevo milenio se requiere un cambio financiero sustancial. Se necesita un negocio de miles de millones.

Pero hay un problema: ¿cómo es posible un negocio de miles de millones cuando al mismo tiempo es necesario que la ISL participe debido al pago de comisiones? A mediado de los años noventa, los empresarios amigos de Lucerna no están pasando un buen momento. Tras la salida de Hempel y Lenz han perdido potencial creativo y organizativo. Al final de 1995 también los abandona el COI de Samaranch. El vicepresidente del COI, Dick Pound, cita a Malms y Jean-Marie Weber, de la ISL, en Karuizawa, Japón. Pound es el jefe de márketing del COI y les dice que no está satisfecho con el nivel del servicio y la calidad de las personas que han trabajado para el COI.[44] Tras una breve conversación lo tiene claro: eso no va a mejorar, tiene que echar el freno de emergencia. Les comunica que están fuera del negocio de los derechos. Por supuesto, nunca supo realmente en qué consistía el trabajo de Weber, el sobornador. En el futuro, el COI sigue trabajando por su cuenta con su nueva agencia, Meridian, en la que también ingresó parte del personal de la ISL. El jefe de Meridian es Michael Payne, yerno de Samaranch. Él también estuvo en la ISL.

Esto resulta desastroso para la ISL. El COI era una de las columnas erigidas por Dassler. Los directivos desesperados mantienen en secreto el fin de la relación. Durante un año no se filtra nada. Incluso el nombre del COI sigue figurando en el folleto publicitario. Claro que todavía les quedan un par de clientes pequeños, entre ellos la Asociación Internacional de Federaciones de Atletismo (IAAF), dirigida por el italiano Primo Nebiolo, también sobornado. Pero el pilar principal sigue siendo la FIFA. Y este contrato dura hasta el Mundial de 1998. Se trata de todo o nada. Weber debe ocuparse.

El antiguo secretario de Dassler se ha convertido en una eminencia de la ISL tras el fallecimiento del jefe. Con su pelo canoso, su traje impoluto y su aire de gran señor, Weber se relaciona con todas las personas importantes del mundo del deporte. Espera durante días en los vestíbulos de los hoteles. Lía a la gente en todos los idiomas, con modales refinados y con dinero. El consejero secreto Weber conoce a los titulares de las cuentas extraterritoriales, a los intermediarios, a los asesores, a los titulares de las empresas buzón. A todos a los que ha atendido con enormes sumas de dinero durante los años en que ha trabajado para la ISL. También por eso el hombre de los maletines es la figura central entre los bastidores del deporte. Más tarde ni siquiera la prisión provisional lo hará hablar. Los nombres de las personas que recibieron dinero, declara públicamente, se los llevará a la tumba. La gente se pregunta si a él, que siempre pagaba, ahora le están pagando por su silencio. Lo cierto es que si Webber hablara, no tardaría en llegar la ruina de muchos directivos del deporte.

Después de la Copa del Mundo de 1994, la ISL se dio cuenta de que las televisiones, tras la deducción de los pagos realizados a la FIFA, se habían embolsado fortunas con la venta de espacios publicitarios. Ahí había una mina de oro. Ahora la venta de derechos se puede renegociar. Solo hace falta otro socio solvente para conquistar el mercado televisivo del futuro.

Richard Pound, el hombre del COI que despachó a la ISL, dice no haber conocido nunca los detalles, «solo rumores». Esto ya es un comienzo. Pero para entender todos los trucos y las fintas con los que la FIFA rechaza a los demás licitadores en dos procesos de contratación pública para los derechos de retransmisión televisiva (1995/96) y comercialización (1997), con el fin de aupar al viejo socio, es necesario echar un vistazo al año 2008. En ese año se lleva a cabo el proceso penal contra Weber y contra otros cinco altos ejecutivos en el paraíso fiscal de Zug, Suiza. Se trata de un delito de insolvencia.

El 9 de marzo, el juez de lo criminal Marc Siegwart lanzó una bomba: solo entre 1989 y 2001 la ISL había gastado 156 millones de francos para sobornar a las federaciones deportivas, de los que se descontaron dieciocho millones que se transfirieron a una fundación cautiva y que luego se recuperaron debido a problemas financieros poco antes de la quiebra. Las declaraciones de los inculpados en relación con el principio de negocios en el márketing deportivo obligan a una nueva evaluación de los hechos en torno a las licitaciones y confirman las sospechas: los directivos de la FIFA han mantenido una sociedad con la ISL en busca de beneficios privados. Sin embargo, la pregunta es si en el juego sucio solo han participado las personas identificadas en las listas de pagos, pues han quedado registradas un montón de empresas fantasmas, los nombres de cuyos responsables se desconocen hasta hoy. ¿Quiénes se esconden detrás de ellas? ¿Quiénes se beneficiaron de los pagos? ¿Y qué ventajas obtenían aquellos que se ocupaban de que la sociedad con la ISL en la nueva era de los millones se mantuviera a flote?

En la sala de audiencias de Zug, el jefe de finanzas de la ISL, Hans-Jürg Schmid, confirma las recriminaciones del juez Siegwart: «Estaba al tanto de todo —dice, aunque no habla de la suma exacta. Se refiere a la situación imperiosa que se vivía en la empresa—. Era necesario. Si no, la otra parte nunca habría firmado los contratos».[45] También el presidente del consejo de administración, Christoph Malms, según consta, habría calificado esta práctica empresarial «habitual» como «moralmente cuestionable», pues «el éxito empresarial debería ser el resultado del propio trabajo y no algo que se puede comprar». Ante el tribunal, Malms vuelve a insistir en la situación imperiosa que se vivía. «Era una práctica indispensable, muy habitual en el ramo, formaba parte del modelo de negocios. De otro modo, no era posible.»[46]

El proceso deriva en un escándalo público. Los sobornos se pagan casi como si fueran salarios, cada dos meses se realizan transferencias a paraísos fiscales. En esa época, la corrupción de los directivos del deporte no estaba penalizada en Suiza. Solo había que pagar impuestos por los ingresos.

En el juicio, Weber, el hombre del dinero, no añade nada a lo que ya ha declarado en el interrogatorio: se habría tratado de «honorarios, comisiones, abonadas en paralelo a la compra y la venta de derechos». Sus cinco colegas confirman en el juicio que Weber habría pagado sobornos. Weber nunca habría dado nombres, por lo que solo él debería saber a quiénes habría sobornado y con cuánto dinero. Cuando el juez le pregunta por los nombres de las personas que recibieron dinero, Weber responde: «No puedo decirlo. Es una cuestión de honor». Una cuestión de honor. Una frase típica de una película sobre la mafia. Esa es la declaración de Weber, el hombre de los maletines del que hoy nadie se fía en el COI, aunque sigue entrando y saliendo de la FIFA como si fuera su casa.

A Blatter también lo imputaron en el juicio de Zug, aunque solo moralmente, a falta de un artículo jurídico que contemplara la corrupción en el deporte. El abogado defensor Werner Würgler, representante de Christoph Malms, alega que Blatter debía estar al tanto de los sobornos. El directivo de la FIFA habría llegado a amenazar a Malms, director de la ISL, con que quería suspender los pagos por soborno. Si Weber perdiera su posición, «a la ISL le iría muy mal». Antes Havelange también se habría expresado con esa claridad. Según Würgler, tales amenazas habrían sido «un impedimento económico para que el grupo ISL tomara distancia del sistema de pago de comisiones». De hecho, estos pagos habrían adquirido la categoría de «acuerdos contractuales vinculantes». Würgler describe al grupo ISL como una filial de la FIFA, cuya función era sobornar a directivos. «Tenían que ocultar los hechos, ante las autoridades judiciales y ante la opinión pública.»

De los hechos jurídicos de 2008 regresamos a mediados de los años noventa, época en que se planeó la gran jugada. No solo la ISL, tambaleante por la pérdida del COI como cliente, andaba contando las monedas. También la competencia. Por supuesto que la competencia también conocía las posibilidades de rentabilidad que ofrecía el negocio de los derechos. Por eso las agencias de deporte globales, como la IMG de Estados Unidos, empiezan a centrar la atención en la Copa del Mundo. Para la adquisición de derechos, la IMG se une con la UFA, filial de la alemana Bertelsmann.

En agosto de 1995, el belga Eric Drossart, presidente de IMG en Europa, envía la primera oferta por fax al «querido Sepp» Blatter: «Ofrecemos mil millones de dólares para el Mundial de 2002».[47] La oferta tiene impacto. En el curso de la licitación se pone de manifiesto para qué ofrece esa cantidad, un importe enorme que además subirá. Pero como en el sector ya existen dudas sobre la estrecha relación entre la FIFA y la ISL, Drossart envía copias de su oferta a todos los directivos de la federación. Mil millones de dólares. Una oferta de locos.

¿Qué hace Blatter? ¿Abraza agradecido a Drossart, el cliente de los mil millones? Todo lo contrario. Muestra su irritación porque la «carta estrictamente confidencial fue enviada a todos los miembros del Comité Ejecutivo de la FIFA y otros destinatarios». Es decir, a los responsables que toman las decisiones sobre la concesión de derechos. La rabia de Blatter permite suponer que teme por su información privilegiada. No da a conocer la solicitud de información por parte de Drossart en relación con la adjudicación de derechos. La correspondencia entre ambos se enrarece, y a partir de noviembre el tono se vuelve distante, se pasa del «Querido Eric» al «Señor Drossart».

Luego Blatter da a conocer el propósito de vender por paquetes los derechos de televisión y publicidad para el Mundial de 2002. El problema es que la socia actual ISL dispone de otra opción que expira tres meses antes de la decisión del Ejecutivo sobre la cesión de derechos. Drossart se mosquea y pregunta cómo es posible que la ISL tenga exclusividad en todo el mundo, cuando solo dispone de un paquete integrado de televisión y publicidad para Estados Unidos. En Europa, por ejemplo, la EBU es la socia de la televisión.

Drossart informa al directivo surcoreano de la FIFA, Chung Mong-joon, titular de la federación de un país aspirante a organizar el Mundial 2002. En el seno de la directiva de la FIFA, también crece la voluntad de vigilar muy de cerca al padrino y a su secretario general. Directivos de Europa y África llegan a considerar la formación de un «comité de trabajo» para el proceso de adjudicación de derechos, integrado solo por Havelange y los presidentes de las federaciones continentales. Pero no se lleva a cabo. La información sigue en manos de Blatter. La opción de la ISL caduca. La IMG se prepara. Otros competidores también quieren la concesión, entre ellos la firma norteamericana AIM, que hasta el momento ha hecho una oferta inigualable de trescientos veinte millones de dólares por los derechos televisivos para Estados Unidos. En comparación con los beneficios obtenidos hasta el momento, es una oferta gigantesca.

A mediados de marzo, Blatter realiza su siguiente movimiento. Ahora parece que los derechos para el Mundial de 2002, «y en adelante», se negociarán. Drossart desconfía. ¿Acaso ya había negociado Blatter con la ISL para 2002 y 2006 mientras se aplazaba la oferta de la alianza IMG/UFA para 2002? Indignado, vuelve a comunicarle a Blatter su impresión de que «no recibe de la FIFA un trato equitativo».[48] Elabora una lista de los fraudes que ha detectado hasta el momento y apela a la integridad de Blatter. A finales de abril, Drossart recibe la licitación oficial, donde solo se contemplan los derechos televisivos. Vuelve a escribir a Blatter para señalar una «contradicción escandalosa» y presentar queja: «Me cuesta creer que la FIFA realmente haga un intento por considerar nuestra oferta en un concurso justo».

Solo las preguntas que hace el postulante sugieren un juego amañado por parte del secretario general: «Puesto que la FIFA ya no quiere hablar sobre contratos de márketing, ¿significa que se ha llegado a un acuerdo con la ISL, aunque el plazo de exclusividad estuviera vencido? ¿O se han retirado los derechos de márketing para una concesión posterior?». En esto último, Drossart llevaba razón. Los derechos de márketing no se adjudicaron hasta finales de 1997, y, como era de esperar, les fueron concedidos nuevamente a la ISL ignorando las ofertas de la IMG y de los demás licitadores.

Drossart concluye con una frase visionaria: «Es difícil no llegar a la conclusión de que aquí se aplican dos clases de criterios. Uno [...] para la ISL y otro para los demás licitadores». Desenmascara la decisión provisional de Blatter, que define como un «simulacro» para proteger a la FIFA de «futuros reclamos por un proceso de licitación injusto y poco transparente», de los que la prensa ya empieza a hacerse eco.

En el camino también queda la Unión de Radiotelevisiones Europeas (EBU) y sus socios no europeos, pese a su oferta de 2.200 millones de francos por los derechos televisivos de los Mundiales de 2002 y 2006, y su experiencia en la realización de macroproyectos de esta naturaleza, tanto en el aspecto técnico como en el organizativo. Además, Havelange le había prometido la prórroga del contrato. Pero es necesario que la ISL siga en el negocio a cualquier precio, pues es lo que les garantiza a los directivos de la FIFA que seguirán recibiendo sobornos. ¿Qué era lo que le había confesado Malms al juez de lo criminal? Que el soborno era una práctica indispensable en este modelo de negocios. «De otro modo, no es posible.»

Gracias a los contactos de la familia Dassler, la ISL había conseguido que el magnate de los medios Leo Kirch, su socio ideal, se subiera al barco. Kirch lo hizo bien, hasta el punto de que figuraba como socio menor junto al socio principal ISL, aunque al mismo tiempo respondiendo por el importe total de los derechos televisivos para 2002 y 2006, que ascendía a 1.700 millones de euros. Ya en aquel entonces, la competencia TEAM, que adjudica los derechos para la Liga de Campeones, se huele el timo. «¿No es alucinante hasta qué punto el secretario general de la FIFA se expone por una empresa? —comenta un ejecutivo, que explica—: Es absurdo que el licenciatario principal no pueda ofrecer ninguna garantía y que el licenciatario menor asuma el total de la financiación.»

Nada más sellado el acuerdo, Kirch enseña otra cara. Tiene que cargar con su proyecto pionero de televisión digital, que le hace perder mucho dinero. De repente, los expertos que habían negociado para la ISL se pasan a su bando. Y, tras un enfrentamiento con el socio ingenuo, Kirch decide que solo responde por la mitad del importe de la garantía, al mismo tiempo que le arrebata a la ISL los derechos televisivos para Europa, un negocio sumamente lucrativo. Ahora la agencia de sobornos de la FIFA tiene que poner la otra mitad y solo le queda negociar con la parte menos solvente del mundo. El panorama vuelve a ser comprometido para la ISL. Ya en el verano de 1997, el alto ejecutivo de TEAM pronosticaba: «En septiembre, en una sesión extraordinaria en el Cairo, también se le concederán a la ISL los derechos de márketing para 2006».

Ya se veía venir, después de la concesión de derechos televisivos en 1996. Y de las noticias. Michael Zen-Ruffinen, sustituto de Blatter en la secretaría general, lo siguió todo bien de cerca. Dejó constancia de todas las maniobras de Blatter en un dosier que hizo público en 2002, cuando la ISL y Kirch ya eran insolventes. El documento se refiere a las actividades empresariales de la asociación ISL-Kirch en relación con la venta de derechos: «Los derechos de retransmisión televisivos (para los países de habla alemana) concedidos a Leo Kirch para los Mundiales de 2002 y 2006 se vendieron por 120 y 140 millones de francos. Sin embargo, su valor ascendía, por lo menos, a 250 millones. Una oferta de la empresa norteamericana AIM para los derechos en Estados Unidos ascendía a 320 millones de dólares. ¡Y fue rechazada! La adjudicación se la dieron a Kirch. Pérdidas: 160 millones de dólares». Zen-Ruffinen conservó esa información para sí mismo, hasta que mucho más tarde le llegó la hora de descargar su frustración.

Havelange es quien regula la parte deportiva de esta sociedad con los profesionales del márketing. En julio de 1996, en Zúrich, le hace una finta a toda su directiva con el asunto de los derechos televisivos. La noche anterior a la sesión invita a su apartamento al directivo ruso Wjatscheslaw Koloskov, alguien con mala reputación que, como mucha gente del deporte de la antigua Unión Soviética, ha sobrevivido a su desmembramiento sin salir perjudicado.

Al día siguiente, en la ronda de la FIFA, Havelange se salta el orden del día y propone conceder inmediatamente a ISL y Kirch los derechos televisivos para 2002 y 2006. Coge desprevenidos a los europeos, y solicita una votación inmediata, abierta e individual, y luego dirige su mirada fría a Koloskov. «Amigo mío, ¿no crees que deberíamos aceptar esta oferta?» El ruso asiente con la cabeza. Una jugada estratégica, pues de esta manera el frente europeo queda superado.

La pregunta va de boca en boca. Al final solo una minoría vota a favor de la adjudicación, nueve de los diecinueve presentes, pero, como solo hay seis votos en contra y el resto son abstenciones, la oferta de ISL-Kirch se aprueba. Por desgracia para los europeos, estuvo ausente el miembro alemán del Comité Ejecutivo de la FIFA, Gerhard Mayer-Vorfelder. Se habría metido en un buen lío si hubiera votado en esta sesión en contra de los intereses de la UEFA. Pero, por suerte para él, un extraño malentendido previo a esta sesión tan importante impidió que estuviera presente, y así pudo quedarse en casa y atender a su compromiso ineludible, en lugar de votar en contra de los intereses de Europa.

El amigo del deporte Koloskov, el capo del fútbol ruso que hizo de rompehielos para Havelange, firmó unos meses más tarde un magnífico contrato con Nike. La marca de artículos deportivos era también patrocinadora de la selección brasileña y se esforzaba enormemente por reemplazar a

Adidas como patrocinador principal del Mundial. El mismo Koloskov reconoce que, además de equipamiento deportivo, el contrato con Nike incluye pagos en efectivo. Mejor no preguntarse por el destino del dinero en la Rusia de los años noventa. Más tarde, Koloskov llega a causarle problemas al presidente Blatter, pues sale a la luz que cobró 125.000 dólares directamente de la FIFA, sin motivo alguno, cuando ya no era miembro del Comité Ejecutivo.

En el otoño de 1997 también se entregan al hijo necesitado ISL los derechos de comercialización para los Mundiales de 2002 y 2006. La agencia TEAM, creadora de la Liga de Campeones, también se presenta a la licitación. Y otra vez ocurre lo inexplicable. El 19 de marzo de 1996, la FIFA había comunicado que la ISL habría tenido «prioridad para la negociación exclusiva de los derechos con la FIFA hasta febrero de 1996». Hasta entonces todavía no se había llegado a un acuerdo para la renovación. Y además: «Ahora la FIFA evaluará las ofertas presentadas por otros grupos». Es decir, que la prioridad de la ISL ya no tiene validez. Sin embargo, al cabo de dieciséis meses, en julio de 1997, esta opción ya expirada vuelve a adquirir vigencia de manera milagrosa. Blatter, apenado, comunica a los interesados que solo después de que el contrato de exclusividad con la ISL haya caducado podrán estudiarse «ofertas de terceros». Uno de los concursantes engañados vuelve a poner el grito en el cielo. El ejecutivo de TEAM presenta a Havelange y a Blatter una nota de protesta que por el tono recuerda bastante a la carta de Drossart del año anterior: «Esta nueva decisión parece contradecir lo anunciado anteriormente. Todo este procedimiento da la impresión de que el secretario general de la FIFA tiene previsto adjudicar los derechos sin sondear las posibilidades del mercado. ¿Cómo es posible que el secretario general de la FIFA busque una vía rápida para atender los problemas surgidos de la concesión de derechos televisivos para los años 2002 y 2006?».[49]

El sector entero comparte tal sospecha. Kirch ha debilitado a la ISL por medio de las nuevas competencias reguladas en el campo de los derechos televisivos, que podrían retrasar las devoluciones de pagos. Tras leer el análisis del ejecutivo de TEAM, Blatter se enfada y envía copias de la carta de protesta a los miembros del Comité Ejecutivo. Esta vez se escandaliza por «la vulneración de los principios de cortesía más elementales». Es uno de sus trucos provincianos preferidos: reducir la importancia de un asunto de miles de millones a un descuido en las formas. En lugar de responder a reclamos concretos y bien argumentados, se centra en las cuestiones de etiqueta.

(Por cierto, este patrón de comportamiento blatteriano se puede apreciar de maravilla en el vídeo de su conferencia de prensa del 30 de mayo de 2001. En esa ocasión tuvo que explicar un regalo de un millón de dólares que hizo a la Concacaf durante su campaña presidencial. Cuando los periodistas indignados le piden que se quede, ya que después de sus habituales respuestas huecas y evasivas se dispone a abandonar el escenario, Blatter da una breve conferencia sobre educación y moral.)

En 1997, Blatter también denuncia «una grave falta de respeto» por parte de los licitadores de derechos a los que acaba de tomar el pelo. Es incapaz de replicar a los reclamos de manera objetiva y sustancial. Eso confirma que una relación sujeta a autoridad entre el adjudicador de los derechos y la ISL-Kirch en materia de televisión y ahora de márketing va en contra de «las reglas de educación».

En el mes de septiembre de 1997, la reunión de la directiva se realiza en El Cairo. Como casi siempre, los miembros del comité no reciben los documentos de la adjudicación de derechos de márketing para el Mundial hasta la noche previa a la sesión, cuando ya están en la habitación del hotel y se los pasan por debajo de la puerta. Johansson, el titular de la UEFA, se dirige a Havelange y a Blatter: el proceso es inaceptable, se necesita mucho más tiempo para estudiar esa compleja situación.

Esta vez la finta que se le hace al Ejecutivo es todavía más descarada. Johansson y los suyos pudieron al fin marcharse a casa contentos. No se llegó a un acuerdo, la decisión sobre la adjudicación se aplazó para el siguiente encuentro en

Marsella. Eso también se podría deducir del comunicado de prensa que publicó la FIFA, si no fuera por el misterioso soplo de que el Ejecutivo habría aprobado «por principios» un acuerdo con la ISL.

El presentimiento es desagradable. Mientras tanto, los partidarios de Blatter, el presidente de la Comisión de Finanzas, Julio Grondona, y el vicepresidente Jack Warner, regresan a casa con preciosos regalos de El Cairo: el argentino se lleva la Copa Mundial Juvenil sub-20 2001, y el hombre de Trinidad Tobago el torneo sub-17. En la ISL, también se tiran cohetes. En el acta de la reunión de principios de septiembre de 1997 consta que la decisión de la FIFA a favor de la ISL estaría tomada, y que se daría a conocer más tarde para evitar la división de la directiva. Los críticos pueden seguir haciendo preguntas, pero ya no pueden impedir que se firme el contrato con la ISL; así se lo dice el hombre de las maletas Weber a sus directivos.

Días más tarde, se confirma lo que temían los escépticos. El *Sonntagszeitung* de Zúrich informa que «Havelange y Blatter han vuelto a engañar no solo a sus críticos, sino también a su consejo de administración». Y el secretario general explica que el Comité Ejecutivo habría otorgado al grupo ISL los derechos de márketing en El Cairo para los Mundiales 2002 y 2006.

Esto es apenas una floritura en comparación con la propuesta que presentó en El Cairo la Comisión de Finanzas de Blatter a la Comisión Directiva. La FIFA debería firmar un acuerdo de empresa conjunta con una firma privada y aportar allí la totalidad de sus derechos. El cincuenta y uno por ciento de la nueva sociedad dependería de la FIFA, y el resto del socio afortunado: es decir, la ISL. ¿Qué razones tiene esta obsesión amorosa con la ISL? ¿Por qué el presidente y el secretario general recurren continuamente a tácticas extrañas y se saltan el estatuto alimentando la sospecha de que hacen chanchullos con la empresa que es la niña de sus ojos?

La propuesta de una sociedad conjunta con la ISL donde la FIFA debía aportar todos sus bienes y comprometerse innecesariamente con una empresa privada es la conclusión de una práctica de fragmentación. Primero los derechos televisivos, luego los de márketing, todo para la ISL. ¡Fabuloso! ¿No queremos ir todos de la mano? Eso en un momento en que federaciones como el COI o las ligas profesionales americanas han procedido a comercializar ellos mismos sus derechos, en lugar de cederlos en paquetes a una empresa privada que apenas tiene experiencia en el mercado televisivo y que, además, como pronto se demostrará, no tiene un duro.

La sociedad conjunta de los capos de la FIFA con su empresa favorita iba a llamarse Intersoccer. El entonces director de la ISL Heinz Schurtenberger explica el plan general de la siguiente manera: «La FIFA tiene una amplísima gama de marcas. La idea era aportarlo todo a una sociedad de capital que operara en el mercado, y que la FIFA cediera ciertos derechos a la ISL. La FIFA habría conservado la mayor parte en una relación de cincuenta y uno a cuarenta y nueve».

Tiene toda la pinta de ser un timo. Los más altos ejecutivos de la FIFA planean la autodisolución de la federación en una maraña empresarial dominada por ellos. En caso de una desavenencia posterior con la firma, la FIFA probablemente tendría que haber comprado allí mismo sus propios derechos.

No se lleva a cabo. La oposición en la directiva se niega de plano. Tan desconfiados se habían vuelto los directivos próximos a Johansson que, en el siguiente encuentro en Marsella, tres de ellos también registraron en el protocolo las declaraciones de su secretario general durante una reunión informativa convocada antes de la sesión. La confianza en Blatter estaba rota. «La FIFA está en crisis —dijo un asesor de Johansson—. Solo que el monopolio sigue asegurando la entrada de dinero.»

Las licitaciones corruptas ponen de manifiesto otra debilidad estructural en el mundo oscuro del deporte que escapa a los controles. Pese a todos los manejos, ni la IMG de Drossart ni la agencia TEAM llevaron a la FIFA ante la justicia. Tampoco lo hizo la EBU, aunque dejó clara constancia de que se les había excluido en beneficio de la sociedad licitante

ISL-Kirch. En Alemania, el extraño acuerdo preocupó durante años a la política y la opinión pública.

¿Por qué no se emprendió nunca ninguna acción contra la FIFA? Porque tarde o temprano habría una nueva licitación por los derechos, y nadie quiere estar enfrentado con la federación mundial de por vida. Esta manera de obrar, bajo el lema «las familias se pelean y se reconcilian», es lo que consolida las relaciones corruptas. Es la misma ley que existe en las adjudicaciones de las sedes para los Mundiales, y que, a fin de cuentas, asegura que en este ámbito la corrupción no se reprima, sino que adopte formas cada vez más descaradas. ¿Qué habían dicho los británicos furiosos ante el incumplimiento chapucero de la FIFA después de su frustrada candidatura en 2000? Pues cuando volvieron a presentarse para el torneo de 2018 ya había quedado todo olvidado, gracias a que sus políticos dieron coba y movieron la cola. Y solo después de haber perdido en esta nueva oportunidad para ser sede del Mundial, dieron a conocer todo lo que les había exigido la honorable familia del fútbol: por ejemplo, una excepción en la ley británica que permitiera el lavado de dinero a cambio de la elección de Gran Bretaña como sede de la Copa del Mundo. Ni siquiera la Cosa Nostra puede permitirse algo así: exigir a los gobiernos nacionales que deroguen las leyes contra el lavado de dinero. «Te haré una oferta que no podrás rechazar».

Sudáfrica proporciona otro ejemplo de la contención de venganza. Después de fracasar en la candidatura de 2006 (el neozelandés Charles Dempsey se había marchado, en lugar de votar por Sudáfrica, como le había pedido su federación) estaban listos para rebelarse. Contrataron a un renombrado abogado que elevó una protesta contra la elección de Alemania. Naturalmente tuvieron que hacerlo ante la FIFA, que por supuesto rechazó esta protesta contra su propia decisión. Pero la situación se volvió incómoda para la FIFA, porque el abogado de Sudáfrica, Jean-Louis Dupont, que cinco años antes había ganado el juicio a favor de Jean-Marc Bosman, sentó un precedente sobre la cuestión de si un órgano internacional de gobierno en materia de deporte tiene potestad para prohibir a sus miembros apelar a un tribunal ordinario.

En 2000, durante un largo debate con la directiva de la FIFA en Zúrich, los africanos comprendieron que estaban a punto de perder la simpatía de los amos del fútbol mundial. Johansson, entonces vicepresidente de la FIFA, se refirió al ambiente de amenaza de la siguiente manera: los sudafricanos habrían entendido al fin que no se consigue nada «cuestionando la integridad de los miembros de la FIFA». Al día siguiente, Irvin Khoza, uno de los representantes de la candidatura, recitó el mantra de la familia del fútbol: «Nuestra intención era apelar a la justicia, pero no llegaremos tan lejos, por el bien del fútbol y de la solidaridad». Cuatro años después se produjo otro encuentro en Zúrich, donde se adjudicó a Sudáfrica la Copa del Mundo de 2010. «Las familias se pelean y se reconcilian.» Al final todo queda en familia.

Durante los años siguientes, los negocios se llevan a buen puerto, los millones en sobornos están asegurados y surgen los primeros agradecimientos. En su libro *Foul*, el experto en el tema FIFA, Andrew Jennings, describe una situación embarazosa tras un envío equivocado. Al director financiero de la FIFA, Erwin Schmid, le llega por sorpresa un depósito del banco suizo UBS, que acredita un pago de un millón y medio de francos de la ISL a nombre de Havelange. Enseguida, Schmid le muestra el comprobante a Blatter. Pero este no llama a la policía, ni siquiera comunica el hecho al Comité Ejecutivo ni al Comité de Finanzas. Simplemente obliga a devolver el dinero.

Antes de las elecciones fluye el dinero

Es el momento en que Blatter empieza a abrirse camino, Havelange ya no es reelegible. En primer lugar, por el numerito con Pelé, y luego por la adjudicación del Mundial 2002 a Corea y Japón, lo que provoca una verdadera crisis. En el último momento, Johansson y su contendiente logran que la Copa del Mundo sea organizada por dos países, mientras que Havelange, que siempre le había prometido el

Mundial a Japón en solitario, tiene que ceder a regañadientes. Ahora bien, esto supone que para la Copa del Mundo de 2002 se duplican los gastos, tanto en centros mediáticos como en costosos alojamientos para la parentela numerosísima de la FIFA en ambos países.

Otro fuerte revés para Havelange fue su visita a Sani Abacha en 1995. El infame dirigente militar recibe el Mundial sub-17 como obsequio por parte de su invitado. Mientras el padrino de la FIFA se refiere al sangriento dictador como «su excelencia» y recibe el título honorífico «*ekwueme*» como «hombre que cumple su palabra», a pocos kilómetros de distancia se está preparando la ejecución del escritor y activista Ken Saro-Wiwa y otros ocho hombres del pueblo ogoni. Durante semanas, el verdugo Abacha ha recibido peticiones de amnistía de todo el mundo. Solo Havelange le hace entrega de un regalo afectuoso: el tesoro de la juventud en forma de mundial juvenil de fútbol. Abacha espera hasta que Havelange ha dejado el país para ahorcar a los nueve ogonis. A las críticas del mundo entero, Havelange responde imperturbable con una declaración propia de todos los dictadores del deporte que ignoran los derechos humanos: «No se pueden mezclar política y deporte».

Pero el mundo está furioso. *The Sunday Times* escribe: «El presidente de la FIFA le besó el trasero al dictador».[50] De este modo, la visita de Havelange al dictador nigeriano se convierte involuntariamente en viento a favor para Johansson durante la campaña. Los europeos del Comité Ejecutivo le recuerdan al padrino una vez más que en el universo del fútbol no se pueden tomar decisiones en solitario, y por votación conceden a Malasia la Copa del Mundo sub-20, que debería haber sido adjudicada a Nigeria. La imagen de Havelange se deteriora. Ya a finales de 1996 anuncia que no volverá a postularse. Ahora se trata de preparar a un sucesor, ya que Johansson no deja pasar ni una sola oportunidad de hacer pública su promesa: «Me comprometo a instaurar un control independiente de las prácticas empresariales de la FIFA».[51]

Como hoy se sabe, eso habría sido desastroso para la

pandilla de Havelange. El padrino empieza a elogiar a Blatter, que en 1994 ya quería destronarlo. Mientras tanto, el secretario general se emplea a fondo en su campaña. Se trata de hacer una campaña decente aplazando todo lo posible el anuncio de la candidatura, ya que una vez postulado tendría que dejar el cargo de secretario general, ese centro de poder que le permite llegar a todos los rincones del mundo del fútbol.

En una sesión de marzo de 1998, Johansson y su oponente Blatter se enfrentan. Durante horas se insiste al secretario general que diga si se presenta o no, pero él calla. Luego los directivos quieren votar sobre si Blatter debe dejar el cargo. La mayoría está con Johansson, así que Blatter y Havelange se apresuran a abandonar la reunión, se precipitan a la sala de prensa del lujoso hotel Dolder Grand y afirman cándidamente que no quisieran verse obligados a tomar medidas que contravengan las leyes de Suiza.

Blatter espera hasta el cierre de las inscripciones en abril de 1998 para presentar su candidatura a la presidencia de la FIFA. Y Michel Platini, organizador del Mundial de ese verano, le prepara el acto como buen colaborador de campaña. (Este es el comienzo de una amistad que duró muchos años. Platini entra en la política del deporte asumiendo el papel bien remunerado de asistente de Blatter en París. Luego asciende a la directiva de la FIFA y la UEFA, y llega a presidente de la UEFA, en parte con la ayuda oscura de los opositores de Johansson en la Europa del este. Hoy espera el gran nombramiento.) Al final, según el testimonio de un íntimo amigo de Havelange, el dueño de Adidas, Robert Louis-Dreyfuss, también habría apoyado discretamente al candidato.

Blatter es elegido el 8 de junio de 1998. Desde entonces se ha especulado mucho sobre este extraño acontecimiento ocurrido poco antes del comienzo del Mundial de Francia.

En la noche previa a las elecciones, que habían llevado meses de preparación, se reparten sobres gordos en el hotel Méridien, donde se aloja la delegación africana. Blatter se impone en la votación del día siguiente por ciento once votos a ochenta. Johansson, con lágrimas en los ojos, rehusó una segunda votación. Para cada uno de los presentes está claro que los votos han sido comprados. El autor de este libro estuvo allí y vio cómo esa noche, después de las elecciones, el representante de Camerún, Issa Hayatou, y varios representantes de federaciones africanas se disculpaban con Johansson por el vergonzoso comportamiento de sus colegas. Incluso un delegado africano se olvida el sobre lleno de dinero al dejar el hotel (el dinero lo encontraría un empleado de la FIFA). Blatter rechaza cualquier reproche hacia él, pero no niega el hecho: «El grupo de apoyo a Sepp Blatter no se alojaba en el hotel donde se repartieron los sobres». ¡Vaya argumento! Es cierto, él y su gente no estaban en el hotel. Como tampoco estaba el promotor de campaña Mohamed Bin Hammam, el hombre que financió el ascenso de Blatter. Pero ¿qué nos quiere contar? ¿Acaso ese dinero solo podía entregarse personalmente?

Ya han pasado dieciséis años desde aquellas turbias elecciones,[52] como las definió el entonces presidente de la DFB Egidius Braun, cuyo trasfondo es tan tangible como el mercadeo que Blatter llevaba a cabo en aquella época en beneficio de la ISL. Porque hoy se sabe mucho más sobre el desarrollo de aquellos comicios. En octubre de 2011, Jack Warner, vicepresidente de la FIFA en aquel año electoral, publica una carta abierta en el *Trinidad Guardian* en la que promete un «tsunami» de revelaciones con respecto a Blatter y sus negocios. «Hablaré sobre la lamentable elección presidencial de 1998, en la que Blatter venció a su máximo rival, Johansson, y sobre las razones por las que Bin Hammam y yo le ofrecimos nuestro apoyo. Lo acompañamos en una cruzada mundial por África y Asia, y pedimos apoyo para él. ¡Y ganó! En 2002 volvimos a recorrer el mundo en el avión privado de Bin Hammam, cuando Blatter se enfrentó a Issa Hayatou en unas elecciones brutales, y volvió a ganar, por segunda vez [...] Se les revolverá el estómago cuando conozcan todos los "regalos" que repartió Blatter para asegurarse su segunda elección.» Estas palabras dieron la vuelta al mundo; sin embargo, la FIFA no quiso dar una respuesta concreta sobre este y otros ataques.

Llama la atención que los pormenores de estas denuncias tardías de corrupción por parte de Warner hagan referencia a las rutas de vuelo elegidas por Blatter y el hombre que financió su campaña, Mohamed Bin Hammam. En aquella ocasión, Johansson dio a conocer su presupuesto de campaña: 534.000 dólares era lo que la directiva de la UEFA le había autorizado a gastar. Blatter, obligado por esta razón a revelar también él algunas cifras, fluctúa de tal manera que solo demuestra que en este aspecto tampoco tiene la menor intención de enseñar sus cartas. La agencia de noticias Reuter informa de que el presupuesto de Blatter, según su propia declaración, asciende a 135.000 dólares, y ese mismo día la agencia AP lo cifra en unos trescientos mil dólares. Con solo calcular el coste de su gira electoral en avión privado de clase ejecutiva, se deduce que ambos importes tienen que estar por debajo del presupuesto real. En los círculos cercanos de la FIFA se dice que solo las últimas operaciones de campaña en París ya habrían costado dos millones de dólares.

El padrino saliente Havelange también se esmera para proteger a su príncipe heredero. Invita personalmente a los delegados africanos al congreso electoral en París, con todo pagado, en parte por cuenta de él y en parte de la FIFA. Se ofrecen seminarios y ayudas al desarrollo para numerosos directivos del tercer mundo. Los ayudantes de Blatter prestan más atención a los países del sur y el oeste de África, pues el este francófono del continente responde hasta cierto punto al camerunés Issa Hayatou, presidente de la CAF y amigo de Johansson. En el congreso de la CAF de febrero de 1998, Hayatou había anunciado una votación conjunta de África en apoyo a Johansson.

En ambos bandos se habla constantemente de democracia, *fair-play*, transparencia y gestión limpia. Johansson y su grupo parlamentario lo usan como amenaza, mientras que Blatter se muestra decidido a tomar en consideración estas virtudes en el futuro. En el congreso de la UEFA del 30 de abril de 1998 en Dublín, Egidius Braun, presidente de la DFB y tesorero de la UEFA, le dice a Havelange a la cara:

«No puede seguir existiendo esa segunda caja de la que se habla en Suiza».

La presunta orgía de corrupción montada por quien fuera secretario general, a la que Warner, en calidad de antiguo partidario de Blatter, se refirió públicamente por primera vez en 2011, ya había sido denunciada a principios de 2002 por un afectado de la Federación de Somalia. Farah Addo también presidía desde 2000 el Consejo de Asociaciones de Fútbol para el Centro y Este de África (CECAFA). En 1998, Addo se niega a eludir la decisión conjunta de votar a Johansson. En junio, en la sede electoral de París, lo borran de la lista de delegados. Solo mediante la intervención de Johansson y Hayatou consigue recuperar su derecho a voto. Hasta hoy sigue sin saberse si Blatter estaba al corriente de este asunto.

En cualquier caso, Blatter más tarde se entera de las acusaciones formuladas por Addo. El somalí las envía por fax a la sede de la FIFA. Según la denuncia, poco después de que el titular de la CAF hubiera decidido apoyar a Johansson, se habría realizado un «encuentro revolucionario» en Kigali, Ruanda, por iniciativa de Havelange y Blatter. El presidente de la Federación de Somalia se encontraba en Estados Unidos; sin embargo, sus colegas de la federación habrían participado, y más tarde acudido, al congreso de París con todos los gastos pagados por la FIFA (comida, hotel, dietas), lo que habría costado unos doscientos mil dólares. En Kigali, Havelange y Blatter habrían prometido a los países del CECAFA ochenta mil dólares para la Copa de Naciones, «sin la aprobación del comité ejecutivo». Aparte de esto, se le habría prometido a cada país miembro un aparato de fax y una fotocopiadora.[53]

Después de Kigali, se habría producido un segundo encuentro en Nairobi. Blatter habría recibido a los delegados «de uno en uno en la privacidad de su habitación de hotel» y habría aceptado su promesa electoral para París. «El señor Blatter viajaba en un jet privado, acompañado por Mohamed Bin Hammam, el maestro de finanzas detrás de la campaña. El señor Bin Hammam organizó los viajes a París a través del Golfo para todos los representantes, sus mujeres y sus hijos. Les proporcionó billetes gratis y dinero en efectivo.» De hecho, Bin Hammam estaba tan estrechamente ligado a la campaña de Blatter que incluso decidió no viajar a Doha para visitar a su hijo, que estaba internado en el hospital tras un peligroso accidente. Después de las elecciones, Blatter escribe al catarí (al que llama «hermano») una sentida carta de agradecimiento.

A finales de abril, Addo dijo en la BBC que el CECAFA apoyaba a Johansson. Una semana después lo habría telefoneado el exdiplomático somalí Abdi Heybe desde Catar para decirle que se encontraba con Bin Hammam y uno de los príncipes de Al Thani, quienes le habrían pedido el voto de Somalia para Blatter y le habrían prometido ayuda para los somalíes refugiados y aquellos incorporados a la policía y el ejército de Catar. Luego Addo habría recibido una oferta de cien mil dólares, la mitad en efectivo o cheque, la otra mitad en equipamiento deportivo para la federación. Según Addo, la habría rechazado. Después, un mediador habría viajado a Mogadiscio. Primero habría abordado al representante de la federación, luego al primo de Addo que estaba a cargo del hotel del titular del CECAFA. «Mi primo me llamó y me preguntó si era cierto que yo había rechazado cien mil dólares. Le dije que se olvidara del asunto.» Tras consultarlo con Doha, el mediador habría pedido a dos vicepresidentes del CECAFA que se acreditaran en las elecciones de la FIFA con documentos falsos a nombre de Addo.

Así fue como los somalíes sobornados viajaron gratis a París a través del Golfo con todos los gastos pagados, mientras que Addo tuvo que pelear para recuperar su derecho a voto. Tras la victoria de Blatter, se habría enviado el dinero prometido por la FIFA. Medio millón de dólares para Ruanda, donde se celebraría la Copa del Este de África en 1999, y trescientos mil dólares para el entonces titular del CECAFA Abu Harraz y su secretario general Namweya. Con eso podrían haber alimentado a nueve países de la Copa; sin embargo, nunca se explicó a qué se destinó ese dinero, ni siquiera cuando Addo llevó a cabo una investigación tras acceder a la presidencia del CECAFA en noviembre de 2000. Con vistas a las siguientes elecciones de 2002, en las que Blatter tuvo que recurrir a los viejos trucos para vencer al desafiante Issa Hayatou, Addo calificó a los africanos colaboradores de Blatter y Hammam como «exclientes de la corrupción». Y advirtió: «Lamentablemente, Blatter y Hammam usan el proyecto de cooperación Goal como palanca para extorsionar a las federaciones de los países pobres, destinando ayudas solo a sus clientes y a los países miembros de la directiva».

En consecuencia, este es el panorama electoral que se habría creado entre los países del CECAFA para la votación en París: Etiopía, Eritrea, Yibouti y la parte de Somalia liderada por Addo se habrían ceñido a las directrices de la CAF, y habrían votado por Johansson. Kenia, Uganda, Tanzania, Ruanda, Burundi y Sudán se habrían sometido a las promesas de dinero en caso de que Blatter ganara.

Lo interesante es cómo la Federación Somalí fue sometida a presión inmediatamente después de que Addo anunció su toma de posición. Blatter puso a trabajar a la Comisión de Disciplina para que investigara las finanzas de la federación.

Después de aquella elección en París se elaboran numerosos informes de corrupción. En ellos se habla de los vuelos, los alojamientos y los servicios de acompañantes financiados por terceros, de la promesa realizada a las federaciones miembro, que en el futuro reciben un cuarto de millón de dólares anuales de ayuda financiera (lo que asegura el futuro de los directivos que están al frente de las asociaciones más pequeñas), y sobre todo de la última noche en que los sobres con dinero pululan en el hotel de los africanos. Los medios están a cien. El 11 de junio de 2002, la revista suiza *Weltwoche* publica: «El jeque Mohamed Bin Hammam, el amigo de Catar que ya había puesto a su disposición el jet privado para la campaña, convenció a los delegados africanos con fajos de dólares para que se pasaran al bando de Blatter. Ahora Blatter afirma que se habría tratado de subvenciones previamente acordadas de cincuenta mil dólares para veinte países necesitados». Las preguntas que se hace todo el mundo:

«¿De dónde sale el dinero? ¿A qué se debe la informalidad de la entrega en efectivo?». Las entregas se realizan en una noche de domingo, horas antes de la coronación de Blatter. Evidentemente, la extrema necesidad de los pobres delegados no admitía aplazamientos. En el entorno somalí de Addo se estima que fueron sobornados dieciocho directivos. Eso habría alcanzado para arrebatarle el triunfo a Johansson.

Hasta el día de las elecciones se opera con toda clase de trucos. El titular de la Federación de Haití, Jean-Marie Kyss, pensaba votar a Johansson, pero tiene que cancelar el viaje a París por falta de dinero. Sin embargo, el voto de Haití se emite, ya que el ayudante de Blatter, Jack Warner, lo recicla para él colocando a su asistente personal Neville Ferguson, de Trinidad, en el lugar de Haití y permitiéndole votar. Ferguson figura en el acta del congreso de la FIFA como delegado de Haití. En el vídeo oficial se lo puede ver cuando emite el sufragio. Por tanto, aquella elección bien podría haberse impugnado, por ilegítima. ¿Amenazaba Warner años más tarde, tras su ruptura con Blatter, con revelar hechos como este? ¿Era esto parte del «tsunami»?

Blatter y sus amigos se niegan a responder cualquier pregunta incisiva. También Bin Hammam rechaza todas las acusaciones de corrupción. Dice que simplemente se habría operado con precisión. Bin Hammam pasa a integrar la Comisión de Finanzas de Blatter, y es nombrado director del proyecto de cooperación Goal. En teoría es un proyecto muy útil. De hecho, a los amos de la FIFA les sirve, además de para repartir ayudas, como instrumento de gestión y preservación del poder.

Sepp Blatter disfruta de su nuevo estatus. ¡El muchacho trabajador de pueblo ha llegado a lo más alto! Incluso el viejo padrino Havelange cambia su manera de referirse a él, ya no habla de «mi hijo», sino de «mi hermano menor». Y esa misma noche, después de las elecciones turbias, Joseph Havelange júnior se traslada a la suite presidencial de su hotel.

El primero entre iguales

Los documentos desaparecidos y el gabinete oscuro

El nuevo presidente desconfía de sus viejos colaboradores. Ya en la reunión del directorio del 18 de septiembre de 1998 se prohíbe estrictamente el uso de móviles personales en las instalaciones de la FIFA. Solo se puede telefonear a través de las líneas telefónicas oficiales, que pueden estar intervenidas para realizar escuchas, tal como afirman los empleados con cierta antigüedad y como consta repetidas veces en los informes. Las necesidades de Blatter respecto a la seguridad son considerables y están profundamente enraizadas. Vienen de su aprendizaje dentro del servicio secreto empresarial de Horst Dassler, el conflicto con Havelange que puso en peligro su supervivencia en la federación, la creciente enemistad con la UEFA, las negociaciones clandestinas por los derechos que beneficiaron una y otra vez a la ISL, las empresas buzón en Appenzell. Su lema es «Siempre alertas y preparados. Observa cómo actúa el enemigo y ganarás la guerra».[54]

Blatter sospecha de los medios y contrata informantes y asesores bien retribuidos. ¿Cómo es eso que dice sobre sí mismo? «Me gusta el espionaje. En cierto modo, es parte de mi trabajo.» Su trabajo diario se caracteriza por el empeño en proteger el espacio presidencial, no solo de la opinión pública, sino también dentro de la FIFA y sobre todo de los auditores. La central de Zúrich es un constante ir y venir de personas, y se forman camarillas que luchan encarnizadamente.

En los primeros años de su mandato, Blatter se dedica

sin descanso a formar una especie de gobierno paralelo, denominado tripulación de mando (la F-Crew). La UEFA de Johansson sigue aumentando la presión, y también la oposición del entorno del secretario general Michael Zen-Ruffinen husmea en los asuntos de Blatter. Por todas partes ve enemigos, embaucadores y traidores. Todos observan con lupa su política financiera, donde residen los instrumentos para la adquisición y la preservación del poder. Ahora Blatter es el presidente de mando, y ya en la asunción del cargo, en septiembre de 1998, se encarga de que la Comisión de Finanzas resuelva que solo su titular Julio Grondona y su vicepresidente Jack Warner establezcan normas para las retribuciones del presidente de la FIFA. Dos hombres que a menudo tienen que enfrentarse a denuncias de corrupción. Ellos son sus hombres de máxima confianza junto con su agente electoral Bin Hammam, que ya se ha incorporado al equipo de finanzas de la FIFA. Al cabo de trece años, tras su ruptura con Blatter, Warner dirá que nunca se ha enterado de nada relacionado con la verdadera remuneración del presidente, afirmará desconocer tanto el monto de su salario como las primas, y dará a entender que solo Grondona tiene acceso a esa información. Sea como sea, jamás un experto independiente ha obtenido una información completa de las operaciones financieras de la presidencia. Blatter reacciona con enojo, a veces con trucos engañosos, pero siempre alerta a los intentos de penetración en las finanzas de su territorio presidencial.

Además, la FIFA de Blatter tiene que despedirse de su viejo y querido revisor de cuentas. Eso coincide con que la contabilidad financiera de la FIFA, en el momento del cambio del pequeño Sutter Kontroll AG al auditor global KPMG, se encuentra en un estado desastroso. Recordemos que el revisor de cuentas Sutter estaba ligado al director de finanzas de la FIFA, Erwin Schmid, a través de un club amateur y, según el expediente, también mantenía relaciones comerciales con personas a las que debía auditar. Ahora, con el cambio de mandato, el nuevo auditor, KPMG, exige la entrega de todos los expedientes y documentos. En principio, no hay problema. Pero cuando la oficina tributaria anuncia una revisión de la FIFA, el nuevo director de Recursos Humanos, Michael Schallhart, tiene que ponerse a buscar los expedientes de 1998 y anteriores, y comprueba que los documentos no se encuentran ni en la FIFA ni en KPMG. A través de Sutter se entera de que allí tampoco habría ningún expediente. Luego, según los estremecidos apuntes de Schallhart de junio de 2000, en una conversación con el administrador Paolo K., descubre que «en Sutter todavía debería haber unas treinta carpetas». Solicita a la firma Sutter la devolución de todas las carpetas. Sutter solo entrega tres carpetas a la FIFA y afirma no tener ninguna más. Sin embargo, Schallhart intuye que «tiene que haber más documentos. Una nueva consulta con el señor K ha revelado que debería haber unas veinte carpetas en Sutter». A esto sigue una nueva solicitud, con mayor «vehemencia». Ahora Sutter acepta que se pasen a retirar las otras carpetas. Schallhart se lamenta de que «estén en un estado desastroso. Es sumamente difícil investigar cuando no hay posibilidad alguna de extraer una conclusión de estos documentos o llevar a cabo un control. Así lo ha confirmado el señor Z, experto de KPMG». Además faltan las declaraciones de la renta de 1997 y 1998, requeridas para una revisión.

Estas circunstancias se generan con el secretario general Blatter, que ahora es el presidente de la FIFA. Pero el jefe prefiere apartarse del punto de mira. Dice: «El estado de las cuentas gestionadas por el señor Schmid hasta octubre de 1999 es desastroso. No asumiré ninguna responsabilidad al respecto.» Según él, la gestión de nóminas entre 1989 y 1999 carecería de toda «lógica y credibilidad». Por eso resultaría muy difícil hacer su trabajo, «en vista de la negativa de determinadas personas a facilitar información».[55] ¿Facilitar información? ¿Acaso en la trama Sutter-Schmid-Blatter-empresas buzones había una categoría de documentos clasificados que no podía pasar una revisión de cuentas normal? Un comentario de Schallhart alimenta la sospecha: «En el documento de traspaso se deja constancia de que habría otras tres carpetas en Sutter, que, sin embargo, no se entregarían a menos que lo solicitaran el señor Blatter o el señor Zen-Ruffinen».

Blatter ya les había dejado claro a los auditores de KPMG que su despacho y el área presidencial constituyen una zona restringida. Así lo atestigua gente que trabajaba allí. Y los nuevos revisores se muestran especialmente conciliadores. En el informe final de la auditoría de 1999, reflejan de forma sutil que Blatter procede a su antojo respecto de las finanzas de la FIFA. Advierten sobre un pago que, por su aspecto, podría ser una factura privada. «Para cubrir el incremento del gasto de la Copa de Confederaciones en Arabia Saudí se efectuó un pago posterior al administrador por una cantidad de 470.000 francos. El pago se realizó con la autorización del presidente de la FIFA y el presidente de la Comisión de Finanzas. No consta la autorización del Comité Ejecutivo ni de la Comisión de Finanzas.» Así lo notifica KPMG, que recomienda, para el futuro, solicitar el visto bueno de la Comisión de Finanzas. Los auditores de KPMG señalan que la modalidad de pago con cheque «tan frecuente» en la FIFA limita las posibilidades de un control preciso de los movimientos de dinero. Entre las reservas de la FIFA les llama la atención un fondo de 786.000 francos adjudicado al supuesto expresidente honorario Havelange. El importe se amortiza.

La familia de Havelange también está presente en el informe de la revisión intermedia de 2000. KPMG presenta un caso que huele a intento de lavado de dinero a través de las cuentas de la FIFA por parte de un dirigente: Ricardo Teixeira. Teixeira se dirige a la FIFA con cuatrocientos mil dólares en efectivo y pide que se transfiera este dinero a la CBF, la federación que él preside.[56] Se trataría de un anticipo por el mundial de 1998. Los auditores constatan que la FIFA ha hecho efectivo un importe como ese y lo ha asentado en las cuentas. Sin embargo, en la CBF no se ha registrado ningún ingreso. Así que Teixeira lleva el dinero a Zúrich para pedir una transferencia oficial. Es el momento en que está siendo investigado en Brasilia por dos comisiones, y junto con él su confederación, que, como refleja el informe, deja en evidencia que es un «semillero del crimen». La FIFA habría estado de acuerdo con la operación, notifica KPMG, solo que con la condición de que «la transacción quedara primero asentada en la cuenta corriente de la FIFA como un ingreso hecho por el presidente de la Confederación Brasileña y luego se procediera a la transferencia. Pero Teixeira no estaba de acuerdo». ¡Por supuesto que no! ¿Qué podría parecer si el presidente girara dinero a su propia confederación a través de la FIFA, un dinero que se debería haber transferido de forma directa? Teixeira solo quiere un cheque por los cuatrocientos mil dólares. Y lo recibe. Pero el Departamento de Finanzas quiere abonar la suma a la CBF y cargarla en su cuenta. Unos días más tarde, Teixeira pide que se cancele la operación y pasa a recoger el dinero. Los auditores presentan al respecto una bonita «propuesta de mejora»: «Proponemos que, en lo posible, los pagos se efectúen a sus beneficiarios». Vaya, ¿y si no a quién?

Sin embargo, parece que en la FIFA esto no se sobreentiende. «Nos consta que por diferentes razones muchas veces no es factible», declaran los auditores. Y así confirman que en la federación mundial es costumbre realizar pagos a personas que no son los destinatarios finales. A los vigilantes contables solo les queda proponer una vieja regla de campesinos: «Limitar los pagos con cheques y en efectivo a aquello estrictamente necesario».

Jérôme Champagne es miembro del gabinete oscuro de Blatter, la tripulación de mando (F-Crew). Es un exdiplomático francés que tiene acceso a las esferas políticas de los países francófonos, y en la FIFA ocupa el cargo de consejero internacional. De la F-Crew también forma parte el jurista Flavio Battaini; si Blatter tiene malas noticias para el secretario general Zen-Ruffinen, Battaini es el portador. En la tripulación también se reúnen doctores en propaganda, incluida una plantilla completa de consultores de McKinsey. También está Philippe Blatter, que casualmente es el sobrino preferido del presidente. Incluso desde 2006, cuando se hacen negocios millonarios con el Mundial, tío y sobrino se sientan frente a frente en la mesa de negociaciones. Philippe Blatter es el presidente de la firma Infront, que en parte surgió de la bancarrota de la ISL.

De momento, el verdadero personal directivo de la FIFA, como la gente de Zen-Ruffinen y el Comité Ejecutivo, apenas tiene idea de esta parte de la tripulación de mando que opera entre bastidores. Sin embargo, ya en diciembre de 2000, el jefe de McKinsey, Jens Abend, escribe una carta en la que menciona un importe de factura de 903.000 francos y en la que se alegra por el impacto que está teniendo en la FIFA y «la posibilidad de transformar la FIFA en un proveedor profesional de servicios». Unas líneas más abajo remarca que para el año siguiente hay que «desarrollar ideas para que un equipo directivo eficiente se las comunique a la familia de la FIFA». Ese equipo «eficiente» ya está formado, compuesto por McKinsey, el tío, el sobrino y diversos consejeros secretos como núcleo.

En mayo de 2002, Zen-Ruffinen hace pública su preocupación: «Arbitrariamente, Blatter ha convertido a la empresa McKinsey & Company en parte de la FIFA. Los costes: entre 420.000 y 760.000 francos por mes entre julio de 2000 y marzo de 2002. Doce millones en total. El director de la sede de McKinsey en Zúrich: Philippe Blatter, sobrino del presidente. Blatter dispone de un equipo de consejeros personales que el reglamento interno de la FIFA prohíbe». Lo que se aplica al sobrino y a los compañeros, se aplica también al estratega político de Blatter: Champagne es sagrado. Zen-Ruffinen y Urs Linsi (director de Finanzas y Servicios de la FIFA, procedente del grupo Credit Suisse) rescinden el contrato de Battaini sin que el presidente lo sepa. El hombre de Blatter ha hecho muchos enemigos en la casa, ha recibido reprimendas (entre otras cosas por su trato con la gente) y se han ido sumando las quejas de los colegas.[57] Blatter está en los Juegos Olímpicos de Sídney cuando se entera del despido. Monta en cólera. Battaini se marcha con un despido dorado: 1,3 millones de francos.

Se rompe la relación entre el presidente Blatter y el secretario general Zen-Ruffinen. Y Blatter no sería Blatter si no ejerciera la venganza. En 2001, cuando la ISL está a punto de colapsar, recluta a Guido Tognoni (antes expulsado por Havelange) sin reparar en las protestas de Zen-Ruffinen. A Tognoni, experiodista, experto en márketing y ahora nuevamente director de la FIFA en esta área, se le encarga la delicada causa de la ISL. Traslada los derechos a una nueva agencia comercial propiedad de la FIFA y se queda con más de sesenta empleados de plantilla de la ISL. Es una operación de rescate en el último momento, con la que se impide que la joya de la corona que son los derechos de comercialización entren en el monto de la quiebra de la ISL y le sean retirados a la FIFA. Tognoni también pertenece a la F-Crew. Y Linsi, que huele su oportunidad en el remedio a la miseria financiera crónica, pronto pertenecerá a ella.

En una carta en la que deja ver su gran disgusto, Johansson le reprocha a Blatter la existencia de la F-Crew. Acusa al presidente electo de actuar como un gerente de empresa. «De esta manera coloca usted a la directiva en la incómoda situación de tener que llevar a cabo un control, no solo de la gestión económica, sino del propio presidente. Como colofón ha formado de manera unilateral una doble administración con consejeros personales que actúan fuera del ámbito de responsabilidad del secretario general.» Eso impediría a la directiva tener una visión de los negocios de la FIFA. Y lo que es peor «los medios publican cada vez más noticias que vinculan a los miembros de nuestro comité ejecutivo con los negocios de la FIFA». Curiosamente son siempre los hombres de confianza de Blatter quienes están metidos en los negocios turbios. La carta de Johansson termina con una pregunta decisiva: «¿Qué es lo que le impide dar respuestas precisas a la directiva para que todo sea más claro?».[58]

El colapso de una máquina de hacer dinero

La bancarrota a la que se ha hecho referencia repetidas veces en este libro es la quiebra más grande en la historia de la economía suiza después del crac de Swissair. Se trata del colapso de la ISMM-ISL (la ISMM es la sociedad matriz). Es algo que ensombrece el primer mandato de Sepp Blatter. Mediante los acuerdos memorables con la FIFA, la agencia comercial adquirió los derechos deportivos de todo el mundo para ampliar su cartera. Se esperaban grandes sumas en la salida a bolsa. Los acuerdos eran en cierto modo temerarios, por ejemplo con el Europeo de Baloncesto, con el campeonato de automovilismo de la CART en Estados Unidos, con los clubes brasileños. Solo con la Asociación de Tenistas Profesionales (ATP), la ISL firmó un contrato de diez años por la gigantesca suma de mil cien millones de euros. Los expertos estaban horrorizados. Mientras el volumen de contratos ascendía en total a más de cuatro mil millones de euros, la mayor agencia deportiva de todo el mundo se veía inmersa en turbulencias cada vez más fuertes. La prevista salida a Bolsa se frustró, pues, en mayo de 2001, la ISL quebró.

La agencia negociaba con muchos altos cargos. Si al comienzo se contabilizaban los sobornos como honorarios de consultores, a lo largo de los años se creó un sistema de corrupción perfecto, con cuentas anónimas y fundaciones como Nunca en Liechtenstein y Sunbow AG en las Islas Vírgenes británicas. Había administradores fiduciarios que retiraban fondos, cruzaban la frontera y le entregaban el dinero a Jean-Marie Weber, que se lo entregaba a su destinatario final. Este hombre debe de haber transportado millones en sus maletines.

Según declaraciones de los abogados de Blatter y Havelange, dentro de la ISL se exigía la inmunidad de Weber de forma masiva. Después de la quiebra, a Weber y a cinco de sus colegas ejecutivos se los investiga por un fraude de setenta millones de francos. El dinero provenía de la cadena brasileña Globo y de Dentsu, el consorcio publicitario japonés que quería asegurarse los derechos de transmisión de los mundiales de 2002 y 2006. A su vez, Dentsu era accionista minoritario de la ISL. Tras la quiebra de la ISL, Blatter recibe un cuestionario de Johansson donde se le pregunta cuándo había tenido noticia de los problemas financieros de la agencia por primera vez. Blatter responde que en febrero de 2001 ya habían surgido algunos inconvenientes, sin consecuencias hasta marzo.

Eso se contradice de manera flagrante con los expedientes. A menos que Blatter, que, por lo general, se veía obligado a controlar, hubiera descuidado lo más importante: los ingresos de la Copa del Mundo. Ya en 1998, Zen-Ruffinen tiene sus sospechas. El 7 de septiembre señala a la sociedad tutelar de la ISMM-ISL, Sporis Holding, que el 1 de julio la cadena Globo tendría que haber efectuado un pago para el Mundial 2002 en concepto de cánones de licencia por una suma de veintidós millones de dólares.[59] El secretario general le recuerda a Weber un importante acuerdo contractual, por el que todos los ingresos que la ISL obtenga de la explotación de los derechos para 2002 y 2006 deben ser trasferidos a una cuenta especial creada en Basilea, a la cual ambas partes tienen acceso. Así la agencia debe operar de manera lógica y realizar siempre el pago parcial a la FIFA. Sin embargo, Zen-Ruffinen descubre que en los contratos de retransmisión con TV Globo que le han llegado falta esa cláusula, la que decreta el pago en una cuenta especial cuyos titulares son la FIFA y la ISL. Por otra parte, la FIFA tampoco habría recibido ningún comprobante bancario.

Ni caso. En mayo de 2000, el gran despacho jurídico suizo NKF, que atiende a la FIFA, escribe una clara carta de advertencia al director de Finanzas Linsi, donde se indica que no existe esa cuenta especial, así como otros déficits, como que mientras tanto «los contratos adicionales de sublicencia de la ISL ya se han firmado». Los abogados señalan que estos hechos «contradicen los objetivos claros del señor Joseph Blatter en relación con la concesión de derechos».[60] Esto es increíble: ¿acaso a Blatter no le llegó esa advertencia enviada un año antes de la quiebra? ¿Qué hizo Linsi con la carta? ¿Simplemente la tiró, o informó al presidente de que la ISL estaba socavando sus objetivos?

Zen-Ruffinen insiste en la arbitrariedad del socio comercial. Y a finales de 1999 un empleado del Departamento de Derechos de Televisión también advierte sobre los vacíos en el contrato con la cadena Globo. Zen-Ruffinen le escribe a

Weber señalando que los cambios requeridos desde 1998 todavía no se han realizado. Aquí se refiere a las sublicencias para la trasmisión de la Copa del Mundo en Venezuela, Bahamas, Ghana, Israel, Taiwán, Indonesia, el norte de África y el Caribe, que presentan los mismos defectos que la subcontratación con la cadena Globo: ninguna cláusula en referencia a la cuenta especial de la FIFA, y tampoco ningún derecho por parte de la FIFA para realizar inspecciones referentes a los pagos efectuados. De hecho, la FIFA debe solicitar por sí misma los recibos al banco, y finalmente la cuenta especial se traspasará de Basilea a otro banco en Lucerna (sin conocimiento de la FIFA). Zen-Ruffinen advierte a Weber que cada uno de los déficits mencionados se considera una violación grave del contrato, y fija un plazo de un mes, hasta el 22 de junio de 2000, para la reparación de los daños causados.

Ni caso. Y ni siquiera la FIFA se pronuncia. Y eso que hasta fin de año se irán sumando los problemas económicos. Hasta el pago de los salarios se ve amenazado, y la gran promesa preelectoral de Blatter, la subvención de un cuarto de millón de dólares anuales para las federaciones de todos los países, parece incierta. Las cadenas de televisión de todo el mundo se mosquean y se niegan a pagar por los derechos más de lo acordado. ¿Qué se puede hacer? El director de Finanzas Linsi juega la baza de sus contactos con Credit Suisse, la empresa donde trabajaba antes, que le concede a la FIFA un préstamo de más de trescientos millones de francos. Los contratos de márketing con Coca-Cola, McDonald's y otros sirven como garantía.

En febrero de 2001, tres meses antes de la bancarrota de la ISL, Blatter comunica al fin su preocupación a Weber y le pregunta si la agencia todavía es solvente. Ya a comienzos de enero, la FIFA le habría comunicado a un alto representante de la agencia que «la ISL ya se encontraba en estado de insolvencia».[61] Blatter les recuerda a los viejos compañeros todas las obligaciones incumplidas por la ISL y que, en caso de insolvencia, todos los acuerdos quedan sin efecto. Dos días más tarde, Weber le hace llegar un grito de socorro. Teme que, pese a los acuerdos de palabra y a «un documento firmado el 25/11/2000», el respaldo de la FIFA a «Dawn» esté en entredicho. «Dawn es de máxima importancia para nuestro grupo.». Por eso Weber solicita un encuentro con la directiva a «corto plazo», lo antes posible.

¿Dawn? Así se denomina al programa de titulizaciones conjunto entre la FIFA y la ISL. En noviembre de 2000, Weber y Linsi se habían encontrado y habían creado un proyecto de financiación para una ISL en apuros. La FIFA habría autorizado a la ISL a procurarse dinero fresco bajo el mismo techo a través de los contratos de márketing para la Copa del Mundo. Una vez más, solo un pequeño círculo estaba al corriente de este proyecto pasmoso que llegó a comprometer a la FIFA.

Weber intenta ganar tiempo desesperadamente. Ve a quién todavía se le puede dar un sablazo, y no se salva siquiera la FIFA. Al mismo tiempo tiene que apaciguar a compañeros y socios. Antes de que la acreedora FIFA pueda situarse, se produce el siguiente giro, cuando un interesado llama a la puerta de la ISL: el grupo francés Vivendi. Vivendi manda una delegación de cinco personas de París a Zug para que revisen las cuentas, encabezada por un hombre llamado Jérôme Valcke. Valcke y su gente pasan algunos días revisando los libros de la ISL hasta acabar con los pelos de punta. Ya no hay dudas, la bancarrota es inevitable.

El 30 de abril, el director de Finanzas Linsi hace llegar al presidente una información con carácter de urgencia y estrictamente confidencial: «Hasta la fecha se han desviado fondos de la ISL correspondientes al cobro de patrocinio por una cantidad aproximada de doscientos cincuenta millones de francos que se consideran perdidos en caso de quiebra». El 19 de mayo, Jon Dovikten, asistente de Zen-Ruffinen, elabora un resumen de cuentas. Entonces comprueba que la gente de Blatter, a pesar de las advertencias concretas, no ha tomado medidas en ningún momento. «Pese al hecho de que el Departamento de Finanzas de la FIFA fue advertido a través de una carta enviada por NKF (el bufete de abogados) con fecha 19/05/2000 sobre la falta de la cláusula referente a la cuenta especial, no se emprendió ninguna acción al respecto. No se exigió al Departamento de Finanzas una inmediata corrección del texto, ni se notificó convenientemente esta falta en las negociaciones por el acuerdo comercial». Incluso cuatro meses antes, el NKF había recomendado a la FIFA asegurar la cuenta y cobrar los derechos de televisión lo antes posible. Pero no les pareció necesario. ¿No era necesario asegurar ingresos de miles de millones? Desde el 3 de enero, la ISL ya contaba con tres advertencias de insolvencia. Pero el departamento de Finanzas, según notifica la Secretaría General, habría rechazado incluso una inspección de la ISL propuesta por los abogados de la FIFA junto con representantes de los bancos.[62]

Una postura que, por su deseo irracional de proteger a la ISL, recuerda a la manera en que cuatro años antes le fueron otorgados los derechos de márketing de la Copa del Mundo a esa agencia corrupta. ¿Tiene algo que ocultar la directiva? ¿Cómo trascurrieron las conversaciones entre Weber y Blatter a lo largo de los años? ¿Le advirtió el pasador de dinero de los hechos comprometedores que podían salir a la luz en caso de quiebra, y que en parte realmente llegaron a conocerse?

El 21 de mayo cae el telón: la ISL es insolvente. Enseguida se descubre que el grupo ISL/ISMM tiene una fundación en Liechtenstein, dotada con miles de millones de francos que seguramente se destinan al soborno de altos directivos de las federaciones deportivas. La fundación, de forma irónica, se llama Nunca. El 21 de mayo de 2000, la revista suiza *Weltwoche* reproduce las serias amenazas de un ejecutivo de la ISL: «Si la ISL se hunde, Blatter también». Un abogado de renombre se habría presentado en el Sonnenberg, la sede principal de la FIFA en Zúrich, y habría amenazado con denunciar y ensuciar a Blatter si la FIFA abandonaba a la ISL a su suerte.

Días más tarde, Blatter tiene que declarar para la prensa. Sus explicaciones no se corresponden en absoluto con los hechos documentados. Se muestra sumamente sorprendido ante un hecho relacionado con la ISL que su secretario general ya le comunicó tres años antes: que un pago de millones realizado por la cadena Globo no se depositó en la cuenta especial prevista para tal fin y ahora la FIFA lo daba por perdido. Blatter le cuenta a la prensa lo mismo que ha intentado hacerle creer a Johansson y los demás dirigentes, que la ISL siempre había pagado y nunca habría tenido un retraso. Y por eso: «El 21 de abril nos dimos cuenta por primera vez de que un pago no había llegado».[63]

La ISL se disuelve y la FIFA se apresura a presentar una denuncia. Ha perdido muchísimo dinero, por lo que una denuncia contra los amigos íntimos ya es inevitable. Si no, ¿qué pensaría la justicia y la opinión pública? Por otra parte, un ataque como este resulta arriesgado. ¿Acaso la FIFA no debe temer por lo que puedan revelar aquellos a los que denuncia?

El 24 de julio, el despacho de abogados NKF, contratado por la FIFA, elabora un informe de posición: «Reclamaciones de derechos a las personas de la ISMM». Allí se incluye una lista de todas las personas contra las que se podría emprender acciones y se hace un cálculo aproximado de los cobros pendientes. Ya solo la suma de las reclamaciones de indemnización es enorme: ciento sesenta y seis millones de francos de Globo, Dentsu, y pagos de derechos de televisión y márketing sin cobrar. Los abogados lamentan que ya en «septiembre de 2000» fuera evidente que la agencia era insolvente y estaba endeudada. Y aquí viene lo mejor: el bufete incluye entre las partes responsables a los auditores de la ISL, es decir, KPMG. No han sido capaces de anticipar la enorme bancarrota, ni tampoco de evitarla. Al mismo tiempo, KPMG audita a la FIFA. Los abogados ven las acciones contra los auditores como especialmente ventajosas. «Por lo menos, en el caso de la empresa de auditoría KPMG las demandas correspondientes no quedarán sin efecto.» Pero la FIFA desiste de tomar medidas con KPMG.

También es determinante lo que aconsejan los abogados respecto de la solvencia de los directivos de la ISL: «En este sentido, valdría la pena, por medio de una agencia de detectives, rastrear y localizar el patrimonio de los responsables». ¿Mandar a espiar a los viejos amigos? Mejor no. A pesar de estas recomendaciones, la FIFA no demanda al «pasador de dinero» Jean-Marie Weber como persona concreta.

El posterior juez instructor Thomas Hildbrand, contra toda resistencia, llega hasta los inculpados. En el otoño de 2002, Weber, Malms y algunos excompañeros pasan un periodo corto en prisión preventiva. Sin embargo, dos años después, la FIFA muestra con discreción su desinterés por la causa penal. A estas alturas, el infatigable Hildbrand ya se ha acercado peligrosamente al núcleo de la trama. Se dice que la FIFA ya no tendría ningún interés en la persecución penal y que estaría buscando vías más efectivas. Con esto se entiende llegar a un acuerdo que podría llamarse contrato de encubrimiento. La FIFA lo firma con el administrador de la quiebra, y algunos inculpados reembolsan al cuerpo de bienes de la quiebra una cantidad de dos millones y medio de francos. El juez instructor Hildbrand quiere conocer los nombres, pero el abogado de los hombres oscuros del fútbol apela al Tribunal Federal, la máxima instancia en Suiza, y al final no hay que soltar ningún nombre.

Hildbrand abre un segundo procedimiento. Al final de este, la federación internacional y dos directivos concretos imputados llegan a pagar cinco millones y medio de francos para que cesen las investigaciones judiciales en curso en relación con daños y perjuicios a la FIFA. Para los imputados, esto tiene la ventaja de que sus nombres no se darán a conocer, lo que habría sucedido en el caso de un proceso. Pero las autoridades judiciales de Zug deben redactar una orden de sobreseimiento en la que constan los hechos investigados junto con el nombre de las personas imputadas o sospechosas. En la orden se descifra el sistema de cohecho de la ISL en relación con la gente de la FIFA, y en parte también quién pagaba, quién cooperaba, quién sabía. Este documento se convierte en una bomba de relojería para los afectados cuando los diferentes medios de Zug reclaman su divulgación. Los dos directivos imputados en concreto son Teixeira y Havelange. Pero ¿qué alto directivo se oculta detrás de la FIFA, a la que ya se la acusó «con carácter subsidiario»? El juez instructor Hildbrand ha hecho todo el trabajo, que solo con los años alcanzará su enorme fuerza explosiva.

Una extraña negligencia por parte de otra autoridad suiza queda en suspenso. El hecho demuestra el escaso interés de la justicia por resolver un caso de corrupción al menos en el ámbito del deporte. La confianza en el hombre de los maletines era manifiesta. Jean-Marie Weber nunca tenía que mencionar el nombre de la persona que recibía el dinero. Puesto que Weber, por lo menos una vez, según las actas del tribunal (tal vez debido a una equivocación), se había quedado con dinero, y dado que los titulares de la mayoría de las fundaciones y empresas buzón ligadas a la ISL no se han dado a conocer hasta hoy, es necesario hacerse algunas preguntas: ¿por qué las autoridades fiscales suizas no intervinieron? ¿Cómo sabían que no era el mismo Weber el que estaba detrás de algunas empresas ficticias, perjudicando de este modo no solo a la ISL sino también al fisco? ¿Y qué hay de los millones que había entregado en mano, realmente le pagaba a alguien? ¿Quiénes eran los destinatarios del dinero, no deberían recibir una sanción fiscal? ¿Había ciudadanos suizos entre ellos?

Es extraño, pero a la vez típico, el modo en que se trató la segunda quiebra más grande en el oasis de los impuestos, y cómo se renunció a la posibilidad de obligar a Weber a revelar los nombres de sus clientes. Una negligencia. ¿O acaso se impuso una vez más la política económica regional?

En cualquier caso, Blatter no puede decir nada en contra de las administraciones locales. «Las autoridades de Zúrich tienen una buena relación con la FIFA y conmigo como persona. De hecho, antes de Navidad, recibí una carta en la que reconocían que soy un contribuyente ejemplar de la ciudad de Zúrich».[64]

Maquillaje de balances

La ISL sigue agonizando y Blatter debe dedicarse a su próximo objetivo. En mayo de 2002, quiere ser reelegido en el congreso previo a la Copa del Mundo. Pero es un momento

de déficit y turbulencias, y además está ese crédito de trescientos millones de francos que la FIFA solicitó el año anterior. Así no hay ninguna posibilidad de dar una buena imagen en el congreso electoral. ¿No se podría hacer algo para
borrar esa mancha del balance?

Llega la hora del banquero Linsi, que le ofrece a Blatter
una solución extremadamente controvertida en términos
económicos, teniendo en cuenta sus propios intereses, pero a
la vez perfecta: una refinanciación anticipada sobre una
parte del contrato de comercialización de la Copa del Mundo.
Si bien proporciona un beneficio reducido, alcanzaría para
retocar el balance anual antes del Congreso de 2002 en Corea convirtiendo el déficit en superávit. Para eso hace falta la
titulización de futuros ingresos, para obtener dinero con-
tante y sonante, sometiéndose a condiciones desfavorables.
Al proyecto se lo bautiza como Big Mac. El departamento de
Linsi pinta el escenario temible del sobreendeudamiento,
asegurando que una nueva financiación mediante crédito
dejaría de inmediato a la FIFA cargada de deudas. Esta es su
estimación para el 31 de diciembre: en lugar de un capital
propio de treinta millones del que dispondrían con la refinanciación Big Mac, tendrían una deuda de trescientos setenta millones de francos. Era probable que esto último no le
hiciera ninguna gracia al electorado, y que provocara una situación que Johansson y los suyos ya estaban esperando.

El secretario general Zen-Ruffinen se niega rotundamente a la titulización. También KPMG y los abogados que
llevan mucho tiempo asesorando a la FIFA la desaconsejan
de inmediato. El despacho NKF constata que sería infinitamente mejor si la FIFA prorrogara el crédito puente de Credit Suisse. Califican como «un error a todas luces» el peligro
de endeudamiento para la FIFA que la gente de Blatter se ha
esforzado en demostrar. Los abogados desmontan el plan de
Linsi con determinación. La FIFA no tiene motivos para temer un sobreendeudamiento, ya que es una asociación y no
una empresa que cotiza en la Bolsa. «Si un endeudamiento
no tiene relevancia para la subsistencia de una asociación,
puesto que no equivale a la insolvencia, entonces no puede

presentarse como justificación del concepto de financiación Big Mac.» Además, una titulización supondría un esfuerzo y unos costes mayores. Los abogados se mofan señalando que el proyecto de nombre Big Mac «en el mejor de los casos describe el apetito de los bancos».[65]

Los abogados no son los únicos aliados bienintencionados que lo desaconsejan. Según KPMG, «desde el punto de vista económico empresarial este procedimiento no tiene mucho sentido, sino que es más bien engañoso. El hecho de que se incluyan en el balance de la FIFA los ingresos futuros hasta el año 2006 no representaría de manera correcta su situación de rentabilidad». Los revisores de cuentas conocen los trucos. «Además, el volumen de entradas por el Mundial 2006 se ve representado hacia fuera dos veces como ingresos, porque a partir de 2003 se hace el balance según IAS y se periodizan los ingresos a partir de criterios de economía empresarial. Resulta particularmente incómodo que se registren los ingresos más allá del periodo en curso (ciclo de cuatro años de los Mundiales).» Con reparos y a duras penas, los supervisores finalmente rinden armas. «En la ley, sobre todo en la normativa contable aplicable a la FIFA, no se incluyen suficientes indicaciones que califiquen esta contabilidad como improcedente.»

Los expertos se oponen con firmeza. Sin embargo, Linsi sabe qué teclas debe tocar para convencer a Blatter: política deportiva, promesas electorales, ayuda financiera. Le recuerda al jefe cómo les fue el año anterior por culpa del balance rellenado con el crédito de trescientos millones. Big Mac serviría para «mejorar la imagen financiera, tan importante para la política deportiva y para los medios». Pero, para los medios, la imagen financiera es lo de menos, ya que siguen escribiendo largo y tendido sobre la situación desastrosa de las finanzas. Claro que es importante para un presidente que está en números rojos y que, por tanto, tendría pocas posibilidades de ser reelegido. Para que Blatter lo entienda de una vez, Linsi le recuerda otra cosa: «En el congreso de 2000, la prevista titulización en dólares le dio a usted, estimado señor presidente, la posibilidad de prometer a los miembros que la FIFA asumía los riesgos de la amenaza del dólar a través del Programa de Asistencia Financiera (un cuarto de millón de dólares para cada federación)». Para ello se habría llegado a anular una resolución de la Comisión de Finanzas, y al final se habría conseguido que a cada federación «se le reintegrara el importe completo de 250.000 dólares».

Funciona. La FIFA obtiene unos cuatrocientos cuarenta millones de euros a corto plazo a través de la titulización. A fin de cuentas, según la estimación de muchos expertos financieros independientes, le habría costado una enorme cantidad de dinero. Claro que, pequeño detalle, la FIFA tiene el monopolio de la Copa del Mundo y el dinero le llueve del cielo, no es que se lo tenga que ganar con el sudor de la frente. Blatter emplea el cuerno de la abundancia para impulsar la economía de su federación. Lo cierto, en cambio, es que, gracias a este cuerno, la FIFA puede esconder una pésima gestión económica y pérdidas de millones. Algo que se confirma a menudo.

Ya hace tiempo que Zen-Ruffinen se siente marginado en la federación, de la cual es el máximo administrador. En el proceso de la titulización, el secretario general tampoco tiene cabida. Atónito le escribe a Linsi: «Tomo nota de que usted, siguiendo las instrucciones del presidente, no ha hecho entrega al abogado por mí designado de los documentos que he exigido y que se refieren a todas las finanzas (último plan de liquidación, balances anuales e informes financieros de 1998, 1999 y 2000). No comprendo esta actitud, y me veo en la obligación de exigirle que me entregue hoy mismo estos documentos en mano».[66]

La FIFA ya cuenta con un personal de doscientos empleados que se reparten en cinco sedes profundamente divididas. Zen-Ruffinen se alía con los adversarios de Blatter. Mantiene encuentros discretos con altos directivos europeos para los que se usan, según divulgan los fieles de Blatter, oficinas de asesores y pisos privados. El plan previsto es que el camerunés Issa Hayatou, residente en París y presidente de la Confederación Africana, sea el candidato oponente de Blatter el 29 de mayo de 2002 en Seúl. Hayatou cuenta con el apoyo del vendedor de derechos francés Jean-Claude Darmon. Blatter ofrece varios flancos de ataque. Entre ellos, el clientelismo y las finanzas de la FIFA. Blatter está al corriente de lo que ocurre: «Me di cuenta de que algo se estaba tramando fuera de la FIFA, y me mantuve alerta».[67]

Semanas después de la quiebra de la ISL, Lennart Johansson, miembro del Comité Ejecutivo, le envía a Blatter un cuestionario de veinticinco preguntas. Como de costumbre, las decisiones estratégicas no habían sido debidamente informadas. Muchas preguntas se refieren a la ISL y (¡atención!) al salario del presidente. Quién lo fija y según qué criterios. También se indaga sobre el nombramiento de los consejeros personales de Blatter. Y acerca de ese grupo llamado F-Crew: ¿de qué se trata, quiénes lo integran?[68]

Las antenas de Blatter cambian de dirección. ¿Acaso el alboroto ya había llegado a casa? El propio Chuck Blazer, secretario general de la Concacaf, un hombre leal y libre de sospechas, le escribe una carta tajante. ¿En qué han quedado los derechos de la ISL, los recuperamos o no, cómo sigue esto? «Lo que no logro entender es por qué estos asuntos están dentro de las atribuciones del presidente. El Ejecutivo ha examinado meticulosamente el mapa del nuevo milenio. El hecho de que se atribuyan al presidente funciones administrativas contradice el organigrama y no es la intención del Ejecutivo.»[69] El responsable del márketing es, sin duda, el secretario general. Blazer intuye el desastre cuando Blatter anuncia que se ocupará de todos los problemas de la ISL. «Si con eso quiere decir que usted mismo atenderá este caso en su departamento, no debería hacerlo sin el permiso pleno del Comité Ejecutivo.» Blazer desahoga su rabia haciendo hincapié en las funciones que corresponden claramente al secretario general y llega a lanzar una crítica: «La FIFA no puede estructurarse según el antojo del hombre que ocupa el sillón presidencial». Blazer, que por lo general le ha sido fiel, lo ve ahora como un jefe que presta un servicio dudoso y que actúa según sus propios intereses. «Hasta ahora su despacho se ha ocupado del desarrollo del programa Goal. Ningún programa ha recibido tantas críticas por sus acciones y déficit de coordinación. No siga endilgándole tareas a su despacho presidencial. Usted nunca nos ha consultado y lamento tener que hacerle llegar este consejo con posterioridad. Me temo que ha tomado el rumbo equivocado y que eso pone en peligro el futuro de la federación.»

Para Blatter, Blazer es un tipo molesto. Sin embargo, Johansson es peligroso. Tres días antes del congreso en Buenos Aires, el titular de la UEFA recibe las respuestas de Blatter a sus veinticinco preguntas, en francés.[70] El presidente sigue haciendo como si ya lo hubiera aclarado todo mil veces, solo que sus adversarios no lo escuchan. ¿Qué pasó con el proyecto Dawn, el préstamo en común con la ISL que siempre fue rechazado? A ver, la información detallada sobre la transacción ya se les facilitó a los ejecutivos el 3 de agosto y el 10 de diciembre de 2000, y también el 16 de marzo de 2001. Blatter menciona además otras cinco sesiones en las que la Comisión de Finanzas habría informado sobre tal cosa. En total, ocho reuniones en diecisiete meses: ¿se puede gobernar con más transparencia? Johansson y su gente, que llevan años dirigiendo la UEFA como un negocio productivo y sin contratiempos, se mueren de aburrimiento cuando tienen que desempeñar sus cargos en la FIFA.

Así es Blatter en estado puro: en lugar de responder con claridad a las preguntas, se refiere vagamente a alguna sesión. Basta leer con atención las actas de esas reuniones para comprobar que no se ofrece ninguna respuesta a las preguntas formuladas. Si se le pregunta qué sabe del dinero de los derechos que cobraron la ISL y Kirch y que nunca llegó a la FIFA, Blatter contraataca igual que siempre. Ni cifras, ni hechos, ni situación actual. Nada de eso. «La información detallada» ya se había publicado en cuatro reuniones, en abril, mayo y junio. ¡Buenos días, Europa! Y sigue afirmando que hasta el 21 de abril de 2001 no se había enterado de la discrepancia de pagos en la ISL. Lo cual contradice todos los documentos que se presentan en esta causa.

A la pregunta sobre su papel en la creación de la FIFA Marketing, su participación en esta nueva sociedad y el papel que desempeñaron los asesores presidenciales y el secretario general, Blatter responde brevemente con otra pregunta: ¿quién decidió mantener la plantilla de sesenta y cinco empleados de la ISL y en qué condiciones? «Lea la carta del secretario general del 18 de abril a todos los miembros ExCo [Comité Ejecutivo].» O sea, ¿que está todo allí? Sin duda, los europeos también se mueren de aburrimiento leyendo el correo de la FIFA sobre sus propias dificultades financieras.

También es brillante la manera de esquivar la pregunta sobre sus ingresos y acerca del nombramiento y retribución de sus asesores. «Todos los empleados de la FIFA, inclusive los que trabajan en el área presidencial, dependen de una escala salarial elaborada por el secretario general y aprobada por el presidente. La retribución de este último fue fijada por la Comisión de Finanzas en la fecha en que se dispuso la retribución de los miembros ExCo (24.9.1998).» Lo que significa que también deja sin responder la pregunta referente al salario de su vicepresidente. ¿Y la F-Crew, qué vendría a ser eso? «Simplemente, un organismo de consulta interna.» En una reunión de la F-Crew, al cabo de unas semanas, se dice algo muy diferente; allí Blatter define a la F-Crew como un «órgano de gobierno consultivo determinante en la toma de decisiones».

En julio de 2001, en el Congreso Extraordinario de todas las federaciones que se realiza en Buenos Aires, Blatter tiene que enseñar sus cartas. Sin embargo, se saca el siguiente triunfo de la manga. Parte de la F-Crew es el grupo McKinsey, que desde el año anterior pisa muy fuerte en la FIFA. McKinsey crea un concepto de entorno bien planificado para Buenos Aires, en el que todo está pensado al detalle, hasta la iluminación plácida del escenario durante la presentación de Blatter.

En el Congreso Extraordinario Blatter juega la baza de la familia, la paz y la amistad. Habla de las finanzas sanas de la FIFA y hace alusión al cuarto de millón de dólares anual para cada federación. ¿Y las pérdidas por la bancarrota de la ISL? Poca cosa, como máximo cincuenta y un millones de francos. Al mismo tiempo, Johansson advierte alarmado que el presidente niega la afirmación de que ya en 2000 y 2001 se hubieran usado ingresos para el Mundial 2006. En lugar de presentar resultados tangibles, Blatter promete una revisión de cuentas en la FIFA para finales de octubre de 2001. Del resto se ocupan los anfitriones y los representantes de los países pequeños sin tradición futbolera. Tal como se les ha encargado, elogian la transparencia y las dotes de liderazgo del gran dirigente. Entre los defensores más entusiastas de Blatter que han asistido a esta orgía de júbilo, se encuentra el presidente de la Federación Búlgara, Iwan Slawkow, que también forma parte del COI. Aunque allí no durará mucho tiempo más. Slawkow, que, como yerno del dictador búlgaro Todor Shiwkow, ocupó muchos cargos interesantes, y que como muchos amigos del deporte permaneció en las altas esferas tras el colapso del antiguo Bloque del Este, tuvo que dejar el COI en 2005. Unos periodistas ingleses se habían hecho pasar por representantes de Londres para la candidatura de los Juegos Olímpicos y lo habían grabado con una cámara mientras ofrecía su voto para la adjudicación de la sede olímpica a cambio de dinero. Una trampa en la que caerían otros directivos del fútbol.

En Buenos Aires, McKinsey se encarga de que Blatter reciba un fuerte abrazo de su familia. Sin embargo, públicamente, la FIFA minimiza la contribución del sobrino Phillipe. En absoluto, McKinsey no habría tenido ninguna participación directa en la puesta en escena ni en el discurso del presidente. Eso afirma el vocero oficial de la FIFA, Andreas Herren, aunque se nota el trabajo de prensa del Departamento de Comunicación. Porque si eso fuera verdad, ¿qué era entonces lo que había motivado a Blatter cinco meses antes, concretamente el 9 de febrero de 2001, para realizar a McKinsey otros tres encargos, además de aquellos en los que ya se estaba trabajando (entre ellos «El concepto Buenos Aires»)? Otro hecho revelador es que el director suizo de McKinsey, además de los honorarios mensuales por sus servicios, cargaba gastos personales en la cuenta de Blatter, lo que sugiere que aquel, más que el congreso de la FIFA, fue el congreso de McKinsey. Algunos servicios que McKinsey le factura a la FIFA: comprobación del decorado para el congreso, coordinación con MegaLuz (la agencia contratista que se ocupó de los aspectos técnicos), realización del discurso y la presentación. En la factura también se incluyen «gestión de oratoria, presentación y convocatoria durante el congreso», además del seguimiento y la documentación con folletos, fotos y vídeos.

El presidente compró algunas semanas de paz. En octubre de 2001, la auditoría KMPM tiene que presentar las cuentas de la FIFA. Lo que ofrecen es un informe general, con fecha 30 de junio, que no enseña nada de la amplia revisión de cuentas. La oposición ya está harta. «Queríamos un informe completo sobre la situación de la FIFA —le reclama el escocés David Will a Julio Grondona, presidente de la Comisión de Finanzas—. Yo esperaba doscientas, trescientas páginas, y cuando recibí el folio a doble cara creí que estaba soñando. Incluso esas dos páginas no parecen ofrecer una información fiable.»

El presidente y la F-Crew llevan a cabo su plan de manera rigurosa. Blatter sabe que la táctica no tiene un punto de apoyo firme. En el acta de la reunión de la directiva del 13 de noviembre de 2001, se citan sus palabras: «Todavía no nos encontramos en una situación óptima. Para evitar dificultades con la prefinanciación del Mundial, la FIFA tendrá que hacer uso de los avales bancarios de las televisiones». Luego el director financiero Linsi recuerda que «se ha acordado reducir las dietas diarias de los árbitros a cincuenta dólares». Qué bien que se pueden recortar gastos de alguna parte, aunque hay más partidas presupuestarias donde meter la tijera. El jefe de prensa Keith Cooper comunica que Aldeas Infantiles SOS «todavía espera los dos millones de dólares que se le prometieron por un partido en Marsella». Ahora se dice que aquel partido habría generado pérdidas (aunque el cálculo de KPMG indica unas ganancias de ochenta mil francos). El mismo día, Zen-Ruffinen debe explicar a Aldeas Infantiles que «el pago de la suma de dos millones no es posible». Se ahorra en todo, incluso en papel, siempre que este se tenga que usar para informar en detalle a la directiva sobre la situación financiera: dos páginas en lugar de doscientas.

Solo unos pocos no sufren los recortes: los gorrones de la casa. En el orden del día de aquella sesión, se incluye el caso Selby Brown. Brown es el jefe de la cadena de televisión CSTN de Trinidad & Tobago. En 1999, compró a la ISL los derechos de retransmisión televisiva del Mundial 2002 para el Caribe. Jack Warner, ejecutivo electoral de Blatter, se enfureció y amenazó al jefe con boicotear el Mundial Juvenil en su isla si no se rescindía el contrato con la CSTN y, como era costumbre hasta el momento, se le concedían a él los derechos del Mundial para la reventa. En muchas sesiones, se le habría prometido que el caso de la CSTN se resolvería a su favor, tal como ocurriera en 1990, 1994 y 1998. Eso explica, dicho sea de paso, cómo el antiguo profesor de instituto de Río Claro, Trinidad Tobago, se hizo millonario en un cargo honorífico. Los derechos no se le concederían al empresario de televisión Brown, que estaba dispuesto a pagar dos millones y medio de dólares, sino al directivo honorario Warner, como hasta ese momento. Y al precio de un dólar.

En ese momento, el mánager de la ISL es Daniel Beauvois, que está presente en la primera reunión de Warner con el director general de la agencia, Weber. A Beauvois le sorprende este acuerdo interno. «Warner dijo que la FIFA siempre le había vendido los derechos al precio de un dólar por Mundial.» Beauvois habla de intento de chantaje. «Entonces ya habíamos recibido la oferta de Brown que superaba los dos millones y medio de dólares, y le habíamos vendido los derechos.» Beauvois no está familiarizado con las prácticas de la FIFA. «Es una desfachatez que el vicepresidente de la FIFA, que nos había vendido los derechos a un precio alto y bajo el compromiso de explotarlos de manera óptima, pues se había acordado el reparto de beneficios, venga y nos pida que le vendamos los derechos a un dólar, cuando el precio del mercado es ciertamente superior».[71] Pero Blatter lo ve de otra manera. Después de la bancarrota de la ISL, Kirch se queda con la empresa de televisión hasta que él también quiebra en la primavera de 2002. Entonces se hace cargo la FIFA, y a Warner se le entregan «sus» derechos. La familia de Blatter no tiene que preocuparse si la FIFA se queda sin un duro. En caso de austeridad, se ahorra en árbitros, en Aldeas Infantiles o en ayudas al desarrollo.

Mientras tanto la directiva y el mismo Johansson descubren algo increíble en el brevísimo informe de KPMG: «En el informe de los auditores se corroboró el adelanto de un importe total de 567 millones de francos para mejorar los resultados de los balances de 2000 y 2001: 231 millones de francos del año 2002, y 336 millones para el período 2003-2006. Hechos como este han generado una gran preocupación y la necesidad de intensificar la transparencia y el control de gastos». Ahora piden una auditoría interna (AI) para la revisión de cuentas. Blatter se niega de forma vehemente. La oposición vuelve a elevar la petición en el encuentro del 18 de diciembre, y se le vuelve a denegar. El bloque de Johansson apunta: «En la carta del 14 de enero de 2002 al Comité Ejecutivo el presidente de la FIFA parece admitir que las pérdidas totales de la bancarrota de la ISL podrían superar los quinientos millones de francos (no 51 millones), si se tienen en cuenta todos los factores». Diez días más tarde, la mayoría de la directiva vuelve a convocar una reunión extraordinaria para tratar exclusivamente el tema de la creación de una comisión interna de supervisión de cuentas.

Ahora la presión es más fuerte. El 29 de enero, Blatter cede. Johansson le hace otra observación incómoda: «Sin embargo, los solicitantes consideran que la selección de los miembros de la comisión es tan inaceptable como la intervención de los expertos de KPMG». La petición habría sido aprobada contra la voluntad de Blatter, lo que se contradice con las declaraciones del presidente a la prensa, en las que afirma que la creación de una comisión para una auditoría independiente había sido idea suya. Johansson remite otra carta incendiaria a los miembros de las federaciones con referencia a una circular de Blatter: «La descripción de las circunstancias ofrecida por el presidente no se corresponde con los hechos».

Blatter se lo tiene que tragar. Sin embargo, castra la auditoría interna desde el comienzo, ya que el conjunto de condiciones de los agitadores contiene elementos explosivos. El punto seis dice: «La AI está autorizada a ampliar su revisión [...] sin límites, haciéndola extensiva a los despachos del área presidencial, la agencia de mercadotecnia FIFA Marketing, y sus contratos comerciales, la realización del proyecto Goal y los programas de ayuda (los donativos anuales de 250.000 dólares para cada federación nacional), así como también a las propiedades de la FIFA». ¿El despacho del presidente bajo la lupa de una auditoría interna? ¿El reino de Blatter, que ni siquiera el órgano de revisión KPMG puede explorar, bajo la lupa de gente que lo considera un corrupto y que buscará todos esos pagos que el presidente ha ordenado a lo largo de los años desde el refugio de su tocador y haciendo uso de su facultad para firmar en solitario? ¡Eso «nunca»! De allí el nombre de la fundación de la ISL: Nunca.

Blatter sabe cómo se evita tal cosa. La sesión del Comité Ejecutivo se realiza del 7 al 9 de marzo en Zúrich. Tiempo suficiente para ablandar a la gente. Durante días estira el debate sobre el tema de los derechos y la competencia de la auditoría interna, hasta que son cada vez más los miembros que deben marcharse, y al final la proporción de votos entre los miembros restantes da un vuelco a favor de Blatter. Solo entonces decide pasar a la votación. Johansson describe la estrategia de bloqueo del presidente: «Tras muchas horas de debate, el 7 de marzo se alcanzó un acuerdo sobre la base de un documento presentado por la mayoría de los miembros. Sin embargo, el 9 de marzo el presidente presentó un documento nuevo. Por consiguiente, se reanudó el debate y el encuentro se prolongó más allá del tiempo previsto. Esto provocó la partida de determinados miembros antes del final de la sesión. En consecuencia, debido a la merma de la concurrencia, se impusieron cambios sustanciales. No es extraño que uno de estos cambios fuera la exclusión del despacho presidencial de la investigación financiera. Nos preguntamos: ¿qué tiene que ocultar el presidente?».[72] Seguramente mucho, esa es la única conclusión.

Arbitrariamente, Blatter desmonta la auditoría, y luego, antes de la tercera reunión del 11 de abril, suspende la comisión. El auditado despide a su auditor; en la FIFA de Blatter incluso eso es posible. Usa como pretexto el «abuso de confianza». El directivo surcoreano Chung Mong-joon habría filtrado información de la auditoría, aunque Blatter no especifica de qué tipo. El enemigo mortal Chung se defiende de las acusaciones, mientras que el grupo de Blatter reclama que también el jefe de la comisión, David Will, habría dañado la confidencialidad, sin presentar pruebas concretas. El escocés Will se habría ido de lengua, así lo atestigua el informante Chuck Blazer.

El norteamericano Blazer, que tiene buenas conexiones con el mundo de las apuestas, ha hecho una verdadera fortuna negociando como directivo. Un hombre que el FBI observa y comienza a investigar en 2011. Ya en 2006, en el escándalo de la FIFA con Mastercard y Visa, un tribunal de Nueva York notifica a Blazer que su testimonio «carece de credibilidad». A Blazer le gusta hacer de informante. Y en 2011 vuelve a desempeñar su papel, esta vez provocando la salida del rival de Blatter, Bin Hammam.

Suiza y la corrupción

El presidente católico de la FIFA parece temerle a la transparencia como el diablo al agua bendita. Es casi imposible indagar en su área más íntima de poder. Sin embargo, los pocos documentos disponibles dan vértigo. En un presupuesto de la FIFA del año 2002 para el plan de ahorro interno Score,[73] se encuentra la suma de 9,667 millones de francos en la rúbrica «Oficina del presidente (responsable general)». Ocho millones corresponden a «Coste de la sección», y un millón a «Sede de París», donde Blatter tiene a su ayudante de campaña, pupilo y aspirante a sucesor Michel Platini, junto con un jefe de prensa. Trescientos mil francos son para «Donaciones», doscientos mil para «Proyectos especiales» y 167.000 para un asesor presidencial que fue contratado el año anterior.

En la FIFA, las decisiones financieras unilaterales del presidente también dan que hablar. En mayo de 2001, la secretaria de Blatter da las siguientes instrucciones: «Tal como se ha resuelto y comunicado, el presidente insiste en la transferencia inmediata a la Federación Croata por un importe de cuatrocientos mil dólares destinado al proyecto Goal».[74] Los que reciben la orden de pago en la oficina correspondiente advierten con asombro que no se ha firmado ningún documento, no se ha realizado ninguna supervisión y no se ha celebrado ninguna sesión referente al Programa Goal.[75]

Pasan algunos años hasta que determinados contactos del fútbol de los Balcanes empiezan a ser investigados por agentes de diferentes países que están siguiendo la pista del crimen organizado, especialmente en el fútbol. El presidente de la Federación Croata, Vlatko Markovic, es uno de esos contactos con los que Blatter y su séquito pueden contar desde que asumió el cargo en 1999. En 2010, Markovic provoca un escándalo al declarar que en la selección nacional de Croacia no hay lugar para los homosexuales. Las protestas internacionales lo obligan a retractarse: sus palabras se habrían malinterpretado.

Semanas después de esa declaración homófoba, hay elecciones en la Federación Croata. El candidato Ígor Stimac, de cuarenta y tres años, exjugador de la selección nacional, provoca al amigo de la FIFA Markovic acusándolo de corrupción. «Usted se ha repartido el fútbol croata con sus camaradas —dice durante su campaña "Manos Limpias"—. Hasta ahora nadie ha podido irrumpir en su trinchera y en sus turbios negocios.» Stimac afirma que los agentes electorales de Markovic van por ahí con maletines llenos de dinero y exige la intervención de la policía. Un escándalo de órdago relacionado con apuestas había sacudido a la liga profesional del país. Estaban involucrados grandes clubes, dirigentes y mafiosos. La UEFA investiga, pero Markovic queda impune. Las elecciones turbulentas se celebran a finales de 2010 y el resultado es ajustado. Supuestamente gana Markovic, por una ventaja mínima, y Stimac anuncia que pondrá una demanda. En febrero de 2011, la directiva lo proclama presidente. Pero entonces intervienen la UEFA de Platini y la FIFA de Blatter, que no aceptan la decisión de la federación; para ellos, el septuagenario Markovic sigue siendo el presidente. Lo de siempre: la FIFA y la UEFA se lo montan como más les conviene. Los gobiernos no pueden llevar a cabo una limpieza en las federaciones de sus países, pero la FIFA siempre puede proteger a los directivos corruptos, y si hace falta interviene en la soberanía de las federaciones. A finales de 2011, se producen más detenciones entre los altos ejecutivos croatas, y en los círculos de investigadores se dice que esto sería solo el comienzo.

Volvemos a Zúrich, donde la guerra interna continúa hasta las elecciones de junio de 2002. Los espías a sueldo se emplean a fondo. Si hay que mantener una conversación importante, ya no se usan las líneas telefónicas de la FIFA. Los correos electrónicos se envían a través de cuentas privadas. Incluso los móviles de uso secreto permanecen en los cajones, ya que no garantizan una comunicación segura. Paranoia pura. El secretario general Zen-Ruffinen advierte algunas barbaridades, como la desaparición de documentos de la época en que Blatter era secretario general responsable, que por ley deberían conservarse durante diez años. También descubre un pago de cien mil dólares a un directivo, que para el código penal suizo representaría un acto punible. El campo de acción del secretario general se ve drásticamente recortado en el momento en que él y los europeos atacan a Blatter abiertamente y le hacen preguntas delicadas en relación con la ISL y el favoritismo. Se cambian las cerraduras de las puertas de los despachos, y cuando sus colaboradores se lanzan a la búsqueda de un material comprometedor, desaparecen documentos y correspondencia importante de los archivos.

El 4 de abril de 2002, una colaboradora de Zen-Ruffinen elabora el siguiente informe: «Ayer por la tarde se me encargó buscar la documentación referente a la candidatura de Jack Warner para la presidencia de la Concacaf. Procedí de la siguiente manera: me puse en contacto con el señor Arno Flach (Archivar). El señor Flach buscó en los archivos de la FIFA por Concacaf desde el año 89 hasta el 97, y no pudo encontrar estas carpetas. También se buscó entre los documentos de Trinidad y Tobago y tampoco se encontró nada. Luego se buscó la correspondencia de los miembros del Comité Ejecutivo y el dosier de Jack Warner. Se constató que falta toda la correspondencia de los años 1989, 1990 y parte de 1991. Al mismo tiempo, se comprobó que, desde hace mucho tiempo (casi dos años), ha desaparecido toda la correspondencia del doctor Havelange a partir de 1991 y que, a pedido de la señora V y la señora U, estos documentos han sido retirados».[76]

Toda la correspondencia de Havelange hasta el año 2000 ha quedado eliminada: más de diez años con efecto retroactivo. ¿Por qué? ¿Quién habrá sido? En lo que respecta a las intrigas de Warner de aquella época, que hicieron desaparecer sus papeles: en 1989, su propia federación, la Concacaf, no le había admitido en las elecciones. Estaba siendo investigado por estafa, por el mal uso de un cheque. Pero la FIFA intervino en favor de su protegido y Warner se pudo presentar…, y ganó.

Ahora Warner tiene que entregar sus cuarenta votos para la reelección de Blatter. Pero antes, a mediados de abril de 2002, él mismo ha de salir reelegido en la Concacaf. Desgraciadamente, se presenta un candidato opositor, el mexicano Edgardo Codesal Mendes. Blazer, secretario general de Warner, quiere denegarle la candidatura al mexicano, ya que este trabaja en una federación y no sería independiente. Codesal trabaja en el arbitraje, pero factura como autónomo. La Federación de México llama a la FIFA y le pide un dictamen; se remiten a un precedente del año 1989. La gente de Zen-Ruffinen lo busca en los archivos inútilmente, este documento también se ha extraviado. El secretario general, aun sin los documentos, consigue que Codesal se presente, pero Warner lo vence ampliamente, pues cuenta con el apoyo de todo el reino del Caribe, que pese a su insignificancia deportiva es grande y numeroso. La Concacaf está compuesta por tres federaciones de Norteamérica (Canadá, EE. UU. y México), por siete países de Centroamérica (Belice, Costa Rica, El Salvador, Honduras, Guatemala, Nicaragua, Panamá), y por treinta islas, desde Anguila hasta Montserrat, desde Martinica hasta San Martín, además de Guyana, Guyana Francesa y Surinam.

Zen-Ruffinen no acude a Miami. Cancela su vuelo. Blatter viaja solo a las elecciones de la Concacaf. El secretario general cree que su vida corre peligro. Warner le habría escrito diciéndole que sería muy imprudente por su parte aparecer en el congreso de la FIFA de Miami. Zen-Ruffinen le responde que irá con escolta y que lo hace responsable de cualquier cosa que pudiera pasarle. Luego prefiere quedarse en Zúrich y demanda al presidente de la Concacaf a través de un bufete de Nueva York.

Así explica Zen-Ruffinen su dilema: «¿Hasta dónde tiene que llegar mi lealtad al presidente? ¿Tengo que callarme y ser cómplice? ¿O debo decir la verdad aunque quede como un traidor?». La guerra de trincheras en la sede central de Zúrich desemboca en amenazas anónimas. También Zen-Ruffinen las recibe. En la primavera de 2002, un desconocido de habla inglesa llama a su mujer en Valais y la amenaza con el secuestro de sus hijos, si su marido no deja de molestar en la FIFA. Ella huye con los niños muerta de miedo.

La hora de la verdad. Es el 2 de mayo de 2002. Las turbulencias internas han alcanzado un punto de ebullición. Los medios de todo el mundo publican una noticia escandalosa tras otra sobre Blatter y la FIFA. Aumenta la incertidumbre sobre si Blatter seguirá siendo presidente en los próximos días, ya que, al día siguiente, Zen-Ruffinen pretende presentar su legajo de denuncias a la justicia.

Sin embargo, hoy, 2 de mayo, en Zúrich, un jubilado se dirige a la oficina de un notario. Allí, Erwin Schmid, quien fuera director financiero de la FIFA hasta finales de 1999, afirma bajo juramento que, justo después de la elección a presidente de 1998, Blatter le presentó un papel firmado por Havelange. Era una «prima de fidelidad» anual de seis cifras para Blatter, abonable el primer día de julio de cada año, con un efecto retroactivo para ser cobrada a partir de julio de 1997. Este es uno de esos momentos escasos en que la caja fuerte del presidente se abre un pelín más, dejando un resquicio para echar un vistazo fugaz: una prima de fidelidad para un hombre que nunca se retiraría de la FIFA por voluntad propia, otorgada por el hermano mayor Havelange, que por su parte llevaría una principesca vida de jubilado en Río a costa de la FIFA. La fecha de la prima ha sido pensada para que Blatter tras las elecciones pueda recibir dos pagos de seis dígitos.[77] Él no facilitará ninguna información sobre el importe. En el entorno de Schmid se habla de una cifra que debe rondar entre seiscientos mil y ochocientos mil francos. Calculando solo una cifra media de medio millón, a estas horas Blatter ya podría llevar facturados siete millones de francos. Sin contar el sueldo de presidente. ¿Para qué?

El 3 de mayo, la directiva se reúne en Zúrich. Michel Zen-Ruffinen presenta un informe de treinta y una páginas. Ataca a Blatter de frente, acusándolo de pagar sobornos. El secretario general cuenta con un fuerte apoyo: trece miembros de los veinticuatro integrantes del Ejecutivo son opositores. En una pausa, Blatter parece fuera de combate. Cinco de los seis vicepresidentes tratan de persuadirlo para que renuncie. No les hace caso. Y al cabo de algunas horas se recupera. Zen-Ruffinen comete un grave error. Acusa a un miembro del Ejecutivo de haber aceptado dinero ilegal de Blatter. El aludido es el ruso Wjatscheslaw Koloskov, que al comienzo de la sesión estaba del lado de la oposición. Eso se acaba y la relación de fuerzas da un vuelco.

Después de la escandalosa sesión van a por Zen-Ruffinen. Uno de la F-Crew le escribe una nota a Julio Grondona, que también dirige el Comité de Urgencia. Y Grondona se carga a Zen-Ruffinen. Él ya le había gritado al secretario general durante su conferencia, le había dicho que acabaría destruyendo la familia del fútbol.

El 10 de mayo de 2002, once miembros del Ejecutivo presentan una denuncia en la fiscalía de Zúrich contra Blatter, por «sospecha de estafa y prácticas comerciales desleales».[78] La situación de la que entonces se quejaba la directiva de la FIFA sigue resultando familiar hasta hoy: «Desde su candidatura presidencial en 1998 sigue latente la sospecha de que el acusado llevó a cabo acciones de favoritismo con los activos de la FIFA, para crear un poder autocrático en contra de los estatutos y asegurarse la reelección en 2002. La situación financiera de la FIFA perdió transparencia. En mayo de 2001 se volvió totalmente opaca tras la bancarrota del grupo ISL/ISMM y el colapso del grupo Kirch. El Comité Ejecutivo, ante la insistencia del acusado, había contratado a ambas empresas para la venta de derechos. Las solicitudes de información por parte del Comité Ejecutivo fueron ignoradas, desviadas o desestimadas con el falso argumento de que la FIFA se encontraba en una situación financiera estable». Blatter habría empleado una «táctica de demora y disimulo». Los demandantes describen trucos y engaños, explican la lucha por la auditoría interna y su derribo: «Según los estatutos, Blatter carecía de competencia para suspender una comisión de investigación instaurada por el Comité Ejecutivo». Además, sus razones eran inconsistentes, y Blatter no había podido justificarlas. Por eso los demandantes ven la suspensión como una «negativa del señor Blatter a examinar los informes de la comisión y ponerlos a disposición de la Secretaría General. La suspensión fue otro intento del señor Blatter de ocultar la verdadera situación financiera de la FIFA y sus propios errores en ese aspecto».

Teniendo en cuenta «la falta total de cooperación por parte del señor Blatter» como así también su «táctica de ocultación sistemática», los dirigentes de la UEFA recomiendan que se efectúe una redada en la sede de la FIFA y en el apartamento privado de Blatter. Ante el peligro de encubrimiento, se debe actuar de inmediato, ya que el fraude es un delito que podría sancionarse con pena de prisión. Existe la «sospecha fundada de que el acusado ha cometido malversación con los fondos de la FIFA en beneficio propio para reforzar su poder». Y es que Blatter lucha por su reelección, una empresa realmente audaz. Incluso el enriquecimiento de terceros jugaría a su favor en el caso de ser reelegido, pues el cargo de presidente estaría ligado a «retribuciones considerables».

Se presentan trece casos aislados. Entre ellos, el caso Koloskov. El ruso está estrechamente ligado al deporte ruso, controlado por el crimen organizado. En 1996 había hecho de rompehielos para Havelange, oponiéndose a la FIFA en la adjudicación de derechos al grupo ISL/Kirch. Ahora resulta que recibió ciento veinticinco mil dólares por orden de Blatter y que las explicaciones de Blatter sobre este pago no encajan. Entre 1998 y 2000, Koloskov no era miembro del Ejecutivo de la FIFA, y, sin embargo, Blatter dispuso que se le atribuyera el «estatus de un miembro ExCo con efecto retroactivo a partir de julio de 1998». Esto supone que cobraba los honorarios de directivo de aquella época: cincuenta mil dólares al año. En el caso del no miembro Koloskov, solo se habría tratado de un regalo hecho por Blatter, por cuenta de la FIFA. ¿Con qué fin?

En una entrevista, Blatter intenta justificar lo de Koloskov alegando «prestación de servicios». ¿Servicios para quién? En la federación no consta ninguna prestación de servicios. Por aquella época, el ruso solo dirigía la federación de su país. Blatter no puede demostrar los supuestos servicios prestados, ni tampoco existe un contrato. Aparte de eso, los querellantes señalan que la aseveración de que al ruso se le habría pagado por sus servicios «se contradice directamente con el memorándum según el cual Koloskov debía recibir honorarios como miembro ExCo». De hecho, las instrucciones del departamento de Finanzas dicen lo siguiente: «Respecto a los honorarios, el presidente ha resuelto que, a partir de julio de 1998, y con efecto retroactivo, Koloskov adquiere el estatus de miembro ExCo. Eso significa que se le abonará por su actividad de julio de 1998 a julio de 2000 una suma total de cien mil dólares. El presidente solicita resolver este asunto a la mayor brevedad».[79]

Otro despropósito: en lugar de cien mil, el ruso cobra ciento veinticinco mil. Veinticinco mil dólares en diciembre de 1999, otra vez la misma suma en octubre de 2000, y al final setenta y cinco mil dólares en diciembre de ese mismo año. La conclusión de los demandantes es que Blatter habría querido «comprar con dinero de la FIFA los votos del señor Koloskov y de otras personas ligadas a él». Además, se denuncia que la Federación Rusa de Koloskov habría recibido «ochenta mil dólares en 1999 y 2000 sin justificación».

Otro caso igualmente alucinante es el del árbitro Lucien Bouchardeau, de Nigeria. Después de las acusaciones de Farah Addo, Blatter se encontraba bajo presión. El presidente de la Federación de Somalia había afirmado que en 1998 la gente de Blatter le había ofrecido cien mil dólares por su voto. Al final se dijo que dieciocho ejecutivos africanos habían vendido sus votos. Blatter consiguió que un tribunal del distrito de Meilen frenara estas acusaciones de Addo. El 21 de febrero de 2002 aparece en Zúrich el informante ideal: el señor Bouchardeau, de Nigeria. Dice que tiene pruebas importantes contra Addo, y que cuestan cincuenta mil dólares, ya que necesita dinero para sacarse la ciudadanía francesa e instalarse en Francia. Qué casualidad. Blatter le extiende un cheque de veinticinco mil dólares. Ahora los directivos quieren saber si Blatter lo pagó de su bolsillo y si a Bouchardeau se le abonó el resto. En este caso en particular, hay un procedimiento judicial pendiente de Blatter contra Addo. «Por eso no se puede descartar que Bouchardeau declare en el juicio contra Addo, o que tenga que hacerlo.» Se huele la presión sobre el testigo.

Cuando el caso patético de Bouchardeau llega a los medios, Blatter da su versión. Jamás le habría comprado al árbitro ninguna clase de pruebas contra Addo. Más bien el africano habría querido vender a cadenas internacionales como la CNN toda la información sobre la corrupción en el fútbol de su continente. Por eso mismo, dice Blatter, él le habría pagado esos veinticinco mil dólares, para evitar el escándalo y arreglarlo puertas adentro. La misma versión presenta el sumiso Walter Gagg, uno que ha pasado por todos los cargos posibles en la FIFA, pero que, sobre todo, hace de factótum. En una nota interna del 13 de mayo de 2000, Gagg dice que el encuentro con Bouchardeau habría sido de lo más «sincero y correcto». No es la mejor definición para una charla con un chantajista de cuidado. ¿Por qué Bouchardeau, que quiere dinero a toda costa, iba a negociar con la FIFA, cuando podría vender todo lo que sabe a la CNN? Blatter, según Gagg, se habría presentado y escuchado atentamente al africano, mientras este le explicaba la situación con sus tres hijos pequeños y la persecución que estaba sufriendo en la Federación Africana, para finalmente echarse a llorar. «En ese momento emotivo, el presidente se retiró y regresó al instante con un cheque de veinticinco mil dólares. Y le dijo: "Esto no lo paga la FIFA, lo pago yo de mi bolsillo. Le doy el dinero porque veo que lo necesita. Con este dinero tendrá para vivir tranquilamente e instalarse en Francia. Y si la información que nos ha proporcionado sirviera para frenar la corrupción en África, estaría dispuesto a darle lo que falta. Que conste que solo lo hago por el bien de usted y su familia."»

Después de «este acto único de humanidad», según la alabanza de Gagg durante su declaración, Blatter se habría retirado definitivamente de la reunión. En total no habría estado reunido más de quince o veinte minutos. Es increíble en qué poco tiempo y con qué pocas palabras se puede ablandar a la gente buena y realizar una donación tan generosa. Alabado sea el Señor. A las pocas semanas, Bouchardeau presenta un informe: «Memorias de un árbitro de élite».

Siguiendo su propia lógica, Blatter le había pagado al nigeriano para que no fuera a ver a ningún periodista. Así pues, su concepción de la transparencia es notable: le paga de su bolsillo a un informante para que no destape ningún caso de corrupción ni despierte el interés de la prensa. Que se sepa, la FIFA nunca intentó esclarecer la corrupción en África sobre la base de las denuncias de Bouchardeau. Las prácticas habituales en esa zona demuestran más bien lo contrario. Por ejemplo, cuando la FIFA asiste a directivos de la Federación Africana que los propios gobiernos deben retirar de sus cargos debido a su reincidencia en la corrupción. En esos casos, la FIFA amenaza con excluir a las selecciones nacionales de esos países de todas las competiciones, y así los gobiernos, bajo presión, dejan a los dudosos personajes en su sitio.

Entonces, ¿impidió Blatter que los medios de todo el mundo dieran a conocer un escándalo de corrupción en África? ¿O solo se trataba de Addo?

En su acusación contra Blatter, los miembros de la directiva dan detalles sobre otro caso: se trata de Roger Milla. En mayo de 2002, el ídolo del fútbol camerunés celebra sus cincuenta años y quiere organizar un partido a beneficencia.

Para eso le pide ayuda económica a la FIFA. El 7 de marzo de 2002, Walter Gagg se la niega.

Después, sin embargo, la asistenta de Gagg telefonea a Milla. Ella también es de Camerún, y le cuenta que Champagne, el asesor electoral de Blatter, está usando su nombre para la campaña del presidente. Eso, por otra parte, demuestra cómo Blatter desacata la norma según la cual un candidato no puede hacer uso de los medios ni de los miembros de la FIFA para su campaña electoral. Después Milla habría hablado con Blatter, quien habría ordenado un pago de veinticinco mil dólares para el camerunés. Solo que después de que la FIFA se hubiera negado a contribuir con el partido benéfico, Blatter había convencido a Milla para que convirtiera el encuentro amistoso y la celebración de sus cincuenta años en un acto de campaña mundial apoyando la reelección. Así el pago efectuado por la FIFA habría sido en beneficio personal de Blatter. «Evidentemente, el recibo del pago está incluido en la contabilidad de la FIFA, a la que no tienen acceso los denunciantes ni el secretario general, solo los aliados de Blatter.»

Finalmente, la denuncia presenta una lista de casos en los que están implicados Jack Warner y sus empresas familiares, como, por ejemplo, la Warner Travel Agency. La agencia de viajes organizó los viajes de los grupos al Mundial sub-17 en Trinidad y Tobago, la isla natal de Warner, lo que generó gastos adicionales que superaban en 32.135 dólares a los de la FIFA Travel, la agencia propia de la FIFA, que, por lo general, se encargaba de organizar los viajes por el precio más económico posible. Para los demandantes, la trasferencia de competencias «injustificada» a un licitante más caro constituye un delito de administración desleal.

En el contexto del Mundial sub-17, también se puede citar el caso de la empresa Semtor, a la que la FIFA le encargó un proyecto especial IT. Los mismos expertos de la federación, según la denuncia de la directiva, habrían confirmado que el presupuesto para el proyecto podría haberse limitado a medio millón de dólares. Pero la FIFA, «bajo la presión de Blatter», habría firmado el contrato con Semtor por la suma de 1.950.000 dólares más gastos. «Aquí la FIFA también sufrió una pérdida considerable, cuya única explicación son los favores concedidos a la familia Warner.»

También resulta llamativa la gestión financiera de la Concacaf, dirigida por Warner. Esta federación acumula una deuda enorme con la FIFA que asciende a 9,474 millones de francos. El dinero se filtra en un «centro de excelencia» denominado Complejo Deportivo y Administrativo. «Esta deuda fue condonada y completamente amortizada sin razón aparente», denuncian los directivos. La intervención de Blatter en este caso sería imputable, pues estaría claro que «un gesto de deferencia como ese resulta ideal para que el acusado pueda asegurarse suficientes votos».

De hecho, este acuerdo con Warner también parece sumamente extravagante. El 4 de mayo de 1998, el padrino retirado Havelange le envía una carta a Warner donde se complace en informarle que ha hallado una solución externa para «convertir el préstamo en una donación».

A finales de 1999, Blatter le comunica al titular de la Concacaf y a su sirviente Blazer que el importe total transferido por la FIFA para el proyecto asciende a 15,95 millones de dólares. Se habría acordado que diez millones se enviarían en concepto de cuotas anuales de la FIFA a la Concacaf, es decir, dos millones y medio por año desde 1999 hasta 2002.

Sin embargo, queda un déficit de seis millones que Blatter resuelve a su manera. Le asegura a Warner y a Blazer: «Nos consta que el anterior presidente João Havelange prometió hacer todo lo que estuviera a su alcance para convertir en una donación el crédito de seis millones de dólares puesto a disposición de la Concacaf. Hasta el momento no ha sido posible. Ahora la FIFA considera concretar esta medida, por el bien de ustedes, ya que parece improbable que su federación pueda conseguir los medios en el plazo de 1999 a 2002 [...] Estamos seguros de que sabrán apreciar la posición que hemos adoptado». El aprecio de Warner es algo que Blatter tiene asegurado. Se pone de manifiesto en los paquetes de votos asegurados y en la fidelidad incondicional ante todos los problemas a los que el presidente debe hacer frente en Zúrich, hasta la ruptura en 2011.

En la denuncia, los directivos citan otro pago de un millón de dólares a la Concacaf: «Este desembolso se contabilizó como un aporte al proyecto Goal, lo cual no se corresponde con el procedimiento de aprobación previsto para el proyecto». Esto es algo interesante, ya que el mismo hecho se repetiría en 2011. Un mes antes de las elecciones del 1 de junio, Blatter hace feliz a la Concacaf de manera discreta con una donación de un millón, sin comunicárselo siquiera a su directiva. No se supo hasta que el propio Warner lo hizo público después de que lo suspendieran. Blatter le habría pagado a la Concacaf un millón «para cualquier finalidad». El presidente se apresura a informar a su directiva más tarde, presentando públicamente el donativo como el equivalente a dos proyectos Goal. Conforme a los estatutos, él estaba autorizado para realizar tales regalos sin previa consulta, eso dijo a la prensa. Otro ejemplo que viene a demostrar por qué es tan importante coger el soplete y abrir esa cámara acorazada que es el despacho de Blatter.

Sobre todo en la causa AIM, la FIFA habría perdido mucho dinero. A mediados de los noventa, la cadena de televisión norteamericana hizo una oferta por los derechos de los Mundiales de 2002 y 2006. Para la explotación en Estados Unidos ofreció trescientos veinte millones de dólares. El grupo ISL/Kirch ofreció solo doscientos veinte millones para esta zona. «Por tanto la diferencia entre ambas ofertas era de cien millones —concluyen los directivos de la FIFA—. Tanto en este caso como en otros nunca se informó al Comité Ejecutivo.» Una vez más surge una reclamación por fraude en relación con la adjudicación de derechos. Blatter habría dado la orden de no contemplar la oferta de la AIM en absoluto. Así habría favorecido a ISL/Kirch, «que claramente estaba más cerca de él». Los directivos de la FIFA exigen el esclarecimiento sobre las ventajas que esto trajo al imputado, con el argumento de que, sin razones personales de por medio, este no podría haber dejado pasar una oferta que para la FIFA había sido mucho más ventajosa.

Sobre el final del escrito llegan al punto «Retribuciones personales del presidente de la FIFA». Quieren saber cuánto gana Blatter. «Blatter se niega rotundamente a revelar sus ingresos, incluso frente a la junta directiva, el comité y el Órgano Ejecutivo de la FIFA. Los miembros del comité tampoco disponen de documentos que les permitan estar al corriente de los acuerdos del señor Blatter y sus ingresos reales a cargo de la FIFA.» Existiría, por tanto, la sospecha de que «Blatter pretende encubrir ingresos ilegales por medio de estrategias de ocultación».

Lamentan que, en relación con el salario de Blatter, solo se disponga de informaciones poco claras, que incluso con los años se han ido reduciendo llamativamente. En 2002, Blatter les había explicado a los críticos que, tras las elecciones de 1998, había convertido su sueldo de secretario general de sesenta y cinco francos en otros tantos dólares mensuales. Entonces dijo a los medios que ganaba 1,4 millones de dólares al año. Al cabo de más de diez años, en abril de 2011, poco antes de las elecciones, Blatter hace público que sigue ganando «un millón de dólares por año, quizás un poco más».[80] De modo que, según el cambio oficial, Blatter estaría cobrando hoy alrededor de unos novecientos mil francos como secretario general, lo que sería lo mismo que veinte años atrás. Al mismo tiempo, con motivo de las devaluaciones, eso equivaldría a un millón de francos menos por año que en su primer mandato al frente de la FIFA. ¿Se trata, entonces, de un cuento? ¡Claro que no! Hay que prestar atención. ¿Acaso detrás de la declaración del millón no viene uno de esos típicos apéndices blatterianos? ¡Y tanto que sí! Él había dicho: «Quizás un poco más». Si algún día se llegara a saber que ese poquito son cinco, ocho o doce millones más, ya podrá despedirse despreocupadamente con una sonrisa.

Ya en 2002, los demandantes están hartos de los trucos del presidente. Tienen «sospechas fundadas de fraude en perjuicio de la FIFA». La denuncia se completa con un cálculo aproximado de las pérdidas totales para la FIFA a causa del «sistema de abusos», que se refiere esencialmente a la quiebra de la ISL. El Comité Ejecutivo lamenta que, en tanto órgano de supervisión, no se le haya informado sobre las pérdidas de 86,5 millones en ingresos de las televisiones, ni tampoco sobre aquellas del área de márketing estimadas en ciento ochenta y cinco millones de francos. A fin de cuentas, calculan como supuestas pérdidas un «monto dudoso» que asciende a ochocientos millones de francos. El grueso lo conforman los 291 millones de francos que se habrían perdido con motivo de la bancarrota de la ISL.

Sería imposible cifrar con exactitud las pérdidas causadas por el favoritismo, la mala gestión y las prácticas contables engañosas. Y, además, ¿para qué? Mientras esa tienda de autoservicio que es la FIFA no derroche más millones de los que puede reembolsar automáticamente gracias al monopolio del fútbol, nada podrá detenerla. ¿Acaso alguien puede quebrar cuando más y más dinero le llueve del cielo? Sin embargo, no se debe confundir esto con una economía limpia en beneficio del fútbol.

Más tarde se suma a la demanda una denuncia anónima, según la cual Blatter estaría facturando un cuarto de millón de francos al año por gastos de desplazamiento, dietas de hasta quinientos dólares diarios y otros bonus, «como regalos costosos», de hasta cien mil dólares. Blatter dispondría de cuentas clandestinas y simularía registros de gastos. El demandante anónimo adjunta dos facturas del joyero Harry Winston, junto con un extracto de la cuenta 469 de la FIFA que lleva Blatter, y un cheque.

El abogado de Blatter alega frente al fiscal suizo Urs Hubmann que investiga la causa que, a través de esa cuenta, se realizan las operaciones referentes a los gastos privados de Blatter. Su cliente reintegraría los gastos pagados por la FIFA. La factura de la joyería haría referencia a un reloj que Blatter se habría comprado y pagado de su bolsillo; otros gastos habrían sido destinados a amigos y huéspedes privados, como su hija Corinne, y se habrían saldado de forma privada. La palabra del fiscal: «Cabe preguntarse si un crédito del acusado a través de la FIFA durante un largo periodo de tiempo, en vista de su salario, es indebido, pero ello no da lugar a ninguna acusación formal».

En noviembre de 2002, Hubmann suspendió las investigaciones penales tramitadas solo por dos directivos de la FIFA.[81] A Blatter «no se le puede atribuir ningún comportamiento delictivo, y el análisis del expediente deja claro que en relación con una parte de las denuncias ha obrado legalmente». ¿Una parte de las denuncias? Con o sin intención, el fiscal pone de manifiesto lo absurdo de la estructura de liderazgo de la FIFA. Es gracias a las normas vigentes, al funcionariado de la FIFA y a la legislación por lo que la corrupción se encuentra con las puertas abiertas de par en par. La conclusión arrolladora de Hubmann: «Todas las partes denunciantes han demandado al imputado por cuestiones en las que este ha tomado decisiones a las que ellos mismos dieron su consentimiento». Todo un aviso para los directivos responsables que evidentemente están desprotegidos, sometidos al presidente y sus artimañas. Pues todo lo que Blatter forzó a firmar, ya sea con astucia, informaciones filtradas, papeles por debajo de la puerta a último momento y hasta con la ayuda subversiva de sus seguidores, también se puede atribuir a los engañados.

El fiscal suizo añade: «Respecto a esto, la denuncia no solo es inaceptable, sino que además está próxima a la falsa acusación». Pero no le parece tan grave el caso de que una pandilla de directivos desleales quisiera llevar a su honrado jefe a la cárcel. «Respecto a esto, no se puede deducir una acusación falsa, y se supone que no era esa la intención de los denunciantes, sino que estos, evidentemente, por las razones que fueran, no estaban en condiciones de recordar sus propias decisiones.»

Por desgracia, Hubmann deja pendiente un asunto clave que él mismo ha planteado. ¿Cuáles podrían ser esas razones? Hay tres para elegir. Pura ignorancia: en este caso, todos los directivos habrían estado seriamente afectados por una pérdida de la memoria colectiva, pues ni siquiera los juristas que había entre ellos, como el escocés David Will, notaron nunca que todos aprobaban y daban el visto bueno a las intrigas de Blatter. Premeditación: ¿realmente se proponían criminalizar al presidente inocente y honrado y arruinarle la vida? O tercero: los engañaron sin que se dieran cuenta.

El fiscal considera «justificable en estas circunstancias una imposición al menos parcial de los costes del procedimiento a los demandantes». Si al final prescinde, es solo porque podría tardar años en enviar todas las disposiciones judiciales a través del mundo. Así que las arcas estatales tienen que cargar con costas «considerables», y es por eso por lo que una recogida de fondos corona la disposición final: «Se invita a la parte afectada (la FIFA) a mostrarse agradecida mediante una donación para compensar los costes del procedimiento llevado a cabo por los miembros demandantes en contra de una asociación no lucrativa». Los portavoces de Blatter convierten esto en un triunfo. Según ellos, las denuncias contra el presidente eran infundadas.

¿Se puede considerar la sentencia como propia de un tribunal independiente que concluye que Blatter siempre ha llevado una gestión limpia? Ahora se sabe más que entonces. Desde marzo de 2008 es de conocimiento público que la ISL constituía para la FIFA una enorme unidad de sobornos, que su modelo se apoyaba en la corrupción y que su juego de doble pase con los padrinos de la mafia siempre requirió de medidas de cobertura especiales. ¿Se puede dudar razonablemente de que Blatter participó de manera decisiva como secretario y presidente de la FIFA? Él se encargó de que la ISL se llevara todos los contratos, y tras la quiebra de la agencia se encargó de que los esfuerzos de la comisión de Hildbrand fracasaran y que los nombres de los directivos sobornados se mantuvieran en secreto. ¿Fue acaso una obra maestra casual de alguien sin la menor idea? La bomba está activada: el sobreseimiento por la causa ISL.

Es cierto, como siempre se dice, que Blatter no estaba entre los sobornados. De hecho, su nombre no figura en ningún documento de los existentes hasta el momento. Sin embargo, la mayoría de las firmas receptoras de la causa ISL hasta hoy no se han dado a conocer. Además, en la trama de corrupción no solo cuenta el papel de los receptores. Si bien en la denuncia de sus colegas de directiva en 2002, Blatter nunca aparece como destinatario, sí figura como donante, sin poder alegar motivos razonables. Es un facilitador de fondos con poder para firmar en solitario que no puede explicar sus regalos de manera lógica y que a su vez combate violentamente todo intento por penetrar en el ámbito de sus finanzas.

Posteriormente, el fiscal Hubmann se muestra más distante respecto del sobreseimiento. Aclara que él nunca habría manifestado que ninguna de las acusaciones tuviera fundamento. Algunas eran inconsistentes, en otros casos las pruebas habrían sido insuficientes «para seguir adelante». Al periodista británico Jennings le dijo: «No llegué a la conclusión de que el señor Blatter era inocente. En ciertos casos, es no culpable. Eso no quiere decir que no haya sucedido nada. Solo significa que no hay pruebas suficientes».

En mayo de 2002, Blatter ya encargó a su equipo una clarificación en lo relativo a las denuncias del secretario general, con el fin de «exponer ante el mundo del fútbol y los miembros de la FIFA las cifras y los hechos reales». El informe de treinta y tres páginas no solo reúne las versiones de Blatter sobre las denuncias, sino una amplia lista de los errores de Zen-Ruffinen, ante la que uno se pregunta asombrado cómo es que el secretario general no había sido despedido hacía ya tiempo. Se dice que Zen-Ruffinen solo tendría razón en una acusación de todas las expuestas en su informe: «Sí, es cierto que intervine en el negocio operativo de la FIFA. En muchos casos, me obligaron a asumir la responsabilidad como presidente de la FIFA, en beneficio del fútbol y de nuestra asociación». Según Blatter, habría «cumplido con el mandato» supuestamente encomendado por el Comité Ejecutivo y habría resuelto de manera óptima el asunto de la quiebra, una afirmación atrevida teniendo en cuenta que la mayoría de ese comité [82] lo había demandado, y que incluso un aliado como Chuck Blazer le había reprochado sus decisiones unilaterales.

A continuación se perfila la estrategia con la que Blatter más tarde se defiende de la denuncia de la directiva. Remarca que todos han participado, incluido el secretario general. «En su denuncia olvida que los protocolos que él ha firmado son documentos vinculantes [...] que no se pueden divulgar por todo el mundo a través de acusaciones contra el presidente.»

Una manera notable de repeler ataques: a lo hecho, pecho. También funciona en las malas. «Las tomas de posición en el área de finanzas tienen relevancia penal para los directivos como el secretario general, pues tales documentos llevan su firma.» Pero, con todo, el secretario habría demostrado que «en algunos casos desconoce o no comprende el contexto, sobre todo en los asuntos de índole económica».

Luego se procede a desmenuzar el informe de Zen-Ruffinen. Se afirma que no hay ninguna «organización interna», ya que la F-Crew solo se dedica a promover la comunicación y a agilizar las soluciones de problemas. Se señala como falsa la suposición de que la F-Crew hubiera socavado las funciones del Comité Ejecutivo. Luego estaría la contratación de Tognoni, un nuevo consejero encargado de las cuestiones de márketing. ¿Y McKinsey, el de la empresa donde trabaja el sobrino preferido? Insinuaciones malintencionadas: McKinsey no fue reclutado por Blatter, sino por la Comisión de Finanzas. Lo que de hecho vendría a ser lo mismo, ya que está integrada por seguidores como Grondona, Warner y Bin Hammam. ¿Y qué hay de Platini? ¿Y de Champagne? Al primero no se lo menciona, mientras que el segundo aparece en un organigrama, con la aprobación del secretario general. Es probable, pero ¿acaso explica el papel de Champagne como consejero secreto de Blatter? En medio de una campaña electoral palpitante, ambos regresaron de un *tour* por África, el continente del rival de Blatter. Según la comunicación interna, Champagne dirigía la campaña de Blatter. ¿Qué tenían que hacer allí?

Respecto de la quiebra de la ISL, Blatter expone fríamente que el encargo por parte del Ejecutivo de atender este asunto sigue vigente. Lo que no podría contradecirse más con las cartas de protesta de la oposición dirigente. Asimismo se afirma que el aseguramiento (titulización) habría tenido el visto bueno de la Comisión de Finanzas y el de la directiva.

De capital importancia es la respuesta de Blatter, a quien le acusa de estar excediendo sus competencias, pues deja a la vista el autoconcepto y el deseo de poder del patrón: «Todos los asuntos mencionados fueron tratados por las personas a cargo y autorizados mediante firma por el presidente de la FIFA. El presidente de la FIFA dispone de la facultad de firmar en solitario». Un momento: solo porque disponga de esta facultad, ¿significa que está bien todo lo que firma? ¿Puede él mismo o un amigo suyo construirse una casa o un castillo con dinero de la FIFA solo porque él puede firmar sin consultarlo? Parece que lo principal está apuntado en los libros. «Además, se puede constatar que todas las operaciones de la FIFA han sido debidamente contabilizadas.» Vale, así que está todo en orden.

Según la réplica de Blatter, Zen-Ruffinen también carece de fundamento al referirse al proyecto Goal. Este proyecto estaría dentro del área de responsabilidad del secretario general, y tras solo doce meses ya presentaría un «aspecto desolador». No se menciona que el sobrino y la gente de McKinsey llevan trabajando en el proyecto Goal desde el año 2000 y que por ello facturan importes elevadísimos. Las facturas no se las envían a ese gandul que es el secretario general, sino al tío presidente.

Blatter niega que haya usado el proyecto con fines electorales. Por el contrario, el viaje por todos estos países se debe a que estos «reclaman la presencia del presidente de la FIFA, ya que para ellos representa todo un acontecimiento la posibilidad de mostrar ante el presidente sus planes y proyectos». Las solicitudes de ayudas al desarrollo solo las atienden «los ejecutivos a cargo, y no el presidente» y, desde luego, «si algunas asociaciones no reúnen las condiciones necesarias, sus solicitudes son aplazadas atendiendo a los intereses de un trabajo serio». Conclusión: «La lista de prioridades, que el secretario general critica, se basa en razones objetivas y justificables». Pero lo cierto es que no se justifica nada, pues quien quiera ver los justificantes de todo lo expuesto por Blatter tiene que embarcarse en un viaje, ya que solo están disponibles en la FIFA.

Y así se extiende durante páginas y páginas. Siempre está la aprobación de KPMG, la Comisión de Finanzas que decide, el ejecutivo que asiente y el gandul del secretario que pone la firma para todos los asuntillos. ¿Y qué tiene que ver Blatter con todo esto? «La situación financiera de la FIFA es muy buena. Los números de Zen-Ruffinen son incorrectos.»

La F-Crew de Blatter también ha encontrado un buen argumento a favor del aseguramiento. Una «ventaja esencial» de la titulización en contra del crédito bancario consiste en «la imposibilidad de rescisión». Pero ¿dónde se ha visto que una entidad crediticia suiza le cierre el grifo a la FIFA poco antes de una Copa del Mundo? La federación mundial se apoya en un monopolio, en la propiedad de los derechos de televisión y publicidad más rentables del planeta, lo que es una fuente de dinero inagotable. ¿Dónde más podrían dilapidarse semejantes sumas de dinero? Incluso si este barco se encuentra en peligro de hundimiento, la capacidad empresarial que se necesita para mantenerlo a flote es mínima. Basta con que llegue la siguiente Copa del Mundo para que vuelva a llover el dinero.

También se señala como falsa la denuncia de que la FIFA renuncia a la persecución penal de los responsables de la quiebra de ISL-Kirch. «Lo cierto es que la FIFA ha presentado una demanda.» También es cierto que la FIFA la retiró dos años más tarde de manera solapada.

¿Y McKinsey? Bien, gracias. A estos costosos asesores no los mandó llamar el presidente, sino la Comisión de Finanzas, cuya simbiosis con Blatter está comprobada. La gente de McKinsey tuvo que intervenir activamente en el Congreso de Buenos Aires porque el secretario general no daba abasto. Por lo demás: un excelente servicio, todos los costes presupuestados, y en lo referente al sobrino, ¿quién podría explicar su participación independiente mejor que el propio McKinsey? El informe de McKinsey dice: «Philippe Blatter es director de McKinsey European Sport Practice y ha colaborado como asesor en el proyecto de la FIFA. No es el director responsable del proyecto». Venga ya, hombre. «El conflicto de intereses creado por el secretario general es inexistente», resume el jefe.

Pero ¿y qué hay de Warner y la compra con descuento de los derechos de retransmisión televisiva del Mundial para el Caribe desde 1990? «El importe abonado por Jack Warner para la concesión de los derechos no es asunto de la FIFA.» Sin embargo, diez años más tarde, la FIFA se pronuncia de manera muy diferente sobre el mismo tema. Se reconoce que a Warner se le habrían concedido los derechos de televisión para el Mundial de 1998 por un dólar, pero es que entonces no había más dinero en la región para la compra de tales derechos, y sus beneficios se destinarían a proyectos de desarrollo en el ámbito del fútbol caribeño. La FIFA no explica por qué la operación se llevó a cabo a través de la empresa privada del directivo, ni cómo se comprobó el uso acordado de los beneficios.[83] Pero todo sea dicho: en aquel entonces, el dólar estaba en alza. En concreto, aquel con el que pagó Warner.

Finalmente, Blatter revela el misterio de por qué prefirió el contrato con ISL-Kirch a la oferta mucho más ventajosa de la empresa americana AIM. Y es que la oferta de AIM era «tan elevada que dio lugar a dudas, de acuerdo con la estimación correcta de la situación del mercado». Es decir, tan elevada que le resultó poco seria. Blatter da a conocer su razón porque en la primavera de 2002 también quiebra el socio Kirch, lo que le sirve como argumento de la supuesta clarividencia que lo lleva a tomar distancia de la exagerada oferta de AIM. «La actual situación de mercado demuestra que la precaución de entonces al valorar la oferta fue acertada.» Conclusión: «La afirmación de que el presidente habría preferido la segunda mejor opción por razones políticas no se puede tomar en serio».

La explicación sobre la desaparición de los ingresos de la cadena Globo se tornó delicada, teniendo en cuenta los expedientes. Blatter hizo abracadabra y tergiversó los hechos. «La acusación contra el presidente y el director financiero, según la cual ellos habrían podido impedir la retirada de los pagos de Globo, es completamente descabellada.» Lo cierto es que nunca se formuló tal acusación. ¿Cómo iban a impedir la retirada de los pagos? La acusación dice que tenía conocimiento de antemano y no procedió. Así, con la falta de intervención, se favoreció la mala conducta de la ISL, que él mismo calificó de «engañosa». La torpeza de Blatter es que aquí admite haber recibido un memorándum de Linsi «el 1 de junio de 2001», en el que se alertaba sobre los riesgos que corría la FIFA en relación con los contratos de televisión. Poco antes, NKF, el despacho de abogados de la FIFA, había hecho una reclamación de los pagos de la cadena Globo y había enviado una carta apremiante a Zen-Ruffinen, en la que recomendaba exigir un ultimátum de pago. ¿No estaban claros los riesgos que corría la FIFA con este contrato de televisión? ¿Acaso Blatter se enteró después? ¿O los riesgos fueron apenas insinuados, de tal manera que él no se molestó en realizar un seguimiento?

En relación con los ciento veinticinco mil dólares que cobró Koloskov, Blatter admite: «Se trata de un error de forma, pero, en ningún caso, se puede hablar de corrupción. Tal acusación es una calumnia». El servicio costoso de Koloskov habría consistido en mantener los «contactos» con veintidós países del este de Europa. Una labor que solo estaba al alcance del aparato del extinto Partido Comunista.

¿Y Bouchardeau, el soplón de Nigeria al que le extendió aquel cheque generoso? Aquí Blatter representa una comedia de ayuda humanitaria, por decirlo así, narrada por su fiel Walter Gagg, el testigo presencial: escándalos de corrupción en África, las lágrimas del árbitro, sus niños pasando hambre en París, «hay que tener en cuenta la situación digna de lástima que llevó a nuestro presidente a tener ese gesto». Blatter añade: «El testimonio de Walter Gagg aclara las circunstancias del caso. Se trata de evitar posibles casos de corrupción». ¡Hay que atreverse!

La réplica de Blatter a la acusación de falta de transparencia respecto de su salario también resulta hilarante. «La pregunta sobre la retribución del presidente ya la respondió más de una vez el Comité Ejecutivo.» ¿Por qué no aprovecha esta ocasión especial de transparencia y menciona una vez más la cifra que supuestamente ha dado a conocer tantas veces? ¿No acallaría así las críticas, de una vez por todas?

El presidente dirige el coro

Mientras Blatter tiene que defenderse del ataque de los sediciosos Johansson y Zen-Ruffinen, la lucha por la reelección continúa. Aquí queda demostrada la utilidad de disponer de consejeros secretos. Según los estatutos, los candidatos presidenciales tienen terminantemente prohibido el uso de fondos o personal de la FIFA para sus campañas. Pero ¿qué es lo que hace el asesor político de Blatter, Jérôme Champagne, quien, en abril de 2002, lo acompaña en una maratón por África, el continente del candidato opositor Hayatou? El 5 de abril parten de Zúrich a Abuja, Nigeria, y luego a la capital de Angola, Luanda. Allí pasan la noche y se dirigen a Lusaka, Zambia, y luego a Gaborone, Botsuana, donde pasan la noche y se dirigen a Maseru, Lesoto. Al cabo de diez horas vuelan a Johannesburgo, y al día siguiente toca Manzini, en Suazilandia, y luego Maputo, Mozambique. Pasan la noche, uf, y siguen hacia Blantyre, Malaui, para pernoctar en Kigali, Ruanda, y emprender el camino a Khartum, Sudán. Al final regresan a Zúrich el 11 de abril. Once países en seis días. A excepción de Blatter, en la FIFA supuestamente nadie sabe qué cometido de importancia tenían que desempeñar él y Champagne en ese continente.

En los días previos a las elecciones aumenta la tensión. «El secretario general debería trabajar más, en lugar de jugar a los agentes secretos», ataca Blatter antes de su viaje a Seúl. Ha demandado a Zen-Ruffinen por difamación. Tanto los europeos como el anfitrión surcoreano del Mundial, Chung Mong-joon, apoyan a Hayatou, el rival electoral de Blatter. En la directiva tienen los nervios de punta. Bin Hammam, agente electoral de Blatter, envía una carta a Chung, quien ha desvelado la crudeza con que los mandamases de la FIFA se lanzan acusaciones de soborno.[84] Bin Hammam le reprocha al surcoreano su actitud hostil hacia Blatter, la cual tiene su origen en que Blatter junto con Havelange se mantuvieron firmes durante mucho tiempo en la postura de realizar un Mundial solo en Japón, y el industrial Chung tuvo que reunir una enorme cantidad de dinero para convencer a las federaciones del mundo de que se decidieran por la doble sede.

La carta ofrece entresijos interesantes. Chung había denunciado la gira electoral de Blatter y Bin Hammam por el continente asiático. Solo el catarí responde: «Usted me acusa por acompañar a Blatter en su campaña. No comprende por qué colaboro con un hombre que redujo la participación asiática en el Mundial a dos plazas, y le asombra que le diga que si ayudo a Blatter es porque es amigo mío. Es cierto que ya he viajado con Blatter en función de mi cargo como presidente del proyecto Goal, como asimismo lo he acompañado a países ajenos a este proyecto en calidad de amigo. ¿Podría usted acaso explicar a las federaciones nacionales asiáticas cuál es su función al transportar los maletines del señor Hayatou, el hombre que boicoteó a Asia y al que usted sigue a todas partes?».

Bin Hammam le recuerda a Chung que, en la votación de Alemania del año 2000, Asia se pronunció en contra del candidato favorito de Blatter, Sudáfrica, porque en el Congreso de 1999, que se celebró en Los Ángeles, el presidente de la FIFA no había aumentado las plazas de participación para el continente. «Asia dijo no a Blatter, y la sede de la Copa del Mundo 2006 se concedió a Alemania.» El país germano ganó por doce votos contra once; entonces ocho europeos y cuatro asiáticos votaron en bloque, en una votación en la que, según Hammam, Hayatou se habría pasado de la raya. «¿Qué reacción mostró usted o nosotros cuando Hayatou nos llevó a los cuatro a una sala y nos gritó como si fuéramos sus criados solo porque habíamos hecho valer nuestro derecho y habíamos votado por Alemania, o cuando él le comunicó su decisión de boicotear a Asia, o cuando se marchó furioso dejándonos boquiabiertos y usted se puso colorado? Hay que tener muy poca dignidad para no volverse en contra de Hayatou. Es por eso por lo que apelo a su dignidad, para que en las elecciones esté de nuestro lado.»

Luego sale una vez más el tema de la corrupción. «Cada federación asiática se hace su propia idea. Ni usted ni Hayatou pueden sobornarlas visitando Corea durante tres días, ni prometiéndoles cinco plazas para el Mundial de las que Hayatou no dispone. Del mismo modo, ni Blatter ni yo podemos usar el proyecto Goal para sobornar. Borremos de una vez la palabra "soborno" del diccionario de nuestra confederación, sobre todo porque ya existe un término nuevo que hasta el momento solo he oído de usted y de Farah Addo. ¡Vaya casualidad! […] Si tanto le fastidia mi apoyo a Blatter, ya verá usted cómo en Corea no les escucho ni a usted ni a los suyos. No obedeceré sus órdenes y haré todo lo posible para ponerlo nervioso.»

Chung insinuó varias veces que Blatter seguramente sabía dónde se celebrarían las elecciones de la FIFA. Esto también tiene un antecedente. A partir de febrero, Chung se queja porque la FIFA planea tras el partido inaugural mudar la oficina central del Mundial a Japón. Le recuerda a Blatter que, según el acuerdo, la FIFA debe mantener una oficina central en ambos países. Es inútil. La FIFA está decidida a darle más importancia a Japón durante el Mundial.

Después de la Copa del Mundo, Chung encaja un golpe bajo. A comienzos de 2003, Blatter recibe el Premio Americano Global a la Paz, que se entrega cada dos años a una personalidad del mundo del deporte. El presidente de la FIFA, que está en pie de guerra con la Federación de Corea del Sur, es galardonado por su «habilidad diplomática», por haber unido a dos naciones como Corea del Sur y Japón, que, «como es sabido, mantenían relaciones tensas». Un momento. ¿Bin Hammam no le había dicho a Chung que Blatter se había opuesto a la participación de Corea del Sur como sede mundialista? Y Hammam sabe de lo que habla, ya que él mismo dirige la Confederación Asiática de Fútbol (AFC).

En Seúl, Blatter juega su juego. Se convocan dos congresos, el de las elecciones y, previamente, uno extraordinario, dedicado en exclusiva al tema de las finanzas. Este último lo han planificado Warner y compañía, que quieren ningunear a una oposición armada hasta los dientes. Llegado el momento, habría sido mejor que Johansson y compañía se dieran un paseíto relajado por los jardines del Grand Hilton, ya que en el Congreso de Finanzas no tendrían nada que hacer. Blatter lo ha convocado entre las nueve y las tres de la tarde, después de lo cual está previsto un acto inaugural. En primer lugar, Blatter y el director financiero Linsi presentan un poema épico de ciento seis páginas sobre las finanzas de la FIFA. «Este informe es un hito en la historia de la FIFA», anuncia el presidente, exultante. Suministrado por Linsi y KPMG.

Antes de la reunión, el investigador financiero David Will, directivo escocés suspendido por Blatter, les ha entregado a los delegados los resultados de la auditoría del revisor de cuentas independiente Deloitte & Touche. Lo que expone este informe es completamente diferente. Así lo resume Zen-Ruffinen: «De acuerdo con el derecho económico suizo, la FIFA estaría en quiebra. Sin embargo, la federación se basa en el derecho de asociaciones». Y es el derecho de asociaciones lo que permite ciertos trucos, como el de maquillar el balance actual registrando ingresos que se realizarán en el futuro. La gente de Blatter presenta unos beneficios de ciento dieciocho millones de francos suizos correspondientes al periodo 1999-2001, que contiene un cheque sin fondos sobre el futuro de seiscientos noventa millones, correspondientes a la Copa del Mundo 2006.

Sin embargo, la mayoría de los delegados solo quieren saber si sus comisiones están aseguradas. Por lo demás, no ven la hora de que empiece el Mundial. Nadie presta atención a los papeles de Will. Así que Blatter, Linsi y el presidente de la Comisión de Finanzas, Julio Grondona, celebran durante horas la magnífica situación económica en que se encuentra la FIFA, mientras 2006 se anuncia como un futuro prometedor. Don Julio, que en ese momento está siendo investigado en Argentina por corrupción, exclama: «¡Nunca hemos estado tan bien como ahora!».

Lo de siempre. A continuación sigue el prometido turno

de preguntas. Los periodistas de todo el mundo están expectantes. Pronto se muestran sorprendidos, y al final estalla la risa. El propio Blatter lleva la batuta frente a doscientos dos delegados. El truco del día: a los oradores se les requiere solicitar turno por escrito. Cada solicitud de tiempo para hablar pasa primero por las manos de Champagne, luego las recibe la secretaria y, finalmente, llegan al jefe de la familia. Blatter ordena los papelitos y decide según su criterio quiénes hablarán y en qué orden. Muchos asistentes al congreso se sienten más en Corea del Norte que en Corea del Sur. Con una actitud déspota, el gran presidente dirige la asamblea y no concede la palabra a aquellos que podrían discrepar de su línea de pensamiento.

Los pichones de Blatter van subiendo al podio uno tras otro. Grondona tiene una tarde muy relajada. El preludio corre por cuenta del titular de la Federación Jamaicana, Horacio Burrel, que vocifera exigiendo respeto a Johansson. Seis años atrás, Burrel visitó el congreso de la FIFA con una amiguita de Kingston, a la que hizo votar en nombre de la Federación Haitiana, ausente por carencia de medios económicos. A Blatter el numerito de Burrel le parece logrado; sin embargo, le reclama con paternalismo que se ciña al tema de las finanzas. El siguiente: Al Saadi Gadafi, hijo del dictador de Libia. El presidente de la Federación de Libia alaba la obra de Blatter, considera que las críticas a la gestión financiera «no se ajustan a la realidad» y menosprecia a Hayatou. Gadafi se refiere a sí mismo como un ayudante de campaña comprometido con Blatter, y cuenta que el presidente de la FIFA lo había invitado a Zúrich dos meses antes de las elecciones. Gadafi no había podido acudir porque entonces se jugaba el partido más importante de la liga de Libia. Aprovecha la ocasión para invitarlo a su país.[85]

Ahora le toca al experto de Papúa Nueva Guinea, que alaba al presidente y le deja el turno al iraní, que también loa al presidente. En la mesa de presidencia, Grondona da cabezadas, mientras un delegado habla de su rica experiencia con bancos y compañías internacionales.

Otro amigo del deporte, la misma farsa. El italiano

Franco Carraro, íntimo de Havelange, presenta una idea amañada: el congreso podría crear una comisión de control de las finanzas. Para la comisión de Will, suspendida autoritariamente por Blatter, eso no serviría de nada. «¡Una idea excelente! —celebra Blatter mientras la cabeza de Grondona se hunde—. ¡Nos ayudará a salir del lío!» Como recompensa, el propio Carraro será nombrado jefe de la nueva comisión, y su primera medida será nombrar secretario a Urs Linsi. El director financiero de la FIFA, cuyas maniobras en realidad deberían ser investigadas por esta nueva comisión independiente, se convertirá en miembro operativo de ella. También resultará conveniente que Ricardo Teixeira ingrese en el equipo de revisores, por su certificado de aptitud. Precisamente, las autoridades de Brasilia han certificado que su federación, la CBF, es un «espacio delictivo». También el jefe revisor Carraro se ha visto en esas, pues, en 2006, durante el escándalo de Calciopoli que empujó al abismo al fútbol italiano, se vio obligado a dejar su cargo. La Federación Italiana le prohibió ejercer su profesión durante cuatro años y medio, aunque más tarde se le conmutó la sanción por una multa de ochenta mil euros.

Ahora es el turno del colombiano. El hombre de Bogotá no solo alaba a Blatter, sino también a Havelange, «la máxima estrella del fútbol». El temario «Honor, educación y familia» recibe aplausos. Grondona se sigue durmiendo. A continuación vienen los especialistas en fútbol de las Islas Caimán, la República de las Seychelles y la India. En último término, tampoco parecen importarle las finanzas, así que se limita a proponer a Havelange como Premio Nobel de la Paz. Semanas antes, el titular de la Federación de la India, Priya Dasmunsi, le ha enviado a Blatter un mensaje de devoción, que contiene la frase que el presidente muchos años después, en 2011, presentará como conclusión en una nueva reelección igualmente cómica: «En medio de un mar tempestuoso, el marinero confía en que llegará a tierra firme junto con todos sus compañeros».[86]

Mientras la barbilla de Grondona alcanza su cuello y se esperan las estimaciones de la Isla de Pascua, una mujer se planta inesperadamente ante el micrófono. ¿Eh? ¿Cómo es que ha llegado hasta allí? Sin duda ha sido un descuido de Blatter. Karen Espelund, la secretaria de la Federación de Noruega, se lanza impetuosa: «Hay muchas preguntas por responder acerca de las finanzas. Señor presidente, ¿por qué no deja hablar a David Will?». Un aplauso atronador. Will sube al escenario y se dirige al micrófono. Blatter lo interrumpe y lo quita de en medio, como si le enseñara la tarjeta roja, y comunica que Will podrá hablar al día siguiente, pues hay que respetar la lista de turnos. Como el tiempo apremia, el congreso se da por finalizado. Chung reclama airado el derecho a intervención para Will. Pero Blatter concluye puntual su congreso de finanzas privado.

Solo once delegados han hecho uso de la palabra. Hayatou ha dispuesto de tan poco tiempo frente al micrófono como David Will. Al final se produce un tumulto y Hayatou por poco no coge del cuello a Blatter. Los delegados gritan y abuchean. El secretario general de la UEFA, Gerhard Aigner, apenas puede contener la rabia. Un verdadero ambiente de estadio de fútbol se instala en el Congreso de la FIFA.

Los representantes de la DFB, tradicionales allegados a Blatter, prefieren no añadir nada. El titular alemán Gerhard Mayer-Vorfelder, un ejecutivo que sabe más que el diablo, ya ha dicho antes que las denuncias por soborno en contra de Blatter son «inconsistentes». A él mismo le consta con qué facilidad se crean falsos recelos. El vicepresidente Beckenbauer también se llama al silencio. Más valiente se muestra el delegado inglés David Davis: «Aquí hay una pregunta clave: ¿cómo gobierna Blatter la FIFA? Hoy ha quedado demostrado».

Para entender cómo se manejan la mayoría de los delegados en el parlamento del fútbol, basta con fijarse en los representantes de las Islas Fiyi. Incluso Sahu Khan, en representación de la OFC de Oceanía, pudo ocupar un cargo durante un breve periodo en la directiva de la FIFA, ya que a Charles Dempsey lo apartaron de su puesto en el año 2000, después de que abandonara misteriosamente el proceso de adjudicación de la sede para el Mundial de 2006 que se le concedió a Alemania. Poco tiempo después, a Khan lo reemplaza Adrian Wickham de las Islas Salomón. Pero Khan quiere estar sí o sí en el Mundial 2002, así que se pone en contacto con la FIFA. Primero propone él mismo su admisión en el Comité Organizador de la Copa del Mundo, luego envía un fax a Zen-Ruffinen, expresando que, solo debido al respeto que siente por el presidente y el secretario general, ha desistido de acudir a un tribunal de arbitraje. ¿Cómo acaba la historia? «Fue una gran alegría cuando el señor Blatter me comunicó que podía seguir manteniendo todos los derechos y preferencias de un miembro de la directiva hasta la próxima Copa del Mundo. Él mismo lo confirmó.» De esta manera, el hombre de las Islas Fiyi puede seguir gorroneando cincuenta mil dólares al año, aunque ya no pertenezca a la directiva. ¿Te alcanza con eso? «Espero que mi mujer pueda seguir viajando conmigo en primera clase, con todos los gastos cubiertos y las mismas preferencias que ella tenía cuando yo era miembro del Ejecutivo.» El señor Khan se alegraría mucho si le dieran el visto bueno respecto a esto. No vaya a ser que al final tenga que pagarle los vuelos en primera clase a su señora, con lo que los cincuenta mil dólares más gastos que sigue cobrando de la FIFA se le irían volando. En su agradable mensaje, el señor Khan añade que también tiene intención de viajar a la Copa de las Confederaciones que se realizará en Corea del Sur y Japón durante el verano. «No hace falta mencionar que mi mujer Zohra viajará conmigo, como lo hacía cuando yo era directivo.» ¿Y al Congreso de Buenos Aires? «Allí mi mujer también me acompañará.» [87]

Se trata de Zohra, de los viajes y de los gastos. Estos son los miembros con derecho a voto en la familia del fútbol, además de los oportunistas alemanes. Al día siguiente del congreso, Blatter derrota sin problemas a Hayatou, un candidato algo lento y sin mayores posibilidades, por ciento treinta y nueve votos a cincuenta y seis. Blatter está nuevamente en la cumbre. En un gesto teatral, toma la mano de su enemigo mortal Zen-Ruffinen, que poco antes lo había atacado, y alza la voz en la sala: «¡Tomaos de las manos! ¡Poneos de pie! ¡Por el bien del fútbol!». Casi todos lo hacen. La familia se rinde homenaje.

Para la oposición era una carrera perdida desde el comienzo. Y a Europa se le fue la ocasión de presentar a un candidato fuerte. Fue una ingenuidad pensar que con el hombre de Camerún se podría derrotar a Blatter, cuando cuatro años atrás ni siquiera el presidente de la UEFA había obtenido todo el apoyo de su continente. Esta vez, como en 1998, a Hayatou lo abandonó mucha gente de su federación. El reelecto Blatter, sin embargo, explica el resultado según su propia lógica: «La enorme confianza en mí demuestra que el fútbol permanece limpio». Lo único cierto es que dentro de su FIFA, sometida por él a permanentes reformas, nunca lo detendrán. Eso solo es posible desde fuera. Pero, de momento, a los capos de la FIFA, las autoridades policiales y judiciales solo les echan el ojo de vez en cuando.

No todos llegan a comprender la idea de que la coronación de Blatter es una prueba de la transparencia del fútbol. El periódico dominical suizo *Blick* publicó: «Ayer el Consejo Federal tomó distancia. Después de todos los enfrentamientos en torno a la reelección de Blatter, no le hizo llegar su enhorabuena». Y el propio Beckenbauer, representante del país organizador del siguiente Mundial, criticó al autócrata: «Se produjo un desmembramiento. Y no todas las partes volverán a unirse. La revolución llamó a las puertas. Espero que Blatter haya tomado nota. Tal vez se vuelve más liberal».

Pues todo lo contrario. Nada más acabar el Mundial, Zen-Ruffinen, a quien Blatter fraternalmente le había tomado la mano ante los ojos del mundo, tuvo que vaciar su despacho. Y con él se fueron todos sus colaboradores más cercanos. En el año y medio siguiente, junto con la brigada de limpieza de Mister Clean o Mister Proper, como lo llamaba Blatter, setenta empleados dejaron de trabajar en la sede central de la FIFA en Zúrich.

La venganza de Blatter

Después de la reelección, Blatter declara: «En adelante tendré más cuidado al escoger a las personas que trabajarán conmigo».[88] Urs Linsi ocupa el puesto de secretario general que deja Zen-Ruffinen y continúa como director financiero, con lo que el control interno queda suprimido. Jérôme Champagne solo pasa a ser el sustituto de Linsi. El diplomático francés, que supervisó el protocolo del Mundial 1998 para el gobierno central parisino, podía esperarse algo mejor en su duelo con el torpe banquero. Pero Blatter le había encargado la evaluación de los candidatos a una consultoría de recursos humanos, y para asombro de todos se le dio preferencia a Linsi. Vaya a saber qué criterios se aplicaron, pero lo cierto es que, semanas más tarde, Linsi contrata a la experta de la consultoría para el Departamento de Recursos Humanos de la FIFA.

Linsi, devoto con los de arriba y temido por los de abajo, es un hombre previsible. Un hombre de números con escasas dotes de liderazgo, con poco conocimiento de idiomas y de fútbol. Uno que corría triatlones y que la primera vez que vio un Mundial fue en 2002, tal como le reprochaba Zen-Ruffinen con cierta pedantería. Pero para Blatter es el secretario general ideal. Un hombre que barre con todo y que no tiene ningún inconveniente en comunicarles a los altos cargos que el presidente ya no los necesita. Eso es más bien algo que le gusta. Linsi lleva un registro de las faltas cometidas o atribuidas que perjudican a los colegas y que pone a disposición del presidente.

Otra víctima del presidente es su asesor de 2001 Guido Tognoni. Hizo bien su trabajo como creador del departamento de Márketing. Tal vez demasiado bien. También mantiene muy buenos contactos internacionales con el mundo del fútbol. El asunto con Saleh Kamel le trajo problemas. El jeque saudí, una especie de Leo Kirch del mundo islámico, había adquirido los derechos norteafricanos para su televisión de pago codificada, en contra de la política de la FIFA de televisarlo todo en abierto. Se veía venir una disputa sobre los partidos del Mundial, que solo podrían ver los ricos, algo que la Federación Argelina empezó a criticar públicamente y que llegó a introducir en el orden del día del Congreso de la

FIFA. Era lo último que Blatter necesitaba. Así que el encargado Tognoni convenció a duras penas al jeque para que poco antes del congreso renunciara a los derechos para la retransmisión televisiva de pago, y consintió en que se le efectuara un reembolso convenido de millones al final del Mundial. Kamel nunca llegó a ver ese dinero. Sencillamente, Linsi se negó a pagar la suma. A Tognoni se lo acusó de una presunta negociación sin autorización, y más tarde lo despidieron.

A falta de motivos concluyentes para el despido, Linsi había contratado a un detective privado que se hacía pasar por periodista y escritor, le formuló preguntas capciosas a Tognoni por teléfono y luego entregó la conversación grabada a la FIFA. Un procedimiento ilegal a todas luces, se lamentó el afectado.

Linsi sigue arrasando en el ámbito de la dirección. Elabora una lista negra de los empleados de entonces con los que no se debería tener más trato, e incluso quiere eliminar al director de comunicación Markus Siegler y a Jérôme Champagne. Pero aquí se topa con el veto de Blatter, que quiere evitar más conflictos internos. La despedida de Siegler y Champagne tendrá que esperar.

La reestructuración del personal en favor del patriarca se realiza incluso allí donde la lealtad y la deslealtad están especialmente bien retribuidas. Los miembros de la gran familia del fútbol que son llamados a integrar alguna de las casi treinta comisiones tienen acceso a viajes, a gastos cubiertos y a dietas, a citas con estrellas, con políticos de alto rango y con líderes empresariales. Eso es genial. Y el que no obedece se lo pierde. El cambio de papeles blatteriano parece una comedia; vendría a ser como la continuación del show de Seúl, de su Congreso de Finanzas. En aquella ocasión, antes de que Saadi Gadafi y otros colaboradores intervinieran a su favor, el jefe de la FIFA se había lucido sobre el escenario con gestos grandilocuentes: «Aquí no solo hablamos de transparencia. ¡Yo creo en la transparencia! Sepan ustedes que, desde 1999, estamos aquí para luchar por la transparencia».

En cualquier caso, ahora la venganza de Blatter parece transparente. ¿O acaso fue una casualidad que los representantes británicos quedaran excluidos de los órganos responsables? No solo el escocés David Will, uno de los vicepresidentes, acosó a Blatter reprochándole el maquillaje de balances. También su colega de Irlanda contribuyó a la causa, y ante la enorme concurrencia del congreso le recordó a Blatter el nombre del padrino de la mafia, Don Vito Corleone. Y el secretario general de Inglaterra, Adam Crozier, atacó dejando claro que Zen-Ruffinen, el enemigo íntimo de Blatter, tenía derecho a la palabra. Este ataque tardío de la oposición supuso para Blatter una hipoteca (razonable) en su nuevo mandato. El presupuesto 2004-2006 solo se aprobó de manera provisoria, y desde 2003 la FIFA debe aplicar a los balances las normas internacionales de revisión de cuentas.

Durante el gobierno de Blatter, los rebeldes británicos quedaron excluidos de los órganos responsables. La madre patria del fútbol, que hasta ese momento tenía seis nombramientos, pasa a tener representantes solo en la Comisión de Medicina y en la Comisión Organizadora del Mundial 2006, compuesta por veinticuatro miembros. Bobby Charlton puede quedarse en la nostálgica Comisión del Fútbol. El alcance de esta medida de reducción se puede apreciar en comparación con el papel de las nuevas superpotencias. El Reino de Tonga adquiere una importancia fundamental en el mundo del fútbol; el titular de esta federación, Ahongalu Fusimalohi, ingresa en el Comité Ejecutivo, y su rica experiencia le vale otros cuatro nombramientos en equipos directivos importantes: vicepresidente de la Comisión de Medios, la Comisión de Urgencias, la Comisión de Márketing y Televisión y, como no podía ser menos, en la Comisión de Finanzas. Todo un logro para la pequeña Federación de Tonga, que no se incorporó a la FIFA hasta 1994 y que figura en el puesto ciento setenta y seis del ránking mundial. También será el logro máximo de Fusimalohi en toda su carrera. En 2010, al tongano lo filmaron mientras asesoraba a un periodista del *Sunday Times* sobre la compra de votos en la adjudicación del Mundial. A aquel arribista blatteriano de Tonga le suspendieron junto con otros cinco colegas.

Tahití también accede a tres puestos, entre ellos en el Departamento de Ayuda al Desarrollo del proyecto Goal, que durante la campaña electoral había sido señalado como un instrumento de compra de votos usado por Blatter. Mientras las Islas Fiyi y las Islas Caimán se meten en dos comisiones, los irlandeses se quedan fuera. ¿Acaso el presidente no pudo digerir la referencia a Don Vito Corleone por parte del titular de la Federación de Irlanda? Irak, aunque aislado políticamente, está mejor representado por Mohammad Hussein, que participa en la Comisión de Medios. Luego está el equipo interno de revisión de cuentas renovado por Blatter un poco a su gusto. Ahora está Jeffrey Webb, amigo de Jack Warner, en representación de la nación futbolística de las Islas Caimán, con una población de treinta y seis mil habitantes. Vale que el estado isleño es ya conocido por su arte en el mundo de las finanzas, pero, según se comenta, Webb nunca ha trabajado en el sector bancario de las Caimán, sino en el sector panadero. Y de ahí surge la pregunta de qué es lo que lo habilita para la revisión de cuentas de una gran corporación como la FIFA. Los demás puestos en el equipo de control también se cubren siguiendo esta línea. El hombre de los escándalos, Teixeira, trae consigo a su amigo y paisano Carlos Salim, ambos acorralados en su país por la Fiscalía y el Parlamento: un tema de corrupción. Como auditor interno de la FIFA, se postula Justino Fernandes, presidente de la Federación de Angola, que, aunque ha sido destituido de su cargo gubernamental en Luanda por ciertas corruptelas, sigue asesorando al jefe de estado, Eduardo dos Santos, un viejo amigo suyo. En su país se acusa a Fernandes de atentar contra la libertad de prensa. Es el hombre que en la FIFA testifica la veracidad del presidente.

Otros aliados de Blatter también sacan partido de su lealtad en Seúl. Estados Unidos, Italia y Suiza pescan ocho cargos en las comisiones de la FIFA, y Argentina, bajo el manto de Grondona, asediado una vez más por la Fiscalía de su país, llega a obtener nueve puestos. Pero nadie en el sistema democrático de Blatter alcanza a la Federación Alemana de Fútbol. A Mayer-Vorfelder y compañía se le otorgan trece nombramientos, no podía ser menos, ya que la siguiente Copa del

Mundo se celebra en Alemania. Pero es que, además, la DFB siempre se ha mantenido cerca de los directivos de la FIFA, y los más altos dirigentes del fútbol alemán apenas dejan pasar la oportunidad de elogiar la credibilidad personal de Blatter, o de descartar denuncias refutadas en su contra. ¿Refutadas por quién?

Todo sigue su curso de esta manera. El 25 de agosto de 2002, nada más finalizar la Copa del Mundo de Asia, la FIFA se enfrenta a una denuncia de la Fiscalía italiana. El árbitro mundialista Byron Moreno, siguiendo instrucciones, habría tenido la intención de dejar a Italia fuera del Mundial en aquel partido de octavos de final que Corea del Sur ganó por 2 a 1. Todo aquel que observe las decisiones absurdas de Moreno podría llegar a la conclusión de que el ecuatoriano quería favorecer al anfitrión. Una escena memorable es aquella en la que, cuando el partido va 1 a 1, la estrella italiana Totti es derribado en el área rival, y Moreno, en lugar de pitar el claro penalti, le enseña la tarjeta roja por tirarse. El entrenador Giovanni Trapattoni golpea furioso el cristal de plexiglás que lo separa del miembro oficial de la FIFA Walter Gagg, y el devoto de Blatter se encoge de hombros. Escenas como esta (o la de la jugada con la mano de Thierry Henry contra Irlanda que aseguró la clasificación a Francia para el Mundial de 2010) permiten suponer por qué algunos líderes de la FIFA se oponen desde hace muchos años al uso de cámaras, en especial la de la línea de gol. Corea del Sur se benefició de dos partidos escandalosos como este. Después de los octavos de final contra Italia, siguió el partido de cuartos contra España, en el que nuevamente una decisión arbitral favoreció al anfitrión de manera decisiva. Nadie puede afirmar si hubo amaño.

Solo cabe señalar que Chung Mong-joon, presidente de la Federación Surcoreana, organizador de la Copa del Mundo y opositor de Blatter, tenía la intención de ser presidente del país, por lo que el Mundial podía serle de gran ayuda. Pero cuando Corea del Sur llegó a la semifinal gracias a unas conquistas milagrosas y el país entró en delirio, a Blatter le pareció demasiado. En el partido de Corea del Sur frente a Alemania cambió el árbitro, y en el último momento llamó al suizo Urs Meier.[89] Tras dominar el partido, Alemania ganó por 1 a 0 y se clasificó para la final. Después del Mundial, en la fiesta de despedida de los árbitros, Chung les estrechó la mano a todos, excepto a Urs Meier.

Continúa siendo un misterio qué (o quién) fue lo que pudo impulsar a Moreno a arbitrar tan desastrosamente en Corea del Sur. Sin embargo, el estilo de vida suntuoso que empieza a llevar el ecuatoriano, al que hasta entonces se le creía endeudado, da lugar a especulaciones. Años más tarde, queda demostrado que el árbitro es un hombre extremadamente predispuesto, incluso para el crimen organizado. El 20 de septiembre de 2010, a Moreno lo detienen en el aeropuerto JFK de Nueva York mientras intenta introducir seis kilos de heroína en Estados Unidos. Lo condenaron a dos años y medio de prisión.

Ahora la FIFA también tiene disgustos permanentes con la justicia. En noviembre de 2002, algunos amos y señores contemplan nerviosos cómo al portador de maletines de la ISL, Jean-Marie Weber, y a algunos antiguos colegas se les detiene y se les interroga por orden de Thomas Hildbrand. Tres años más tarde, en noviembre de 2005, Hildbrand y su gente se dirigen a la FIFA en el Sonnenberg y registran las oficinas de Sepp Blatter y Urs Linsi. Es cierto que la ISL ya dejó de existir hace tiempo, pero los fantasmas de la agencia de sobornos sobreviven con tenacidad y siguen dando que hablar en los medios. Estos demonios ya no dejarán en paz a Blatter. Si bien vuelve a ahuyentarlos con el esfuerzo de grandes abogados, ninguno cierra la puerta al salir y vuelven a entrar por la ventana. El escándalo de la ISL será un ruido de fondo constante en la era Blatter. O mejor dicho: un obstáculo para su reconocimiento.

En mayo de 2001, después del hundimiento de la ISL, el administrador judicial de la quiebra, Thomas Bauer, averigua algo que al grupo francés Vivendi (que en un momento evaluó la posibilidad de comprar la agencia) tampoco se le había pasado por alto, y es que el fundamento económico de la ISL es la corrupción. Bauer se dispone a seguir el rastro de los sobornos. Una tarea ardua. Cerca de ciento cuarenta millones de francos suizos se han ido por canales sospechosos. Sin embargo, pocas operaciones están bien documentadas, de la misma manera que apenas han quedado registrados nombres de altos directivos. Por lo general, el negocio se ha llevado a cabo a través de empresas buzón. Bauer estima que algunos pagos de la ISL relacionados con el fútbol superan el millón de francos suizos. Se puede demostrar que la ISL sobornó al paraguayo Nicolás Leoz, miembro del ejecutivo, con una suma final de setecientos mil francos. Leoz también es presidente de la Conmebol (la confederación sudamericana). Y el brasileño Ricardo Teixeira recibió la suma considerable de dos millones y medio de francos a través de la empresa Renford Investment, que dirige junto con su suegro Havelange. Más tarde se sabrá que el dúo Havelange-Teixeira embolsó otros nueve millones y medio a través de la firma Sanud.

Gran parte del dinero circula a través de empresas fantasmas. Nunca se sabrá qué agencias, abogados y directivos están detrás de este entramado, ni quiénes son los beneficiarios de los pagos que Jean-Marie Weber realiza en Suiza. Además, tampoco es posible denunciar a los pocos destinatarios de los sobornos que han sido desenmascarados. En Suiza, el cohecho por parte de particulares no está penado por la ley. Y a los ejecutivos del enorme consorcio que es la FIFA se les considera particulares, pues para el derecho suizo la FIFA no es más que una asociación. Solo en 2006 se contemplará en la ley el hecho de competencia desleal. Así que, mientras tanto, los directivos imputados en el proceso de la ISL permanecen intocables desde el punto de vista jurídico.

Cuando el síndico de la quiebra, Thomas Bauer, reúne toda la documentación del escándalo, entabla negociaciones con el exmánager sobre las reclamaciones. Se procede de manera táctica y ganando tiempo. Pasan dos años hasta que Bauer exige a dos docenas de directivos del deporte (no solo de la FIFA) la devolución del dinero de los sobornos.

Entonces ocurren cosas extrañas.

Jean-Marie Weber, el antiguo facilitador de sobornos, llega a un acuerdo con el síndico de la quiebra. El abogado de Zúrich Peter Nobel, íntimo asesor legal de Blatter, tiene una participación decisiva en la negociación de este acuerdo. Él representa los «intereses de terceros», es decir, ni de los Weber ni de los Bauer.[90] En marzo de 2004, a través de Nobel, se efectúa el reembolso de dos millones y medio de francos al monto de la quiebra de la ISL. Como compensación, el administrador Bauer desiste de exigir devoluciones en el futuro a otras personas que «de manera directa o indirecta estén ligadas al negocio del fútbol». Los juristas definen este acuerdo como un «acuerdo de destrucción de pruebas». Los implicados permanecen anónimos y protegidos contra las demandas civiles. Por lo pronto, esta medida salva de un apuro a todos los directivos de la FIFA involucrados.

A la FIFA no debe importarle que este acuerdo ponga furioso a los acreedores. Esa rabia va dirigida a Bauer, el síndico de la quiebra. Su exención, con respecto a la miserable suma acordada de dos millones y medio de francos, parece temeraria, habida cuenta de la suma final de sobornos que supera los ciento cuarenta millones de francos. El político suizo del SVP, Roland Rino Büchel, quien fuera director de cuentas de la ISL, lo tiene claro: el síndico de la quiebra nunca debería haber firmado el acuerdo. Esta opinión es compartida por un abogado del mánager demandado en el procedimiento penal de 2008, que declara ante el tribunal: «Es un milagro que al administrador no se le haya acusado de complicidad con una quiebra fraudulenta». Thomas Bauer lo ve de otra manera. Tras la aclaración de la situación jurídica y los riesgos del proceso, le pareció que la suma escasa de dinero era una mejor solución que ningún reembolso.

Sin embargo, el acuerdo también tiene su lado bueno, ya que se convierte en el asunto de otro procedimiento judicial. Y es que la investigación de Thomas Hildbrand ya está en marcha desde hace años, y él quiere saber los nombres de los sobornados por la FIFA. Así que ahora tiene un punto de partida: ¿quiénes son los inculpados que reembolsaron los dos millones y medio de francos al monto de la quiebra a través del abogado Nobel? Weber no podría haber sido, ya que tras la bancarrota había declarado no poseer ninguna fortuna. El abogado Nobel guarda silencio. Y el fiel portavoz de la FIFA, Andreas Herren, asevera: «El señor Blatter no ha ordenado este pago».

Lo que ordena el señor Blatter tras el misterioso pago es algo bien distinto. En junio de 2004, explica el «desinterés» de la FIFA por seguir exigiendo responsabilidades a la ISL por la vía judicial. Pasará un año hasta que esto se haga público. Luego la FIFA finge que buscará otras vías más efectivas a través de un proceso civil. Qué lástima que Hildbrand ya ha reunido suficiente material para continuar con la investigación penal. Quiere que el abogado Nobel le cuente quién reembolsó el dinero de los sobornos tras el acuerdo con Bauer. El Tribunal de Zug dispone que Nobel facilite los nombres. Pero Nobel apela al Tribunal Federal, la máxima instancia, que con la sentencia del 11 de julio de 2005 decide que el abogado no está obligado a revelar los nombres de los pagadores. Una victoria para los inculpados de la FIFA y para el excelentemente relacionado Peter Nobel.

Por lo general, el abogado estrella está encantado de poder ahorrarle disgustos a Blatter, aunque no siempre tiene el mismo éxito. El crítico británico de la FIFA Andrew Jennings cuenta en su libro *Foul* que en 2006, en el Tribunal de Meilen en Zúrich, el abogado intentó «en secreto» que se prohibiera la distribución y la venta de su libro. Nobel habría exigido que la editorial le entregara una copia de la obra, con el argumento de que el autor era un crítico sumamente injusto con la FIFA y, por tanto, se temía que se dañara la imagen pública de muchos directivos. La petición de Blatter y la FIFA fue denegada, escribe Jennings, y añade que también tuvo problemas con otros abogados del presidente.

La generosidad con que se invierte el dinero del fútbol para combatir al periodismo crítico se puede apreciar en la copia de las denominadas garantías procesales financieras de marzo de 1999. En ese momento salió a la venta el libro *Cómo robaron la Copa*, del autor británico David Yallop. Blatter interpuso una demanda. Un aval bancario[91] del UBS de Ginebra aseguraba a «la jueza única de la causa sumaria del Tribunal de Meilen» que la entidad bancaria respondería por la garantía de doscientos mil francos suizos impuesta al demandante. «El pago se hará efectivo de manera irrevocable, a su primer requerimiento, renunciando a todas las objeciones y excepciones en virtud.» La demanda de Blatter se dirigía al autor y a la editorial, con el objetivo de impedir la publicación del libro, lo cual tuvo escaso éxito, según afirma Yallop. «Lo intentó en una infinidad de países. Y adivinen cuál fue el único donde lo logró. En Suiza.» [92]

El amo del fútbol y sus abogados formulan argumentos jurídicos notables. ¿Es acaso cierto que alguien está atacando a la federación mundial cuando expone los trucos sucios y los manejos de sus directivos, lo que justamente ocasiona pérdidas millonarias, concretas y verificadas, a esta federación? Eso no va en contra de la institución afectada, sino de aquellos que la utilizan para sus propios fines.

Tampoco resulta sencillo impedir los recursos interpuestos por Hildbrand. Este toma nota de la sentencia del Tribunal Federal obtenida por Nobel, y semanas más tarde entabla otro pleito. Ahora su sospecha es que la FIFA y/o sus representantes pagaron a Weber para que protegiera a los directivos corruptos.

El 4 de diciembre de 2005, Blatter aterriza en Leipzig en su jet privado para asistir al sorteo de grupos de la Copa del Mundo en Alemania. Una vez más le esperan días moviditos. Ante los medios habla de ética, de valores y de su preocupación creciente con respecto a los preparativos del Mundial. Tiene previsto echarle un sermón a Beckenbauer, el jefe de la organización de la copa, después de los contratiempos con la liga alemana. En el comité organizador «se disparan las alarmas, con respecto a los controles todavía hay mucho por hacer», dice. [93] Quiere seguir manteniendo los himnos nacionales antes de los partidos y sancionar duramente la falta de respeto de los jugadores mientras están sonando. Respeto, educación, *fair-play*. Blatter maneja estos tres conceptos como un trilero. Los homenajes que le rinden en aquellos días demuestran que la tolerancia hacia él sigue siendo elevada. En Múnich le entregan el premio Bambi por promover el fútbol como la unión de los pueblos. Está claro que el mundo de la política y la economía del país organizador tienen que rendirle homenaje por razones estrictamente protocolarias. Aunque otros descubren muchos estímulos en el megaconsorcio de la FIFA, de modo que Blatter también recibe el *honoris causa* de la Universidad de Leicester. El presidente se siente halagado. Aunque también conoce otras formas de tratamiento.

Semanas antes, el 3 de noviembre, alrededor de las diez y media de la mañana, una comisión anticorrupción del cantón de Zug irrumpe en su despacho de la sede central de la FIFA en el Sonnenberg. Al ver la orden de registro, Blatter quiere hacer una llamada telefónica, pero se lo impiden. Los investigadores de Hildbrand hacen salir a la secretaria de la oficina y se ponen a hurgar entre los papeles del presidente. Un segundo equipo irrumpe en el despacho del secretario general Urs Linsi. Hildbrand ya ha enviado a su gente a la recepción en la planta baja. Los investigadores revisan hasta el sótano. Hildbrand está investigando una «gestión fraudulenta en perjuicio de la FIFA». Según el derecho penal suizo, esta tarea solo puede acometerla alguien que trabaje para la FIFA. Se investiga a autores desconocidos. Y, desde luego, pasan semanas hasta que la redada se da a conocer. Hildbrand no se pronuncia. Sin embargo, para la FIFA se vuelve un asunto serio.

En marzo de 2006, el investigador entrega los primeros informes a la Fiscalía, en relación con la malversación del dinero obtenido de la cadena Globo. Hasta la denuncia del director de la ISL pasarán dos años. Ahora cunde el pánico porque Hildbrand continúa investigando los asuntos de la FIFA. La federación presenta una denuncia por la *razzia* ante el Tribunal Superior de Zug. Sin resultados. La sospecha inicial era suficiente para llevar a cabo una redada, que debía estar dirigida a alguien que trabaje o haya trabajado en la FIFA. El *Financial Times*, que tanto afecto le tiene a Blatter como para publicar durante años columnas en su nombre, cita el texto de la demanda. Blatter y compañía habrían querido incluso atribuirle una presunta parcialidad a Hildbrand, a causa de un supuesto parentesco lejano con el presidente.

Hildbrand, que casualmente tiene sus raíces en la comarca de Visp, como Blatter, desmiente dicha relación con el presidente de la FIFA.

Luego, coincidiendo con el comienzo del Mundial en Alemania, la BBC menciona por primera vez al mentor de Blatter, Havelange, como receptor de un millón de francos que en 1997 se transfirieron por error a una cuenta de la FIFA (más tarde los expedientes judiciales revelarán que la suma ascendía a un millón y medio). En aquellos tiempos, el destinatario Havelange acababa de recibir una Orden al Mérito en Múnich. Este hecho sería de enorme importancia al cabo de muchos años, pues Hildbrand también siguió esta pista. Y con ello investigó una complicidad por parte de Blatter, una especie de cooperación.

Las numerosas sospechas y las investigaciones que se están realizando en Suiza crean un marco complejo para el escenario diplomático del país organizador del Mundial 2006. Winfried Herrmann, entonces delegado de Deportes de los verdes, describe la situación como «vergonzosa». Por un lado, docenas de directivos serviles se excitan ante la aparición del séquito de Blatter en Berlín o en cualquier otra parte. Por el otro, la FIFA y el Comité Organizador del Mundial se defienden del reclamo de que en el estadio mundialista de Múnich se tengan que recolocar los asientos de tal manera que Blatter pueda estar ubicado justo a la altura de la línea del mediocampo. El agregado de prensa de la FIFA lo desmiente con vehemencia: él nunca habría ordenado tal cosa. «Lo cierto es que el comité organizador, por su propia cuenta, ha optimizado la disposición de asientos en algunos estadios.» (En 2011, con motivo del Mundial femenino, vuelve a surgir el rumor sobre las filas de asientos que son objeto de reformas.) Hasta el presidente alemán se inclina ante los férreos dictados de la federación. El 9 de junio, Horst Köhler declara la apertura de la Copa del Mundo de la FIFA. Poco antes, la palabra mágica y mercantil «FIFA» todavía no figuraba en el manuscrito del discurso inaugural, pero tuvo que añadirse a petición de los ejecutivos de la federación.[94]

Mientras los jueces alemanes rechazan el deseo de la

FIFA de cobrar por el logotipo publicitario del Mundial 2006 y argumentan que Navidad y Pascuas tampoco son marcas registradas, la Oficina de la Presidencia Federal examina de manera llamativamente minuciosa si corresponde entregarle a Blatter la Orden al Mérito. La propuesta surgió de Otto Schily, ministro de Interior entre 1998 y 2005. Al comienzo de su mandato, Schily se había mostrado muy crítico con el deporte de élite organizado. Pero su postura cambió radicalmente, en parte por la adjudicación de la sede del Mundial y la candidatura de Leipzig para los Juegos Olímpicos. De pronto, el abogado Schily, que se regodeaba hablando en público sobre sus años como militante de izquierda, empezó a visitar con entusiasmo los vestuarios de los futbolistas alemanes, como lo hiciera más tarde la canciller Angela Merkel. El propio Schily había recibido una condecoración en el Congreso de la FIFA, así que propuso que se le concediera la orden a Blatter. El acto de honor para el presidente de la FIFA era ineludible, pero el hecho de que no se realizara durante el *show* de coronación de la FIFA antes del inicio del Mundial generó un debate entre bastidores. La concesión de la Cruz Federal al Mérito está ligada a una serie de criterios. Se otorga a personas que con su labor empresarial u honorífica hayan contribuido a los intereses de la colectividad. El parlamentario Herrmann dice lo que muchos piensan: «Blatter solo ha contribuido a los intereses de la FIFA». Esto no debería ser un obstáculo para pasar el examen de la Oficina Presidencial, pero tal vez sí lo sean las investigaciones y los allanamientos en Suiza.

De todos modos, Blatter sabe que recibirá la insignia. Tarde o temprano, el vínculo de los poderosos con la FIFA se vuelve indisoluble. Él comienza la jornada de manera rutinaria, y durante el preludio del Mundial los medios y servicios de información deportiva tendrán un motivo de regocijo: «El suizo nos revela su programa para el futuro: la puesta en práctica de la responsabilidad social y comunitaria del fútbol. La FIFA es ante todo fútbol. Y fútbol es educación, esperanza y aprendizaje». Por fin una revelación de las que le gustan al patrón.

Una sentencia que lo destapa todo

Las investigaciones de Thomas Hildbrand se prolongan más allá de 2008. El proceso penal en el cantón Zug, basado en sus primeras investigaciones de la ISL, saca a la luz la oscura verdad en relación con los 141 millones de francos destinados a sobornos. El proceso se lleva a cabo cerca de la oficina de la antigua ISL, donde entonces tiene su domicilio la firma Infront, y trata exclusivamente el caso de pagos demostrables (141 millones) cuyos destinatarios apenas se conocen. Los hombres que están detrás de empresas como Sicuretta, Wando, Ovada o Taora E siguen siendo desconocidos hasta hoy. Nadie sabe tampoco a quiénes entregó Jean-Marie Weber aquellos millones en efectivo que, a través de intermediarios, regresaron inmediatamente a Suiza. En este hecho se basa la declaración oficial vigente hasta hoy, según la cual ningún ciudadano suizo se habría beneficiado de los pagos de la ISL.

También resultó extraño que la agencia tributaria local no sospechara que con esas cantidades negociadas en el país y en parte también retransferidas a Suiza se hubiera engañado al Fisco. Para aclararlo habría bastado con que las autoridades colocaran a Jean-Marie Weber en la siguiente situación: o nos dices los nombres de las personas a las que realizaste pagos, o pensaremos que tú mismo te has quedado con el dinero. En esencia, la pasividad administrativa en el caso de Weber ofrece la mejor excusa para los futuros receptores de dinero negro: «Querida Agencia Tributaria: he recibido millones, pero los he repartido, no eran para mí. Eso sí, no te diré a qué personas y empresas fantasmas les he entregado el dinero. Solo te diré una cosa: ninguna de esas empresas está a mi nombre. ¡Te doy mi palabra!». Y el Fisco amigo responde: «En ese caso, le creemos. Solo le pedimos que presente sus disculpas». ¿No fue algo así? No se tiene conocimiento de otra cosa, eso fue todo lo que ocurrió. No es de extrañar que Blatter esté encantado con la agencia tributaria local: «Las autoridades de Zúrich tienen una buena relación con la FIFA. De hecho, antes de Navidad recibí una carta en la que reconocían que soy un contribuyente ejemplar de la ciudad de Zúrich».[95]

A principios de julio de 2008 se publica la sentencia de lo que ha sido el mayor caso de corrupción en la historia del deporte, aunque solo se trató como delitos de insolvencia. Tres de los seis directores de la ISL salen absueltos. A Weber y otros dos directores se los sanciona con multas. La sentencia de ciento setenta y nueve páginas presenta los entresijos de este procedimiento judicial descomunal. Si bien la FIFA no es su objetivo central, se le atribuye un papel fundamental. Los jueces critican su negativa a cooperar. La federación ni siquiera justifica la retirada de la denuncia, y hasta le habría puesto obstáculos a la justicia, haciendo una vez más lo contrario de lo que hace creer a la opinión pública. La federación, que oficialmente vive para la transparencia, mantiene en la segunda investigación la misma actitud obstaculizadora. Ahora le saldrá más caro: tendrá que pagar dos millones y medio de francos.

En la sentencia se dice que la FIFA habría actuado «de forma engañosa», que habría dificultado las investigaciones y que no siempre habría cooperado con el juez de instrucción «según su mejor saber y el principio de buena fe». Los jueces también critican que los altos ejecutivos de la federación se hayan «reservado» información interna y hayan empleado deliberadamente una argumentación «confusa». Esto coincide con que los abogados de los demandados de la ISL habían elevado la denuncia contra los dirigentes de la FIFA por complicidad, tal como se expone en la sentencia. Blatter y su antecesor Havelange habrían llegado a imponer a la agencia la condición de mantener al portador de maletines Weber en su función; en caso contrario, la agencia no tendría un solo contrato más. De este modo, los pagos de sobornos habrían adquirido la categoría de un «acuerdo contractual vinculante». Finalmente, la federación mundial tiene que pagar una parte de los costes de investigación e indemnización. Y así los jueces suizos dictan la misma sentencia aplastante sobre la honestidad y la ética comercial de sus dirigentes que se dictara dos años antes en un tribunal de Estados Unidos, en un caso completamente distinto. Aunque esta última recurre a expresiones más tajantes.

Sin embargo, el tribunal también constata una nueva tendencia en el país de la sede central del fútbol: Suiza. El sistema de fraude se habría instalado con la ayuda especializada de las autoridades fiscales nacionales y renombrados bufetes de abogados. De hecho, Christoph Malms, director de la ISL, había declarado que el sistema de sobornos habría contado con la «aprobación y el visto bueno» tanto de KPMG y las autoridades suizas de la FIFA como del Fisco. Todas las partes se habrían beneficiado del vacío legal. En el periodo procesal de 1989 a 2001, el embolso de cantidades millonarias por soborno no estaba prohibido, así que los corruptos pudieron salvarse del abismo. Los jueces examinaron si había contratos irregulares con otras federaciones deportivas (además de la FIFA, la UEFA y las federaciones mundiales de atletismo, natación, baloncesto, la ATP y otras). Esto parece absurdo, pues para eso se habrían necesitado acuerdos firmados entre pagadores y destinatarios de sobornos y dinero negro. El hecho de que tales contratos no existan constituye un elemento clave de la corrupción. Solo Weber conocía los nombres. ¿Acaso debía temer por su vida, como se decía por ahí, si alguna vez se le ocurría desembuchar?

En cualquier caso, Weber no tiene que preocuparse por su futuro. Hace tiempo que ha vuelto a hacer negocios con los viejos camaradas, los mismos a los que a finales de 2011 acosaron los demonios de la ISL. Ahora el COI censura a Hayatou, vicepresidente de la FIFA, por haber aceptado la suma de veinticinco mil francos en 1999, y el senegalés Lamine Diack, presidente de la Asociación Internacional de Federaciones de Atletismo (IAAF), es amonestado por haber recibido tres pagos por un total de cincuenta y dos mil francos. Diack dice que el dinero fue una donación de la ISL por su casa quemada en un incendio, y Hayatou confiesa haber pagado los gastos de una fiesta de aniversario de su Federación Africana. Justamente, Weber trabaja desde hace años para estos dos hombres, que algún día le dieron de comer a su agencia, ya que él es el experto en márketing de la CAF y la IAAF. Y mientras el COI en 1999 lo declara persona *non grata*, Weber sigue entrando y saliendo de la FIFA como si fuera su casa. En junio de 2011 celebra la reelección de Blatter, como miembro acreditado del Congreso de la FIFA.

De momento, Blatter y los suyos pueden sentirse seguros. Y así una empresa como la FIFA, con un volumen de negocios que desde hace quince años equivale al de una multinacional, se autodenomina una organización sin fines de lucro. El procedimiento de Hildbrand se prolonga hasta mayo de 2010, con el objetivo de descubrir y revelar los nombres de los destinatarios de sobornos, y si fue la misma FIFA la que reunió los dos millones y medio para el administrador de la quiebra, sellando así un pacto de silencio. En las amplias investigaciones realizadas en todo en el mundo se presentan pruebas concluyentes.

Junio de 2010. Banderitas nacionales ondean en todo el planeta, colgadas en bares, jardines o espejos de automóviles. Caras pintadas y miradas de fascinación clavadas en las pantallas gigantes, aclamando al dios fútbol. Blatter y los suyos, gobernadores mundiales de este deporte, celebran su torneo en Sudáfrica con la pompa habitual. Viajan por el país del mundial en aviones fletados, el *FIFA 1* y el *FIFA 2*, como verdaderos reyes.[96] De repente, en medio del delirio futbolístico, el Tribunal del Cantón de Zug notifica el sobreseimiento del segundo proceso judicial de Hildbrand. La sanción a pagar es de cinco millones y medio de francos, lo cual no parece tener importancia. Más bien es un motivo para descorchar otra botellita de champaña en Ciudad del Cabo.

Sin embargo, hay que mirárselo con detenimiento. El sobreseimiento se efectúa según el artículo 53 del Código Penal suizo. Y este artículo implica que solo se puede aplicar cuando un hecho ha sido probado y admitido. Aquí los dos acusados concretos (y la FIFA) admiten las denuncias de corrupción porque solo de este modo pueden evitar un proceso penal en el que sus identidades salgan a la luz. Incluso habían tenido motivos para temer una detención. De esta manera, los rumores que llevaban tiempo circulando adquieren carácter oficial: que los directivos de la FIFA cobraban dinero del fútbol y que la FIFA lo toleraba, y que después de la investigación aseguró el anonimato de los dos acusados. Más tarde se sabrá que son Havelange y Teixeira. Y el tercero en cuestión, ¿quién es? La Justicia también le pide a la FIFA que pase por caja, pues no solo es víctima, sino también parte imputada.[97] Se hace acreedora de esta categoría, puesto que no se puede dar con el alto ejecutivo que está realmente involucrado. ¿A quién le tiene que agradecer el mundo del fútbol esta barbaridad?

La importancia que tiene el anonimato para los infractores la demuestra el hecho de que prefieren pagar cinco millones y medio de francos antes que tener que probar su inocencia ante un tribunal. A su vez, los daños reales que se deben pagar a la FIFA son considerablemente más elevados, según le explicó el juez de instrucción Thomas Hildbrand al autor de este libro. «La compensación por daños es solo una parte de la suma total por daños.»[98] Sin embargo, la sentencia de Zug dice que la FIFA «se abstiene de reclamar a la parte acusada el valor de los activos correspondientes». Así y todo: «La parte acusada no niega haber recibido dinero».

Por supuesto que sobre el archivo del procedimiento hay versiones propias. En junio de 2001, la federación comunica: «En este caso, el presidente de la FIFA fue absuelto de toda mala conducta». El típico comunicado engañoso de la FIFA. La declaración es inexacta; sin embargo, se podía correr el riesgo de la mentira, ya que no había peligro de que se descubriera. La justicia ya no puede añadir nada más a la causa, que legalmente ya estaba cerrada. ¿Cómo iba a saberse nada? Entonces ocurre lo imprevisto. Los medios suizos e ingleses consiguen acceder a los documentos por la vía jurídica. Y cuando el Tribunal Superior de Zug, pese a la oposición y el descontento de la FIFA y los directivos implicados, cede a esta petición, se confirma la mentira. En el caso de la FIFA no hubo ninguna «sentencia absolutoria», según lo escrito por los jueces. Por el contrario, el sobreseimiento basado en el artículo 53 presupone que la parte acusada reconoce el delito que se le imputa y se muestra dispuesta a la reparación de daños. Además está el hecho de que en el juicio de la ISL en 2008 no se condenó a ningún miembro de la FIFA, lo que no acredita su integridad. Entonces ni la FIFA ni los ejecutivos del deporte estaban acusados. Se trataba de un delito de quiebra por parte del gestor de la agencia.

A finales de 2010, Blatter concedió una entrevista a sus entrevistadores favoritos Roger Köppel y Walter de Gregorio (meses más tarde, este último se convirtió en el jefe de Comunicación de la FIFA). Sobre el caso de la ISL dijo: «A la FIFA no se le puede reprochar nada. En el juicio no ocurrió nada que pudiera tener trascendencia jurídica». Hay que tener cara para decir eso tan solo unos meses después de que la FIFA, en tanto que parte acusada en una investigación de delito, tuvo que pagar dos millones y medio. «La falta de argumentos de los ataques demuestra que a mí no se me pregunta nada. A los periodistas anti-FIFA no les interesa la verdad, sino la actualización de los prejuicios.»

Ahí va otro cuento chino, ideal para un titular: «En la FIFA no hay corrupción».[99] El método de Blatter, incluso cuando tiene que tergiversar públicamente hechos ratificados por los jueces, solo funciona si hay periodistas que creen que un buen reportaje consiste en ofrecerles un espacio a los altos directivos del fútbol, sin contradecirlos, sin ni siquiera importunarlos con preguntas sobre hechos probados judicialmente. Blatter, el hombre que firma en solitario para el gran consorcio de la FIFA, sabe que el deporte autónomo no solo goza de protección ante la legislación estatal, sino también en un panorama mediático compuesto en su mayor parte por periodistas románticos del deporte y fans que han conseguido saltarse las vallas.

Sin embargo, en la era de los blogs y los vídeos en Internet, los métodos falaces de Blatter se vuelven arriesgados. Hoy todo el mundo puede ver cómo Blatter en una conferencia de prensa, poco después del juicio de la ISL en 2008, se niega a aclarar el caso de los sobornos a Havelange, Teixeira y Leoz. «Estas preguntas se las deberían hacer al juez y no a nosotros. El caso de la ISL tiene lugar en Zug, y aquí estamos en Zúrich.»[100] ¿No era que nunca le preguntaban nada? Y tanto que sí, pero Blatter siempre ha respondido que no es asunto de la FIFA. Para el experto en valores y *fair-play* el soborno es un tema menor. Sin embargo, cuando opina en el reportaje exclusivo sobre el tema, afirma que a él nunca se le ha preguntado nada.

En el mundo del fútbol también están cansados de las artimañas verbales de Blatter. El director general del Bayern de Múnich, Karl-Heinz Rummenigge, dijo en 2011: «Creo que Sepp es como una anguila a la que nunca se la puede atrapar. Será difícil convencerlo de que deje su puesto». A la FIFA la comparó más bien con una dictadura: «No es transparente ni democrática. Es una pena que esté dirigida como una dictadura».[101]

El sobreseimiento para la FIFA y sus dos representantes se convierte en una pesadilla para Blatter. En noviembre de 2010, poco antes de la doble adjudicación de las sedes para los Mundiales de 2018 y 2022, en Rusia y Catar respectivamente, vuelve a surgir el escándalo. La cadena británica BBC hace pública la lista de los sobornos de la ISL, que incluye ciento setenta y cinco pagos individuales. El día anterior a la primicia, el COI había contactado con la cadena para pedirle la lista. La comisión ética del COI abre una investigación que concluye en diciembre de 2011 con la salida de Havelange del Comité Olímpico, pocos días antes de que se acordara su suspensión. Oficialmente, la renuncia de Havelange (nacido en 1916) se debe a motivos de salud. Pero todo el mundo sabe que quiere escapar de la humillación. Dos hechos sugieren lo difícil que debió de haber sido para él dar ese paso. Por un lado, llevaba cuarenta y ocho años en el COI, un decano de esta asociación, el último miembro vitalicio. Y por el otro la realización de los Juegos Olímpicos de 2016 estaba prevista en el estadio João Havelange de Río de Janeiro. Ya no podía contar con esto.

Los demonios de la ISL derrocaron a Havelange, que a continuación van a por su heredero Blatter. La Fiscalía estatal autoriza dos veces la publicación del sobreseimiento de la

ISL, que considera de interés público. Y, en ambas ocasiones, la FIFA consigue impedirlo con ayuda de costosos abogados suizos. Está claro que para la federación mundial es importante que la gente que le ha costado millones no tenga que rendir cuentas y permanezcan en sus puestos. Así lo establece la reforma piadosa que Blatter pronto introdujo en la federación.

En otoño de 2011, la lucha por el documento judicial da un supuesto giro. Blatter se encuentra bajo presión, después de las críticas internacionales a las adjudicaciones de las sedes mundialistas y de las circunstancias de su reelección. Tiene que emprender alguna clase de reforma. De modo que ese otoño anuncia que la FIFA hará pública la sentencia en la reunión de la directiva del 17 de diciembre. Los medios se excitan. ¿Es este el cambio prometido hacia la apertura y la transparencia? No precisamente. Blatter puede hacer el anuncio sin correr riesgos. El bendito documento compromete a Havelange y a Teixeira. El expediente dice que la ISL les transfirió un importe millonario de dos dígitos a través de una empresa fantasma. Y, desde el verano de 2011, a Teixeira lo investiga en Brasil una unidad especial por sospecha de lavado de dinero y delitos fiscales. Al cabo de unos meses se le suma otra sospecha por malversación de fondos públicos. Habría cobrado a través de una agencia que en 2008 recibió del gobierno regional de Brasilia un importe equivalente a cuatro millones de euros por el partido amistoso que disputaron Brasil y Portugal (6-2). La agencia Ailanto Márketing, de Sandro Rosell, íntimo de Teixeira y presidente del FC Barcelona, había sobrefacturado de manera exagerada, y, ocho días antes del partido, había creado otra empresa que figuraba con el domicilio privado de Teixeira.

Esta vez va en serio. Se acabaron los viejos buenos tiempos, cuando se apaciguaba a toda una cámara de jueces con viajes de lujo a los Mundiales y entradas para los partidos. La presidenta de Brasil, Dilma Rousseff, se propone representar a un país moderno en vías de desarrollo que se esfuerza por combatir la corrupción. Teixeira debe impedir que se demuestren las transferencias internacionales de dinero que se le realizan a través de empresas fantasmas. En marzo de 2012, quien fuera el hombre fuerte del fútbol brasileño desde 1989 dimite de todos sus cargos: de la FIFA, de la CBF y del Comité Organizador de la Copa del Mundo. Havelange, con noventa y cinco años, yace gravemente enfermo en el hospital. Teixeira se marcha a Florida, y en su entorno se comenta que, en cuanto ya no tenga que preocuparse por el viejo, será él quien lidere el contraataque. Contra Blatter.

Un logo y cien millones que se esfuman

A Blatter no solo lo atormentan los fantasmas de la hundida ISL. Hay otro espectro que siempre asoma, desaparece y vuelve a aparecer. Es un fantasma real que se llama Jérôme Valcke. Incluso para los criterios de la FIFA, el francés ha hecho una carrera única.

Había hecho su primera aparición en abril de 2001, al frente de una delegación enviada por el grupo francés Vivendi durante la crisis de la ISL. Revisó los libros para evaluar una posible compra de la agencia. Enseguida se comprobó que el paciente estaba más que muerto. Sin embargo, cabe preguntarse: ¿advierte Valcke durante su revisión los pagos sospechosos como poco después lo hizo Bauer, el síndico de la quiebra? ¿Llega a leer los nombres de los directivos de la FIFA? Todos los implicados lo han negado. Y más extraño resulta el hecho de que Blatter poco después lo acuse de haber intentado chantajear a los ejecutivos de la FIFA. Se intercambian cartas de indignación. Los abogados se enfrentan. Después vuelve la calma. La FIFA crea un departamento de mercadotecnia propio con el personal de la insolvente ISL, y en el verano de 2003 Jérôme Valcke asume el cargo de director.

¿Es que acaso le cogieron un cariño especial durante la bronca por los chantajes? ¿De dónde surge este acercamiento repentino? Ahora Valcke se dedica a renegociar los contratos de patrocinio para los dos periodos de cuatro años que abarcan desde el Mundial de Alemania hasta el de Brasil en 2014. Para esto aplica un estilo de negociación que, a fin de cuentas, le reporta a la federación, además de otra mancha considerable en su imagen, unas pérdidas superiores a cien millones de dólares. Al mismo tiempo, se pierde el logo de la FIFA famoso en todo el mundo, el de los dos balones que simbolizan el globo terráqueo. Un tribunal de Nueva York condena la doble negociación de Valcke con Mastercard y Visa, y determina que la FIFA habría procedido de manera fraudulenta. Valcke queda como un verdadero embustero.[102] ¿Un caso claro de mala gestión? Pues sí, incluso para la FIFA. En diciembre de 2006, la federación despide a Valcke y a tres de sus estrechos colaboradores sin aviso previo. En el comunicado de prensa del 15 de diciembre se manifiesta que el cuarteto habría quebrantado los principios empresariales, algo que la FIFA no podía tolerar. Rescisión con efecto inmediato.

Solo una persona dentro de la FIFA no lo entendió así: Sepp Blatter. Al cabo de seis meses, el presidente vuelve a contratar a Valcke. Y esta vez para un cargo directivo. Valcke es nombrado secretario general de la FIFA. ¿No lo habían despedido con efecto inmediato? Blatter se retuerce y se escurre ante la prensa, refiriéndose al regreso del hijo pródigo, demostrando que el sabio Rummenigge tenía razón al compararlo con una «anguila». De repente, cuenta que a Valcke no lo habían despedido, sino suspendido. Los periodistas se preguntan cuál de esas dos caras que tienen delante se ha puesto más roja, si la de Blatter o la de Valcke. El director de márketing despedido y reincorporado como secretario general baja la mirada y se tapa la cara con las manos. Blatter suelta: «Estamos hablando del presente y no del pasado. El señor Valcke se ha tomado un descanso y ya está otra vez con nosotros. ¡Y nos alegramos!».

Se alegra por el regreso del hombre al que acaban de juzgar como principal responsable del escándalo Visa-Mastercard y al que han despedido con efecto inmediato. Ya tenemos otro teatrillo. ¿Y a qué se debe la fascinación de Valcke por Blatter, que lo denunció por chantaje y lo despidió por haber dañado la imagen de la federación y haber causado pérdidas enormes? ¿Por qué estrecha «contento» entre sus brazos a un hombre así? A Blatter le resbalan esas preguntas. La FIFA mira hacia adelante. Siempre se puede pensar que a Blatter lo mueve una filantropía misteriosa, basta recordar el caso del árbitro Lucien Bouchardeau: se presentó ante Blatter sin conocerlo y, al cabo de unos minutos de conversación, consiguió que le entregara un cheque de veinticinco mil dólares. ¿Fue un gesto de humanidad, tal como él afirmó, o había otra razón? ¿Compró Blatter con ese dinero información comprometedora sobre un oponente? ¿Y qué hay de Valcke, también tiene un cadáver en el armario?

Gracias al escándalo con los gigantes de las tarjetas de crédito en Estados Unidos, a la FIFA le dedican titulares en todo el mundo. No solo queda demostrado el descaro con que la federación jugó sus cartas frente a dos multinacionales que compiten, sino también cuán sumiso es el sector de los patrocinadores deportivos, y por qué estos ven en la FIFA a un buen socio publicitario. Y es que, a pesar de todas las barbaridades que ocurrieron, ninguno le hizo frente a la FIFA. Nadie defendió a Mastercard, nadie protestó ni reivindicó mínimamente la ética empresarial. Porque ningún patrocinador quiere perder su lucrativo negocio con la FIFA. Por esa razón Blatter y Valcke no solo pudieron hacer pasar por el aro a estas dos empresas norteamericanas, sino a todo el sector de patrocinadores oportunistas.

Pues sí, el mundo empresarial que rodea al fútbol es una parte esencial de todo el problema. Son facilitadores de dinero que aguantan callados todos los manejos de los directivos deportivos. Mientras eso no cambie, se seguirá alentando a los amos de la FIFA a seguir haciendo lo que hacen. Las empresas afirman que en los tiempos de crisis institucional le apretaron las tuercas a la FIFA desde los pasillos. Pero eso no es del todo creíble, ya que todo lo que se comenta puertas adentro no tiene ningún efecto a la luz pública. En caso de duda, un patrocinador preferirá seguir acostándose con el socio corrupto antes que cargarse un negocio estupendo. Si Coca-Cola algún día llegara a arrugar la nariz, la FIFA se pondría a coquetear tranquilamente con Pepsi. Si Adidas o Sony amenazaran con rescindir los contratos, Nike y Samsung ya estarían preparados.

¿Hasta dónde se puede aguantar en este negocio de chanchullos y sueños? El límite es el cliente, cuando este reconoce que lo están tomando por tonto, que unos profesionales astutos buscan su férrea adhesión a una marca a través de anuncios y eslóganes sensibleros. El patrocinador se pone nervioso cuando el cliente empieza a hacer preguntas. Justamente esto le sucedió a la FIFA en el otoño de 2011, cuando se encontraba bajo la presión mundial. Boutros Boutros, vicepresidente del área de comunicación del patrocinador estrella Emirates Airlines, anunció: «Estamos considerando seriamente no renovar nuestro contrato publicitario con la FIFA más allá de 2014». La compañía aérea había invertido una fortuna en publicidad hasta ese año (alrededor de 195 millones de dólares), al igual que los otros patrocinadores *premium* (Adidas, Coca-Cola, Hyundai, Sony y Visa). Y, de pronto, se vieron sometidos a la presión de los clientes debido a ese caro acercamiento a la FIFA. «Esto nunca nos había sucedido hasta ahora, recibir tantos comentarios negativos de nuestros pasajeros a través de las redes sociales, preguntándonos por qué apoyamos a esta organización.» Boutros anunció que la empresa, pese a su compromiso con el deporte, evaluaría si su imagen había sufrido daños duraderos debido a su vínculo con la FIFA. El mánager de Emirates también criticó el procedimiento interno de la FIFA: «Como patrocinador, esperas que la federación te mantenga informado sobre la crisis institucional. Pero han actuado como si esto no fuera asunto de los patrocinadores».[103] Es una excepción en toda regla que un anunciante se rebele. Eso tienen que hacerlo los clientes.

Adidas, la empresa que diferencia entre apoyar al fútbol y apoyar a la FIFA, arriesga una declaración: los escándalos de la FIFA relacionados con los sobornos son lamentables. Sin embargo, la empresa destaca que quiere seguir siendo socia de la federación y que «la presunta corrupción no le hace ningún bien ni al fútbol ni a la FIFA».[104]

Federaciones, patrocinadores, medios, explotadores de derechos de televisión: todos los actores juegan al límite de lo aceptable con las emociones de la gente, creando héroes y leyendas. Y detrás del decorado se extiende «el sangriento campo de batalla del márketing deportivo» que describió Michael Payne, responsable de comercialización de la ISL, y que más tarde será director de mercadotecnia del COI durante muchos años. Payne también describe cómo en 1985 la compañía de tarjetas de crédito Visa relevó a la competencia American Express como patrocinador estrella del COI. A Visa el precio de aquella época, catorce millones y medio de dólares, le habría parecido excesivo. Entonces el jefe de márketing, que ya había lanzado una campaña agresiva, se habría ganado a los directivos con un argumento «brutal pero convincente»: Visa «le clavará un puñal en la espalda a American Express».[105] Como sea. Mastercard también recibirá su puñalada.

Mastercard quiere hacer uso del derecho de preferencia garantizado mediante contrato para los Mundiales de 2010 y 2014; en ese momento, lleva dieciséis años como socio publicitario de la FIFA. Pero esta firma un contrato con la competencia directa Visa, una exhibición de fintas y faltas que sobre el terreno de juego desquiciarían a cualquier jugador. En el intercambio de correos electrónicos, los chicos listos de FIFA Marketing llegan a preguntarse cómo arreglar esta «metedura de pata» para que parezca que «tenemos un mínimo de ética comercial». Cuando el asunto llega al tribunal, el jurado recibe dos contratos con diferentes datos y firmas del director de Visa. Uno de los dos ha sido falsificado.

La jueza Loretta Preska y su magistrado comunican que se trata de un negocio fraudulento.[106] Desde el comienzo, Visa tiene dudas, debido al derecho de preferencia de Mastercard, lo que según la práctica comercial habitual debe respetarse. Jérôme Valcke disipa esas dudas. Y también Blatter consigue hacerlo, invitando a Zúrich al presidente de Visa, Christopher Rodrigues. Durante la comida, Blatter adula al posible nuevo socio, y lo mismo hace Valcke en las reuniones con el responsable de comunicación de Visa. Se empieza a negociar a dos bandas, y la gente de la FIFA informa continuamente a Visa sobre la situación con Mastercard. A Mastercard, en cambio, se le oculta todo. ¿Por qué la FIFA quiere hacer negocio con Visa? No es que el socio deseado le ofrezca mejores condiciones. Esto recuerda a la parodia de negociaciones por los derechos de comercialización y televisión, que siempre se le adjudicaban a la ISL, a pesar de las ofertas enormes de los competidores. En la negociación turbia con las compañías de tarjetas de crédito, la oferta de Mastercard va en aumento. Solo en el último momento, Visa también se estira e incorpora un valor agregado a su oferta. Un valor aparente, como consta preocupado un jurista de la FIFA.

Mastercard peca de ingenua. En el otoño de 2005, el presidente de la Comisión de Finanzas, Julio Grondona, felicita a la empresa públicamente por la renovación del contrato. El 7 de diciembre, el Comité Ejecutivo da el visto bueno a la renovación con Mastercard. Más tarde, este encuentro en Zúrich será clave para el tribunal norteamericano, que quiere examinar la secuencia decisiva del acta de la reunión en la que Mastercard recibe la adjudicación. Pero qué mala suerte para los jueces, la FIFA ha extraviado justamente esta acta. Una última esperanza: hay una cinta de audio de la reunión. Sin embargo, se ha borrado una parte, y por desgracia es justo la parte en que Mastercard recibe el OK.

A pesar de la decisión de la directiva a favor de Mastercard, Valcke sigue tratando de persuadir a Visa. Las puertas todavía están abiertas, todavía no hay nada firmado. Pero el tiempo apremia. A comienzos de marzo de 2006, se le envía a Mastercard la redacción «final» del nuevo contrato de patrocinio que supera los ciento ochenta millones de dólares. Los directivos de la compañía se alegran por la «modalidad de negociación justa» de los amigos de la FIFA, pues en el acuerdo habría prevalecido un auténtico espíritu de colaboración. Pero Valcke sigue coqueteando con Visa, y le sugiere al presidente Rodrigues que llame a Blatter.

El 13 de marzo de 2006, en una reunión de las comisiones directivas y de finanzas, llega el momento. Valcke anuncia que Visa también estaría dispuesta a pagar ciento ochenta millones de dólares, más otros quince millones en «valor comercial adicional». ¿Qué os parece? El jurista de la FIFA que se ocupa del caso desestima la propuesta por considerarla «carente de valor». Y eso qué más da. El nuevo socio tiene que ser Visa. Tal cosa significa que hay que arrebatarle a Mastercard la versión final del contrato, sea como sea. Pero ¿cómo? Los chicos de Valcke encuentran el argumento y se lo comunican al jefe: ese viejo asunto sobre el registro de marcas. Seis o siete años atrás se había producido una disputa con Mastercard por los logotipos. El logo de la compañía de tarjetas de crédito presenta dos círculos superpuestos en amarillo y rojo. La FIFA tenía desde hacía tiempo un logo parecido que había quedado grabado a fuego en todo el mundo: dos balones superpuestos que representan los dos hemisferios. Mastercard se mosqueó, y el enfado llevó a una querella por la protección de marcas registradas, que, habida cuenta de la relación comercial de ambas empresas, se suspendió.

Ahora, en la reunión de marzo de 2006, Blatter, de repente, expone el caso a sus directivos, como si acabara de enterarse. En referencia a aquel litigio por las marcas, les dice a los ejecutivos indignados que él no sabía que la FIFA tenía un socio que había atacado a la federación, y que la FIFA no debería tolerar ninguna clase de amenazas. Más tarde, durante el juicio, Blatter admite que sí tenía conocimiento de la querella.

Sin embargo, ahora la cuestión es deshacerse de Mastercard. En el acta de la reunión se menciona la querella por las marcas, a lo que el secretario general Linsi hace su aporte, afirmando que Mastercard siempre había sido un socio difícil. Los directivos se escandalizan cada vez más ante ese socio recalcitrante que tiene problemas con el logo de la FIFA. Blatter y Valcke consiguen la aprobación para un contrato con Visa que todavía ni siquiera se ha redactado.

Valcke continúa intercambiando correos electrónicos con sus chicos de márketing. Ahora hay que buscar «excusas para explicarle a Mastercard por qué el negocio con ellos se ha acabado». Uno de los príncipes embusteros tiene un mal presentimiento: «Esto va a traer consecuencias». A lo que sigue una frase que más tarde el jurado resaltará: «Alguien se la tiene jurada a Mastercard». ¡De eso no hay duda! Hasta que todos los jefazos de Visa hayan aprobado el contrato, hay que darles largas a Mastercard. Así que, de forma descarada, los expertos en márketing de la FIFA se ponen a tocar la vieja cancioncilla de la disputa por los logos. Luego se cierra un negocio redondo, y el bueno de Valcke agradece a los de Visa que haya sido una «negociación justa».

El 4 de abril de 2006, el presidente de Mastercard, Robert Selander, sorprendido por la noticia, le envía un fax a Blatter en el que le amenaza con una demanda en el caso de que la FIFA firme con Visa y anule el derecho de preferencia del socio. El 5 de abril, el despacho de Blatter responde: lo sentimos, ya hemos firmado con Visa. Otra mentira. Solo al día siguiente los presidentes de FIFA y Visa se reunieron en Zúrich para firmar el contrato.

Dos semanas más tarde, el escrito de demanda de Mastercard ya está en el juzgado de Manhattan, distrito sur de Nueva York. La cámara de jueces encabezada por Loretta A. Preska solicita los contratos de los recién casados: FIFA y Visa. La jueza descubre algo escalofriante: el ejemplar del contrato de Visa lleva la fecha 6 de abril de 2006 y la firma del presidente Christopher Rodrigues. ¿Mintió la FIFA cuando el 5 de abril le comunicó a Mastercard que el contrato con Visa ya estaba firmado? ¡Pero qué dice! La FIFA no miente. La FIFA también tiene un ejemplar del contrato en su poder, en el que figura una fecha más apropiada: 3 de abril de 2006. Por supuesto que en este documento también está la firma requerida del presidente de Visa. Solo que no se parece mucho a la del ejemplar de Visa. Por tanto, debe de ser una falsificación.

En el escrito de demanda, los abogados de Mastercard hablan de conmoción, de daños irreparables y de malas intenciones por parte de la FIFA. Los jueces solicitan a la FIFA la documentación completa, desde correos electrónicos hasta memorándums y notas personales. Pero, por lo general, la resolución de los casos de la FIFA es un proceso lento. Faltan actas y papeles. En el verano de 2006, Peter Nobel, representante legal de la FIFA, solicita un aplazamiento, ya que es la época de preparativos de un Mundial. Al mismo tiempo, la federación intenta trasladar la causa a Suiza. ¿Hasta dónde llega la complacencia de la justicia suiza como para que Blatter y los suyos esperen tanto de ella?

Los norteamericanos deciden que el proceso continuará en Nueva York, donde los ejecutivos de la FIFA deberán comparecer. Así que se elige a una persona del departamento de Márketing que tiene un don especial para actuar como testigo: Chuck Blazer, el hombre que en 2002 ayudó a Blatter a derogar la comisión interna de supervisión de cuentas antes de que esta metiera las narices en los asuntos secretos de la casa. Blazer será además quien ayude nuevamente a Blatter en 2011, cuando llegue a sus oídos que el rival Bin Hammam habría montado una orgía de sobornos en el Caribe. Blazer será quien denuncie el hecho ante la FIFA.

Así que el multiuso Chuck Blazer tiene que salir de su lujosa residencia en la torre Trump neoyorquina para presentarse en el cubículo de la jueza Preska. El abogado de Mastercard quiere saber qué piensa él de que Valcke haya hecho esperar a la compañía durante semanas enteras para darle más tiempo a Visa. Blazer sienta cátedra: «Creo que nos pareció oportuno volver sobre eso y, en un determinado momento, tomar una decisión, lo mismo que alguien debería haber hecho si todo se hubiera producido de otra manera completamente diferente».

—¿Cómo? —interviene el abogado, irritado.

—Esa pregunta no puedo contestarla, es demasiado pronto. No quiero forzar una respuesta.

—No he entendido una palabra de lo que acaba de decir, señor Blazer.

Blazer sigue delirando, hasta que la jueza Preska interviene y le exige que hable claro. No lo consigue.

A Blatter y a Valcke también los llaman a declarar en Nueva York, bajo la amenaza de serios perjuicios por parte de los abogados. Ellos tampoco causan una buena impresión. Valcke describe la ruptura de contrato como una «conducta profesional normal en este negocio». Además, en principio, los jefes siempre habrían estado informados. Al final, los amos y señores de la FIFA reciben un aluvión de reprimendas de los jueces: «Los negociadores de la FIFA han vuelto a engañar a Mastercard. Y han mentido a Visa». Las palabras de la jueza Preska sobre Blazer llegan a Youtube. Algunas de las declaraciones de Blazer fueron «refutadas por falsas». Por lo demás, el testigo que presentó la FIFA carecería de «credibilidad, en vista de su comportamiento y de sus respuestas evasivas».

La sentencia demoledora de la jueza: «En general, las declaraciones de los testigos de la FIFA no han sido creíbles», En las reuniones internas, Blatter y Valcke los habrían «manipulado». Además, Blatter habría admitido que desde hacía tiempo conocía la antigua disputa por las marcas, lo que esgrimió como argumento frente a su directiva. ¿Y la cinta de audio borrada? «La FIFA no ha dado ninguna explicación sobre por qué el acta escrita no coindice con la grabación.»

Demasiados enigmas sombríos en el reino soleado de Sepp, el hombre que ya puede fabular sobre ética, respeto y educación. ¿Podría ser peor? Claro que sí, todavía faltan los dos documentos con las firmas del presidente de Visa. Según constata la jueza, «salta a la vista» que la firma del contrato presentado por la FIFA con fecha 3 de abril es «claramente diferente a la firma del señor Rodrigues que figura en la copia del contrato de Visa». Esta última copia, como ya se ha mencionado, data del 6 de abril, la fecha real en que se firmó el contrato. ¿Cómo se explica? ¿Tinta invisible? La jueza no cree en el ocultismo. «Ninguno de los testigos de la FIFA ha podido ofrecer una explicación sobre por qué su copia del contrato lleva fecha 3 de abril.» Por eso «cabe suponer que alguien de la FIFA fechó el documento con días de anticipación, para que pareciera que se había firmado antes de la amenaza de Selander». Al igual que la jueza norteamericana, el jurista suizo Marco Balmelli, interrogado más tarde por la BBC, constata una falsificación. Las firmas «no coinciden». Balmelli integra el consejo directivo del renombrado Instituto de Gobernanza de Basilea, una institución que años más tarde atraerá las miradas gracias a otro experto en ética: Mark Pieth. Para entonces, procesos como este o la complicidad de Blatter con la ISL quedarán reducidos a delitos menores, o ya no revestirán ninguna importancia.

El escándalo de las tarjetas de crédito demuestra la energía criminal flagrante con que se opera en la FIFA. Según el pronunciamiento judicial, la FIFA de Blatter falsificó documentos. Eso es un delito oficial, también en Suiza. Incluso es «un delito grave», sostiene Balmelli, que podría conllevar una condena de hasta cinco años de prisión. La Fiscalía suiza inicia nuevamente una investigación previa, pero esta vez los esfuerzos vuelven a quedar estancados, pues no se inicia ningún proceso formal. Así lo comunica el fiscal suizo Urs Hubmann. La razón: «Debido a que Mastercard no demostró ningún interés, no hay motivo para hacerlo». Y es que en este momento Mastercard ya ha iniciado un plácido acuerdo con la FIFA. ¿Qué interés puede tener la compañía en presentar una denuncia? Mastercard se dedica a los servicios financieros, no a las lecciones de moral. ¿Es que no hay ninguna autoridad competente que investigue la falsificación de documentos? Balmelli responde: «La falsificación de documentos es un delito perseguido de oficio».[107]

La reticencia de Mastercard es evidente. Tras la sentencia demoledora del 7 de septiembre de 2006 se le ordena a la FIFA aceptar el contrato con la compañía y asumir sus costes. Mastercard tiene el triunfo servido. Al mismo tiempo, durante el acuerdo renuncia a adoptar medidas judiciales.

Durante un breve periodo, la FIFA mantiene el tipo de cara a la galería. Dice que presentará un recurso de apelación, que ganará con toda probabilidad, que la federación siempre habría actuado de buena fe. A continuación, Valcke y compañía son destituidos de sus cargos. ¿Y qué pasa con Blatter? Nada. Es cierto que el tribunal norteamericano remarca que Blatter habría «dirigido» el proceso de toma de decisiones y «tramado» el resultado, pero estas cosas carecen de importancia. Se trata de su FIFA, de su familia, de lo que él ha creado. Ingresó en 1975 como el empleado número doce. Solo una persona puede sacarlo de allí: el fiscal del estado.

La FIFA llega a un acuerdo extrajudicial con Mastercard. Se mantiene la máxima discreción respecto de los detalles. La única información oficial es que Mastercard cobrará noventa millones de dólares, que se le pagarán de inmediato.

Además de la gigantesca suma compensatoria, se han acumulado los gastos del proceso, que se estiman en millones. Y, a fin de cuentas, durante el año que ha durado la disputa, sin contar con ninguna tarjeta de crédito como patrocinador, la FIFA ha dejado escapar dos millones de dólares en patrocinio. Por mes.

¿Cuánto le costó en total a la FIFA toda aquella tontería? Jack Warner, involucrado entonces por su cargo en la FIFA, nos dice: «Hasta donde tengo conocimiento, como director interino de la Comisión de Finanzas en aquel momento, Blatter tuvo que pagar ciento veinte millones de dólares».[108] La cifra es bastante superior a la que comunicaron la FIFA y Mastercard, los noventa millones, una suma que en tanto perjuicio autoinfligido también podría resultar inalcanzable en el mundo del deporte. Una cosa es pagar diez millones más, sumando pérdidas de ingresos, abogados, audiencias y otros gastos elevados. Pero ¿ciento veinte millones en total? Está claro que aquí también se han incluido pérdidas imaginarias. Lo afirma Warner y muchos otros del entorno. Pero entonces nadie se habría llevado parte de las pérdidas.

En mayo de 2007, al presentarse ante la familia del fútbol tras su primera reelección indiscutida, Blatter le quita hierro al asunto. Y se pone a restar. Las pérdidas por el escándalo de Mastercard habrían sido solo de sesenta millones, lo cual incluso llega a considerar un éxito, ya que Mastercard habría exigido una compensación de más de doscientos setenta millones.[109] Al mismo tiempo y sorprendiendo a todos, presenta en el congreso un nuevo eslogan para la FIFA. Hasta entonces el lema era: «*For the Good of the Game*» (Por el bien del juego). Ahora será: «Por el juego. Por el mundo». ¡Caramba! Omite que en el logo ya no habrá balones. Solo quedan las cuatro letras gruesas de la FIFA. El mundo se acostumbrará.

¿Y qué pasó con los balones? Mastercard dice que, como parte del acuerdo con la FIFA, en 2007 se habría zanjado la disputa por el logotipo. A principios de 2012, la compañía confirma que entonces la FIFA habría accedido a pagarle a Mastercard «un total de noventa millones de dólares para poner fin al enfrentamiento entre las partes». Un motivo de confrontación fue la querella por los logotipos que la FIFA había hecho valer como razón para romper su relación con Mastercard. Entonces, ¿la pelea por el logo también quedó resuelta? «Así es —confirma Mastercard—. Quedó todo aclarado.»[110] Y mientra los dos balones de la FIFA desaparecieron de su insignia, Mastercard conserva hasta hoy su logotipo con los dos círculos. No solo Warner, también otras fuentes de la FIFA, dicen que lo del logo se negoció de manera discreta. Aparentemente, se habría arreglado con unos quince millones de dólares. En los círculos de gente bien informada se dice también que la FIFA había insistido para que el importe total del acuerdo con Mastercard se mantuviera por debajo de los cien millones. La reacción de la opinión pública ante una cifra millonaria de tres dígitos por daños habría sido aún peor. ¿Y qué habría sido del primer balance anual bajo el mandato del nuevo secretario general Valcke?

El balance de 2007 revela que la FIFA, con un volumen de pérdidas un poco más elevado en el rendimiento operativo, podría haber acabado en números rojos. El «resultado antes del resultado financiero» (subtotal) arroja una cifra de 17 millones, muy escasa en comparación con los 267 millones del año anterior. Para 2008 se contabilizan 168 millones, y también en 2004 (187 millones) y 2005 (140 millones) el resultado fue significativamente superior. Al mismo tiempo, el presupuesto de gastos aprobado para 2007 superó los 118 millones.

Sin embargo, la FIFA niega que la desaparición concreta del viejo logo haya tenido que ver con el carísimo asunto de Mastercard. Se trata de otra de esas misteriosas coincidencias. «La decisión de cambiar nuestra marca distintiva fue parte de un amplio proceso de reforma y no tiene ninguna relación con Mastercard. Se llevó a cabo con el asesoramiento de diferentes agencias de marcas.»[111] Suena como si se hubiera invertido mucho tiempo en un proceso de búsqueda. Realmente notable: un estudio de la marca a través de agencias internacionales, a lo que hay que añadir el tiempo del proceso de decisión por parte del departamento de Márketing y del Comité Ejecutivo. Necesariamente tiene que haber abarcado todo el periodo del conflicto legal con Mastercard, que terminó a finales de 2006 con la sentencia demoledora para la FIFA. Una posibilidad es que, en aquel momento, la FIFA estuviera trabajando (por iniciativa propia, como se ha dicho) en el cambio de logo, y al mismo tiempo usando la discordia de los logotipos como argumento para explicar por qué había cambiado a Mastercard por Visa. ¿Se podría ser tan infame? En el juicio, Blatter y Valcke se refirieron a la querella de los logotipos como un asunto «profundamente emocional» para la FIFA. ¿Cómo puede ser que, al mismo tiempo, estuvieran planeando suprimir su logo de toda la vida? Otra posibilidad es que la amplia reforma se produjera después de la sentencia de Nueva York, dentro de un plazo extremadamente corto, pues ya a finales de mayo de 2007 se presentó el nuevo eslogan, mientras, vaya casualidad, se mantenían conversaciones con la gente de Mastercard, en las que casualmente se puso punto final al viejo problema de los logos.

La FIFA justifica el cambio de marca y la desaparición del logo tradicional con estudios de mercado insatisfactorios y el argumento de que los dos balones tenían un parecido demasiado grande con logotipos de otras marcas, entre ellos el de la Federación Internacional de Natación (FINA). Es todo un detalle que la poderosa federación mundial tenga en consideración a los nadadores, precisamente en lo referente a su símbolo distintivo. La FIFA siempre había lucido el símbolo de los dos balones. Incluso en la antigua sede el diseño de los picaportes de las puertas principales representaba los dos balones. ¿Cómo habría reaccionado la familia del fútbol en 2007 si en la nueva catedral se hubiera explicado que la supresión del logo de toda la vida era un gesto de consideración hacia la Federación de Natación? Un antiguo experto en márketing de la FIFA llega a decir, incluso, que el símbolo de los balones era como el santo grial. «En el seno de la federación, cualquier intento por cambiarlo habría sido desestimado bajo amenaza de sanción.» [112]

Olvídense de los balones sagrados y de los cien millones. Borrón y cuenta nueva. ¿Qué puede costarnos mientras tengamos a socios entusiastas haciendo cola, ya sea para la publicidad o para televisar los partidos? En el congreso de 2007, Blatter arengó a su electorado: «Algo nos costará, sí, ¡pero a ustedes no les costará nada! ¡Nadie tendrá que poner dinero de su bolsillo! ¡De alguna parte lo conseguiremos!». Algún otro bolsillo tendrá que sangrar. Entre los anunciantes hay varios dispuestos a sacrificarse con todo gusto.

Una persona informada y conocida ha explicado cómo actúan los patrocinadores estrella, miembros de la familia del fútbol. Durante el escándalo de corrupción del COI en los Juegos Olímpicos de invierno de Salt Lake City, John d'Alessandro, consejero delegado de la aseguradora John Hancock, uno de los grandes patrocinadores olímpicos, intentó animar a los colegas para una rebelión de los decentes. Le salió terriblemente mal. «En las reuniones se quejaban de que ya no había reformas, y, sin embargo, algunos patrocinadores ya habían usado esto como argumento para negociar una tarifa más ajustada. Y lo peor es que no lo habían hecho públicamente», comentó con rencor el directivo de la compañía de seguros. En lugar de exigir reformas para todos, los grandes patrocinadores «se cubrían las espaldas». Una cosa estaba clara: «Sin reformas, la posibilidad de salir mal parado del siguiente escándalo era mayor». El aviso de D'Alessandro provocó una reacción por parte de los inversores, expresada por Dick Ebersol, director de Deportes de la NBC, la cadena de televisión de los Juegos Olímpicos: «Estoy harto de escuchar a este patán y sus estúpidas advertencias. Mi respuesta es: ¡Que se calle! Sus permanentes quejas le hacen daño al deporte americano».[113]

De modo que decir la verdad daña al deporte. Así es como también lo ven los ejecutivos corruptos que se ocultan detrás del fútbol. Y debe de ser el mismo punto de vista de aquellos que invierten fortunas en negocios turbios para la comercialización de un espectáculo cada vez más profesional. Solo hay una cosa que puede poner en peligro el negocio de los sueños: la realidad.

La ética de la casa

El hombre de la FIFA que pasará a la historia por chantajista y derrochador de cien millones de dólares ha sobrevivido a la aventura de Visa-Mastercard sin un rasguño. En el círculo de Blatter, eso equivale a una recomendación para los puestos más altos. Siete meses después de su despido Jérôme Valcke es el número dos de la federación y obtiene un nuevo contrato, seguramente con una remuneración superior. Blatter dice que Valcke posee «una personalidad dominante». Eso es más que probable, al menos entre bastidores. En la biografía oficial de Valcke en la FIFA no se menciona nada sobre su despido inmediato. Sin embargo, sí que se pasa revista a su brillante carrera.

En el verano de 2007, este directivo brillante se convierte en el sucesor de Urs Linsi, el torpe secretario general del que se ríen en el mundo del fútbol y que goza de pocas simpatías en la FIFA. La reelección de Blatter está al caer, en 2006 la postergan un año, y esta vez se produce con una aclamación total. Después de cinco años de mandato, el general Linsi habla de la «añoranza de nuevos desafíos», una añoranza que lo debe de haber invadido de la noche a la mañana, pues justo antes de la despedida el propio Linsi se había hecho un nuevo contrato a su nombre por ocho años más. Si hay algo de lo que entiende es de dinero. Así que la FIFA le hace pasar el mal trago manteniéndole el sueldo por ocho años. Eso equivale a unos ocho millones de francos.

Blatter. Valcke. Los intentos de chantaje. El acuerdo trágico de los cien millones. El logo. La despedida de Linsi con un contrato de ocho años. Falsificación de documentos. El caso de la ISL. ¿No hay material de sobra para una comisión de ética? Claro que sí. Y, de hecho, la FIFA, a la que Blatter ha tenido que prometerle transparencia una vez más, crea una comisión en el otoño de 2006. Ningún problema. Al mismo tiempo, la FIFA hace circular en aquellos días un importante comunicado interno, en el que se informa a todos los empleados sobre el endurecimiento de las sanciones internas en materia de corrupción. Linsi advierte sobre una «importante renovación»: de ahora en adelante, la práctica del soborno podría ser penalizada. ¡Qué bueno saberlo! La hoja informativa también llega a las manos de los directivos, aunque para ellos el sector suizo de Transparencia Internacional rebaja el tono alarmista. La organización notifica que la compra de votos para las elecciones presidenciales y la adjudicación de sedes mundialistas todavía está permitida. Y es que en la nueva legislación penal suiza sobre corrupción no puede faltar este espacio de libertad.[114]

La nueva Comisión de Ética de la FIFA se pudre. El truco es sencillo: la comisión solo puede intervenir cuando Blatter y compañía lo soliciten. Está dirigida por lord Sebastian Coe; también han convencido a Günter Hirsch, presidente del Tribunal Supremo Federal de Alemania en Karlsruhe, para que se sume como miembro. Mientras en todo el mundo se habla del escándalo de Visa y Mastercard, la cuadrilla de limpieza interna asume por fin el primer desafío: le toca investigar «irregularidades», no en Zúrich, sino en Kenia. Allí hay algo que no va bien con los árbitros. Los valores del fútbol están en peligro. Así que Blatter envía a su equipo de éticos al pie del Kilimanjaro.

Al regresar de África, Coe y su equipo reciben el siguiente encargo. Un caso todavía más dramático. Esta vez los éticos deberán poner fin a las fechorías de un bribón que hace tambalear los fundamentos de la FIFA. En febrero de 2007, las federaciones británicas de Escocia, Inglaterra, Gales e Irlanda del Norte nombran al escocés John McBeth sucesor de David Will en la directiva de la FIFA. McBeth debe ingresar en el Ejecutivo a finales de mayo, cuando Blatter asuma su tercer mandato. Pero poco antes el hombre se permite algo imperdonable: tener una opinión propia. En unas declaraciones a periódicos escoceses, critica la corrupción en la FIFA y se muestra preocupado por la codicia de los directivos de los países del tercer mundo.[115]

Se refiere a ejecutivos de África y del Caribe, cuyos chanchullos están dando que hablar otra vez. En el Mundial de Alemania graban con una cámara al directivo de la FIFA Ismail Bhamjee, de Botsuana, mientras intenta revender doce entradas. El hombre tiene que renunciar, lo cual no le afecta, porque, de todos modos, su mandato ya ha expirado. Y la FIFA tiene que iniciar una especie de proceso por primera vez al miembro del Ejecutivo Jack Warner. A diferencia del granuja Bhamjee, el tema de debate en el caso de Warner, jefazo de la Concacaf (con una aportación electoral de unos cuarenta votos), es la reventa de entradas para la Copa del Mundo por casi un millón de dólares. El Comité de Disciplina comprueba que, como siempre, Jack, *el Destripador*, no ha hecho nada malo. En cambio, su hijo Darryan, a través de cuya agencia de viajes Simpaul Travel se realizaron los negocios, tiene que cumplir con una penitencia y enviar un millón de dólares a Aldeas Infantiles SOS. Un millón es el beneficio estimado del negocio corrupto de la reventa. Pero solo se habría mandado una pequeña parte de ese importe.

En estos hechos se basa el valiente McBeth cuando dice: «Después de estrecharle la mano a algunas personas de la FIFA, siempre tienes que fijarte si todavía tienes todos los dedos». El escocés también habla de Blatter con un alto grado de reconocimiento: lo llama «el pícaro», y critica la retórica del presidente. «Blatter cambia de un idioma a otro, y cuando tú le preguntas en el idioma en que él acaba de decir algo, él responde que no es eso lo que quiso decir, sino otra cosa.» Una observación con la que coinciden muchas otras personas que no mantienen ninguna relación laboral ni contractual con el presidente. «Escurridizo como una anguila», según Rummenigge. La astuta técnica oratoria de Blatter crea permanentes malentendidos alrededor de este hombre cándido. Un buen ejemplo de tal estrategia de comunicación es la frase: «Gano un millón. Quizás un poco más». Ese poco más podrían ser tres, ocho, doce millones, o solo un millón. Qué más da cuántos millones son: él nunca mentiría.

El lúcido escocés McBeth también se excluyó del cargo con palabras claramente amenazadoras: «Si la corrupción convive conmigo —dijo—, yo tengo que darlo a conocer. Debo intentar preservar mis valores y no dejarme tentar». ¿A qué se refería con «darlo a conocer»? ¿Hacerlo público?

En la FIFA, como dice Blatter, «todos los conflictos se resuelven en casa». Así lo hizo él aquella vez en que le regaló veinticinco mil dólares al árbitro de Nigeria para que este no le contara nada a la prensa sobre la corrupción en el fútbol africano.

El crítico McBeth no llega a poner un pie en el Ejecutivo. Poco después de estas duras declaraciones, la FIFA comunica a través de su página web la decisión conjunta de la directiva sobre el pecador. Las partes no estarían de acuerdo en que «las últimas declaraciones de McBeth para los medios escoceses sean sometidas a consideración por parte de la Comisión de Ética de la FIFA». El giro elegante en este caso: un supuesto tono racista en las alusiones de McBeth a los amigos corruptos del deporte. Cuando, en noviembre de 2011, Blatter desate una ola mundial de protestas con la afirmación de que «en el fútbol no hay racismo», la Comisión de Ética actuará de manera tan pasiva como lo hizo en el caso de Julio Grondona. En 2003, Grondona habló para la televisión argentina y se refirió tan despectivamente a los árbitros judíos («No creo que un judío pueda ser árbitro de primera, porque es un trabajo difícil y a los judíos no les gustan las cosas difíciles»)[116] que tuvo que disculparse ante la Delegación de Asociaciones Israelitas Argentinas. El lugar del difamador racista McBeth lo terminará ocupando el presidente de la Federación Inglesa, Geoff Thompson. Las federaciones británicas actúan con sumisión, pues se temen «una situación muy grave».[117] Los más pobres tienen miedo de perder sus puestos estatutarios de vicepresidentes en el comité de Blatter.

El hecho describe muy bien qué es lo que se considera una verdadera falta de ética en la FIFA. También demuestra que Blatter no se queda de brazos cruzados mientras las federaciones continentales colocan a sus personajes en la directiva de la FIFA. Si es necesario, él mismo tira de los hilos. En 2007 quita del medio a Johansson, su enemigo de la UEFA. Durante meses, el asistente Platini corteja con discreción a gente influyente del este de Europa, y en las elecciones Blatter vence al sueco, que hasta el último momento no está convencido del desafío. Es una victoria ajustada, veintisiete votos contra veintitrés, y es la última derrota para Johansson, que acaba su carrera como directivo humillado por Blatter. A partir de entonces, la nueva Europa reina en la UEFA: «el Salvaje Este». Hombres como Marios Lefkaritis, el magnate chipriota del petróleo, con vínculos comerciales que juegan un papel cada vez más importante. O Grigori Surkis, el empresario ucraniano que sobrevivió sin perjuicio a un escándalo de sobornos a árbitros en el que estaba involucrado su club, el Dinamo de Kiev.

¿Y la Comisión de Ética? Va dando bandazos durante años. De lord Coe se dijo que era «independiente», como años más tarde se dijo de Mark Pieth. Pues Coe había aceptado la condición de que no se podía husmear en el pasado de la FIFA. Y solo puede intervenir cuando la FIFA así lo desee. La fachada de esta comisión se derrumba tras su primera gran actuación. En noviembre de 2010, sanciona levemente a seis altos directivos a los que unos periodistas encubiertos habían dejado en evidencia, entre ellos los miembros de la directiva Amos Adamu (Nigeria) y Reynald Temarii (Tahití). Coe tenía que ocuparse de los preparativos de los Juegos Olímpicos de 2012 en Inglaterra y había cedido la presidencia a un exfutbolista y abogado suizo llamado Claudio Sulser. Dos semanas después de la sentencia de excomunión temporal para los seis ejecutivos, la BBC da a conocer una larga lista de sobornados del caso de la ISL. En total, se habla de cuatro representantes de la FIFA como destinatarios de los sobornos: Havelange, Teixeira, Leoz y Hayatou. El COI investiga. La Comisión de Ética de la FIFA calla. Blatter no se deja pillar.

Sin embargo, más tarde, uno de los miembros de la comisión se despide con un portazo. A principios de 2011, el profesor Günter Hirsch, anterior presidente del Tribunal Supremo Federal de Alemania, califica como fallida la estructura de la comisión y destruye la credibilidad del equipo de Blatter con la siguiente constatación: «La manera laxa en que se han tratado los recientes casos de corrupción me hace pensar seriamente que los responsables de la FIFA no tienen un interés real en desempeñar un papel activo para esclarecer, perseguir y evitar los delitos contra el reglamento ético de la federación». Esto lo dice un juez federal, mientras que la comisión compuesta por exfutbolistas, un presentador de televisión y miembros de Guam, Papúa Nueva Guinea, Colombia y Senegal guarda silencio. Hirsch critica también las sanciones extremadamente indulgentes que recibieron Adamu y Temarii, las cuales no hacían justicia a la gravedad del delito. En su carta de renuncia dirigida a Sulser, jefe de la comisión y compatriota de Blatter, Hirsch hace referencia al artículo 3 del Reglamento Ético, que dice que los directivos de la FIFA se comprometen a mantener la integridad en su comportamiento y que «bajo ninguna circunstancia pueden abusar de su función para fines particulares o beneficios personales».[118]

La FIFA aclara que Hirsch solo habría participado en la reunión inaugural de octubre de 2006, y que desde entonces, pese a las invitaciones, no habría acudido a ninguna cita con la Comisión de Ética. Hirsch no aclara nada más. Tampoco se pronuncia sobre si la FIFA encubre su creativo manejo de la corrupción interna con personalidades respetables, las cuales están sometidas a su sistema de reglas y condenadas a la inacción.

En su apogeo

Primavera de 2007. Sepp Blatter se encuentra en su apogeo y se rinde tributo. Gastos: catorce millones de francos. Lo primero es la presentación de la nueva catedral de la FIFA en Suiza, que ha costado ciento cincuenta y cinco millones de euros. Para la inauguración del 29 de mayo de 2007, el presidente se supera a sí mismo con nuevas muestras de grandeza, implorando la bendición de Dios a su oscura megalomanía. Lamentablemente, al Cielo no le importa. Ese día llueve a mares, por lo que más de mil invitados tienen que vadear el parque deportivo de la FIFA con capuchas y paraguas. De manera que el reino celestial sigue estando por encima del presidente de la FIFA, que ahora asume gustoso su mandato por tercera vez. Esta vez sin opositores. La auto-confianza de Blatter ocupa las páginas de los periódicos suizos. Pone en claro que su conglomerado de federaciones está casi a la altura de la Iglesia o de la ONU. Y ahora por encima. Y los Beckenbauers y los Platinis lo aplauden hasta que les duelen las manos.

La nueve sede de la FIFA ilustra el ascenso de Blatter. Domina la colina de Zúrich, con ciento cuarenta metros de largo y cincuenta de ancho, y las fachadas revestidas de tela metálica. Gracias a una violación tolerada de la normativa se construyeron seis plantas subterráneas, y solo dos están expuestas a la luz. La FIFA opera mayormente bajo tierra. De modo que es un edificio simbólico, con la complaciente ciudad de Zúrich a sus pies. Los suelos están decorados con lapislázuli, y en la sala de sesiones una araña de doscientos mil euros resplandece sobre las cabezas de los elegidos por Blatter. Afuera se abre paso la FIFA-Strasse, una calle bautizada en honor de una federación que no es lo bastante «no lucrativa» como para prescindir de objetos de lujo semejantes. Pero por supuesto que esta obra ostentosa no pertenece al amo del fútbol mundial, sino a «ellas, las federaciones de todo el mundo», les dice Blatter a los invitados, a los que invita a pasar a la sala de recogimiento acabada en mármol ónix. «Esta casa está llena de fuerza y energía, es enorme y a la vez muy íntima.» Pero la zona más íntima es el amplio despacho de Blatter. Solo se accede a él con las huellas dactilares del jefe.

En el 57.º Congreso de la FIFA en Zúrich, el presidente monta una celebración por todo lo alto. En la sala resuenan continuamente las palabras «familia, amor, fe, enseñanza», mientras el mismo jefe lucha «contra el diablo y los demonios», contra palabras como «imponemos nuestras propias leyes y no esperamos a que un tribunal ajeno nos enseñe el camino». Los tribunales ajenos (no los mansos de Zúrich, ni los que ha creado el fútbol con juristas aficionados al deporte) son lo más diabólico a lo que se ha enfrentado Blatter desde su cúpula de poder. No solo los investigadores y los jueces del estado le son ajenos, sino todo ese mundo que está más allá de su mundo, de los doscientos cincuenta millones de futbolistas profesionales supuestamente en activo que él dice guiar y que, «sumando sus familias», llegarían a mil millones de personas.

Luego sigue la misa de la coronación: puro teatro. Primero Sepp debe salir y esperar en la puerta, como un niño antes de recoger los regalos de Navidad. Entonces Julio Grondona sube con dificultad al púlpito y anuncia lo que ya todos saben: que hoy solo hay un candidato. El que espera en la puerta. La FIFA hace entrar a la superestrella. Aplausos atronadores, música de fanfarria, la familia que se pone de pie y el pequeño emperador del fútbol que hace su entrada, besa a su nieta, que le entrega flores, y se desplaza con ella hacia el podio mientras va estrechando la mano a todo el mundo: «*merci, thank you, gracias*». Un niño se acerca corriendo y le entrega un globo terráqueo, y la escena alcanza un punto chaplinesco. Pero no, qué pena, Blatter no se pondrá a jugar con el globo, no le dará con la cabeza ni con el trasero. Se lo deja a alguien y se precipita hacia el púlpito. «Queridos hermanos y hermanas, con enorme alegría y embargado de emoción...» Y sigue. «¡Acepto este mandato!» Rápidamente vuelve a pasar lista de la familia, y luego le da caña a la prensa «infame». Y es que no puede «complacer a todo el mundo». Más aplausos, pero esta vez más breves. Sospechosamente breves. ¿Es que ya hay alguien que sospecha algo?

La juerga de cuatro días ni siquiera provoca verdadero entusiasmo entre los cerca de mil quinientos invitados de las doscientas ocho asociaciones. Es una exageración, y la estrategia tan evidente como los abrazos de Blatter con los viejos amigos enemigos. Para el sueco Lennart Johansson, que durante años lo acusó de tantos engaños y que en 2002 le puso una denuncia, Blatter se inventa enseguida un puestecito: vicepresidente honorario. David Will también recibe este grandilocuente título. «He dado lo mejor de mí», se limita a decir el escocés. En la elección de Blatter de 1998 había evocado la eterna «sombra de corrupción». Nunca consiguió ahuyentarla. Ahora renuncia a la lucha.

El nuevo palacio emana ese poder que protege a Blatter. En la fachada cuelgan las cuatro letras gruesas de la FIFA, ni rastro del logo. Los problemas de la ISL, el caso de Master-card, todos los demás asuntos y asuntillos turbios, todo le resbala, como si fuera de teflón. La película que repele todo eso es una combinación de algunos elementos: la ausencia total de leyes que podrían afectar a directivos del deporte como él y la ocupación de un cargo relevante en la única me-gaindustria del mundo que posee un monopolio seguro y que no requiere de ningún proceso de refinamiento delicado ni de grandes inversiones para la producción, y que, sin embargo, siempre recibe grandes inyecciones de dinero a través de la televisión y la publicidad.

Blatter ha adquirido una gran experiencia en este contexto. Cientos de millones se tiran por la borda, así de golpe, a causa de sucesivas malas gestiones o por cualquier otro motivo, sin que nada quede registrado ni se vuelva a analizar. ¿Y qué necesidad? Siempre están entrando fajos de dinero en la cámara del tesoro. Y nadie sabe cuánto maneja él de todo eso. El dinero no es un problema, y si lo fuera hay juristas renombrados muy capaces que estarán dispuestos a solucionarlo. A la sociedad no le interesa nada de eso mientras la pelota siga rodando. Y las élites de políticos y empresarios juegan de acuerdo con sus propios intereses.

El fútbol se ha convertido en lo más precioso e importante. Quien se ponga a rascar el brillo se granjeará enemigos. Políticos, empresarios e incluso representantes de la cultura pierden la lucidez cuando se trata del fútbol. ¡Los héroes! ¡Las leyendas! Los cuerpos atléticos, la pasión por Messi y el corte de pelo de Beckham, el hombre y la pelota, toda esa destreza corporal en espacios amplios y reducidos. Los fanáticos, los limosneros aduladores, los anfitriones serviles, los que felicitan por interés. A ninguno de estos se le ocurriría cuestionar la autonomía demencial de una feroz megaempresa invadida por la mafia. Y tampoco la categoría de esa asociación sin fines de lucro llamada FIFA, en cuyo nombre se hacen enormes transferencias de dinero internacionales y cuya venta de entradas está en manos de una gentuza que se mueve por todo el planeta. En el círculo de Blatter, cada miembro honorario del Ejecutivo cobra cien mil dólares al año, más quinientos dólares diarios de dietas, vuelos en primera clase, hoteles de lujo, cenas. Otros doscientos dólares diarios se destinan a las damas acompañantes. Y a todo esto hay que añadir algún que otro bonus.

Sin embargo, no solo los países pequeños y más necesitados sostienen el escudo que protege a esta pandilla de directivos. Los países grandes también lo celebran. Alemania, por ejemplo, es un país que después de la Copa del Mundo de 2006 se enamoró de sí mismo. Aquel verano idílico y el descubrimiento de la propia tolerancia desencadenaron la pasión por la patria, que se prolongó más allá del Mundial de balonmano de 2007 y que fue expirando poco a poco hasta concluir con el Mundial femenino de fútbol en 2011. ¡Gracias, fútbol! ¡Gracias, Sepp! Por los torneos de fútbol que finalmente le dieron a una nación culta e industrializada la posibilidad de encontrar su propia identidad después de tantas décadas. ¿O de inventarla? Qué más da. Lo próximo tiene que ser la Eurocopa de 2024.

Blatter tiene un olfato especial para las debilidades de la gente, y para la gente con poder. Conoce sus deseos, sus reflejos y sus pasiones. Es un virtuoso en este juego. Sabe que siempre puede sentirse seguro. Se siente tan seguro que a menudo demuestra cuán poco le ha afectado el desastre de la ISL. La FIFA continúa integrando empresas que tienen una relación estrecha y familiar con la directiva. En el paraíso fiscal de Zug, donde alguna vez estuvo radicada la ISL, reside desde 2003 la firma Infront Sport & Media, que adquirió los derechos de retransmisión televisiva para los Mundiales de 2002 y 2006 que formaban parte del monto de la quiebra del grupo Kirch.

Después del hundimiento de Kirch en 2002, en la FIFA circuló durante un tiempo el nombre de Al Qaeda, junto con la sospecha de que Blatter podría estar sirviéndose de relaciones empresariales dudosas. El presidente había vuelto a hacer una gira electoral por Sudamérica y el norte de África, y su patrocinador, el dueño del jet de negocios Gulfstream-

III con la identificación HZ-DG 2, era el jeque Saleh Abdullah Kamel. «La confirmación del vuelo —dijo el secretario general Zen-Ruffinen— la recibimos de una empresa norteamericana. Luego nos enteramos de que esta compañía aérea estaría siendo vigilada por el FBI, porque existía la sospecha de que tenía contactos con Al Qaeda.» El Departamento de Finanzas de la FIFA habría confirmado que se le había encargado el vuelo a esa compañía.[119]

El apoyo recibido para la gira electoral solo llegó a comprometer a Blatter cuando se supo que el jeque controlaba una quinta parte de los derechos de televisión para el Mundial de 2006 en Alemania, como copropietario de la firma suiza de derechos deportivos Infront, creada junto con el exfutbolista Günter Netzer. Se denunció que el inversor de Yeda tendría vínculos con grupos terroristas a través de su imperio económico, el grupo Dallah Al Baraka. El multimillonario saudí controlaba la firma holandesa Overlook Management BV, propietaria de un veinte por ciento de Infront, la antigua KirchSport. Los otros principales accionistas de Infront eran el anterior presidente de Adidas, Robert Louis-Dreyfus, y la firma KJ Jacob, con un tercio del capital respectivamente. El resto pertenecía a la dirección de Infront, a cargo de Günter Netzer y Oscar Frei, antiguo director del grupo editorial suizo Ringier. Este conjunto de sociedades adquirió la KirchSport por unos trescientos sesenta millones de euros. El socio saudí participó con unos setenta millones.

Según las investigaciones estadounidenses, los bancos de Kamel habrían financiado a grupos terroristas como Al Qaeda y Hamás. En Washington, cientos de familiares de las víctimas del 11-S presentaron demandas civiles contra él, algunas de sus empresas y otras personas. En un informe para el Consejo de Seguridad de Naciones Unidas también se le habría señalado como la principal fuente de financiación de Al Qaeda. Kamel aseguró que eran denuncias infundadas, que ninguna de sus empresas apoyaba a ninguna organización terrorista.[120] Años más tarde, en Estados Unidos las peticiones de juicio contra Kamel se desestimaron, tal como el multimillonario había presagiado. Sin embargo, tuvo que olvidarse de sus planes con Infront. Había pensado que tendría los derechos para el Mundial de por vida, gracias a sus buenas relaciones con Blatter, que le había presentado personalmente al director Dreyfus, y a su amistad con Mohamed Bin Hammam. Pero Blatter tenía otros planes. Y la trama empresarial de Kamel seguía apareciendo detrás de directivos corruptos del fútbol.

Lazos familiares

En 2005, el panorama para Infront empieza a tener mala pinta. A finales de junio, horas antes de la final de la Copa de Confederaciones, Blatter comunica en Fráncfort una decisión importante que afecta a Infront. Si bien la firma conserva los derechos exclusivos de televisión para 2002 y 2006, la FIFA quiere comercializarlos por su cuenta a partir de 2010. Los medios aplauden a Blatter. «La FIFA podrá contar con ingresos mucho más elevados, ya que las ganancias no tendrán que compartirse con una agencia.» Günter Netzer, en cambio, opina preocupado que la FIFA, en ningún caso, podría prescindir de la experiencia y el conocimiento de Infront.[121]

Pero sí que puede. Los derechos para la Copa del Mundo de 2010 en Sudáfrica, por un valor total de unos mil millones de euros, los negocia directamente con EBU y otras cinco grandes cadenas de televisión europeas. Un golpe duro para Infront. Dos meses después, la agencia anuncia un nuevo nombramiento en su dirección. «Tras una búsqueda meticulosa» se habría escogido a un hombre que había trabajado para McKinsey dándole vida a la FIFA. Casualmente se trata de un tal Philippe Blatter, sobrino del presidente de la federación. Al mismo tiempo, la firma transmite un mensaje tranquilizador en relación con un presunto favoritismo: «Los lazos familiares de Philippe Blatter con el presidente de la FIFA no serán, en ningún caso, motivo para modificar la relación empresarial entre Infront y la federación». La FIFA también asevera que el nombramiento habría sido pura casualidad: «Infront es una empresa independiente, no tenemos nada que ver con esa decisión».[122] ¡Claro que no! Que la familia de Blatter se propague por todo el mundo del deporte responde solo a la voluntad divina. Philippe, Sepp y su hermano Marco, director de Swiss Olympic, la organización que representa a las asociaciones deportivas suizas, con sede en Berna.

Así crece la familia del fútbol, que, a pesar del desastre de la ISL, vuelve a estar unida. Es una familia pequeña y lo seguirá siendo. También la integran los japoneses de Dentsu, que en su momento nutrió a la ISL de Dassler. (Por cierto, en el juicio de Zug de 2008 contra seis miembros de la ISL, un mánager de Dentsu también fue acusado de cobrar millones en sobornos.) Tras la asunción al trono del sobrino de Blatter, la FIFA e Infront hacen negocios. La agencia recibe los derechos de televisión de los Mundiales de 2010 y 2014 para Asia, en coparticipación con Dentsu. Además, la HBS, hija de Infront, ofrece la señal de televisión para ambos torneos.

También hay dos hermanos mexicanos que integran el núcleo familiar y empresarial de la FIFA, y que desde hace dos décadas se encargan de la venta de entradas. Jaime y Enrique Byrom, aliados del anterior amo de la FIFA, João Havelange, ya tenían permiso para vender entradas en su país en el Mundial de 1986. Su empresa, con sede en Mánchester, controla desde hace mucho tiempo la mayor parte del negocio de las entradas y los hoteles para la FIFA. La razón por la que los Byrom, a pesar de los sucesivos escándalos que provocan, pueden seguir controlando este sector clave del negocio, es algo que tiene explicación desde el punto de vista económico, y que, sin embargo, no está muy claro. Las respuestas que se rumorean se parecen a las de los tiempos de la próspera ISL. ¿Se trata solo de rumores malintencionados?

Los Byrom dirigen la empresa Match AG. Siempre que se acerca un Mundial, en el mundillo se empieza a cuchichear sobre la estrecha conexión entre los que tienen la venta exclusiva de entradas y la cúpula de la FIFA. En Sudáfrica, la FIFA también otorga a Match los derechos del Programa de

Hospitalidad (trescientas ochenta mil entradas para el Mundial, alojamiento, comida y bebida), un paquete que abarca los Mundiales de 2010 y 2014, y el Mundial femenino de 2011 en Alemania. Entre los socios de la empresa con sede en Zúrich figuran, además de la inevitable Dentsu, Byrom Holding y la agencia Infront.

A comienzos de 2010, este entramado en el nivel más alto del fútbol provoca la movilización de las bases. Las asociaciones de aficionados británicos exigen públicamente la renuncia de Blatter, debido a los negocios jugosos que adjudica a su sobrino. De hecho, Infront, dirigida por Philippe Blatter, es accionista de Match, la empresa que amasa una fortuna cuando se agotan las entradas. Es Blatter quien da el visto bueno para hacer este negocio con la maraña empresarial de Philippe. Sin embargo, la FIFA rechaza la acusación de favoritismo: «Los derechos fueron ofrecidos en licitación y se vendieron al mejor postor».[123] Una vez más, nadie se entera de quiénes se habrían presentado a la licitación. Otras interpelaciones hacen referencia al papel de Blatter en la adjudicación de derechos al conglomerado de empresas dirigido por su sobrino, planteando la pregunta de si los directivos de la FIFA están autorizados a ofrecer los derechos a través de agencias conformadas por familiares. Como respuesta, la FIFA se limita a enviar un material de información incomprensible de Match AG, bajo el siguiente título: «Delimitación entre Match Services y Match Hospitalidad». La solicitud de responder a la pregunta sobre el negocio de la FIFA con Match no es atendida.[124]

¿Qué evaluación se puede hacer cuando la sospecha de favoritismo entre dos familiares es tan palpable? En este caso, los temas de conversación entre tío y sobrino no son un asunto privado. Sobre todo porque a esto se añade una conexión oscura con los que dirigen Match, los Byrom, que, por otra parte, están íntimamente ligados con el directivo Jack Warner.

Después del escándalo de las entradas de 1998, cuando la filial francesa de la ISL vendió secretamente entradas que en principio eran para regalar a los grandes clientes (hubo tres detenciones durante el Mundial), la FIFA adjudica por primera vez la venta a una empresa. De aquí en adelante, los hermanos Byrom entran de lleno en el negocio, a pesar de que, en 1994, a causa de una fricción comercial, habían dejado fuera a una figura prominente del fútbol inglés: Bobby Charlton, leyenda del Manchester United. Aquella vez, los Byrom fueron noticia. Habían ofrecido viajes al Mundial de Estados Unidos en sociedad con Charlton. Al final hubo una desavenencia entre los socios y se perdieron muchos millones.

En 2001 se les adjudicó a los hermanos la venta de entradas para Corea y Japón. La decisión de poner el negocio en manos de una sola empresa hizo reaccionar a los demás licitadores. Se criticó que la empresa familiar de los mexicanos contaba con una plantilla de diez empleados fijos y treinta a tiempo parcial, y que carecía tanto de una estructura organizada como de experiencia. De hecho, la venta fue un desastre. Cientos de miles de entradas se imprimieron con retraso y había huecos enormes en las tribunas. «¿Dónde están las entradas?», se podía leer en una pancarta enorme en el estadio de Saitama. Los aficionados que no habían conseguido entradas, porque estaban agotadas, veían con frustración y por televisión las miles de butacas vacías, y otros que las habían comprado por Internet las recibieron demasiado tarde. Empezó a correr la voz de que los hermanos Byrom habían obtenido la concesión gracias a sus contactos con Blatter. Todos los acusados lo desmintieron.

Los medios japoneses también señalan a los hermanos Byrom como «ladrones». Se dice que no habrían entregado las entradas disponibles para Japón porque no se les había querido pagar la comisión que exigían. El comité organizador japonés (JaWOC) considera presentar una reclamación de indemnización. «Pero ahora lo que importa es que los aficionados reciban sus entradas», declara su vicepresidente, Junji Ogura. [125]

¿Qué hace la FIFA? Pide explicaciones a todo el mundo, menos a los Byrom. Se dice que aficionados y federaciones habrían devuelto muchas entradas porque el viaje a Extremo

Oriente les salía demasiado caro, y, como cada entrada lleva el nombre de su comprador, el registro de las devoluciones habría llevado mucho tiempo. O que, por miedo a los *hooligans*, los japoneses se habrían negado a vender entradas en los estadios. Por tal razón, las entradas en Japón se vendían por Internet o por teléfono.

¿Y qué pasa en Corea? Después de la primera victoria de la selección coreana se habrían podido vender todas las entradas y no habría habido más quejas, así lo afirma el comité organizador del país (KoWOC). La actuación del árbitro Moreno contribuye a la venta masiva de entradas. «Con el tiempo —se dice tranquilamente en el KoWOC—, la gente lo olvidará.» Un informe encargado por la FIFA después del Mundial sobre la venta de entradas resulta sumamente desfavorecedor para los Byrom. Los hermanos avisan a sus amigos en la FIFA y el informe no se publica. De inmediato, se procede a la elaboración de otro informe que mejora claramente su imagen.

Ya purificados, los hermanos Byrom vuelven a estar presentes en Alemania en 2006. El resultado es un problema tras otro. Los organizadores locales deben intervenir permanentemente. Lo hacen de manera muy discreta, pero con la eficiencia alemana que habría «salvado» a los Byrom, según afirmó un testigo de la situación. Cada vez resulta más evidente que el sistema de ventas monopolizado que los superiores de la FIFA han creado en torno a los amigos de negocios se basa en el principio de la escasez de entradas. El sistema también falla en el Mundial de Alemania debido a las entradas personalizadas, una modalidad que se basa en razones de seguridad y que parece indispensable. Esto termina por agotar a los fans; de repente, decenas de miles de espectadores consiguen entrar en los estadios con entradas a nombre de otras personas. El mercado negro ha vuelto a funcionar. Y está claro que no hay voluntad de eliminarlo, sino más bien de controlarlo, para que nadie más pueda hacer fortuna con esto, pues las entradas para los partidos del Mundial representan dinero en efectivo.

Es un secreto a voces que a los jefazos de la FIFA y a las

agencias discretamente ligadas les gusta operar en el mercado negro. De esto no solo entienden directivos como Ismael Bhamjee, de Botsuana, despedido de la FIFA por tal motivo. El más experto es Jack Warner. Si se calcula que el precio normal de una entrada en el mercado negro está entre ochocientos y mil euros, es fácil calcular cuánto se gana con solo vender una cantidad discreta de cien entradas. Solo la familia Warner, íntima amiga de los Byrom, tuvo acceso a seis mil entradas en Alemania, según averiguaron los auditores de Ernst & Young.

Para Sudáfrica 2010, los hermanos se proponen vender tres millones de entradas. En Ciudad del Cabo esperan eufóricos a medio millón de visitantes. El país solo puede ofrecer treinta y cinco mil habitaciones de hotel de calidad, más sesenta y cuatro mil espacios de alojamiento certificados en hostales, pensiones y parques nacionales. Match alquila la mayor parte de estos cientos de miles de camas, cobrando un recargo del treinta por ciento. Pero la euforia se disipa, no parece que el mundo se vuelva loco por visitar Sudáfrica en invierno. Así que Danny Jordaan, presidente del comité organizador (LOC), tiene que despertar el entusiasmo de la gente de su país. La FIFA y el LOC crean un fondo que repartirá ciento veinte mil entradas gratis entre los sectores pobres.

Al mismo tiempo, los expertos en márketing de la FIFA se abalanzan sobre Sudáfrica como una plaga. Match paraliza la economía interna con una brutal política de precios elevados. Las compañías aéreas, las agencias de viajes, los hoteles, todo está sometido al dictado de la agencia. En un tiempo récord, Blatter pasa de ser el tío preferido a convertirse en el blanco más denostado del país. La gente percibe que la vida diaria comienza a estar minuciosamente reglamentada. A los miles de vendedores ambulantes se les prohíbe ganarse el sustento en las zonas reservadas para el Mundial, y a nadie le está permitido bañar a las mascotas en las fuentes. Al principio, muchos se creyeron las charlas de Blatter y llegaron a pensar que la adjudicación de la Copa del Mundo se basaría en políticas de desarrollo y traería un cambio a sus vidas. ¡Vaya disparate! Del medio millón de visitantes de todo el mundo que se esperaba, solo llegó un tercio. A los contribuyentes de Sudáfrica esta fiesta les costó cinco mil millones de dólares, y la FIFA se llevó casi la misma cantidad. La mayor parte de la población no obtendrá ningún beneficio de la Copa del Mundo, anunció un informe del Instituto de Estudios de Seguridad de Sudáfrica. Después del Mundial, la mayoría de los estadios se convierten en edificios fantasmas, grandes construcciones desaprovechadas que comparten el destino de las ciudades deportivas de Japón y Corea del Sur, o de Pekín tras los Juegos Olímpicos de 2008.

En ocasiones, Blatter también aprieta las tuercas. En 2005, en Ciudad del Cabo expresa el deseo de que los encuentros no se disputen en el flamante estadio Athlone, como estaba previsto, sino en un emplazamiento libre: el barrio de Green Point. Su deseo habría sido una orden para el presidente Thabo Mbeki, así consta en el expediente del proceso medioambiental que se inició a continuación. Para vencer la resistencia política, se comunica que la ciudad solo será sede de cinco partidos durante el Mundial. Así que, finalmente, el estadio de Green Point se tiene que construir. Coste: cuatrocientos millones de dólares.

Poco antes del comienzo del torneo se rompen todos los diques. Los acuerdos con Match se cancelan y las ofertan económicas saturan los mercados. La Comisión de Competencia Estatal empieza a investigar. Una compañía aérea que espera impunidad le hace llegar un correo electrónico que habla de fijación de precios. Se comprueba que Match ha bloqueado la economía interna del país con una codiciosa política de mercado y que las ventas de los caros paquetes de hospitalidad no alcanzan el volumen esperado. Para la comercialización de los paquetes, la agencia le había pagado a la FIFA ciento veinte millones de dólares. Decenas de miles de butacas se quedan vacías, e incluso para el partido de la final se consiguen entradas de estos paquetes en el último momento por cien dólares, las mismas que antes costaban cinco mil. [126] Luego se descubre que Andrew Jordaan, hermano del presidente del comité organizador, había sido contratado por

Match en Puerto Elizabeth como persona de contacto: su salario mensual rondó los diecisiete mil euros. Después del Mundial, la situación se vuelve tensa. En Sudáfrica se han hecho muchas cosas de manera clandestina. El periódico noruego *Dagbladet* informa de que un empleado de Match habría vendido a traficantes los datos personales de cientos de miles de compradores de entradas del Mundial 2006 para el Mundial 2010. Con estas bases de datos de empresas y personas, que en gran medida representan a la concurrencia habitual de los Mundiales, se podía emprender la captación de clientes para la Copa del Mundo de Sudáfrica. Los datos resultan tan lucrativos que se vendieron a un valor de entre 1 y 2,5 euros por nombre (se calculan unos doscientos cincuenta mil archivos vendidos). Entre los nombres de las víctimas figuran muchos famosos. Se habrían vendido datos del antiguo primer ministro de Suecia Ingvar Carlsonn, de la esquiadora Anja Pärson y de familiares del entrenador de la selección sueca Lars Lagerbäck. Otros afectados habrían sido Svein Gjedrem, presidente del Banco de Noruega, el antiguo miembro del gobierno sueco Jens Orbäck (¡para un exministro es un problema de seguridad!) y el secretario general de la Federación de Suecia, Tommy Theroin, quien dijo: «Nunca habría imaginado que la FIFA ejercía tan poco control. El tratamiento de ese tipo de información debe ser confidencial».[127]

¿Operó Match en el mercado negro a través de sus empleados? La agencia lo niega. Y la FIFA encubre, como de costumbre: «Por principio, la FIFA se abstiene de hacer afirmaciones para la prensa». Un clásico para sortear preguntas delicadas.

El supervisor de Protección de Datos descubre el *affaire* en Inglaterra, donde está registrada la firma Byrom, propietaria mayoritaria de Match. Surge la pregunta de si los hermanos residentes en Mánchester sabrán manejar este contratiempo, y cómo lo harán. Match demuestra haber aprendido mucho de la retórica de la FIFA. Un vocero explica que la información personal vendida para 2010 procedía de bases de datos de 2006, y que en ese año Match no había gestionado las listas de clientes. Una sutileza, pues, en 2006, los Byrom estuvieron metidos de lleno en el negocio. Y ahí va otra perla: «Puesto que las bases de datos proceden de 2006, tampoco es posible que se haya producido una fuga en nuestro ámbito de seguridad». Solo un detalle: se trata de la misma empresa que ha cambiado de nombre. Incluso los correos electrónicos de un agente de Match demuestran que los datos personales (sean del año que sean) se vendieron en el mercado negro en Sudáfrica.

Por lo general, el negocio millonario de la venta de entradas se parece a una defensa imposible de penetrar. Ocurre también en Alemania, donde el fiscal de Múnich lleva desde 2010 investigando a un responsable de la venta durante el Mundial, alguien que trabajaba para la Federación Alemana y que habría vendido entradas por su cuenta. ¿Y la voluntad de esclarecimiento de la FIFA? A Match no se la toca. ¿Hace falta mencionar que algunos lazos de fidelidad recuerdan a las antiguas conexiones con la ISL? Pese a todos los escándalos se le sigue entregando a Match la parte más jugosa del negocio de las entradas, también en el Mundial de 2014 en Brasil.

Jack, *el Destripador*, Warner, amigo de los Byrom, también tiene problemas en Sudáfrica. A través de su Federación Caribeña (CFU) habría encargado a la FIFA cientos de entradas para el Mundial. La factura se envía a través de un intermediario a una agencia noruega que opera en el mercado negro. El negocio fracasa y la CFU y Warner se quedan con facturas pendientes. En varios correos electrónicos a altos ejecutivos de la FIFA, la CFU expresa su preocupación ante esta situación vergonzosa. El crédito ya deteriorado de Warner en la FIFA podría verse seriamente debilitado a causa de sus recientes negocios en el mercado negro. Se comenta que incluso podría llegar a perder los derechos de televisión en el Caribe.[128]

Los negocios de Warner con los derechos son otro caso grotesco. A través de la firma JD International (propiedad de él y de su hijo Darryan), Warner vende los derechos para los Mundiales de 2002 y 2006 por cuatro millones de dólares a la CFU que él mismo dirige. En 2007, JD vende los derechos de televisión para otros dos torneos, un negocio estimado en unos veinte millones de dólares. Y, a finales de diciembre de 2011, Warner ya ni siquiera niega sus raras maniobras. En una declaración confiesa que Blatter le habría adjudicado siempre los derechos para el Caribe en agradecimiento a su apoyo y al servicio en las campañas electorales.

Los negocios familiares siempre funcionan. Son tan importantes que en ellos ni siquiera interfiere ese proyecto de reforma a medias que Blatter anuncia en 2011 debido a la presión pública. En medio de promesas de transparencia y cumplimiento, la FIFA vende los derechos del Programa de Hospitalidad a Match Hospitality hasta 2022 por trescientos millones de dólares. La empresa venderá localidades VIP y viajes exclusivos para los Mundiales de fútbol masculino y femenino, y para los torneos de la Copa de Confederaciones. El comunicado de prensa dice que Match ha resultado ser «el mejor licitante en un análisis del sector realizado por la FIFA». Lo que sorprende a todos los que han sido testigos de las zonas VIP de los estadios de Sudáfrica con escasa concurrencia. En 2010, Match habría producido pérdidas de hasta cincuenta millones de dólares y habría hundido algunos hoteles y pensiones (las reservas de habitaciones se cancelaron poco antes del Mundial). Y ahora resulta que Match es el mejor licitante, según un análisis del sector. Muy astuto. Y es que la FIFA ya no puede permitirse otro proceso de licitación en el que no haya otros licitantes, o donde se presenten aquellos que luego divulgan cómo los ningunearon. Así que ahora Match, la empresa que recibió trescientas ochenta mil entradas para Sudáfrica y provocó un déficit enorme, recibe cuatrocientas cincuenta mil entradas de preferencia para el Mundial de Brasil. En ese negocio también hay dos altos cargos que se apellidan Blatter.

La firma del sobrino Phillipe tiene apenas una participación del cinco por ciento en el negocio de Match, pero él además tiene un negocio gordo con la federación del tío Sepp. Infront consigue los derechos de transmisión para televisión, radio e Internet de los Mundiales 2018 y 2022 en veintiséis países del continente asiático, entre ellos China, la India, Tailandia e Indonesia. La FIFA afirma que la agencia de Zug habría presentado la mejor oferta, lo que tampoco está comprobado.

Esta vez, una autoridad competente certifica el favoritismo en la FIFA del que se viene sospechando. En el verano de 2011, Sylvia Schenk, la encargada de deportes de Transparencia Internacional, avisa sobre la importancia de dar a conocer los detalles del proceso de toma de decisiones en una negociación entre familiares. Schenk pide a la FIFA «un procedimiento proactivo», y afirma que Blatter no habría tomado parte en la decisión. «El presidente de la FIFA no es miembro del Comité de Finanzas y estuvo ausente durante la toma de decisión», dice un informe. Dejando a un lado que finalmente es el Ejecutivo, y no el Comité de Finanzas, el que da el visto bueno a estos negocios, ¿cómo es posible imaginar una cosa así? Que un día, mientras leía el periódico, el tío Sepp se enteró de un negocio reciente de cientos de millones entre su sobrino y una organización llamada FIFA.

Como en su día la ISL, Infront también aspira a convertirse en un plazo de cinco años en el líder global en el sector, a través de una nueva sociedad llamada Bridgepoint. El objetivo es quitarle el liderazgo a la agencia americana IMG, según afirma el nuevo inversor financiero. Infront tendría un índice de crecimiento promedio del diez por ciento anual en un sector que crece alrededor de un cuatro o cinco por ciento al año. El precio de compra que circula es de quinientos cincuenta millones de euros aproximadamente. Se mantiene la dirección con Philippe Blatter al frente, e incluso Günter Netzer es socio de Bridgepoint. Infront se propone concentrar aún más la comercialización de eventos deportivos.[129] Algo que en el seno de la familia del deporte no debería costarle mucho.

¿Quién da más?

Además de los negocios privados que se hacen en el entorno del fútbol, de los proyectos Goal destinados a sus países, del filón de los derechos de márketing, viajes y venta de entradas, además de todo eso existe otra fuente de alegría financiera para una buena parte de los inquilinos de la FIFA: las adjudicaciones de las sedes mundialistas. Es la rueda de la fortuna más grande que los directivos de la federación mundial de fútbol pueden hacer girar. Antes de la elección de una sede mundialista, tal como ocurre con la adjudicación de una sede olímpica, pululan asesores, agentes y pasadores de dinero. Esta empresa es una enorme fuente de riqueza desde hace mucho tiempo. Los dosieres circulan, y se ponen en marcha estrategias de persuasión individualizadas, pensadas para cada directivo. Claramente es más fácil sobornar a los adjudicadores del Mundial que a los de los Juegos Olímpicos. En el COI se necesita una mayoría de ciento diez electores, mientras que en la FIFA alcanza con trece votos, ya que solo vota la directiva. Y otra cosa: mientras que el COI por lo menos implementó algunas normas tras el escándalo de Salt Lake City, entre ellas la prohibición para los miembros del comité de visitar las ciudades aspirantes, la FIFA casi no ha tomado medidas de ese tipo. Aquí las normas de cumplimiento son un concepto desconocido; solo de manera general se establece que no se puede sobornar ni aceptar sobornos. No se puede aceptar ningún regalo excesivo. Pero no hay nada que esté expresamente permitido o prohibido.

Y, sin embargo, la rueda de la fortuna ha girado poco a poco durante la primera década de Blatter. En la votación de Zúrich para el Mundial 2006, concedido a Alemania, los partidarios de Blatter salieron derrotados; entonces estaban con Sudáfrica, que perdió por poco. La siguiente Copa del Mundo tenía que celebrarse sí o sí allí. Así que Blatter introdujo un sistema de rotación: en 2010, un país de África; en 2014 uno de Sudamérica. Con esta disposición, era mucho menos lo que se podía pillar. De hecho, de la adjudicación a Brasil no se pudo sacar casi nada. Se decidió sin consulta previa, sin ni siquiera realizar un simulacro de votación.

¿Qué hacer al respecto? Para los directivos, empezando por los más fieles a Blatter, van pasando los años. Muchos ya están en su último mandato. Incluso el gran presidente ya tiene una edad, más de setenta. Pero, de repente, en el congreso de 2008 en Sídney, propone una idea brillante: conceder los Mundiales de 2018 y 2022 de una sola vez. ¡Ostras, que empiece la fiesta! Es tiempo de negocios y chanchullos, de pujas y sobornos. Una docena de países de todo el mundo peleándose por dos sedes para el Mundial. Las cestas de regalos estarán a reventar. El que esté en la FIFA y no se entere de que así es como funciona es que ha presenciado las adjudicaciones anteriores como un autista en cautiverio. De hecho, el proceso obedece, en cierto modo, a una ley natural de la política en el fútbol, por la cual finalmente se imponen de manera obvia aquellos candidatos que se caracterizan por una fuente de materias primas inagotables y un gobierno autocrático y sin la menor transparencia. En este caso, el zar ruso Putin y el emir de Catar.

Esta doble adjudicación realizada el 2 de diciembre de 2010 en Zúrich, no solo se ve envuelta en los habituales y fundamentados rumores. Ya antes de la votación hay que suspender a dos directivos y a otros cuatro exdirectivos que se han ido de la lengua sobre la nueva política de precios para esta adjudicación, y lo han hecho delante de un periodista encubierto que los estaba grabando con una cámara. Hay indicios tan claros de corrupción que se ponen en marcha investigaciones. Investigadores norteamericanos, en colaboración con autoridades policiales, siguen la pista de estas situaciones sospechosas sobre todo en Europa.

¿Qué ha ocurrido? ¿Acaso la FIFA santa de Blatter ha sido nuevamente poseída por el «demonio»? Claro que no. Basta con mirar hacia atrás para ver cómo se consigue un Mundial en un sistema de adjudicaciones que ofrece todas las opciones posibles a postulantes y votantes, y para comprobar que casi todos están al corriente de cómo funciona este sistema en el que incluso los candidatos que quieren actuar con honestidad deben preguntarse si es inteligente no ofrecer sobornos, al menos si realmente se quiere conseguir la sede para la Copa del Mundo y si se tiene en cuenta quién está en el centro de todo esto.

En la adjudicación para el Mundial de Corea del Sur y Japón, las denuncias de corrupción en las altas esferas de la FIFA fueron objeto de discusión. El titular de Asia, Bin Hammam, las expuso en una carta que envió al surcoreano Chung Mong-joon, quien consiguió de la FIFA la doble sede mundialista junto con Japón y que invirtió mucho dinero en su deseo de extender su trayectoria más allá del mundo del fútbol y convertirse en presidente de su país (sin éxito). Entonces Chung tuvo que esforzarse sobremanera, ya que Havelange era un férreo defensor de Japón. Por suerte, este tenía un sobrino que se mostraba receptivo hacia toda clase de negocios. Así fue como Ricardo Teixeira, en 1995, junto con José Havilla, su socio de São Paulo, ingresó en el sector del automóvil. El presidente de la Federación Brasileña y su colega obtuvieron la representación de la marca Hyundai, el grupo de empresas que pertenece a la familia de Chung, el amigo de Teixeira en la FIFA.

Japón y Corea del Sur no se regalan nada. Pero, según informa el escocés David Will en 1999, hay acuerdos y sobornos. Japón les habría entregado muchos presentes personales a los altos directivos, como ordenadores portátiles. Will habría devuelto su regalo. El escocés exige un código de ética para la gente de la FIFA. También Johansson, titular de la UEFA, recomienda a los colegas ejecutivos hacer lo mismo que Will y devolver los presentes de Japón y Corea. Un caso muy distinto es el del exrepresentante de la DFB en la FIFA y amigo de Blatter: Gerhard Mayer-Vorfelder, envuelto en escándalos en su país, que no se beneficia de la orgía de los regalos. «No he recibido ningún obsequio —declaró entonces—, y tampoco me dejaría corromper.» [130]

Muchos periodistas de deportes pecaron de ingenuos cuando en sus análisis serios presentaron la Copa del Mundo de 2002 como un modelo de política para la paz a través del fútbol. Algo parecido se puede esperar de quienes valoren la adjudicación de sedes mundialistas a Rusia y Catar. (¿Política deportiva para nuevos mercados, luz verde para el cambio cultural?) Así pues, conviene recordar la simple realidad de la gran política del fútbol: la razón por la que se toman estas decisiones puede comprenderlas cualquiera que tenga cierto dominio de las matemáticas.

Comienza el año electoral 2002. Alemania se presenta como candidata al Mundial 2006. Además están Inglaterra y Marruecos, pero, en realidad, solo hay una competencia: Sudáfrica. Y es que Blatter tiene que cumplir con la promesa que le hizo al electorado africano en 1998: celebrar el primer Mundial en el continente. Desde el primer momento, la candidatura alemana se anuncia con inteligencia. Está financiada con fondos privados, sin dinero público, lo cual conlleva una ventaja esencial: durante la campaña no habrá que responder a preguntas sobre la financiación ni más tarde habrá que publicar un informe contable. En este caso, el contribuyente no tiene derecho a preguntar por el uso de sus impuestos. Inglaterra, en cambio, lo hace de la otra manera, y al final los responsables de la candidatura británica acaban humillados y recibiendo una bronca después de haberse gastado ciento veinte millones de los antiguos marcos alemanes para nada. Ni siquiera les ayuda que la candidatura haya sido transparente hasta el último recibimiento que le brindan a Blatter y los suyos, incluidos los gastos de hotel, palcos y compras en Harrods. La candidatura alemana es otra historia. El astro Beckenbauer y, sobre todo, su sombra, Fedor Radmann, viajan a costa del sector privado. Es decir, sin llamar demasiado la atención.

Misteriosos contratos de asesoramiento y televisión con miembros de la FIFA a través de cuentas fiduciarias alimentan la sospecha de que el éxito alemán se debió a prácticas habituales en el sector, como las actividades del gobierno y el gran empresariado alemán en una fecha ridículamente próxima a la adjudicación del Mundial, y en una zona del mundo en la que Alemania buscaba votos. Sin embargo, todos los participantes confirmaron que la victoria alemana había sido absolutamente limpia desde el comienzo. De ser así, responde a una extraordinaria cadena de hechos afortunados y casuales.

En las semanas y meses previos a la fecha de la adjudicación (6 de julio de 2000) crece la inquietud en el cuartel alemán. La delegación de Beckenbauer y Radmann tiene que conseguir que los indecisos del Ejecutivo de la FIFA se comprometan con Alemania. Hasta el canciller Gerhard Schröder trata de ganarse el favor de hombres de estado extranjeros. Los políticos alemanes llevan tiempo mostrándose con insignias del Mundial y se refieren públicamente a los responsables de evaluar la candidatura. Sin embargo, la mayoría de estas acciones no se realizan a la vista. Cuatro semanas antes de la votación en Zúrich, se cuenta como mucho con nueve votos seguros. Sudáfrica, en cambio, podría conseguir el apoyo de doce directivos en la cúpula de la FIFA.

Al margen de la política, Leo Kirch está sumamente interesado en que el torneo se juegue en Alemania. Ya posee los derechos de televisión para 2006. Según los cálculos internos de su empresa, un Mundial en casa le proporcionaría unas ganancias de unos quinientos millones de francos por la reventa de los derechos televisivos y por la retransmisión de los partidos más importantes a través de canales de pago. Eso equivale al doble o al triple de los beneficios de un Mundial en Sudáfrica, sobre todo porque hay que sumar los gastos de construcción de instalaciones enormes para prensa y televisión.

Razón suficiente para intentar de todas las maneras posibles que el Mundial se juegue en Alemania. El empresario mediático alemán cuenta con el apoyo de un hombre que sabe cómo hacerse con la concesión de eventos deportivos. Se trata del consejero secreto de Beckenbauer, Fedor Radmann: un personaje del deporte envuelto en escándalos, un hombre hecho para los negocios de trastienda. Radmann fue director de la ISL en Alemania, antes de trabajar como director de Publicidad para Adidas. En el ambiente, todos saben que aprendió mucho de Horst Dassler. Ante la tensa situación de la candidatura alemana a principios de junio de 2000, Fedor Radmann y Günter Netzer toman cartas en el asunto. El exfutbolista abre las puertas de Europa del Este a la agencia suiza CWL, perteneciente a Cesar W. Lüthi. Recientemente, Kirch había comprado la agencia, que pasa a llamarse KirchSport, y que en 2002, tras la quiebra de Kirch, pasa a

Infront AG. Es un ciclo eterno en el que las empresas muchas veces cambian más de nombre que de dueño.

En la concesión de la sede mundialista, Kirch mueve todos los hilos en el último minuto. Para atender a los indecisos del Ejecutivo se habrían gastado en total unos tres millones y medio de euros. A principios de junio, la gente de Kirch inicia un proceso de negociación con las federaciones de directivos con peso: Slim Chiboub (Túnez), Worawi Makudi (Tailandia), Joseph Mifsud (Malta) y Jack Warner. Se tienen que pagar derechos de explotación por partidos amistosos, en los que está prevista la participación del Bayern de Múnich, el club del jefe de la candidatura, Franz Beckenbauer. Curiosamente, es su consejero secreto, el *lobbista* múltiple Radmann, el que casi siempre se ocupa de indicarles a los abogados de Kirch en qué cuentas se deben abonar los importes. Los estrategas de Kirch, siguiendo el consejo de Radmann, también reclutan a un empresario del Líbano que tiene los mejores contactos con Sudamérica y el mundo árabe: Elias Zaccour, libanés residente en Río de Janeiro, el más antiguo compañero de ruta de João Havelange.[131]

Radmann concede una gran importancia al «acuerdo de consultoría» con Zaccour. Retribución: un millón de dólares. El 7 de julio le quiere entregar el contrato a Zaccour en Zúrich. El abogado de Kirch le envía una carta al confidente y gerente de Kirch, Dieter Hahn: «A pedido del señor Radmann es preciso realizar inmediatamente la primera transferencia de doscientos cincuenta mil dólares». La cuenta está en Luxemburgo. En el contrato pone que Zaccour, que no tiene ninguna experiencia en el negocio de la televisión, debe asesorar a Kirch en materia de comunicación audiovisual y aportar su «conocimiento en realización, licencias y *merchandising*». El libanés no tiene ni idea de estas cosas, para eso cuenta con los mejores contactos en la FIFA. Especialmente con Mohamed Bin Hammam, el representante principal de Asia en el Ejecutivo. Este bloque asiático será indispensable.

En la primavera de 2003, Beckenbauer y Radmann, sometidos a presión, desmienten con vehemencia que hayan conseguido «ventajas ilícitas». En ese momento se encuentran papeles entre los escombros de Kirch que ilustran cosas sobre las habituales tácticas de persuasión en el mundo del deporte. La revista *Manager Magazin* publica en su web «una carta delatora» junto con un «misterioso contrato de asesoramiento». La carta tiene fecha del 6 de junio de 2000 y va dirigida al confidente de Kirch, Hahn, de parte del abogado de Kirch en Múnich. En el texto se menciona un «acuerdo con el Bayern de Múnich» y otros tres compromisos de la empresa suiza CWL con los ejecutivos del fútbol en cuestión. Concretamente se dice que se le deben efectuar los pagos a Mifsud (Malta) y a Warner en una cuenta fiduciaria («*trust account*»). Más tarde, Günter Netzer es incapaz de explicar la referencia a las cuentas fiduciarias de Mifsud y Warner.[132] En el caso de Chiboub (Túnez) se menciona una cifra de trecientos mil dólares. De Makudi (Tailandia) se dice: «El partido ya se ha jugado. La retribución se debe abonar cuanto antes». Netzer, director de CWL, es el encargado, el que se ocupa de los partidos amistosos y del pago a las federaciones de los países anfitriones. Esas federaciones, cuyos dirigentes casualmente están representados en el Ejecutivo de la FIFA, días más tarde adjudican la sede del Mundial a Alemania y no a Sudáfrica, en una votación de doce a once.

En Trinidad no llega a jugarse ningún partido del Bayern. «Por razones de calendario», explica Netzer. A pesar de que ya se ha firmado el contrato no se envía el dinero. Por otro lado, el 8 de diciembre de 2001, Kirch cede los derechos de televisión para el Caribe de los Mundiales 2002 y 2006 a la empresa JD International, de Warner, con sede en las Islas Caimán, por el módico precio de 4,8 millones de francos. Los mismos derechos que en su día adquirió el competidor Selby Brown. Se rumorea que Warner solo habría pagado una pequeña parte del importe, lo que las partes niegan una y otra vez con total indignación.

El FC Bayern se presenta en Malta a principios de 2001, y en Túnez juega contra el Espérance, el club en el que Slim Chiboub, yerno del jefe de estado, hace las veces de presidente. No es ninguna contradicción que más tarde los tunecinos voten por Sudáfrica, ya que en la votación para la sede del Mundial los bloques están distribuidos de forma muy clara. Los ocho europeos encabezados por Johansson votan por Alemania, pues el sueco no va a regalarle otra victoria a su rival Blatter después de las elecciones perdidas en 1998. A estos se suman los cuatro asiáticos. Más tarde, Bin Hammam revelaría cómo el cuarteto asiático recibió una reprimenda del africano Hayatou. El apoyo a Alemania por parte de los asiáticos es también la reacción a una afrenta de Blatter, que no cumplió con lo prometido en las elecciones, al respecto de concederles una plaza adicional para la Copa del Mundo. Sin embargo, años más tarde, una persona bien informada y bien pagada del entorno alemán saca una conclusión totalmente distinta; según le dijo al autor de este libro, Chung habría salido del bloque asiático y Warner habría ocupado su lugar. Por otra parte, el apoyo decisivo para la candidatura alemana habría venido del emir de Catar.

Y, sin embargo, a los alemanes les hace falta otro voto. En el caso de un previsible empate a doce, el voto del presidente Blatter sería decisivo para Sudáfrica. La solución se encuentra (otra casualidad más) en el paso a un lado que da Charles Dempsey, representante de Oceanía, durante la votación. El australiano, de origen escocés, ha recibido la orden de votar por el hemisferio sur. Al apartarse, evita traicionar a su federación, pero, al mismo tiempo, inclina la balanza a favor de Alemania. Ahora la votación queda doce a once, con lo que el voto de Blatter no tiene ningún valor. Con su huida, Dempsey también envía un mensaje claro a los votantes: ya no hace falta que nadie deje el bando de Sudáfrica para pasarse al contrario. Un posible tránsfuga, según afirma la gente mejor informada, podría haber sido el tunecino Alolou. Es solo un rumor. Lo cierto es que en 2010 la Comisión Ética de la FIFA impuso a Alolou una suspensión de dos años por corrupción.

Después de la adjudicación, Radmann empieza a trabajar para Kirch, que posee los derechos de televisión para el Mundial. Radmann tiene un contrato de consultoría con el Grupo Kirch («bien remunerado», como él mismo diría) que habría tenido validez hasta 2003, pero que se rescindió en

2002 con la quiebra de Kirch. Esta fue la única razón por la que este y otros contratos salieron a la luz. Y, por supuesto, que Franz Beckenbauer, el jefe de Radmann en el Comité Organizador de la Copa, también tenía desde hacía algunos años su contrato millonario con la cadena Premiere de Kirch. De modo que, en aquel entonces, el magnate de los medios tenía contratadas a las dos personas más importantes de la organización del mundial.[133]

Peer Steinbrück, el ministro presidente de Renania del Norte-Westfalia, critica con dureza el «conflicto de intereses» que involucra a Radmann y al grupo Kirch. Düsseldorf, la capital de su estado, se postuló para ser la sede del centro de prensa del Mundial, y perdió la batalla contra Múnich, la ciudad que el comité organizador había propuesto a la FIFA. Y la ciudad donde Kirch estaba afincada. «Teníamos el mayor interés en traer el centro de prensa a Múnich para integrar producción y emisión —dice un mánager de larga trayectoria en Kirch—. Movimos todas las palancas con la máxima discreción.»[134] A Radmann, que había abogado por Múnich, todo esto le da igual, pues afirma que Kirch no lo ha contratado como miembro del comité organizador, sino para pedirle consejos sobre márketing deportivo: programación, descodificadores, otras oportunidades de comercialización. ¿Tal vez consejos para saltar a la cuerda o a la goma? A la larga, los contratos de consultoría (uno de ellos con Adidas) resultan fatal para Radmann, que tiempo más tarde tiene que renunciar a su cargo en el comité organizador. Otro del grupo Kirch que consigue un jugoso contrato de asesoramiento es Netzer, aunque ya se encuentra trabajando en este sector mediático. Tanto para el káiser Beckenbauer como para Netzer, Radmann, Kirch y compañía, todos los contratos que se firmaron entonces fueron acuerdos de derechos comunes y corrientes. Y, por supuesto, todo se hizo de una manera absolutamente limpia.

Así son las cosas en el misterioso mundo del deporte, donde se dan un montón de coincidencias decisivas. Y donde además intervienen los actores globales de la política y la economía, y entonces se producen más coincidencias que baten todos los récords. El 28 de junio de 2000, ocho días antes de la votación para la sede mundialista y durante el gobierno de Gerhard Schröder, el Consejo de Seguridad alemán aprueba por tres votos contra dos el envío de mil doscientos lanzagranadas (*Panzerfaust*) a Arabia Saudí. El bando de Schröder había superado en la votación a Joschka Fischer de los verdes y a la política socialdemócrata Heidemarie Wieczorek-Zeu. En ese momento, el envío de armas alemanas a las regiones afectadas por conflictos era un tema delicado. En esa misma sesión se vetó la exportación de material militar a Taiwán y se aplazó el fallo de una entrega de *software* informático a Turquía, pese a ser miembro de la OTAN. Entonces el gobierno se negó a confirmar la resolución, que estaba sujeta a la obligación de secreto, pero los que desmintieron con vehemencia cualquier relación entre el envío de armas a Arabia Saudí y la votación de ocho días más tarde fueron los representantes de la DFB. En la votación, Abdullah Al-Dabal, miembro del gobierno saudí y de la directiva de la FIFA, votó por Alemania.

En los últimos días previos a la adjudicación, abundan las casualidades de este tipo en aquellas regiones donde los alemanes obtuvieron sus votos. La empresa Deutschland AG mide el tiempo de maravilla. La UEFA ya tiene apalabrados a sus ocho votantes, pero ¿quién convence a Bin Hammam (Catar), Al-Dabal (Arabia Saudí), Chung (Corea del Sur) y Makudi (Tailandia)? Todos ellos garantizan el éxito de la brigada de Beckenbauer. Aunque pueda parecer que todos los viajes por el mundo, ya sea a Paraguay, Togo o los Mares del Sur, han servido para hacer publicidad, lo cierto es que de esos países no han vuelto con un solo voto. Serán los cuatro asiáticos quienes en los días previos a la votación formarán una piña por Alemania, un bloque tan sólido que ni siquiera la gran eminencia de Sudáfrica podrá fracturar. De nada sirve que, poco antes de la votación, Nelson Mandela telefonee al emir de Catar, al rey de Tailandia, al rey de Bélgica (para que influya sobre D'Hooghe, miembro del Ejecutivo de la FIFA) o al desertor Dempsey.

Así es el maravilloso mundo de la economía alemana. En

junio se pacta la alianza entre Daimler Chrysler y Hyundai. *The Korea Economic Daily* celebra que Chrysler tenga previsto sumarse al agonizante consorcio con una inversión de capital de ochocientos millones de marcos. No se considera «un impedimento» para la candidatura alemana que un hijo de la familia Chung, propietaria de Hyundai, integre el organismo electoral de la FIFA; así lo ve, por ejemplo, Tony Banks, el representante británico en la votación. Hace décadas que los tentáculos de Chrysler llegan al mundo del fútbol, a través de Mercedes Benz, patrocinador estrella de la selección alemana. Y Makudi, enviado de Tailandia y secretario general de la federación de su país, también vende coches Mercedes Benz en Bangkok, según el *Sunday Times*. Si se le pregunta, dice que la empresa no es de él, sino de su mujer.[135] A finales de junio nace un nuevo patrocinador para el Mundial: Bayer. La farmacéutica adquiere una fábrica surcoreana de placas de plástico y tiene previsto hacer grandes inversiones en Tailandia. BASF anuncia una inversión total de ochocientos millones de marcos en la industria química surcoreana hasta 2003. El *Bangkok Post* de Tailandia cita al ministro de Ciencia y Tecnología, quien asegura que Siemens querría asumir «la totalidad de la inversión privada» para sacar adelante un costoso proyecto semipúblico de dos millones y medio de marcos para la producción de obleas de silicio. Al día siguiente de la votación, Siemens lo desmiente, sin que por ello se vea afectada la ofensiva de la multinacional en el mercado de la telefonía móvil de Asia.

Todos negocios comunes, claro. Lo que desconcierta es el momento. Promesas de millones para Tailandia y Corea del Sur, el negocio de las armas con los saudíes, ¿todo anunciado en los días previos a la votación de la sede para el Mundial? Sin duda, la economía local debería dar las gracias a los emisarios de Corea del Sur, Tailandia y Arabia Saudí, que al final votaron por Alemania. ¿Y Bin Hammam? En una visita a Londres donde Tony Blair le pide que vote por Inglaterra, el catarí responde que *sorry*, que ya le prometió su voto a Schröder.[136]

Solo nueve años más tarde sale algo a la luz. El 8 de

mayo de 2010, Norman Darmanin Demajo, tesorero de la Federación de Malta (MFA), declara ante los medios en compañía de su abogado para informar que ha visto documentos y transferencias de fondos sobre los que el presidente Joseph Mifsud no ha dado ninguna explicación en el último año y medio. El caso: el 12 de octubre de 2000, se depositaron doscientos cincuenta mil dólares en la cuenta de la federación. Ese mismo día, Mifsud, que también pertenece a las directivas de FIFA y UEFA, presenta una copia «certificada» del contrato correspondiente a un partido de fútbol amistoso con el FC Bayern de Múnich disputado el 1 de junio de 2000. Por tanto, el dinero debería haber llegado a mediados de junio. Además el contrato solo lleva las firmas de Mifsud y CWL (de acuerdo con los estatutos se requieren dos firmas de la federación), y el importe de doscientos cincuenta mil no figura tipografiado, sino anotado a mano sobre una línea de puntos. Nunca se había visto algo así, afirma Demajo, al que le llegan otros contratos con la CWL. Es algo que como tesorero no puede aceptar, sobre todo porque a través de la prensa alemana se habría enterado de que en junio de 2000 se acordó un pago a una cuenta fiduciaria de la Federación de Malta, cuando la federación no dispone de ninguna cuenta de esas características. También se habría hecho mención de importes de aquella época de trescientos mil dólares, que se deben pagar en un plazo de catorce días después de la firma del contrato. ¿Cuánto dinero se pagó realmente? ¿Y dónde estuvo ese dinero entre junio y octubre? Mifsud lo encubre todo, y en agosto de 2010, después de dieciocho años en la presidencia de la federación, le deja el cargo a Demajo.

Mifsud lo consiguió, a pesar de su papel político secundario en la cúpula del fútbol internacional, ¿o acaso se debió a eso? En el recuerdo quedan los escándalos, como cuando expulsaba a los periodistas críticos de las entrevistas concedidas. Su sucesor en la directiva de las islas del Mediterráneo es el chipriota Marios Lefkaritis, que no tardará en ocupar un lugar en la FIFA y la UEFA. El empresario del petróleo contribuye a la política deportiva con su red de contactos, lo que probablemente no aporta beneficios al fútbol, pero sí a algunos participantes en el negocio. Más adelante volveremos sobre él.

El sistema de rotación

El Mundial de 2010 tiene que ser en Sudáfrica. Blatter está obligado. El país de Mandela quería incluso demandar a la FIFA. ¿Qué se puede hacer al respecto? Muy fácil. Blatter sigue siendo un presidente casi todopoderoso, así que cambia el modo de elección para la votación. En 2010, le toca a África; en 2014, a Sudamérica. Claro que para el Mundial de 2010, además de Sudáfrica se presentan Egipto, Marruecos, Túnez y Libia. En la mayoría de estos países se practica el fútbol profesional, pero ¿qué pinta Libia? No hay ningún problema, alardea Saadi Gadafi ante la prensa. Blatter ya lo había invitado a Zúrich poco antes de la reelección de 2002. Seis años antes, en un partido de fútbol, los esbirros de su padre, el dictador libio Muamar el Gadafi, habían disparado a los espectadores que coreaban «Abajo Gadafi». Hubo muertos y se declaró el luto oficial: los dos clubes fueron disueltos.[137]

Seis años después, quien fuera futbolista en Libia entre 2001 y 2003, declara que él y Bin Hammam le habrían asegurado el trono a Blatter en una campaña muy disputada. El catarí operó en Asia, y Gadafi se encargó de que la mitad de las cincuenta naciones africanas votaran por Blatter y en contra del presidente de su federación, Issa Hayatou. Desde entonces, Gadafi júnior anuncia orgulloso que Libia tendría el Mundial asegurado. Y, además, ¿no fue él uno de los primeros que subió al escenario en el Congreso de Finanzas de Seúl, cuando se les negó la palabra a los oponentes de Blatter durante horas de alabanzas al gran líder?

Otra cosa que tener en cuenta es que Gadafi júnior es futbolista profesional. Entrenó en el Perugia de Italia, que juega la Serie B, disputó trece minutos en el Udinese y calentó banquillo en la Juventus de Turín. Con todo, presume de ser un futbolista experimentado; lo que no dice es que estos clubes tenían que aguantarlo porque él los alimentaba con los petro-dólares de papá. Una vez, en una entrevista para el *Corriere dello Sport*, el entrenador de la selección de Libia, Francesco Scoglio, lo definió como «un futbolista sin valor»; enseguida lo despidieron. Como le pasó a Gadafi júnior en el Perugia, donde el eterno suplente consiguió dar positivo por esteroides. Fue uno de los pocos atletas de la historia del deporte que desistió de hacer la contraprueba del dopaje.

Muamar el Gadafi está dispuesto a soltar un par de millones de petrodólares para el espectáculo de la Copa del Mundo en el desierto. Pero como la candidatura de Libia no progresa se alía con los tunecinos. Para Ben Ali, el presidente corrupto de Túnez desde 1987, la candidatura de la sede mundialista es la excusa perfecta para prolongar su mandato hasta 2010, el año del Mundial.

Blatter no solo honra a los Gadafi, que le ayudaron en la campaña, sino también a los violadores de los derechos humanos en Túnez. No ahorra elogios para Ben Ali. Sus muestras de aprecio son tan elocuentes que en el Mundial de Sudáfrica, Blatter le transmite su respeto al dictador tunecino, especialmente por «las diversas iniciativas para la paz que el presidente lleva a cabo en todo el mundo y el apoyo constante que brinda a la juventud». Meses más tarde, el tirano y su familia corrupta se ven obligados a escapar del país a causa de la rebelión del pueblo.

Slim Chiboub forma parte de esta familia. Controla el deporte como presidente del Comité Olímpico de Túnez y miembro del Ejecutivo de la FIFA. Además, el yerno del dictador acapara una inmensa fortuna gracias a un imperio inmobiliario. Chiboub es el que cobró trescientos mil dólares de la agencia Kirch-Netzer por el partido amistoso entre su club, el Espérance, y el Bayern de Múnich, que se disputó durante la candidatura alemana para la sede mundialista. Entonces se ocupó del voto del tunecino Slim Alolou, al que luego reemplazó en la directiva de la FIFA en 2010. Después del derrocamiento de la dictadura en Túnez, el nuevo ministro de Deportes, Tarak Dhiab, se pronuncia al aceptar su cargo: «Ben Ali y su familia corrupta usaron el fútbol y el deporte para distraer al pueblo de los verdaderos problemas», y añade que Chiboub habría sido el encargado de corromper el fútbol.[138] Así de diferentes son los puntos de vista. Poco antes, Blatter se había referido a Ben Ali y a su gente como los promotores de la paz mundial y la juventud deportista.

La Primavera Árabe también baja del pedestal al cabeza de chorlito de Gadafi, que mantenía excelentes relaciones con la cúpula de la FIFA. Pero en la federación mundial todavía quedan algunos secuaces de los altos mandatarios del mundo árabe, esos que están siendo fuertemente atacados por las organizaciones a favor de los derechos humanos. El egipcio Hany Abo Rida es directivo de la FIFA, y en tanto que parlamentario y presidente del Consejo de Deportes de su país está imputado por corrupción. Hasta el final de la sangrienta rebelión popular en la plaza Tharir, la federación de Abo Rida apoyó al régimen dictatorial del derrocado Mubarak. El 1 de febrero de 2012, en un partido de primera división, un grupo de ultras ataca a los aficionados del equipo Al-Ahly de El Cairo en el estadio; se produce una masacre en la que perecen setenta y cuatro personas. El baño de sangre tiene un evidente trasfondo político. El Al-Ahly es conocido por ser un club popular, y sus seguidores estaban en la plaza Tahrir apoyando a los rebeldes. Esto es significativo en un país donde la mitad de los clubes de primera división están gobernados por policías, militares y políticos. Algunas crónicas creíbles de Puerto Saíd permiten suponer que la policía favoreció la tragedia actuando de manera intencionadamente pasiva.[139] Días más tarde, Blatter amenazó con excluir de los torneos internacionales a la Federación Egipcia, cuyos directivos ya habían sido suspendidos por el gobierno a causa de los disturbios en Puerto Saíd. Sobre la actuación de Abo Rida se sabe más bien poco; quizá se deba a que, según información de Internet, es asistente del jefe de estado y de la Comisión de Seguridad Nacional.

Otro para mencionar es Mohamed Raouraoua, que en 2010 asume su cargo en la directiva de la FIFA. Su mérito se basa en las buenas relaciones que mantiene con Bouteflika, dictador de Argelia. Raouraoua, como no podía ser de otra manera, también se enfrenta a denuncias de corrupción. En la FIFA, forma parte de la Comisión Jurídica. Y, a comienzos de 2010, Blatter lo nombra jefe de la Comisión de Medios. Argelia ocupa el puesto ciento treinta y cinco en la Clasificación Mundial de la Libertad de Prensa.

Sin embargo, el rival más fuerte de Sudáfrica en el concurso de la sede mundialista es Marruecos. A diferencia del país del sur, que no apoyó la guerra de Irak, Marruecos se mantiene fiel a George W. Busch.

Así que ahora, en agradecimiento, el gobierno de Estados Unidos apoya la candidatura de Rabat. En especial, Alan Rothenberg, jefe de la organización de la Copa en 1994 y gran amigo de los patrocinadores, se ocupa del trabajo de *lobby* con un presupuesto (según *France Football*) de catorce millones de dólares. Además, el rey Mohammed VI tiene unos ciento cuarenta millones de euros en Suiza que le vendrían bien al fútbol africano, en el caso de que Marruecos ganara. Eso sirve para hacer propaganda y encubrir una cruda realidad: la guerra sucia de Marruecos contra el Sáhara Occidental, la gran cantidad de desaparecidos, los doscientos mil refugiados en el desierto argelino o la denuncia de Amnistía Internacional sobre los presos políticos de Marruecos a los que se les forzó a confesar mediante torturas.

Para Blatter es una situación delicada. El sector estable del empresariado árabe tiene una participación cada vez más activa en el fútbol internacional, y Blatter siempre ha aprovechado la ayuda de sus aliados árabes para obtener votos en África. Ya sea de Catar, Libia o Arabia Saudí.

Sin embargo, todo eso no tiene ningún peso en la adjudicación de la sede para 2010. El país elegido debe ser Sudáfrica. Blatter y sus camaradas tienen la posibilidad de brillar a la luz de personas que han alcanzado esa cumbre a la que el gran presidente tanto aspira: el pedestal del Premio Nobel de la Paz. Nelson Mandela y el arzobispo Desmond Tutu tienen que sacrificarse para complacer la vanidad de la FIFA. Incluso los envían a Trinidad y Tobago, el reino caribeño de Jack Warner, a donde Blatter también acude de inmediato para posar ante las cámaras. Para el capo de la FIFA se trata de encuentros entre personas que están a la misma altura, y saca a relucir todo lo que tiene en común con Mandela: «Por ejemplo, nuestra labor en beneficio de los jóvenes de todo el mundo». Warner también se siente a la par de Mandela: en una visita a Sudáfrica se alojó en la antigua *suite* presidencial. Sí, Jack, *el Destripador*, durmió en la cama de Mandela.[140]

La votación de mayo de 2004 en Zúrich tiene lugar sin estridencias. Sudáfrica vence a Marruecos en la primera ronda por catorce votos a diez. En el World Trade Center de Zúrich, Blatter mantiene la expectativa ante las cámaras: «No tengo ni idea de quién es el ganador. Me enteraré al mismo tiempo que ustedes». Pero antes de que abra el sobre, la cadena Al Jazeera ya está emitiendo las imágenes del festejo en Ciudad del Cabo y en Pretoria. Incluso una hora antes, un directivo africano de la FIFA había filtrado a la corresponsal suiza Leila Smati que Sudáfrica ganaría la votación, en la primera vuelta.

El rey de Marruecos y su colaborador estadounidense tuvieron en cuenta muchas cosas. Poco antes de la votación, el embajador norteamericano Thomas T. Riley comunicó el apoyo de Washington a la candidatura de Rabat, lo que al parecer tendría cierto efecto sobre Coca-Cola, McDonald's, Budweiser, Mastercard y Gillette.

Sin embargo, Sudáfrica también pensó en todo. La delegación de Ciudad del Cabo llegó a contratar a un asesor de riesgos para que justo antes de la votación examinara el estado de ánimo del Ejecutivo, en donde suele circular algún que otro voto a la venta hasta el último momento. Un voto errante, por ejemplo, como el de Jack Warner. Después de la adjudicación se especuló con que en la última noche en Zúrich había habido otra vez mucho movimiento de dinero. Y la delegación de Sudáfrica cree que Warner, finalmente, votó por Marruecos, pese a haberle prometido su voto a Sudáfrica. ¿Y por qué no iba a hacerlo? En cualquier caso, ni Mandela ni Tutu volverían a pisar su isla.

Túnez y Libia retiraron su candidatura algunos días antes. El líder revolucionario Gadafi aprendió que la palabra de un directivo de la FIFA pesa tanto como el viento que se la lleva. Sus medios de comunicación se dedicaron a atacar a Blatter y familia, acusándolos de mafiosos y conspiradores vinculados con el dopaje, el tráfico de drogas, el blanqueo de dinero y las apuestas clandestinas. En Egipto, el país con menos posibilidad de ganar, se habló durante semanas de los millones que supuestamente se habrían utilizado para comprar el favor de ciertos ejecutivos de la FIFA.

Tres años más tarde, en octubre de 2007, Brasil se queda con la sede mundialista para 2014 como único candidato. Esta adjudicación no conmueve al mundo ni mueve dinero. Ni siquiera Blatter consigue darle vidilla a la elección. En una visita a Brasil propone a los vecinos rivales Argentina y Chile que presenten rápidamente una doble candidatura. ¿Está tomando precauciones? Para Blatter, que está acostumbrado a que el sol del fútbol gire a su alrededor, el principio de rotación termina siendo la peor de las condenas, porque lo condena a un papel secundario. La rotación vuelve a conceder el poder de decisión a las federaciones continentales, que ahora eligen por su cuenta a los precandidatos y se adjudican la sede del Mundial a sí mismas. Como sucedió en el caso de Brasil. La confederación sudamericana, la Conmebol, envía a este país como único candidato para que la FIFA lo proclame ganador. Y el papel de Blatter queda reducido al de un presentador de noticias.

El mismo día, en una decisión que se toma por unanimidad, el ejecutivo deroga el sistema de rotación.

El segundo tiempo de Blatter

Los Mundiales de Rusia y Catar

*E*n la FIFA se gesta algo grande y maravilloso. El verdadero origen de esta gestación nunca se conocerá, porque hoy ya nadie quiere reconocer que formó parte de eso. Pero el secretario general Jérôme Valcke habría trabajado en la idea que Blatter anuncia a finales de mayo de 2008: la concesión de los Mundiales de 2018 y 2022 en un paquete. ¡Dos torneos de una sola vez! En el Congreso de la FIFA en Sídney, Blatter justifica este proyecto maravilloso con el argumento de que ofrecerá una mayor seguridad en la planificación tanto a los países organizadores como a los patrocinadores.

Nunca se había hecho una doble adjudicación. ¿Cuál era el motivo? «El dinero», afirma Jack Warner.[141] Esta decisión supone una gran presión para los interesados de todo el mundo. También para aquellos que hubieran preferido esperar algunos años. Pero ahora se trata de los próximos quince años, de las opciones para el evento televisivo más importante del mundo hasta la tercera década del siglo. Se espera que los interesados movilicen todas sus tropas. Y quien conoce el sector sabe que detrás de una batalla global y frenética por una adjudicación hay algo muy tentador: la enorme oportunidad de enriquecerse. Para todo aquel que lo desee. Y no son pocos en la directiva de la FIFA, que se encarga de adjudicar la sede para el Mundial y que consta de veinticuatro miembros. En la votación a finales de 2010 solo están presentes veintidós, los otros dos ya han fracasado en su intento de venderse. Poco antes de la elección, el alboroto es tal que

Blatter se desentiende de la doble adjudicación. «He expresado mi preocupación acerca de esta decisión. Creo que no ha sido una buena idea.» [142] Pero hay que seguir adelante con el procedimiento, aunque en el fondo ya está todo arreglado, como demuestran los resultados de la votación.

La doble adjudicación es definitivamente tentadora. Después de decidir la sede para dos Mundiales habrá paz durante los próximos ocho años, y para entonces ninguno de los viejos camaradas del deporte estará en el Ejecutivo. Así también se arrebata a la siguiente generación de directivos la decisión más importante, y quien lo desee puede volver a dedicarse a llenarse los bolsillos antes de la jubilación.

Sin duda, Blatter ha sido revalidado en el cargo, pero los tiempos se han vuelto ásperos. El hecho de que ya no necesite un estribo, ni amigos que pongan a su disposición un jet privado y lo guíen por el mundo en «campañas electorales salvajes» (Warner), también significa que los viejos adversarios ya no son lo que eran. Y que las relaciones de poder se han desplazado enormemente. Cuando, por fin, Blatter tiene la sartén de Europa por el mango, el exasistente Michel Platini se proclama presidente de la UEFA y lleva a cabo una reorganización en los cargos más importantes, a partir de lo cual muchos puestos relevantes serán ocupados por directivos del sur y el este de Europa. Pronto quedará demostrado que esta nueva política no le sienta bien a la UEFA. Pero Blatter no tiene que meterse. Todo lo contrario. Porque la UEFA pronto dejará de ser esa autoridad que pueda señalarlo con el dedo.

Hay que estar atento, sí, pero a otra cosa. El brasileño Teixeira quiere usar el Mundial 2014 como trampolín para alcanzar el trono de la FIFA. Y hay otros marineros que se vienen rebelando. El primero de ellos es Bin Hammam, que ya muestra ambiciones inquietantes. De repente, el catarí exige un límite de mandatos para la presidencia de la FIFA. Recuerda, como todo el mundo, la petición que les hizo llegar Blatter a los delegados en la batalla electoral de 2002: dadme cuatro años más y mi labor de renovación en la FIFA habrá concluido (como si apenas acabara de terminar el primer tiempo). En 2011, cuando Blatter se lanza nuevamente a hacer campaña, Bin Hammam lanza comentarios envenenados: «¿Qué ha estado haciendo en los últimos treinta y seis años que todavía no ha terminado?». El catarí también se opone a la doble adjudicación. De hecho, al principio ni siquiera apoya la candidatura de su país. Él tiene sus propios planes. Jack Warner también toma distancia. Le parece una ofensa que la FIFA lo haga investigar por la venta ilegal de entradas en Alemania y que le reclame un pago a la empresa que dirige su hijo. Eso le demuestra que las cosas han cambiado. Al igual que Bin Hammam, Warner también se queja del poder absoluto de Blatter: «¡Blatter lo decide todo él solo!». Hasta los novatos de la comisión se quejan, como Franz Beckenbauer, recién llegado en 2007. O lo decide todo él solo, o acuerda decisiones de antemano con un círculo de directivos simpatizantes, rechazando toda discrepancia. Son trucos que solo puede conocer alguien cuya única preocupación es la FIFA. No es extraño que Blatter coquetee abiertamente con la posibilidad de ser un dictador. [143]

Tampoco nadie sabe nada con respecto a su salario o a los gastos presidenciales. Nadie que esté por debajo de él, el único hombre del consorcio FIFA facultado para firmar en solitario. ¿Cuándo, para qué y con qué frecuencia ejerce este extraño derecho? Un ejemplo de la política financiera personal de Blatter es el donativo millonario a la Concacaf de Warner en la recta final de la campaña presidencial de 2011. Supuestamente se trataba de una «ayuda al desarrollo», solo que se lo comunicó a la directiva cuatro semanas más tarde, al recibir presiones. Para entonces, Warner ya lo había dado a conocer.

Personas como Bin Hammam y Warner comprenden que incluso ellos son piezas de ajedrez en el tablero de Blatter. Gozan de muchas libertades, sí, pero ay de ellos si importunan al círculo del presidente. Cuando se produce la ruptura, se dan cuenta de una cosa: que Blatter ni siquiera los mantenía bien informados. ¡Cómo les gustaría ahora anunciar al mundo los números que el presidente sigue ocultando!

Luego están los colaboradores de Blatter que guardan silencio. El bloque francés es tradicionalmente sólido, como si la FIFA nunca hubiera dejado París desde su fundación. Ya

Havelange, en 1974, conquistó el trono con la ayuda de una Francia fuertemente centralizadora, que aportó la presencia de medio cuerpo diplomático en el Congreso de Fráncfort. El origen francófono de Havelange, de procedencia belga, está tan garantizado como el del suizo Blatter. Fue en Francia donde el gran cerebro Dassler edificó su imperio político-deportivo, que sin la ayuda financiera del francés André Guelfi habría resultado un proyecto inacabado. Guelfi siempre resaltaba que él trabajaba para Francia; y sin duda también para el gobierno francés.

Blatter encuentra en Jérôme Valcke a un secretario general francés cuyos antecedentes levantan sospechas, y al que hoy le gusta decir que él y Blatter eran como «dos dedos de la misma mano». Valcke y su paisano Platini son amigos íntimos desde los Juegos Olímpicos de Barcelona, cuando Platini era asesor de Canal Plus y Valcke era quien le daba trabajo.[144] Además, Platini, que durante años vivió en París discretamente con dinero de la FIFA, asume su cargo como presidente de la UEFA con ayuda de Blatter; de repente, se convierte en el príncipe de la corona, candidato al trono de la FIFA. Aquí también entra en escena Jérôme Champagne, el asesor presidencial con los mejores contactos en las esferas del gobierno, al que algunos también creen capaz de ocupar el trono, incluso hasta hoy. Muchos en la FIFA advirtieron el poder de los franceses. Como el africano Issa Hayatou, que en 2002 se atrevió a desafiar a Blatter y que en las elecciones de la CAF en 2003 se encontró con un adversario inesperado que tenía el apoyo de Blatter. En 2003, Hayatou es capaz de impedir lo que no consigue el presidente de la UEFA Lennart Johansson en 2007: que la gente de Blatter lo destrone.

¿Y qué pasa con las grandes federaciones de Europa occidental? Blatter puede contar siempre con ellas, y no solo con Francia, donde la integración con el grupo Amaury es excelente (también gracias a Valcke, el explotador de derechos). De hecho, el mayor acontecimiento del fútbol fuera del campo de juego es la entrega del Balón de Oro al mejor jugador del año, y la organizan Amaury y la FIFA en cooperación.

Italia tiene al representante ideal, Franco Carraro, fiel seguidor de Blatter que dirige la Comisión de Auditoría Interna con un equipo de risa. Más tarde, él mismo se hundirá en un torbellino de escándalos en su país, por fraude deportivo. Los representantes de Alemania, como es tradición, mantienen una postura hipócrita, balanceándose hábilmente entre las críticas a la conducta de Blatter que se formulan en su país y la estrecha camaradería deportiva que los une con Zúrich. La DFB es la mayor federación mundial y nunca fue una amenaza seria para el sistema de Blatter. Alemania calla, y replica a las críticas con hipocresía: saben que en esta organización mundial no conviene hacerse el fuerte. «Querido presidente —le dice Theo Zwanzinger a Blatter en 2011, al asumir su cargo en el Ejecutivo durante el Congreso de Zúrich—, nosotros también le hacemos llegar nuestra más sincera felicitación. Aunque por nuestra cantidad de miembros somos una federación grande, todos nosotros pertenecemos a esta familia del fútbol.» Y luego sigue el humillante agradecimiento por la sede mundialista de 2006, cinco años después de un acontecimiento cuya mención Blatter habría querido evitar a toda costa: «Los alemanes nos sentimos honrados por la Copa del Mundo 2006, y estamos infinitamente agradecidos a la FIFA».

Esta vez, Inglaterra no despliega la alfombra roja. Pero, en general, pone de manifiesto su debilidad a través de una postura indefinida entre el servilismo y la oposición radical, algo que Blatter aprovecha al máximo. Ya en 1998, los británicos le habían servido de estribo cuando cambiaron de bando, cuando abandonaron al presidente de la UEFA Johansson para pasarse al pequeño electorado ilustre de Blatter. En aquella ocasión, Blatter dijo que el apoyo recibido de la madre patria del fútbol era el que más le emocionaba. Y en cuanto asumió el trono, los ingleses exultantes empezaron a decir que Alemania debía de estar «muy preocupada por su candidatura para la sede del Mundial». Egidius Braun, presidente de la DFB en ese momento, respaldaba a Johansson. Dos años más tarde, los ingleses comprendieron cuán ingenuos habían sido. Braun y Johansson forjaron una alianza indisoluble de ocho votos a favor de Alemania. ¿Y Blatter? *Sorry*, Inglaterra. Blatter estaba con Sudáfrica.

En el año 2002, Inglaterra le plantó cara a Blatter. En el Congreso, los británicos analizaron el maquillaje de balances y la imagen mafiosa de la federación. Sin embargo, una pequeña operación de limpieza a través de las comisiones los volvió a colocar en su sitio. Años más tarde, en el concurso de la sede mundialista, se pusieron bajo las órdenes de la FIFA y hasta intentaron usar vías políticas para acallar a la prensa crítica. Y ya en el congreso electoral de Blatter en 2011 vuelven a ser los aguafiestas. El presidente de la federación, David Bernstein, aboga incluso por un aplazamiento de la farsa electoral hasta que se esclarezcan todas las denuncias de corrupción. Luego se produce el escándalo habitual. El 1 de junio, en la Sala de Congresos de Zúrich, los oradores de Fiyi, Congo y Haití defienden a Blatter a gritos. El que habla más claro es el hombre de la República de Benín, que se niega a que Inglaterra prohíba la elección: «Lo que diferencia a los hombres de los animales es la razón», explica. La familia del fútbol rechaza la solicitud de los británicos con ciento setenta y dos votos. El propio Blatter explica la maniobra aguafiestas con estas palabras: «Todo es un acto de venganza porque en 1974 el inglés Stanley Rous perdió las elecciones frente a João Havelange. Y, como nunca más pudieron volver a hacerse con el control de la FIFA, ahora se han propuesto destruirla».[145]

En el mismo congreso, Ángel María Villar demuestra hasta qué punto la potencia del fútbol de España apoya a Blatter. El abogado español forma parte del Comité Ejecutivo de la FIFA desde 1998 y dirige la Comisión para Asuntos Legales, por lo que resulta difícil creer lo que dice: «¡Estoy orgulloso de pertenecer a la FIFA! La gente externa ha manifestado que la FIFA es un desastre y hasta he visto pancartas ahí fuera. Pero aquí vemos cómo realmente es la FIFA. Aquí hay democracia, se debate. Por supuesto que también hay que escuchar a la gente de ahí fuera, pero si esa gente no muestra respeto y critica el trabajo de millones de personas que se ganan la vida con el fútbol, entonces no estoy de acuerdo». Esto sí que es nuevo, ¿alguien ha criticado el trabajo de base en la FIFA? «Alguna gente es grosera y maleducada, no hay que hacerle caso. ¿O es que ahora vamos a desvalorizarlo todo solo porque tenemos problemas en la familia? Aquí está el padre de nuestra familia. ¿Acaso ustedes no tienen problemas en casa? Nosotros los resolvemos en familia.» Aplauso. «Hay ciertos profesionales de la información que, amparándose en el derecho a la información, atacan frontalmente a los demás, sobre todo a los dirigentes del fútbol.» Para el encargado de los asuntos legales de la FIFA, eso parece estar prohibido. «Somos modélicos en el deporte y en la sociedad. Les doy las gracias a todos. Ustedes (los miembros de la FIFA) son gente inteligente, no como ciertos periodistas y políticos.» En fin, que el discurso del abogado español no se diferencia mucho del que pronunció el tipo de la República de Benín.

La ruptura con el «hermano»

En la primavera de 2009, se cuece algo. En el Congreso de la AFC (las confederaciones asiáticas) hay que derrocar al presidente: Mohamed Bin Hammam. Por lo visto, Blatter ya no necesita al que fuera su «hermano». Se conocen desde 1995, cuando Catar organizó el Mundial sub-20. Tras su toma de poder en 1998, Blatter le había escrito una sentida carta a su hermano Mohamed, agradeciéndole y confesándole que sin su ayuda nunca lo habría conseguido. En aquella campaña, Bin Hammam se sacrificó por Blatter hasta el punto de que no visitó a su hijo gravemente herido en Catar. Estaba en París, antes de partir por Learjet hacia Sudamérica, cuando recibió la mala noticia de su mujer: su hijo había sufrido un accidente y podía ser la última vez que lo viera con vida. Después de una noche de insomnio, Bin Hammam tomó la decisión: «Al chico solo pueden ayudarlo Dios y los médicos. En cambio, Blatter me necesita a mí».[146] En lugar de regresar a su casa, voló con Blatter al cono sur para encontrarse con un grupo de partidarios receptivos. Esa lealtad, opina Bin Hammam, debería unir a dos amigos que se consideran hermanos, más allá de los cargos en el negocio del fútbol. Sin embargo, a Blatter no le van todos esos sentimentalismos.

De repente, en el Congreso de la AFC, a Bin Hammam le sale un oponente. Se llama Salman Bin Ibrahin Al-Khalifa, jeque de Baréin, y aunque es completamente desconocido, disputa con el catarí una campaña electoral sucia que dura meses. En la cadena australiana SBS, Hammam acusa al Consejo Olímpico de Asia (OCA) de haber ofrecido dinero a federaciones de la región para apoyar a su adversario. La OCA, con residencia en Kuwait, amenaza con demandar y hace referencia a la conexión de Bin Hammam con la cadena australiana. Les Murray, director de deportes de la SBS, integraba la Comisión de Ética de la FIFA, donde lo había colocado Bin Hammam. Para el catarí, todo está muy claro: Blatter está moviendo los hilos y apoyando al jeque de Baréin. Es algo que ocurre muchas veces en las elecciones de las federaciones periféricas que a su vez son determinantes en la ocupación del Ejecutivo de la FIFA; es típico del gobierno de Blatter. ¿Cómo va a dejarlo al azar? Sin embargo, de cara a la galería, Blatter lamenta no tener ninguna influencia sobre la gente que le colocan las federaciones continentales.

El 8 de mayo de 2009, Bin Hammam cumple sesenta años. Para Blatter y la oposición de la dividida AFC es el último día del hermano Mohamed. En Kuala Lumpur, capital de Malasia, se reúnen cuarenta y seis federaciones. Todo está dispuesto para la victoria del opositor. Japón, Corea del Sur, China, Arabia Saudí, Kuwait, todas las potencias del fútbol asiático están con el jeque. El surcoreano Chung Mong-joon describe a Bin Hammam como un enfermo mental, mientras que el catarí indignado amenaza con cortarle la cabeza, las piernas y las manos a quien se interponga en su camino. Más tarde atribuye sus palabras a un dicho árabe que expresa firmeza. Y vaya si actuó con firmeza en la última noche. En la recepción nocturna previa a la votación, Peter Velappan, secretario general de la AFC durante casi treinta años, contó treinta y un votos a favor del jeque. Sin embargo, a la mañana siguiente, Bin Hammam obtuvo veintitrés, y Salman solo veintiuno (dos votos fueron anulados). «El fraude nocturno —denuncia Velappan— se basó simplemente en sobres de dinero.»[147] La foto final muestra a un Bin Hammam sonriente en la mesa de la cena. A su lado, el hermano Sepp, que parecía estar comiéndose un limón.

Se libra una batalla por el trono de la FIFA. Bin Hammam también está dispuesto a todo. Primero va a ver a Platini para convencerle de que se postule como rival de Blatter en 2011. Platini se niega, para eso puede esperar. Luego Bin Hammam contacta con el eterno opositor Chung Mong-joon, al que, en cierta ocasión, acusara de corrupto y cobarde. También cuentan con Jack Warner. A finales de 2009, lanzan la primera señal: el consejero presidencial de la FIFA Jérôme Champagne será destituido. Para entonces el director de Relaciones Internacionales de la FIFA ha organizado una reunión del Ejecutivo en Isla Robben, la legendaria isla para prisioneros de Sudáfrica, donde Blatter vuelve a coquetear con el Premio Nobel de la Paz. A mediados de enero de 2010, Champagne es despedido. Se dice que por discrepancias internas. Dos años más tarde, el francés explica: «Yo era un fusible político. Mi tarea consistía en molestar, impedir».[148] Champagne permanece en la órbita de la política deportiva. Trabaja como asesor para la Federación de Fútbol de Palestina, apoyando el deporte en ese país con la ayuda de Blatter. A comienzos de 2012 vuelve a ser protagonista, al presentar propuestas inteligentes a las doscientas ocho federaciones nacionales para la reforma y modernización del fútbol. El mundo del fútbol toma nota de que Champagne ha regresado en tiempos revueltos, cuando nadie sabe quién llevará el timón de la FIFA en el futuro. A partir de entonces se le considera un candidato en la sombra, una alternativa a Platini, cuya proximidad con Catar sigue pareciendo sospechosa.

Bin Hammam, Warner y el presidente del fútbol africano, Issa Hayatou, habían provocado la salida de Champagne. Mientras ellos operaban en el nivel de la federación, Champagne era el puente de la FIFA con el mundo de la política, los jefes de Estado, los reyes y los jeques. Estas personalidades también se dirigían a él cuando se trataba de ubicar a sus ministros en un palco de honor durante un mundial. Se dice que Blatter habría tomado precauciones, pues el propio Champagne aspiraba al trono de la FIFA, lo cual es improbable, al menos en aquel momento.

Champagne tampoco se entendía muy bien con la gente de Blatter en el área presidencial. Con personajes como Peter Hargitay, por ejemplo, el consejero de los escándalos. El secretario general Urs Linsi había querido despedir a Champagne varias veces, pero Blatter se negó a hacerle tal favor. Los puntos de disconformidad de Linsi exponen claramente los recelos que provocaba Champagne. En 2005, Linsi trasmite a Blatter una queja sobre «la repetida intrusión política de Champagne en los asuntos de la UEFA». El presidente de la UEFA, Johansson, habría comunicado que «J. Champagne no será aceptado en el Congreso de Tallín». Semanas más tarde, «quejas por parte de Issa Hayatou debido a la intromisión política en los asuntos de la CAF». Y así continúa. Según Linsi, el asesor jurídico de la FIFA habría confirmado que Champagne se opuso firmemente «a la normativa elaborada y revisada por la FIFA y la UEFA», y que era un espía. El comportamiento en la cúpula cuenta con tintes mafiosos: unos desconfían de los otros. En la administración interna también habrían circulado quejas, ya que Champagne supuestamente inició un pleito con un fabricante de artículos deportivos y de esta forma interfirió en un caso CAS en curso. El memorándum concluye así: «Recomiendo […] prescindir de la prolongación de empleo de J. Champagne y le ruego que atienda a mi solicitud por el bien de la FIFA».[149]

Semanas después de la salida de Champagne, Bin Hammam y Chung anuncian en Seúl que el próximo presidente de la FIFA será un asiático. Entonces se produce un terremoto. Las alarmas se encienden para Blatter, que trabaja incansablemente en la preservación de su propio poder. Dos rebeldes trabajan codo con codo para controlar Asia. ¿Y por qué no iba a conseguir Bin Hammam los votos en África, donde siempre los había conseguido para Blatter? Además que el catarí controla la caja de la FIFA, ya que dirige el proyecto Goal y las ayudas al desarrollo. Por si fuera poco, es el encargado de repartir las ayudas de su emir entre los países pobres, como el proyecto Aspire, un programa colosal para fomentar el deporte que se extiende hasta el tercer mundo. Y si encima se les une Jack Warner, que siempre ha colaborado con Bin Hammam en las campañas electorales de Blatter, ¡entonces ya no se podrá salvar el trono!

La cosa está que arde. No falta nada para el Mundial de Sudáfrica, donde también se amontonan los problemas y crece la hostilidad hacia la FIFA. Pero lo más urgente en ese momento es defenderse de la acusación de las autoridades de Zug. La investigación ha avanzado notablemente. Ya no se investiga a «desconocidos que han actuado en detrimento de la FIFA», sino a dos personas originarias de la FIFA y (¡alarma!) a la FIFA misma. Esto se efectúa a modo sustitutivo, «subsidiario», como se dice en el derecho penal societario, ya que los fiscales no están en condiciones de proceder de forma lo suficientemente concreta contra los responsables a nivel individual. Sin embargo, en ese momento a los acusados les conviene ceder, admitir las acusaciones y ampararse en el sobreseimiento del artículo 53 del Código Penal. Para dejarlo claro: el artículo 53 hace referencia a lo que se denomina «sanciones aplicables», y es todo lo contrario a una sentencia absolutoria. En total, las partes tienen que pagar cinco millones y medio de francos. Por el momento se puede digerir que el sobreseimiento haga referencia por escrito a un aspecto clave de la sucia verdad. Blatter y compañía esperan que el documento que revela las verdaderas prácticas empresariales de la FIFA nunca vea la luz.

Y finalmente se lanzan las candidaturas para los Mundiales de 2018 y 2022. Esta vez se enfrentan más países que nunca: Inglaterra, Rusia, Estados Unidos, Australia, Japón, Corea del Sur, Catar. A esto hay que sumar las parejas de aspirantes España-Portugal y Holanda-Bélgica.

Aun así, Blatter no puede permitirse la aparición de ningún otro oponente en la FIFA. Tiene que estar al loro. ¿Y si se deshace de los viejos amigos? Las aventuras de los amigos, que él, cuando menos, ha tolerado a conciencia, terminan por salpicar al jefe. Para el sector perspicaz de la opinión pública está claro por qué Warner y compañía pueden negociar sin escrúpulos con los bienes del fútbol. En ese momento, la posibilidad de que un día Warner lo haga público es algo que Blatter no sospecha.

Escuchar y vigilar

Desde hace tiempo se están infiltrando en la FIFA nuevos colaboradores. Especialistas en asuntos espinosos. Personajes como el enigmático Peter Hargitay, que no se sabe bien para quién trabaja, pero para el que las puertas de la FIFA siempre están abiertas. Para saber de qué pasta está hecho basta con leer su deseo para Año Nuevo: «Por un 2012 sin predicadores escandalizados ni moralistas descerebrados». Hargitay llega con Blatter en 2002. Es un suizo con raíces húngaras que afirma haber sido cónsul de Hungría en la tierra alpina. Dirige la consultoría European Consultancy Network (ECN), que ofrece «asesoramiento sobre gestión, relaciones gubernamentales, *lobby*, desarrollo empresarial; asesoramiento estratégico para medios de comunicación internacionales; asesoramiento a entidades de la Administración y a asociaciones deportivas nacionales y regionales en licitaciones y organización de eventos». Solía tener también páginas web con ofertas que abarcaban hasta servicios de investigación privada, y que rápidamente desaparecieron.[150]

Las actividades anteriores del consejero presidencial sugieren que se ocupaba de las relaciones públicas, trabajando para empresarios y personajes siniestros. Por ejemplo para la industria química norteamericana Union Carbide, cuya fábrica de pesticidas en la región de Bhopal (la India) estalló en 1984: murieron unas dieciséis mil personas por la liberación de gases tóxicos. La compañía posteriormente adquirida por Dow Chemical volvió a recibir críticas en 2012, antes de los Juegos Olímpicos de Londres. Union Carbide no habría respondido por los daños causados a las víctimas de Bhopal, y se calcula que cientos de miles de personas sufren las consecuencias hasta hoy. En 2012, Dow Chemical es el patrocinador estrella de los Juegos de Londres. Cuando se desata la polémica y la India amenaza con boicotear la celebración del evento, el presidente del comité organizador, Sebastian Coe, antiguo presidente del Comité Ético de la FIFA, tiene que negociar. Se pacta que el logo de Dow Chemical no estará a la vista en el Estadio Olímpico de Londres. Más tarde, la plataforma Wikileaks revela un hecho inquietante que difícilmente se puede considerar un caso aislado. A través de los correos electrónicos internos de la empresa privada de inteligencia Stratfor, domiciliada en Texas, se descubre que Dow Chemical habría contactado con esta agencia para que llevase a cabo un seguimiento de los activistas de Bhopal, entre los que se encuentran defensores de los derechos humanos (International Campaign for Justice in Bhopal) y ecologistas (National Wildlife Federation). Dow no se pronuncia. Sin embargo, un portavoz de Stratfor denuncia el acto «ilegal» y afirma que los correos electrónicos habrían sido robados y posiblemente alterados. Coca-Cola, otro cliente de Stratfor, trata de forma más abierta las revelaciones de Wikileaks: en 2010, en el entorno de los Juegos de Invierno de Vancouver, la marca de refrescos había encargado a la agencia que vigilara a la organización protectora de animales PETA. La organización había atacado a Coca-Cola por supuestos experimentos con animales y habían planeado acciones de protesta. La multinacional, en tanto que primer patrocinador mundial de eventos deportivos, explicó que es «una práctica habitual observar las protestas que se producen durante los grandes acontecimientos que patrocinamos y que pueden afectar a nuestros socios, clientes, consumidores y trabajadores».[151] Ya hace tiempo que escuchar y vigilar es una costumbre en todas partes.

Sea como sea, volvamos al hombre que resuelve problemas para Blatter: Hargitay. También se ocupa de los problemas de Marc Rich, un comerciante de materias primas norteamericano exiliado en Zúrich y que figura en el *top ten* de los hombres más vigilados por el FBI. Rich había burlado a lo grande las sanciones de las Naciones Unidas contra el *apartheid*, y durante un tiempo se le consideró el mayor evasor de impuestos de Estados Unidos. A mediados de los noventa, Hargitay viaja a Jamaica, donde trabaja para una firma propietaria de un barco en el que la policía confisca un cargamento de cocaína. Hargitay pasa siete meses en prisión; luego lo declaran inocente, no está implicado, y recibe las disculpas del gobierno jamaicano. La gente de Blatter en la isla afirma que Hargitay se habría hecho pasar por exdiplomático y miembro del servicio de inteligencia militar suizo. Regresa a Zúrich, donde opera desde el domicilio de una agencia de detectives privados. La agencia cuenta entre sus directivos con un políglota suizo de procedencia húngara, sobre el que no se da información detallada, que está especializado en gestión de crisis y tiene experiencia en la zona del Caribe, y que supuestamente fue cónsul de Hungría en Suiza. ¿Quién será? La agencia ofrece de todo: «vigilancia a niveles gubernamentales y militares», operaciones encubiertas, y hasta un servicio de «expertos en *software* con cualificación de *hackers*».[152]

¿Se refiere Blatter a esta gente y tales especialidades cuando dice que el espionaje es su pasión, que, en cierto modo, es parte de su trabajo, y que después de mil cuatrocientos días de servicio militar a veces se siente como James Bond?[153]

La vinculación del consejero presidencial con estas actividades secretas sale a la luz cuando Hargitay y su consultoría ECN son contratados por el equipo de Londres que presenta la candidatura para el Mundial. Los británicos están tan encantados con la estrecha relación que mantienen con Blatter que hasta le perdonan la mala prensa que se ha ganado, y también pasan por alto que la ECN ya no tiene su domicilio fiscal en Londres, sino en Chipre. Después de algunos meses, Hargitay abandona a los ingleses y se pasa al bando de Bin Hammam, al que supuestamente ayuda a defender el trono de la AFC. Bin Hammam niega esta colaboración. Sea como sea, poco después, Hargitay termina asesorando a los australianos en la candidatura. Así es como conoce a otro experto en asesoramiento deportivo: Fedor Radmann. El dúo de asesores no tarda en despertar la preocupación de los medios australianos, que revelan un encuentro arreglado por Hargitay entre Jack Warner y el primer ministro Kevin Rudd. De repente, la Federación Australiana de Fútbol (FFA) financia una excursión de la selección sub-20 de Trinidad que viaja a Chipre para entrenar. Es algo que incluso la FIFA quiere investigar.[154] Rafael Salguero, el amigo guatemalteco de Warner en la Concacaf y la FIFA, viaja con su mujer a Australia.

¿De qué se ocupan exactamente estos dos oscuros creadores de redes de contactos, Hargitay y Radmann? Localizan a gente de la FIFA que podría votar por Australia, facilitan información sobre estas personas y arreglan encuentros con ellas. Se llama estrategia internacional, y no solo se lleva a cabo en Australia. Los medios afirman que si tienen éxito podrían llegar a embolsarse hasta tres millones de euros cada uno, y publican documentos internos de la FFA donde se deja constancia de la negativa a presentar la estructura de costes detallada referente a los servicios prestados por Hargitay y Radmann.[155]

El 2 de diciembre de 2010, Australia se queda fuera de la adjudicación de la sede mundialista en la primera vuelta, después de haber obtenido un solo voto. Un desastre que traerá consecuencias. En el entorno de Frank Lowy, el empresario multimillonario australiano que estaba detrás de la candidatura, se forma un grupo para examinar a fondo la decisión de la FIFA. El propio Lowy da lugar a especulaciones, al dejar claro, una y otra vez, que para él la decisión sobre Catar 2022 todavía no está tomada. «Todavía no se ha dicho la última palabra», declara en diciembre de 2011, después de su reelección como presidente de la FFA.

Mientras tanto, Hargitay, el asesor sin éxito de los australianos, se ocupa de otros asuntos en la órbita de la FIFA. Y en la FIFA misma, en marzo de 2010, aparece un peso pesado en materia de seguridad: Chris Eaton. Viene de la Interpol, ha sido jefe de la policía criminal internacional y miembro de la policía nacional en Australia. Eaton también fue jefe de investigación y director de la Oficina Europea en el caso Petróleo por Alimentos, entre 2004 y 2005, a cargo de la ONU. Al frente de aquella comisión de investigación estaba el trío integrado por Paul Volcker (Estados Unidos), Richard Goldstone (Sudáfrica) y Mark Pieth (Suiza). Ahora Eaton, como jefe de seguridad de la FIFA, debería ocuparse entre otras cosas de la manipulación de partidos y apuestas.

El predecesor de Eaton se llama Pius Segmüller. Antes de asumir su compromiso con la FIFA, estuvo al frente de la Guardia Suiza del Vaticano, y luego ingresó en el Parlamento suizo. Además, Segmüller dirige una empresa de seguridad, algo que es cada vez más frecuente en la periferia de la FIFA. La Swissec AG de Segmüller ofrece «una amplia gama de servicios de seguridad de un mismo proveedor». Como director de proyectos de la consultoría de comunicación figura el portavoz de la FIFA de toda la vida, Andreas Herren. Hasta 2010, Herren también participó en la exitosa candidatura de Rusia, y luego empezó a trabajar en Match AG, la agencia de la FIFA.

Segmüller integra la Comisión de Política de Seguridad del Parlamento suizo. Allí se hacen contactos. El mundo de la seguridad es pequeño y está muy bien conectado. En el encuentro anual de los guardias suizos de Valais, Segmüller se encuentra casualmente con su antiguo vicepresidente y sucesor en la Guardia Suiza papal, Elmar Mäder. Gente como Segmüller y Mäder son solicitados por su red internacional de contactos. Como jefes de seguridad del Vaticano pudieron entablar relaciones importantes en las altas esferas. Y también en el mundo del deporte.

Segmüller, sin embargo, tiene poco éxito profesional. Según los corrosivos medios suizos, en 2012, Ueli Maurer, miembro del Consejo Federal, tiene que recurrir a las arcas públicas para «alimentar» al miembro destituido del Parlamento. El exjefe de seguridad de la FIFA y del Vaticano se convierte así en el primer defensor del pueblo en el Ejército, un puestecito que se habría creado especialmente para él.[156] Tal cosa iba a ser bien recibida por parte de la clientela religiosa.

Blatter es muy católico, como muchos altos dirigentes del deporte. El presidente del COI Samaranch era supernumerario, como se les llama a los miembros de la prelatura del

Opus Dei.[157] En 2001, Blatter consigue una audiencia con el papa y dona cincuenta mil francos.[158] Un año más tarde, la FIFA tiene un problema. El periódico *Blick* destapa un escándalo en la Fundación Limmat, que se presenta como interconfesional, pero que es la cabeza financiera del Opus Dei con una fortuna de veinticinco millones y medio de francos. En parte, las donaciones también fluyen a través de un banco al que se le atribuye una relación con el Opus Dei (seis de los ocho consejeros de la fundación serían miembros de la reaccionaria sociedad secreta del Vaticano). El comité patronal está integrado por eminencias de la política, la economía y el deporte. Entre ellos, Michel Zen-Ruffinen.

Debido a la cercanía con el Opus, el secretario general deja enseguida el comité. Herren, vocero de la FIFA, explica: «El señor Zen-Ruffinen no puede permitirse mantener una relación estrecha con una organización tan controvertida». La FIFA, junto con la Fundación Limmat, había financiado la construcción de un polideportivo en Colombia para los niños de la calle, supuestamente sin saber nada sobre su relación con el Opus. Alguien que por aquel entonces era miembro del patronato de Limmat y que no tenía ningún «miedo al contacto» era Ueli Maurer, del Partido Popular Suizo (SVP), hoy ministro de Deportes.[159] En una carta a Zen-Ruffinen, el director de la fundación lamenta aquel «hecho triste», aunque sostiene que en la reunión del 2 de febrero se habría «dejado clara» la relación con el Opus.[160]

La permanencia en Roma de Segmüller y Mäder (su sucesor en la Guardia Suiza) es más bien breve. Ya en 2008, Mäder se retira del Vaticano. En 2009 se incorpora a la sede de Zúrich de la empresa alemana de seguridad Prevent AG. Su principal tarea, según cuenta durante la rueda de prensa en la central de Hamburgo, consiste en asesorar a empresas en caso de que se descubran oscuros manejos. Un «elemento esencial» de su nueva actividad es supuestamente el cumplimiento de las normas éticas.[161]

Sin embargo, en ocasiones, su nueva empresa desempeña un papel sospechoso. En noviembre de 2010, la Brigada de Investigación Criminal de Hamburgo registra las oficinas de la empresa de seguridad en diferentes ciudades alemanas, además de los domicilios privados de los directivos. Se sospecha que el fundador de Prevent, Thorsten Mehles, y un directivo le atribuyeron falsamente a un mánager neoyorquino del HSH Nordbank la posesión de ciertos documentos, para lograr un motivo para su despido. Mehles, que había sido jefe de departamento en la Oficina de Interior en Hamburgo, dirigió más tarde la lucha contra la delincuencia organizada. Después de un breve periodo en el Servicio Federal de Inteligencia (BND), fundó Prevent AG junto con Jürgen Gramke, el político del Partido Socialdemócrata Alemán (SPD).

En 1994, Gramke desempeña el cargo de ministro de Economía durante tres meses en Sajonia Anhalt, luego presenta su renuncia. El *Berliner Zeitung* considera que el breve ejercicio de su función ha sido un fracaso. El periódico afirma que Gramke tendía a tomar decisiones «no acordadas con el gobierno, sino con su equipo de asesores particular», en una especie de «gestión pública paralela».[162] La gente influyente del SPD habría apadrinado la fundación de Prevent. El objetivo, según *Spiegel*, era «crear una organización que ayude a las empresas en una situación jurídica delicada. Es decir, una empresa que se ocupe de aquellos asuntos que no deberían salir a la luz. En las salas de reuniones de importantes empresas, políticos renombrados de Alemania se mostraron a favor de la firma Prevent, hasta entonces desconocida».[163]

El exsenador de Hamburgo Udo Nagel también se pasa a Prevent, como lo hizo August Hanning, anterior presidente del BND y secretario del Ministerio del Interior. De vez en cuando surgen quejas a raíz de las facturas sobreestimadas de la firma. Pero en el caso del HSH Nordbank se trata de algo más que de una sobrefacturación: entre febrero de 2008 y octubre de 2009, los espías de Prevent recibieron del banco más de siete millones de euros por servicios de formación, protección personal y asesoramiento en materia de seguridad. En el caso del HSH también existe la sospecha de que la firma hubiera espiado a los empleados y hubiera facilitado motivos para despedir a ejecutivos poco apreciados. Jürgen Roth, experto en temas relacionados con la mafia, escribe que «mientras tanto, Prevent va perdiendo brillo, después de que en las ediciones del *Spiegel* de finales de 2010 se afirmó que algunas actividades de la empresa no eran nada limpias, una acusación que la directiva de la firma negó categóricamente».[164] La compañía terminó por declararse insolvente.

Pocos meses antes de la declaración de insolvencia, la empresa se hace notar en el mundo del fútbol, ofreciéndole a la UEFA el proyecto Offside. A principios de 2010, los detectives de la empresa informan a la federación sobre la existencia de un testigo ruso que estaría al corriente de un supuesto amaño en la semifinal de la Copa de la UEFA de 2008 entre el Zénit de San Petersburgo y el Bayern de Múnich. Suena descabellado, pues justamente se considera al Bayern uno de los clubes más serios del mundo. Además, ambas partes llevan años negando de plano cualquier irregularidad. Por otro lado, sí que existen sospechas sobre este partido, reveladas por la justica española, cuyos investigadores habían realizado escuchas telefónicas durante meses en una operación encubierta contra el blanqueo de dinero. En las conversaciones del mafioso Tambovskaya, habían pescado al vuelo algunos detalles sobre una posible victoria amañada de los rusos por 4 a 0, así como también sobre un amaño en la final, en la que el Zénit venció al Glasgow Rangers por 2 a 0. Todos los clubes implicados negaron categóricamente la manipulación de tales resultados. Prevent habría despertado interés afirmando que su testigo poseía documentos que, al parecer, probaban «el envío de dinero que se realizó por ese partido». Así consta en un informe interno de la UEFA sobre la primera reunión con Prevent,[165] en el que un investigador de la federación europea, exmiembro del Servicio Nacional de Investigación (LKA), detalla el encuentro con Mehles, director de la firma. Mehles propone trabajar en equipo. Se producen varios encuentros. Incluso la empresa de seguridad envía contratos de asesoramiento firmados al responsable de la UEFA Peter Limacher, que corresponden al proyecto Offside, pensado como «apoyo forense a la UEFA en casos sospechosos». Concretamente se refiere al esclarecimiento del presunto caso de San Petersburgo. Y aunque no se menciona en el documento, Prevent advierte de forma explícita que «la prestación de servicios requerirá de cuatro a seis viajes en avión al norte de Europa para dos personas». Y es que muy en el norte donde supuestamente reside el misterioso testigo. La UEFA aprueba la oferta de Prevent, aunque, al parecer, sin firmar ningún contrato. En la oferta, la empresa pedía unos honorarios diarios de dos mil cuatrocientos euros por trabajador, más IVA. Además, una cláusula le habría permitido a la firma acceder a la información interna de la UEFA. Esta también sería una razón por la que el jefe de los servicios de disciplina de la UEFA rechazó la oferta. Más tarde, Prevent declara que no dispone de ninguna información sobre la manipulación de un partido entre el Zénit y el Bayern.[166] ¿Cuál era el verdadero propósito del proyecto Offside?

Al cabo de unos meses, a Limacher lo suspenden y pierde su trabajo. Supuestamente había hecho falsas afirmaciones para la revista *Stern* acerca de investigaciones contra el Bayern de Múnich. Hasta entonces, Limacher era el investigador de mayor prestigio. Ahora un fallo del juzgado de primera instancia de Hamburgo confirma que se ha tragado los cuentos de un impostor del mundo de las apuestas. Se trata de otro acusado, un colaborador suyo que evidentemente tiene contactos en la Verfassungsschutz (la agencia de inteligencia policial del gobierno alemán). El 12 de enero de 2012, los dos hombres son condenados en primera instancia por calumnia y difamación (la querella se prolonga durante años). Para la jueza no tiene ninguna validez que el dúo de la UEFA insista en la promesa de estricta confidencialidad de los periodistas, ya que considera que ambos actuaron «con premeditación».[167] Ahora bien, ¿qué motivo podía tener Limacher? ¿Quería ser noticia al formular falsas acusaciones que no podía probar y así perder su empleo?

En el intercambio de correos electrónicos con los investigadores de la UEFA, los periodistas muestran un enorme interés por Prevent AG. Hacen preguntas muy detalladas sobre su función; meses más tarde, hasta se reúnen con gente de la agencia. Sin embargo, en el juicio, la empresa no pinta nada. Limacher no cree que lo haya engañado un impostor, así que apela. Mientras tanto, Chris Eaton, jefe de Seguridad de la FIFA, comenta el caso desde Zúrich: si bien todavía no sabe por qué el colaborador de Limacher ya intentó infiltrase en la FIFA durante el Mundial de Sudáfrica, tiene sus sospechas. Sea como sea, el argumento de que trabaja para un servicio de inteligencia es «ridículo».[168] No es la primera vez que el antiguo hombre de la Interpol llama la atención por la información comprometedora que posee acerca de ciertas personas, que como jefe de Seguridad de la FIFA no debería tener. Sobre todo porque su organización privada siempre está bajo sospecha. ¿Es que, acaso, la federación tiene acceso a información confidencial? Eso sería más que inquietante. Y evidentemente así es. Un informe de junio de 2010 elaborado por Eaton acerca de un colaborador en el Mundial de Sudáfrica dice lo siguiente: «Puedo asegurar que en Alemania existe un expediente confidencial sobre él». Al parecer, todavía no tiene nada concreto, pero «es probable que lo averigüe en el transcurso de la semana». Y luego la advertencia: «Esto debe quedar entre nosotros».[169]

El despido de Limacher causó un gran impacto en el sector; abrió una brecha. Hasta entonces, a aquel suizo se le consideraba el hombre más capaz en la lucha contra las apuestas fraudulentas. Incluso en 2009, él y la fiscalía de Bochum presentaron más de doscientos partidos manipulados. Ya antes, Limacher había percibido que en la UEFA de Platini soplaban otros vientos, cuando se produjo un caso notablemente más sospechoso: la adjudicación de la Eurocopa 2012. Durante un año, un directivo de la Federación de Chipre le va presentando a la UEFA presuntas pruebas de fraude en la elección de la candidatura. Cuando las acusaciones llegan a Limacher, este quiere llevar a aquel hombre a Ginebra. Los billetes de avión ya están reservados, pero, cuatro días antes del encuentro, los altos directivos de la UEFA se apresuran a impedir tal acción de investigación. Y eso es algo que Limacher no llega a comprender (ver el capítulo «Un testigo al que nadie quiere»). Es agosto de 2010. Tres semanas más tarde, Limacher es despedido.

Interpol y compañía

En un mundo de tráfico de información, en el que las agencias de detectives proveen a sus clientes de teléfonos móviles codificados, es natural que las relaciones se desarrollen en las tinieblas. «Por favor, comprenda que solo por razones de competitividad no podemos tomar una posición respecto a clientes, posibles clientes, consultas, análisis o hechos.» Este mensaje de la empresa de seguridad Prevent describe muy bien a todo el sector del espionaje.[170]

El comentario de Eaton, el jefe de Seguridad de la FIFA, sobre el juicio contra Limacher no es casual. El polémico colaborador de Limacher también provocó un escándalo en la FIFA, por donde anduvo una temporada como mediador de apuestas durante el Mundial de Sudáfrica. Al poco tiempo, se marchó. Meses más tarde, cuando se desata la tormenta para Limacher, se habla mucho de un dosier de la FIFA según el cual hace tiempo que el hombre ya habría sido identificado como estafador e incluso como una amenaza considerable para la UEFA.[171] Naturalmente, la FIFA se niega a responder preguntas sobre el dosier.

A Sepp Blatter se le atribuye una conexión con Gramke, uno de los fundadores de Prevent. Esto salta a la vista más de una vez. En la Copa del Mundo de 2006, Gramke lleva a una delegación internacional de invitados al partido de semifinal entre Italia y Alemania. Allí posa con Blatter en la entrega de un banderín de la FIFA con el que el presidente premia a la gente de Renania del Norte-Westfalia por su apoyo a la selección alemana. Gramke también es un hombre del deporte; en Alemania fue directivo en las federaciones de fútbol americano y de vela. También es directivo en el Institute for European Affairs (Inea): una suerte de «organización intelectual, existente desde 1995, que ejerce su actividad de diferentes maneras». El instituto promueve «una creciente familiaridad entre líderes de toda Europa». En el cuerpo de dirigentes de dieciséis miembros, integrado por expolíticos, se encuentra Hanning, exsocio de Prevent.

Inea tiene que elaborar para la FIFA un informe jurídico innovador sobre el proyecto preferido de Blatter, la compatibilidad de la regla 6+5 con el derecho comunitario europeo. Esta regla, clásico numerito circense del jefe de la FIFA, se propone limitar la cantidad de extranjeros en un equipo profesional a cinco jugadores como máximo en la formación inicial. Pero esta restricción basada en criterios de nacionalidad va contra los férreos principios de la UE. La Comisión Europa deja claro que procederá en contra.

En 2009, Inea entrega el peritaje de doscientas páginas para la FIFA. El director Gramke remarca que se trata de un estudio independiente: «No existen instrucciones por parte de la FIFA». El resultado es favorable para la federación: «La cuota "6+5" que propone la FIFA está en consonancia con el derecho comunitario europeo». Los peritos remarcan continuamente la autonomía del deporte. A modo de «justificación», consideran que la idea de reglamentación de Blatter representa «a lo sumo una discriminación indirecta o encubierta». Lo que tampoco es malo. Al fin y al cabo, la FIFA tiene «derechos y libertades fundamentales propias que requieren de un margen de acción mucho más amplio». La autonomía de la federación justifica restricciones sobre la libertad de mercado.

La FIFA sale a anunciar la noticia con alegría. «Blatter proclama la victoria del 6+5», titula *The Independent*, y lo cita: «El estudio confirma que con la regla 6+5 no estamos violando el derecho europeo vigente. En nombre de la FIFA y de sus miembros, expreso mi alegría por este resultado». Y Gramke, la mar de contento: «No existe ningún conflicto con el derecho europeo». Sin embargo, la UE no se suma al festejo. Hace tiempo que la regla se ha desestimado.[172]

Chris Eaton también aporta los mejores contactos con el discreto mundo de la seguridad que rodea a Blatter. De hecho, el robusto australiano mantiene los contactos con la central de la Interpol en Lyon, donde trabajó diez años con una interrupción de quince meses para dedicarse a investigar el caso de Petróleo por Alimentos. La descripción detallada de sus funciones contempla «medidas de seguridad estratégicas para proteger los intereses y los bienes de la FIFA contra riesgos y amenazas». [173]

Suena como si se tratara de un enemigo serio, cuando, en realidad, no es más que una banda de trileros asiáticos que prefieren operar en las ligas menores. En realidad, en el campo de las apuestas no se hacen grandes progresos, más allá de que Eaton presenta una ingente cantidad de informes. Por ello la FIFA refuerza notablemente la red de contactos policiales. En diciembre de 2010, se acerca a otro hombre de la Interpol: Frederick Lord. Como director adjunto en Lyon es el encargado de la primera base de datos anticorrupción en el orden internacional (UMBRA). Hace años, Lord también trabajó en la policía australiana, en el área de inteligencia y reconocimiento. [174] La idea es reclutarlo para que investigue las apuestas fraudulentas. Todo parece ir bien, pero luego, en el último momento, se rompe el compromiso. La FIFA retira su oferta.

¿Qué fue lo que pasó en el último momento? Lord hizo una declaración para el *Telegraph* británico a través de la central de la Interpol: «Considero que todas las discusiones y negociaciones mantenidas con la FIFA son un asunto privado, y todas las especulaciones ajenas son exactamente eso: especulaciones». [175]

El hecho adquiere sentido tiempo más tarde.

En la FIFA de Blatter, donde desde hace tiempo no es seguro hablar por teléfono y el personal evita las conversaciones privadas, no solo se ha desarrollado un servicio de seguridad propio. La federación trabaja en equipo con agencias de detectives que están en contacto con las altas esferas. No solo excolaboradores, periodistas y hasta diputados notan algo extraño. Aquellos que investigan a la FIFA se preguntan todos los días si alguien los está escuchando. Nunca se mantiene una conversación comprometedora por teléfono. El periodista británico Andrew Jennings cuenta que unos expertos en delitos de British Telecom le registraron la casa a fondo después de comprobar que un desconocido llevaba tiempo intentando conseguir los detalles de sus llamadas internacionales. [176]

En el verano de 2011, el excolaborador y crítico de la FIFA Guido Tognoni se entera de que le han pinchado la línea telefónica. Hay que aclarar que, en ninguno de estos casos, existen pruebas de un nexo con la Federación Mundial de Fútbol. Solo cabe preguntarse qué explicación tiene el aumento de estos incidentes concretos.

El negocio de escuchar y vigilar está en pleno auge. Como muy tarde, el «boom» empezó después del 11-S, cuando quedó demostrado que ni siquiera los servicios de inteligencia de máximo nivel como la CIA, la NSA o el Mossad estaban en condiciones de parar un atentado terrorista de una logística sencilla. A partir de entonces, la industria de la vigilancia crece a una velocidad endiablada en todo el mundo. Al mismo tiempo, gran parte de la tecnología y el personal especializado se pierde en una zona gris gigantesca, cuya razón de ser no tiene nada que ver con el interés público de los países democráticos, sino más bien con el de los gobiernos, como demuestra el escándalo de las escuchas de la NSA que conmocionó al mundo, pero también con el interés de los regímenes autoritarios, y de todas las organizaciones y multinacionales que quieren inspeccionar de forma inadvertida a su entorno empresarial, a su personal, a su competencia o a quien sea.

Precisamente en Occidente, el monopolio de las fuerzas de seguridad del estado está pasando a ser propiedad de particulares adinerados. En muchos países, el proceso tiene razones de costes. En todas partes aumentan las jubilaciones y las pensiones, por lo que el estado tiende cada vez más a privatizar el monopolio de la fuerza. La consecuencia son las empresas de seguridad. Contratan a directivos de renombre sin una función clara, que además de su reputación aportan contactos discretos. Y así, bajo las presiones económicas, es como el estado del Gran Hermano se va creando a sí mismo.

Desde 2001, el volumen de ventas anuales en el mercado de productos para escuchar y espiar, como la tecnología *hacker* o los dispositivos de escucha de máximo rendimiento, ha dado un salto de prácticamente cero a cinco mil millones de dólares. Se trata de un nuevo comercio de armas. Durante la Primavera Árabe, en Egipto y Libia aparecieron dispositivos para la vigilancia estatal de Internet, productos que nunca podrían haber llegado a esa zona. Y, desde luego, los fabricantes afirman no tener la menor idea de cómo sus aparatos pudieron ir a parar allí. [177]

El escándalo de las escuchas alrededor del periódico sensacionalista británico *News of the World*, perteneciente al consorcio mediático News Corporation de Rupert Murdoch, demuestra hasta dónde ha llegado ya la vigilancia privada y la recogida de información. Gracias a la ayuda de piratas informáticos, los periodistas del *NotW* habían pinchado los teléfonos de futbolistas famosos, estrellas de cine como Jude Low y Hugh Grant, políticos y hasta hubo una chica asesinada. En 2011, News Corp cerró el periódico con una pérdida (según sus datos) de noventa y un millones de dólares debido al escándalo. Ya en 2008, el *News of the World* había espiado telefónicamente al directivo del fútbol Gordon Taylor, que puso una demanda y exigió una indemnización. James Murdoch, hijo del propietario del periódico, autorizó el pago de 700.000 libras para el ejecutivo: 475.000 de indemnización y 275.000 de costes de abogados. Un perito tenía pruebas contundentes de «una práctica ilegal de recogida de información por parte del *NotW*», por lo que cualquier proceso habría dañado considerablemente la reputación del medio.

La directora ejecutiva de *News International*, Rebekah Brooks, íntima de Murdoch, es arrestada en varias ocasiones (hasta 2003 había sido directora del *News of the World*). Al mismo tiempo, el máximo oficial de la policía británica, sir Paul Stephenson, presenta su dimisión tras muchas especulaciones. El jefe de la Policía Metropolitana de Londres se hizo pagar parte de su estancia en un balneario exclusivo. Su antecesor, lord John Stevens, ya tenía contactos con Rebekah Brooks y otros directores editoriales. Entre 2000 y 2005 tuvo, por lo menos, seis citas documentadas con Brooks, tres de ellas para cenar. Hubo más encuentros para cenar o almorzar con otros representantes del *News of the World* que más tarde se vieron seriamente implicados. Todo esto estaba en la agenda de Stevens, que en 2005 fue apartado de su cargo en la policía. Al principio, las anotaciones se dieron por perdidas, pero luego aparecieron en el curso de una «investigación esmerada», según explicó en 2011 el jefe de la Policía de Londres.[178] Actualmente, Stevens trabaja para una nueva empresa de seguridad deportiva con sede en Catar: International Sport Security Conference (ISSC).

En el escándalo de las escuchas del *NotW* también se supo que algunos policías pasaban información al periódico a cambio de dinero. Incluso el primer ministro, David Cameron, se vio afectado. En quince meses de mandato se reúne en veintiséis ocasiones con Murdoch o sus altos directivos. Las investigaciones parlamentarias se ponen en marcha, el escándalo se debe analizar judicialmente. Pero detrás de toda esta historia sobre el espionaje de Murdoch y las altas esferas de la policía y la política late una pregunta esencial: ¿cabe imaginar que esta práctica repugnante se llevó a cabo durante años solo en esta empresa, solo en este sector? Meses más tarde, el escándalo de las escuchas salpica al tabloide sensacionalista *The Sun*, y luego también al *The Times*, donde un periodista habría espiado correos electrónicos.[179] En lo que respecta al *The Sun*, la policía de Scotland Yard detuvo a seis redactores jefe. En la Comisión de Investigación, una funcionaria policial de este cuerpo habla incluso de indicios de que la práctica empresarial de *The Sun* de pagos a la policía eran algo habitual.[180]

En Francia también se desencadena un escándalo de espionaje en las altas esferas, cuando al parecer espían a periodistas del célebre periódico *Le Monde*. Una jueza de París inicia un proceso de investigación contra Philippe Courroye, fiscal competente e íntimo amigo de Sarkozy, por sospecha de violación del secreto de información y recopilación de datos encubierta con ayuda de «medios ilegales, desleales y engañosos». En este caso, se habría examinado la lista de contactos de los periodistas en cuestión, que investigaban el escándalo de la presunta financiación ilícita de una campaña electoral por parte de la accionista de L'Oréal, Liliane Bettencourt. Como fiscal competente, Courroye había ordenado localizar las fuentes de *Le Monde*. Se formularon serias acusaciones contra el jefe de la policía francesa Frédéric Pécherand y el director del servicio de inteligencia del país. El mismo periódico había informado sobre el espionaje a sus periodistas. Supuestamente, se grabaron conversaciones telefónicas de un reportero con su hija y se accedió a los datos bancarios de familiares.[181]

Así que esta es la lista del espionaje: altas instituciones del gobierno, la NSA americana y otros servicios de inteligencia, grupos mediáticos líderes en el sector, los jefes de policía de Francia e Inglaterra. No se puede generalizar, pero ¿estamos equivocados si pensamos que en el primer mundo se extiende un pulpo gigante que se presenta bajo la fachada de las buenas intenciones sociopolíticas? Servidores públicos que quieren lo mejor para nosotros. Senadores, secretarios de estado y fiscales, investigadores y policías, agentes y soldados que masivamente cambian de carrera y perfeccionan sus conocimientos y habilidades adquiridas en la función pública prestando servicio a empresas de seguridad, grupos empresariales y clientes poderosos a cambio de dinero.

En la órbita de la FIFA también afloran las grandes marcas de la industria de la seguridad global. En primer lugar, como se dice, para la seguridad de los torneos. En 2009, la FIFA contrata al Freeh Group International para el Mundial sub-17 en Nigeria, un negocio de millones cuyos resultados son tan buenos que enseguida se ficha a la misma consultora para el Mundial sub-20 en Egipto. Otros asesores en materia de seguridad entran en el juego, como es el caso de la firma Controlled Risk, contratada por la FIFA.[182] La prensa deportiva sigue promocionando a Louis Freeh, director del FBI hasta 2001, como investigador estrella de la agencia americana. Y aunque esto realza la reputación, no es más que una gran tontería, porque ningún agente que haya abandonado el FBI para pasarse al sector privado puede trabajar en el FBI. ¿O es que acaso Freeh podría haber sido contratado como asesor bien remunerado de la federación mientras el FBI investigaba a la FIFA y a sus altos ejecutivos? Cuando la agencia Reuters interroga a la FIFA sobre si el grupo Freeh comunica a la policía o a la justicia aquellos delitos descubiertos en las investigaciones, la pregunta se queda sin respuesta.[183]

Blatter vuelve a solicitar la ayuda de Freeh cuando tiene que darle el golpe de gracia a su adversario Bin Hammam. El catarí ha hecho algo que Blatter no puede dejar pasar: repartir dinero entre los directivos del Caribe. Y el presidente está convencido de que lo ha hecho para comprar sus votos en las futuras elecciones. ¿Se ha oído alguna vez una cosa así? Claro que sí, es algo que en la FIFA ocurre con frecuencia en vísperas de elecciones. Pero esta vez el hermano Bin no está comprando votos para Blatter, sino para sí mismo. Lo que no sospecha es que esta práctica tan enraizada en la órbita de la federación está prohibida en determinadas condiciones: cuando se realiza en contra de Blatter.

El fútbol mundial está plagado de fisgones, asesores y agentes secretos, y entre ellos hay cada vez más periodistas. Y es que el dinero atrae. Basta una muestra de la historia de la corrupción en la FIFA para ver la estrecha conexión entre fútbol y espionaje. Cuando el secretario general Zen-Ruffinen informó a unos periodistas encubiertos del *Sunday Times* de que España y Catar habrían hecho un pacto para votarse mutuamente y así quedarse con los torneos de 2018 y 2022, la agencia británica de detectives Kroll Asociates tomó cartas en el asunto. Catar era el cliente del proyecto de investigación «Seleucia» de la agencia, y Kroll también observaba con lupa al malí Amadou Diakite, exdirectivo de la FIFA, quien había informado a los periodistas que Catar les había ofrecido 1,2 millones de dólares a algunos altos cargos de la FIFA para proyectos personales.

Los agentes de Kroll tienen fama de ir a saco. Los expertos en el sector hablan de irrupción en domicilios y robos de ordenadores.[184] Conocida en los años ochenta como «la CIA de Wall Street», Kroll trabajó para Kuwait durante la primera guerra del Golfo buscando el dinero que supuestamente Saddam Husein había escondido. En el proyecto Seleucia está metido un periodista de investigación suizo que ya había informado sobre el enfrentamiento entre Zen-Ruf-finen y Blatter, según se menciona en un memorándum de la consultora. Supuestamente, el hombre le prometió a Kroll expedientes judiciales, que se pagan bastante bien.

A Kroll no le va nada mal. En un documento publicado por el periódico suizo *Tages Anzeiger* figuran honorarios por hora de doscientas libras para los analistas y de cuatrocientas cincuenta libras para un director de proyecto. Kroll le habría propuesto a Catar una investigación por setenta y cinco mil libras, un presupuesto que también se encuentra en la oferta de Prevent a la UEFA: «Los honorarios ascienden a dos mil cuatrocientos euros diarios por asesor». No incluye IVA.[185]

La misión concluye en cuanto se publica el documento de Kroll. Y, en otra parte del mundo, ya se ha puesto en marcha la siguiente misión de espionaje, a cargo de Jean-Charles Brisard. Su agencia está localizada en París y se encarga del proyecto Airtime, que consiste en analizar la información del *Sunday Times* en contra de su cliente Reynald Temarii, el directivo haitiano de la FIFA suspendido por corrupción. Según el informe, Brisard descubre un vídeo casero editado con cortes y alteraciones groseras de la versión original; todo el contenido está manipulado de forma interesada. Brisard facilita información sobre los periodistas involucrados: domicilio, grupo familiar, agenda de viajes, trabajos anteriores y nombres falsos. Mientras la abogada de Temarii defiende la intervención de detectives privados, el *Times* se espanta de que ahora los detectives también sigan a periodistas que investigan asuntos de interés público. Así es como se cierra el círculo: el *Sunday Times* pertenece al imperio de Murdoch, lo mismo que el tabloide sensacionalista *News of the World*, que desencadenó una crisis de estado y que finalmente cerró debido a sus prácticas de escuchar, *hackear* y espiar a estrellas del fútbol. Vaya, que aquí hay tela que cortar.

La neurosis en el sector es tal que, después del golpe del *The Times*, los representantes de la candidatura británica, cuyas posibilidades el periódico sigue menoscabando, realizan sus propias indagaciones. Quieren saber qué motivos tiene el grupo mediático del australiano Murdoch para llevar a cabo investigaciones que perjudican de esa manera a la candidatura británica. El acuerdo de intercambio entre Catar y España, sobre el que la Comisión Ética de la FIFA no encuentra pruebas, lo confirma el mismo Blatter en febrero de 2011. El presidente les dice a los medios británicos que ese acuerdo de votos no había traído problema alguno, simplemente no había funcionado ni había tenido influencia sobre la decisión del Ejecutivo en favor de Rusia y Catar.[186] Así es como lo ve el presidente.

El idioma del dinero

A finales de mayo de 2011, el autor de este libro superó el límite de velocidad en nueve kilómetros por hora en el tramo de la autopista suiza entre Saint-Gallen y Zúrich, por lo que le pusieron una multa de cincuenta euros. Esa es la medida suiza para los simples mortales.

A Sepp Blatter las autoridades suizas lo multaron con apenas cuatrocientos euros por provocar un accidente que de milagro no resultó trágico.

8 de octubre de 2008. El jefe de la FIFA va conduciendo su Mercedes 525-PS de 233.000 francos rumbo a su casa de Valais. Después del túnel de Spiezwiller adelanta a un coche y lo toca. Blatter cruza la doble línea de seguridad a toda pastilla y en el carril de sentido contrario choca contra un Golf, que sale despedido hacia la derecha, da una vuelta de campana en el terraplén y queda tumbado de lado. El conductor, un chico de veintiún años, resulta levemente herido: un milagro. Blatter, con su Mercedes, sale ileso.

Llega la policía del cantón y suministra los primeros auxilios de manera ejemplar: un oficial desatornilla las matrículas del coche de Blatter. Y es que si no se hace, un testigo ocular o la prensa local podrían revelar la identidad de la persona que causó el accidente. Durante días, las autoridades solo informan de que «se produjo una colisión entre tres vehículos». Cuando trasciende que Blatter provocó el accidente, se empieza a hablar de las matrículas desaparecidas.

Al principio, la policía se muestra evasiva, tal vez las matrículas se desprendieron con el choque, pero al final tiene que admitir que un oficial las quitó en el lugar del accidente. ¿Servicio al instante para el amo de la FIFA? Así lo explicó un portavoz de la policía: «Toda persona tiene derecho a la protección de su privacidad, incluidas las personalidades de interés público». ¿Toda persona? Nadie retiró las matrículas del Golf.

En la sentencia que los periodistas examinan, se cita una disposición legal que permite suponer que Blatter podría haber estado hablando por teléfono en el momento del accidente. Como sea, todo apunta a un trato de favor para eminencias. De todos modos, en el acta quedan reflejados los hechos encubiertos y una verdad que sale a la luz primero ante las presiones y luego con cuentagotas.[187]

La guinda del pastel es una multa minúscula para un multimillonario. El juez de instrucción de Thun considera que se trata de una «simple infracción de las normas de circulación», aunque el accidente podría haber sido mortal si el joven conductor no hubiera dado un volantazo y hubiera evitado el choque frontal. El experto en tránsito por carretera Marco Unternährer se mostró indignado: «La sentencia es absurda, una multa siempre se aplica en función de los ingresos. Tiene que doler». Considerando el salario de Blatter, la multa debería haber ascendido a unos cuantos miles de francos.[188] Unternährer no entiende «cómo el juez puede justificar la sentencia. Otro conductor se habría arriesgado a la privación de libertad». Cuando el *SonntagsZeitung* publica la sentencia que tiene conmocionado al país, un portavoz de la FIFA se pronuncia: «Desconozco el caso». Curiosa declaración, ya que entonces la prensa suiza informaba a diario sobre el accidente de Blatter y la gente indignada enviaba cartas a los periódicos presentando casos similares. «No se puede ser más corrupto», es la opinión general. Y hay quien cuenta que solo por superar el límite de velocidad en treinta y cuatro kilómetros por hora le cayó una multa de mil trescientos francos. Como ya se sabe, las infracciones de tráfico en Suiza pueden ser carísimas.

¿Es posible que el amo del fútbol reciba un trato de las autoridades suizas más propio de otros países situados más allá de Occidente? En Alemania, un caso parecido se trató de manera diferente. Un comisario jefe de Baviera perdió su trabajo cuando hizo desaparecer una multa importante que iba a nombre de Franz Beckenbauer, por el que sentía una profunda admiración. En el mismo caso fueron condenados otros dos funcionarios. El Tribunal Administrativo dictó la sanción máxima de «destitución definitiva», alegando que «un funcionario policial debe esclarecer las infracciones, no encubrirlas».[189]

Evidentemente, en ambos países existe un problema de fondo similar. Ambos son un referente de productividad, orden, estabilidad y fiabilidad. Tienen importancia y gozan de respeto. Sin embargo, todas estas virtudes son poco interesantes. Y además de todo eso, ambos países carecen de verdaderas eminencias y famosos, salvo en el deporte. En el caso de Suiza, nido de docenas de federaciones mundiales, abundan más los directivos que los deportistas de élite. El suizo más famoso en las últimas décadas ha sido Blatter. De modo que la alarma del patriotismo salta enseguida.

En el sector bancario alpino, que en los últimos tiempos se ve amenazado por un malvado mundo exterior, se mantiene la costumbre de la vigilancia. Ya se ha llegado a la vigilancia por cámara en espacios públicos. Y la dinámica de la defensa nacional está grabada a fuego en un país donde la mayoría hace el servicio militar y tiene armas en sus armarios (Blatter mismo suele alardear de sus virtudes militares). En el Consejo Federal Suizo se ve una amalgama original de departamentos de estado: Deportes y Defensa se hallan bajo la misma competencia. Se trata de un país al que se han mudado cerca de sesenta federaciones deportivas. ¿Qué sucede con la densidad de información generada en este país?

Suiza hace todo lo necesario para ser el centro mundial de las federaciones deportivas. En el año 2000, durante el escándalo de corrupción de Salt Lake City que amenazó la supervivencia del COI, el Consejo Federal Suizo presentó un documento sobre política deportiva en el país de los bancos.[190] Sin embargo, no se trataba de un compromiso con una gestión limpia, por mucho que ese fuera el tema central en aquel momento (a Samaranch, el presidente del COI, lo llamaron incluso del Senado de Washington). Los suizos más bien estaban concentrados en crear un cebo altamente efectivo para atraer a las federaciones deportivas. Cuantas más federaciones se instalaran en Suiza, más aumentaría el prestigio del país y más se beneficiaría su economía. En ese sentido, hasta hoy en día ofrecen múltiples ventajas, como el permiso para cualquier actividad que el derecho de asociaciones suizo concede a sus directivos, además de tasas impositivas marginales, o directamente la exención fiscal. A esto se suma la discreción tradicional del paraíso fiscal, donde el secreto bancario y de asesoría legal se complementa con la labor de jueces que, justamente en cuestiones económicas, son muy indulgentes.

De vez en cuando, los mercadeos de las federaciones deportivas se vuelven embarazosos. En 2001, Samaranch tuvo que dejar el trono por corrupción después de veintiún años de reinado en solitario, y el COI le negó su último deseo. Si bien el Comité Olímpico aceptó al hijo de Samaranch como miembro, no hizo lo mismo con Adolf Ogi, el segundo candidato propuesto, quien hasta hacía poco había sido el ministro suizo de Defensa y Deportes (ahora Departamento de la Defensa, Protección de la Población y Deportes). Ogi dejó el cargo en el año 2000, y tras el desaire del COI pasó a ser asesor de la ONU a cambio de una simbólica remuneración: un dólar. La suma anual millonaria que Ogi cobraba por su actividad en el deporte la pagaban los contribuyentes suizos.

Gente como Ogi aboga por la relación entre deporte y política en la tierra alpina. El derecho de asociaciones suizo es el pase de gol perfecto para las federaciones deportivas que, en realidad, son empresas multimillonarias. Bastan dos personas para fundar una asociación, y no hay obligaciones de registro ni de verificación de cuentas ni de auditorías externas. Una asociación paga más o menos la mitad de impuestos, sobre el beneficio anual, que una empresa. Las cajas fuertes atiborradas siempre están abiertas para aquellas personas que, si bien solo ocupan un cargo honorífico, deciden sobre negocios millonarios con solo mover el pulgar. Toman decisiones sin arrepentirse, pues en la práctica no rinden cuentas a nadie. Incluso en caso de sobreendeudamiento los jefes de las federaciones están protegidos. Así consta en el peritaje realizado por el despacho de abogados de la FIFA (NKF) después de la quiebra de la ISL.

La guinda del pastel de esta incitación al autoservicio y el abuso es el componente deportivo. Aquí es donde se potencia el peligro, según la opinión de expertos como Jérôme Champagne, asesor de Blatter durante años: «Hoy en día, el problema del fútbol es que no existe ninguna separación entre dinero y política, como en otros sectores. A menudo, las mismas personas deciden sobre ambas cosas». Champagne exige mecanismos «para desactivar este conflicto de intereses y que la economía no influya sobre la gestión del fútbol». Lo que critica Champagne vale para casi todas las federaciones: «Hoy en día, el fútbol no puede gobernarse con las estructuras originales de 1904».[191]

Hacía tiempo que a la política del país eso le daba igual. En caso de alarma, el Consejo Federal de siete miembros tendía a las prácticas exorcistas, que si bien se vendían como iniciativas legales eran totalmente ineficaces. Así y todo, los permanentes casos de corrupción, especialmente los de la FIFA, siempre ponen a Berna en aprietos.

Hasta aquí la FIFA puede incluso operar en Suiza como si fuera una empresa totalmente transparente. En 2010 acredita un rendimiento para sus órganos directivos de 32,6 millones de dólares.[192] En 2011, la cifra fue un poco menos alentadora, 29,5 millones, y ya en 2012 alcanza los 33,5 millones. A estas enormes cantidades etiquetadas elegantemente como retribuciones a corto plazo, se añaden los importes de los planes de previsión social de los órganos directivos. En 2012 se emplearon para esto otros 2,2 millones de dólares.[193]

Las retribuciones a corto plazo incluirían el pago total de los salarios, las compensaciones y las dietas fijas para las personas del ámbito directivo. Los órganos directivos están integrados por los directores y los miembros del Comité Ejecutivo y el Comité de Finanzas (estos últimos también integran el Ejecutivo).

Así, estos ingresos corresponderían a diez directores, más la directiva de veinticinco miembros, incluido el presidente, más el secretario general. Para todos juntos, para todo este personal directivo, la FIFA acredita una retribución total de casi treinta y tres millones de dólares. Con esto, la orgullosa federación anuncia, «cumplimos con todas las prescripciones de las Normas Internacionales de Información Financiera (NIF) y damos cuenta de hasta el último detalle». En esa isla bonita de las asociaciones llamada Suiza, la corporación FIFA carga con la penosa tarea de dar a conocer algunas cifras voluntariamente. Ya que, si bien no estaría obligada, según dice, viene aplicando esta norma desde 2003 por razones de transparencia.

Pero, en realidad, ¿es todo esto transparente? Ahora resulta que podemos abrir la caja fuerte y conocer en detalle el pastón que gana Blatter, todo gracias a la buena voluntad de la FIFA. Lo cierto es que quien intente abrir la caja fuerte se topará enseguida con los límites de la transparencia. El círculo de beneficiarios abarca a unas treinta y cinco personas. Preguntas: ¿cuál es aproximadamente la participación económica de los cargos honoríficos? ¿Qué parte le corresponde al presidente? «No es tan complicado calcular el importe promedio —responde la FIFA—, que en términos generales es inferior al de los directivos de la mayoría de las empresas y organizaciones internacionales que están en Suiza. Todos estos pagos tienen retenciones fiscales. El presidente ya ha hecho mención a su salario en varias entrevistas, así que no es ningún secreto.» Vale, de acuerdo, así que, en 2010, cada directivo y miembro honorario de la FIFA cobró apenas un millón de dólares de media. Y en cuanto al salario del presidente mencionado en las entrevistas, ¿es eso una respuesta o un acertijo?

Siguiente intento: «Lo que usted comunica sobre los 32,6 millones ya es de conocimiento público. Por eso le solicitamos un desglose de lo que corresponde a los cargos no honoríficos y a los directivos. ¿O es que podemos deducir, a partir del margen de beneficios medio que usted ha señalado, un reparto de aproximadamente un millón de dólares para cada uno? Al final, le pedimos un detalle de los ingresos en el área presidencial. No nos sirve que se remita a las declaraciones del presidente en otros medios». Lo que uno quiere es evitar especulaciones y malos entendidos. ¿Para qué existe en la FIFA un departamento de prensa? De modo que, «¿Dónde está el problema de detallar el salario del presidente (más los gastos de la oficina presidencial), sobre todo cuando el mismo presidente ya lo ha hecho para otros medios en varias ocasiones, como usted dice?». Y además: «¿Por qué los ingresos del "personal clave" de la directiva no se contabilizan junto con los del resto del personal, sino que se transfieren al área de los cargos honoríficos?». En las cuentas de 2010, los trescientos sesenta empleados restantes figuran por separado con sesenta y tres millones. Si aquí estuvieran incluidos los directores, se verían más claramente los números del patriarca y de su familia.

Respuesta de la FIFA: «Gracias por su *e-mail*. El presidente informó recientemente sobre sus ingresos en una entrevista a un periódico alemán con fecha aproximada de mayo o junio de 2011. Si hace bien la cuenta, verá que la remuneración media está por debajo de un millón». Así que el promedio lo hemos calculado bien, lástima que eso sea una chorrada, pues está claro que no todos ganan lo mismo, sobre todo si incluimos a Blatter en la cuenta.

Otra pregunta: «Según nuestros cálculos, los pagos mencionados corresponden a la siguiente categoría de personas: los veinticuatro miembros del Comité Ejecutivo de FIFA, el secretario general y los directores, que no deberían ser más de diez (corríjame, por favor, si me equivoco). Si fueran treinta y cinco personas, eso daría un promedio de 930.000. Pero este cálculo medio, ¿tiene sentido o es engañoso? En principio, los directores estarían cobrando unos sueldos abundantes que no serían comparables con los salarios. Además se dice que los directivos se hacen ricos en un año ocupando un cargo honorífico. ¿Hay algo de cierto en todo esto?

Y por último: deduzco que el presidente gana casi lo mismo que los demás. ¿Es verdad?». Otra cosa más sobre el salario del patriarca: «¿Podría informar simplemente de cuánto gana el presidente, en lugar de remitirse a entrevistas en fechas imprecisas? En los tiempos de la nueva transparencia, no es normal que los periodistas independientes reciban de un departamento de prensa bien estructurado una respuesta tan complicada a una pregunta tan simple». Después de algunas turbulencias y un dramático intercambio de correos electrónicos, finalmente la FIFA ofrece una respuesta precisa. No, no respecto a las cifras: «La entrevista mencionada es del 30 de abril de 2011».

Lo que resulta casi increíble en Suiza es, sin embargo, pertinente, ya que la gente aplica un criterio diferente al de la política, la justicia ligada a ella y los círculos económicos. En 2010, después de los escándalos de corrupción, el despido de directivos y la extraña adjudicación de las sedes mundiales, los ciudadanos suizos eligen el concepto «Comisión Ética de la FIFA» como el eslogan no deseado del año. Los políticos saben captar esas señales. Así que dan luz verde a la «moción» presentada por Roland Büchel, legislador del SVP y gran conocedor de la FIFA, para llevar a cabo una reforma legal en referencia a la corrupción en el mundo del deporte. Corre mucha prisa, a finales de 2010 ya debería estar lista. «Mientras tanto —dice Büchel— las organizaciones deportivas tienen tiempo para hacer frente a este desagradable problema y fijar normas.»

El 11 de enero de 2011, Büchel escribe una carta abierta a Blatter («Los directivos del deporte internacional son muy corruptos»). «Durante sus últimos doce años de existencia, la agencia de mercadotecnia ISL pagó la cifra de 140.785.618,93 de francos suizos en sobornos. ¿Contrapartida? Cero. Sobre este asunto tenemos que discutir largo y tendido: todo está jurídicamente demostrado. Altos directivos y máximos ejecutivos del deporte se han llevado su parte.» El diputado Büchel remueve el asunto más delicado: los pagos desconocidos de la ISL. «El magistrado no fantasea cuando dice que se hicieron transferencias por 5.873.224 francos, primero a las Islas Vírgenes Británicas, y luego desde el Caribe a una institución en un pequeño principado. Allí un abogado suizo recogió el dinero en efectivo y se lo entregó a uno de los jefes de la ISL, y este lo repartió, ya sea entre los intermediarios o los destinatarios finales de las organizaciones deportivas. Señor Blatter, ¿por qué no quiere saber quiénes de sus socios robaron estos casi seis millones y los otros ciento cuarenta millones sin beneficiario? ¿Por qué no le interesa qué clase de sujetos toman las decisiones más importantes en su multimillonaria corporación?» Buena pregunta. Büchel concluye: «Usted siempre define a la FIFA como una familia. No se tome a mal que mis compañeros del Parlamento suizo piensen en un tipo particular de familia siciliana».

El diputado suizo rechaza la invitación de Blatter para que se acerque con los parlamentarios al palacio de la FIFA, también frecuentado por aduladores jefes de estado. Ni hablar. Es el jefe el que tiene que ir a Berna.

Blatter reacciona con rapidez. Ya el 12 de enero envía las invitaciones a todos los diputados para una charla informativa de la FIFA, que se ha de realizar el 8 de marzo en el lujoso hotel Bellevue de Berna. Luego en Zúrich se dan cuenta de que en Suiza se hablan tres idiomas, así que las invitaciones se vuelven a enviar el 21 de enero en alemán, francés e italiano. Con las prisas se les olvida que, el mismo día, el ministro de Defensa y Deportes da otra charla informativa sobre nuevos aviones de combate y otros temas militares, de modo que casi todos quieren ir allí.

Büchel insta a Blatter a que se presente en persona, que no mande a ningún «suplente». Pero manda al abogado de la familia Marco Villiger, que se las tiene que apañar él solito. Al Bellevue solo acuden diez parlamentarios, entre ellos tres senadores. Se sirve estofado suizo (Villiger: «Con nosotros sí que han estado haciendo estofado últimamente»). Al final cada invitado recibe un juego de tarjetas amarillas y rojas.

En opinión de Büchel, la presentación de veinte minutos es penosa. Se siente «como en una excursión escolar a la colina de Zúrich». Lo primero es la línea argumentativa «la FIFA estimula la economía», con un estímulo valorado en quince millones y medio de francos anuales. La partida más importante: ocho millones en gastos de transporte. «Eso no beneficia a Zúrich, son solo números inflados», dice Büchel, que se divierte sacando otro tema: los gastos personales de los invitados de la FIFA. «¿Cómo es que la FIFA conoce estos importes? ¿Eso también corre por su cuenta?» En definitiva, según Büchel, los gastos de hotel por seis millones de francos anuales fueron la única entrada real en la economía local.

El argumento «La FIFA estimula la economía» es realmente impactante, y además con doscientos cincuenta millones de dólares al año, según los cálculos de la federación. Büchel se echa a reír: «Es una broma. ¡Para una sola obra!». Es verdad que la inversión descomunal de doscientos cuarenta y tres millones de francos abarca casi toda la construcción de la catedral de la FIFA en la colina de Zúrich, adonde se mudaron en 2007. «Los contratos de obra fueron exclusivamente para empresas suizas», apunta la FIFA como un hecho significativo. Lo que trae a la memoria que aquí también tuvo una participación muy activa el marido de la directora de la oficina presidencial.[194]

¿Y qué hay de los «puntos fundamentales respecto a las finanzas y las denuncias contra la FIFA»? La réplica al reproche por falta de transparencia es la siguiente: «La FIFA publica todos los años un informe financiero de más de cien páginas, de conformidad con las NIF y cumpliendo con los requisitos de las sociedades que cotizan en bolsa». Ya ha quedado claro hasta donde llega la transparencia en los detalles, más allá de las complejas quiebras financieras.

Frente a los políticos, la FIFA justifica su utilidad pública argumentando que todos los beneficios obtenidos «se invierten para fomentar el fútbol». Aquí cabe preguntarse de qué manera se fomenta el fútbol construyendo un palacio suntuosamente equipado con una sala de recogimiento y un mecanismo de apertura de puerta biométrico que costó un cuarto de millón de francos abonados a la economía suiza.

En relación con el tema fiscal, la FIFA sostiene que se le aplican los impuestos correspondientes. La federación paga cerca de un millón de francos en impuestos directos anuales.

«Los impuestos correspondientes —dice Büchel— serían de entre cuarenta y cincuenta millones como mínimo.» Pero la FIFA podría quedar exenta de tributar, «y, sin embargo, no lo aprovecha». ¿No es mejor pagar unas migajas antes que tener a la opinión pública en contra?

La autoafirmación de la FIFA se basa en el hecho de que sus trabajadores «no gozan de beneficios fiscales». Es cierto, pero ¿por qué habrían de tener esta clase de beneficios, acaso la FIFA se puede equiparar con la ONU? De la totalidad de los salarios de 2010 (sin tener en cuenta a los «órganos directivos») que ascendieron a sesenta y tres millones de dólares, se pagaron supuestamente unos diez millones de impuestos.

La FIFA de Blatter zanja adecuadamente el tema de las denuncias de corrupción. «La FIFA está sometida al Código Penal suizo, como todo el mundo. No recibe ningún trato jurídico especial ni lo desea.» Esto sí que es entrañable: la FIFA explicándole al Parlamento que no está por encima de la ley y que tampoco aspira a eso.

Diez días después del *show* en el Bellevue se celebra la sesión parlamentaria. Ni siquiera tienen que ponerse de acuerdo. La moción de Büchel queda aprobada: doscientos votos a favor, ninguno en contra. Es evidente que esta vez el Consejo Federal también quiere tomar medidas. Para finales de 2011 tiene que estar elaborado un informe sobre la corrupción en el deporte, a partir de allí se examinarán las leyes. El plazo también figura en el informe anual de la Policía Federal, que en el documento presentado en junio de 2011, bajo la rúbrica «Corrupción en el deporte», ya advierte sobre continuos sobornos, y destaca especialmente las adjudicaciones de las sedes para los Mundiales de 2018 (Rusia) y 2022 (Catar). Como las leyes suizas referentes a los sobornos privados no se pueden aplicar a los directivos de la FIFA, tal como notifica la Policía, el Consejo Federal encomienda a la Oficina de Deportes «la redacción de un informe para finales de 2011 que acuse la necesidad de regulación en materia deportiva».

Pero, por otra parte, está el Consejo de los Estados (cámara alta). Es un bloque sólido de dos representantes por cantón que, a diferencia del Consejo Nacional, vota en secreto. Sin duda es propenso al *lobbismo*, y demuestra escasa preocupación por la corrupción en el deporte. En el otoño de 2011, la cámara alta prolonga el plazo para el informe sobre corrupción y posibles reformas legislativas hasta finales de 2012. Por su parte, la gente de la Oficina de Deportes explica que su encargo abarca (además de la corrupción) la manipulación de apuestas; esto último apenas estaría en proceso de elaboración en el extranjero, es lo que supuestamente han comprobado los directivos a través de sus conexiones internacionales, y por eso: «es imposible que este informe esté listo para finales de este año». Además, «sería en vano que Suiza de manera aislada elaborara un informe sobre un tema como el fraude en las apuestas, una actividad que no conoce fronteras y que solo se puede combatir globalmente».[195]

Los tentáculos de la FIFA y otros llegan a todos los rincones de la tierra alpina. Representantes de cantones y directivos del deporte retrasan una medida legislativa, y eso que el problema está afectando al prestigio del país. Büchel sospecha de una maniobra interna. ¿Acaso las federaciones deportivas han hecho un trabajo de *lobby* en la cámara alta? La política es previsible, y Büchel está acostumbrado a los despropósitos en asuntos de índole deportiva. Unas sesenta federaciones internacionales tienen su residencia allí. Se arman camarillas, se huele la corrupción. Otro que coopera con el aplazamiento del informe es Rolf Schweiger, que hasta finales de 2011 fue senador por el FDP. Casualmente, su despacho jurídico representa a Ricardo Teixeira, que elevó una protesta por la publicación de la orden de sobreseimiento en el caso de la ISL, impidiendo así hasta la última instancia que las verdades turbias salieran a la luz. Otro senador, oriundo del pueblo de Blatter, presidió durante muchos años la fundación privada de Sepp; casualidad o no, en la declaración obligatoria de sus empleos accesorios, el político se olvidó de mencionar este trabajillo tan picante. Curiosamente fue el único al que se le olvidó.[196]

El brazo de la FIFA podría haber llegado todavía más lejos. En noviembre de 2011, el jurista Heinz Tännler del SVP es propuesto como candidato para el Consejo Federal. El ex-parlamentario Josef Lang escribe una circular a todos sus colegas en la que les aconseja no elegir al consejero del gobierno de Zug. De 2004 a 2007, Tännler fue director del Departamento Jurídico de la FIFA. En esos años, la federación perdió su gran batalla contra Mastercard. Ahora Lang aclara que no está formulando ninguna acusación de corrupción, pero plantea la cuestión clave de que «el nombramiento de una persona puede estar asociado a riesgos desconocidos». Sería el caso de Tännler: «Si él supiera algo sobre la corrupción en la FIFA, y hay gente que lo sabe, sin duda se le podría chantajear». A eso se añade que la FIFA no solo tiene problemas con la corrupción, sino también con asuntos de carácter fiscal. «Eso podría ser un tema que tratar en el Consejo Federal —dice Lang—, y podría darse una situación de parcialidad.»

Además, se trata de la credibilidad del gobierno suizo. Lang cita el informe de la policía que hace referencia explícita al problema de la corrupción en el deporte. «¿Es creíble que un exdirector de la FIFA lidere esta lucha, por mucho que tenga las manos limpias?». Tännler no ve inconveniente alguno. Al *Zuger Zeitung* le dice que Lang lo vincula a algo con lo que él no tiene nada que ver, lo que no le parece justo. Pero hay otra cita: «No podemos olvidar que ni la FIFA ni sus representantes han sido condenados. Es lo que siempre se afirma, pero nadie puede aportar pruebas». La clásica estrategia comunicativa de la FIFA, que insinúa la supuesta falta de pruebas contundentes. Sin embargo, las hay: además de los ciento cuarenta millones de francos para sobornos, que cuentan con solidez jurídica (precisamente esto se descubrió en la ciudad natal de Tännler), está la medida de sobreseimiento según el artículo 53.[197]

El exdirector jurídico de la FIFA pierde la oportunidad de entrar en el Consejo Federal de Suiza. Y, en enero de 2012, Büchel se encuentra con un apoyo inesperado para su causa, que tiene como objetivo la promulgación de una rigurosa ley anticorrupción en el edén del deporte. La comisión competente para asuntos jurídicos decide realizar una consulta bajo la rúbrica «FIFA: el soborno de particulares como delito oficial». Los legisladores se proponen reformar el derecho penal de tal manera que «el soborno de personas privadas, que según la ley federal actual constituye una infracción de la ley de competencia desleal, se convierta en un delito oficial».

La Comisión de Asuntos Jurídicos expone los resultados de la votación en el Parlamento suizo. La sociedad está harta. «Es hora de darles caña», dice Büchel, que de paso quiere presionar sobre otros aspectos, como los privilegios fiscales de las asociaciones y el derecho de asociación. «El único idioma que entienden en la FIFA es el idioma del dinero.»

El profesor de criminología Mark Pieth también critica duramente que las federaciones internacionales estén por encima de la ley. Propone que a los directivos de las asociaciones monopolistas como la FIFA se les considere funcionarios del gobierno. Después de todo, estas asociaciones «cumplen con una función casi pública», por lo que sería mejor ampliar las leyes de soborno a funcionarios públicos que esclarecer casos de soborno a particulares. Se debe investigar por iniciativa del estado (de oficio). Y si esto llegara a desalentar a las federaciones, «sería el momento de dejarlas marchar».[198] Meses más tarde, Blatter contrata a Pieth para su nueva Comisión Independiente de Gobernabilidad (IGC).

A principios de 2012, el ministro de Deportes demuestra cómo se toman este serio asunto en Suiza. Y es que el ministro aspira a obtener la plaza para los Juegos Olímpicos de Invierno de 2022, mientras Ueli Maurer declara que «pondría la mano en el fuego por el proceso de selección en el COI, organizado de tal manera que no hay lugar para la corrupción».[199] Tres semanas antes, el COI había tratado tres casos de corrupción.

La candidatura olímpica de Suiza cayó por su propio peso. A diferencia de sus representantes, los ciudadanos bajaron el pulgar en una votación. Quién sabe si todo esto impresionó finalmente a la clase política, pero lo cierto es que en 2013 habían llegado lejos: estaba a punto de aprobarse una reforma legislativa y en el futuro la corrupción se empezaría a perseguir de oficio. A la FIFA le irrita sobremanera que se la coloque en el punto de mira junto con otras federaciones como el COI. «En lo referente a esto, realmente estamos hablando de una ley FIFA», declara indignada la asociación en respuesta a la pregunta de una agencia de noticias, y exige que en sesiones parlamentarias posteriores «no se la coloque en el centro del debate». Los argumentos del debate «deben ser objetivos y tener fundamento». También es interesante la crítica de la FIFA con respecto a que los sobornos a particulares se consideren un delito perseguible de oficio en el futuro. La federación habría preferido que continuara siendo un delito a petición de parte. Después de todo, un juez solo interviene si hay un demandante. ¿Y quién va a querer demandar a la FIFA?

El alumno ejemplar

En el paraíso del deporte, la UEFA se junta con los niños problemáticos. Bajo el mando de Platini se produce un rápido acercamiento de la federación europea a la FIFA. Aunque, de vez en cuando, este polemiza con Blatter en torno al fútbol, hay un pacto sellado: en 2015, Blatter deja el trono y Platini lo hereda. «Está preparado. En el fondo es lo que quiere», dice Blatter sobre el francés.[200]

Pero ¿es realmente Platini el hombre para una nueva era?

En el entorno, después de siete años al frente de la UEFA, el francés se ha forjado la imagen del que sabe mucho de política deportiva y que, además, es un trabajador apasionado. Tiene un talento especial para rodearse de gente que le susurra al oído. Tal vez eso es lo único que aprendió durante tantos años a la sombra de Blatter. Tal vez en su sacrificada carrera de ascenso tuvo que viajar demasiado por la nueva Europa del Este, donde cosechó buena parte de su electorado en países como Kazajistán, Azerbaiyán, Chipre, Bielorrusia. En esas zonas, en medio de un frío intenso y estadios decadentes, persiguió un reconocimiento mediocre. Se dice que una vez viajó en un jet que el bienhechor Nicolas Sarkozy puso a su disposición. Francia lo da todo por sus emisarios del deporte. Esto lo hace posible una estructura centralizadora con un presidente casi todopoderoso al frente. ¿Es que la gran nación no espera también algo de sus dirigentes deportivos?

Sarkozy había apostado por Catar como sede del Mundial 2022. Y es que el emirato acaudalado es un socio económico sumamente importante. Antes de la votación, Platini recibió un curso intensivo acerca de la presión y las expectativas, y justamente fue uno de los catorce que votó a Catar. Sin embargo, se lo calló durante mucho tiempo y solo se dio a conocer de forma oficial en febrero de 2012. Y claro que no, no lo hizo por Francia: «Voté a un país que hasta ahora nunca ha organizado el Mundial. Esa fue mi filosofía. No lo hice porque antes hubiera comido con Sarkozy».[201]

El problema es que el cuento de la filosofía francesa no es para nada creíble. ¿Por qué, antes de la elección de la sede, Platini no propuso que el torneo se realizara en invierno? Más extraño aún es que, después de la adjudicación, Platini empezara a actuar como ferviente defensor del aplazamiento del Mundial 2022 para que se juegue en invierno. A esto se oponen las ligas, la televisión, los patrocinadores y los aficionados. Hace décadas que los calendarios de competiciones están coordinados de acuerdo con las estaciones de invierno y verano. ¿Puede Platini abordar el problema de las fechas de manera creíble después de haber votado a favor de un mundial en Catar en pleno verano? ¿Cuál es su lema: «Pagad el pato vosotros por mi convicción filosófica»?

No es fácil explicar el comportamiento de Platini. Ni siquiera el presidente de la Federación Alemana, Wolfgang Niersbach, lo entiende.[202] Platini recibe la presión de Europa. Y es que alguien que vota por Catar pese a todos los problemas conocidos y que, inmediatamente después de la elección, empieza a hablar sobre el calor y la salud como grandes aspectos problemáticos, esa persona está actuando contra los intereses del fútbol. Desde el principio estaba claro que Catar, con sus temperaturas de cincuenta grados en verano, no era la mejor opción, pues supondría un alto riesgo para setecientos deportistas de élite que, pese al calor, tienen que entrenar, y también para los aficionados.

En los años sucesivos, el filósofo Platini se mete en tal lío con su decisión a favor de Catar que podría acabar pagándolo muy caro. Para el emirato también podrían surgir muchas sorpresas, como determinadas circunstancias expuestas para el análisis por grupos de investigación estatales o privados. Porque, de hecho, la victoria de Catar ha provocado un fuerte escepticismo en hombres como el presidente de la Federación Australiana, Frank Lowy, que creen que las investigaciones intensas en el entorno de la FIFA podrían desembocar en una nueva adjudicación de la sede mundialista para 2022. El hecho de que Blatter dé por concluido el debate sobre Catar se percibe como una señal desalentadora. Sin embargo, ¿cómo se explica que en la primavera de 2012 el jefe de Seguridad, Chris Eaton, se incorporase al Centro Internacional de Seguridad Deportiva (ICSS)? Esta organización, que se ocupa de asuntos relacionados con la seguridad y la protección en el deporte, tiene su razón social en Catar y figura bajo la dirección de Mohamed Hanzab. Otro que pertenece al ramo: trabajó para el servicio de inteligencia y el Ministerio de Defensa de Catar.

Platini, el protegido de Blatter caído en desgracia, fue alguna vez la imagen de una nueva era. Solo que en ese momento había quedado totalmente olvidada su parte de responsabilidad política en aquello que se debe superar para crear una nueva FIFA. Pues, en mayo de 1998, Platini fue el defensor público más importante del candidato al trono Sepp Blatter, junto a los discretos facilitadores de votos Mohamed Bin Hammam y Jack Warner. En esa época, Platini tenía un puesto, era copresidente del Comité Organizador de la Copa del Mundo en Francia. Si bien Blatter tenía a algunas federaciones de su lado, desde la Libia de Gadafi hasta Zanzíbar, lo que necesitaba con urgencia era una federación con mayor renombre y con peso en todo el mundo. Su oponente era el presidente de la UEFA Lennart Johansson, al que se le consideraba un candidato serio. Y nada más impactante en este caso que arrancar de la alianza de Johansson al país anfitrión del Mundial y, por lo tanto, centro de atención, el que además tenía los mejores contactos en el mundo.

En ese momento, Platini realza la figura de Blatter. El co-presidente de la organización del Mundial de Francia se convierte en un heraldo blatteriano. Llega incluso a poner en entredicho a Johansson, declarando que si el sueco fuera presidente de la FIFA «se refugiaría en el convento para no tener que presenciar la masacre».[203] Platini opera para Blatter en las altas esferas. El deporte en Francia es un asunto de estado que cuenta con el apoyo de Jacques Chirac. El presidente se siente frustrado por el fracaso de la gran nación en la candidatura para las Juegos Olímpicos, y vislumbra en Platini la posibilidad de poner el acento francés en el mundo del fútbol. Así que Chirac también está con Blatter.

Platini dice que él y Blatter diseñaron juntos el programa electoral. Cuando le preguntan si tiene intención de investigar la oscura era de Havelange, responde: «El que esté libre de pecado, que arroje la primera piedra. No sé qué ha ocurrido en la FIFA en los últimos treinta años. No me interesa».[204] Mientras el dúo favorito del retirado Havelange realiza la campaña «Fútbol para todos», con eslóganes como «Fair-play», «Democracia» o «Humanidad», se lleva a cabo una discreta censura en la prensa. Al conocido periodista brasileño Juca Kfouri, enviado del diario Fohla de Sao Paulo, se le niega la acreditación. Esto se lo comunica la Organización del Mundial, despidiéndose con un «saludos cordiales y deportivos». Kfouri se dedicaba a investigar casos de corrupción en la federación de su país (CBF), y en más de una ocasión había arrojado luz sobre los turbios negocios de Havelange y Teixeira.[205]

Poco antes de las elecciones, el organizador del Mundial, Platini, le dedica una conferencia de prensa a Blatter. Dice que quiere reformar la FIFA por completo junto con el suizo, como si este no llevara ya diecisiete años como secretario general o no fuera un dirigente influyente. «Para los jugadores, la FIFA, hoy en día, no significa nada. Ellos ven a los dirigentes como figuras abstractas que se alojan en hoteles de cinco estrellas y comen en restaurantes caros.» Y dicho esto va y se hospeda en un hotel de cuatro estrellas y pide que le traigan champaña y un surtido de hors d'oeu-

vres a la habitación.[206] Junto a Blatter, el francés realza su imagen hasta el punto de que ya empiezan a verlo como un futuro presidente adjunto, como una especie de superdirector. Sin embargo, Johansson amenaza, en caso de perder, con usar su mayoría para impedir que Platini esté en la directiva de la FIFA.

Y, efectivamente, en la primavera de 1999, después de las elecciones ganadas, Blatter solo puede presentar a Platini como su asesor deportivo. Pero, pese a todo, el francés sigue pensando en grande. «Mi deseo es que los representantes del fútbol tengan un lugar en el Comité Ejecutivo. La FIFA tiene que hacer participar a futbolistas, entrenadores y árbitros en la toma de decisiones. De este modo, la FIFA será la voz de trescientos millones de jugadores y no de solo dos o tres personas.»[207] Después de eso se refugia en su despacho de París. Le colocan un asesor de prensa, y así empiezan sus años de aprendizaje como íntimo de Blatter. La meta: dirigir la UEFA y eliminar los obstáculos en Europa. En 2004, Platini anuncia cuáles son sus aspiraciones; en 2005, el presidente de la Federación Francesa, Jean-Pierre Escalettes, anuncia la candidatura de Platini para las elecciones de la UEFA de 2007.

Pero a Johansson le queda un as en la manga con el que puede resolver el asunto: Franz Beckenbauer. En ocasiones, el alemán también fantasea con el trono de la FIFA, y si accede al cargo de presidente de la UEFA su sueño estaría más a su alcance. Así que acepta la candidatura. Pero luego se entera de que la función debe desempeñarse primero en calidad de honorario. Y además, como la UEFA obtiene toda su fortuna de la Champions y los patrocinadores reclaman una protección estricta de las marcas, Beckenbauer no hubiera tenido la posibilidad de firmar toda clase de jugosos acuerdos publicitarios. La clase de publicidad cruzada que venía negociando hacía tantos años en el menos atractivo entorno del Bayern FC ya no sería posible en el alto nivel de la Champions. Así que, finalmente, se baja del cuadrilátero, también para decepción de la DFB. Y, de repente, Johansson tiene que subir nuevamente al *ring*.

Al final, ese hombre sueco de setenta y siete años por poco no le ganó a Platini, pese a no haber hecho campaña. El francés obtuvo apenas veintisiete de los cincuenta y dos votos de la UEFA (veintitrés fueron para Johansson). Y eso que Platini había recibido todo el apoyo de la FIFA y Francia. Chirac le puso un exagente de gabinete a su lado, Jean-Louis Valentin, graduado en la Escuela Nacional de Administración (ÉNA), al igual que el asesor de Blatter, Jérôme Champagne. Valentin pasó a ser una especie de formador de Platini. Blatter también le había enseñado muchas veces cómo sacar votos en los países pobres, donde quizá se podía ablandar a algunos directivos con determinados alicientes. En su gira de campaña por el mar Caspio, el candidato francés promete el oro y el moro, por ejemplo cuando dice que quiere suprimir la Liga de Campeones y la Europa League, y sustituirlas por un campeonato de doscientos cincuenta y seis equipos. ¡Solo fue un malentendido! Los asesores, presos del pánico, le piden que abandone esa idea.

Platini recolecta los votos de los países pequeños, como en los tiempos de Havelange y Blatter. Se amplían las plazas de los campeonatos. Si bien no compiten esos más de doscientos cincuenta clubes, hay más lugar en la Champions para las federaciones pequeñas. Y en la Eurocopa puede participar medio continente; de hecho, en la edición de 2016 que se celebrará en la tierra de Platini competirán veinticuatro equipos, en lugar de dieciséis.

Enero de 2007. Sede central de la UEFA en el lago de Ginebra. En el auditorio, el aplauso estrepitoso se prolonga cinco minutos. Los empleados aplauden de pie. En su despedida, el secretario general cesado en el cargo, Lars-Christer Olsson, lamenta la presencia de «cobardes» con el puñal escondido en los niveles directivos, y que la sede de Nyon esté dividida en dos facciones hostiles: la de los oportunistas que rodean al nuevo jefe Platini y la de los veteranos leales que consideran al novato una marioneta del enemigo público número uno en la casa: Blatter. Una sospecha real. Muchos creen que Blatter ha colocado a su clon en la federación europea, pues la UEFA hasta ese momento solo le había dado disgustos y estaba prosperando más que la FIFA gracias a la Liga de Campeones. Platini, que, a diferencia de su antecesor, Johansson, sabe poco de gestión empresarial y mucho de fútbol, se propone llevar a cabo su revolución francesa en la cúpula directiva europea. Y para eso necesita gente de confianza, personas que le allanen el camino al poder, aunque no sean la mejor elección para el fútbol.

El triunfo de Platini es también la victoria de Francia, que finalmente consigue su dominio en un ámbito deportivo mundial. Hoy Europa, ¿y mañana? Gianni Infantino, aliado de Platini y oriundo de la misma región que Blatter, es nombrado secretario general. El jefe de prensa Will Gaillard, de origen francés, se convierte en asesor del presidente. Y habrá otro francés más como asistente de Platini. ¿Y el expresidente de la liga francesa Jacques Thébault? Pues dirige una nueva Comisión de Estrategia, que se ocupará de la coordinación entre la UEFA y la FIFA. Todos los amigos ya tienen lo suyo. Y ahora Sepp y Michel pueden decidir sobre lo importante en el fútbol.

Platini se convierte en presidente con unos ingresos millonarios. En la UEFA crece la inquietud. Ya no es aquella federación que sirviera de modelo para la gestión deportiva moderna, cuyas actividades operativas estaban gestionadas por expertos de Inglaterra, Escandinavia y Suiza. Gente como Markus Studer, el suplente de Lars-Christer Olsson, ahora a las órdenes de Gaillard, quien antes fuera su subalterno. Studer fue el que lideró el proyecto para la Unión Europea sobre la cuestión de fondo de la UEFA: poder y competencia en las transacciones de futbolistas. La UE quiere reconocer a la federación europea una amplia competencia en la toma de decisiones, siempre y cuando se limite a un marco elaborado de común acuerdo. Un proceso que le conferiría más poder a la UEFA que a la FIFA.

Así todo lo importante se decidirá (ni en Corea ni en Camerún) en Europa: derechos de transferencia, reglamento sobre extranjeros, un nuevo límite salarial. Esto reaviva los miedos ancestrales de Blatter con respecto a la supremacía europea, sobre todo porque los vínculos entre la UE y la federación mundial FIFA son casi nulos. En ese momento, Blatter difunde su regla 6+5, según la cual un club solo podría alinear cinco jugadores extranjeros como máximo. A Platini se le endilga la tarea de imponerla en Europa, y obedece de mala gana, pues ahora él es su propio amo: quiere ser presidente de la FIFA. Pero mientras fortalece a la UEFA con respecto a la FIFA, más se debilita a sí mismo, y más tarde a su candidatura.

Un testigo al que nadie quiere

A mediados de abril de 2007, Platini lleva tres meses en la presidencia de la UEFA gracias a la ayuda de Europa del Este, mientras el mundo del fútbol no se lo cree. El Comité Ejecutivo de la UEFA, integrado por doce miembros, concederá en Cardiff la sede para la Eurocopa 2012. Además de la máxima favorita, Italia, hay dos parejas de candidatos. Croacia y Hungría tienen alguna posibilidad remota, mientras que Polonia y Ucrania no cuentan con ninguna. Al final, esta última dupla vence claramente en la primera vuelta: ocho votos contra cuatro. Italia se queda patidifusa. El presidente de la Federación Croata, Vlatko Markovic, dice estar «consternado, aunque no sorprendido». Hace referencia a un informe previo de la Comisión de la UEFA que califica la candidatura de Polonia y Ucrania como «inadecuada», y cavila: «No sé qué puede haber sucedido en las últimas cuarenta y ocho horas».[208] La prensa deportiva se recrea en las chorradas habituales sobre la ampliación de las fronteras del deporte hacia el este, lo que ya está adquiriendo una dimensión preocupante si se suma el doblete de Putin con los Juegos Olímpicos de Invierno de 2014 en Sochi y el Mundial de 2018 en Rusia. Y más preocupante aún resultan los informes de seguimiento de las campañas.

En el caso de Polonia y Ucrania, las noticias escandalosas tardan dos años en salir a la luz. Entonces estalla una bomba en Chipre, el mayor inversor directo en Ucrania, incluso por delante de Alemania. Spyros Marangos, un antiguo directivo de la Asociación de Fútbol de Chipre, se lanza a hablar. Hay fotos de Marangos y Platini juntos. Marangos afirma disponer de declaraciones de testigos que presenciaron la reunión en Chipre de cinco miembros del Comité Ejecutivo de la UEFA y un conocido abogado, en la que supuestamente se repartieron once millones de euros en incentivos. Cuatro de los ejecutivos habrían sido sus destinatarios, y uno de ellos el pagador. Marangos tiene el respaldo de su abogado, Neoclis Neocleous, que afirma que dichos testigos se ocuparon de «cuestiones técnicas» en el marco de la operación de soborno.

¿Es Marangos un farolero, un chalado, un tipo de más de setenta años al que se le ocurre lucirse en el mundo del deporte y que asume el riesgo consciente de una multa gigantesca por difamación contra la UEFA y sus directivos, además de quedar expuesto públicamente como un charlatán y un mentiroso? ¿Es que este hombre no debería tener claro que la UEFA reunirá las pruebas que él dice tener y las hará desaparecer, ya sea de forma directa o por la vía judicial, en cuanto se le ocurra acudir con ellas a los medios? ¿Y cómo lo ha hecho para que un abogado consolidado se sume a esta farsa descarada respaldando públicamente las mismas acusaciones?

Pues para ser un loco, Marangos tuvo mucho éxito. Durante meses provocó un gran revuelo en el mundo del fútbol europeo. Parlamentarios de Rumania, Hungría e Italia intervinieron activamente. Los medios internacionales enviaban corresponsales a Chipre, emitían entrevistas televisadas y publicaban artículos de varias páginas. La UEFA nunca llegó a ver las pruebas de Marangos, y, después de que sus testigos se retiraran tras un misterioso tira y afloja, tampoco lo demandó por sus declaraciones. La federación adoptó un comportamiento que los expertos anticorrupción de Transparencia Internacional calificaron como «carente de credibilidad».

El escándalo empezó discretamente. El 20 de mayo de 2009, Marangos se dirige por escrito a Platini para informarle «en confianza, que algunos miembros del Ejecutivo habían cometido actos inaceptables y delictivos». Pasan meses hasta que Marangos recibe una respuesta. El secretario general Infantino le pide que entregue la información referente a estas «serias acusaciones.» De ahí en adelante, según

Marangos, dejan pasar el tiempo. Pero el informador de Chipre insiste, y a mediados de 2010, Infantino se lo menciona a Peter Limacher, jefe de los servicios disciplinarios de la UEFA. Limacher se muestra interesado y acuerda una cita. El 24 de agosto de 2010, Marangos tiene que reunirse con él en Ginebra. Los vuelos y el hotel ya están reservados. Pero el 20 de agosto, un Limacher compungido tiene que comunicarle la cancelación de la cita: «Por orden de mis superiores me veo obligado a cancelar nuestra reunión del próximo martes. En el caso de que ya haya realizado la compra de los billetes, le abonaremos los gastos contra acuse de recibo. Le agradeceríamos que nos hiciera llegar un informe preliminar o los documentos». Estas son las palabras de Limacher, el hombre más eficiente en la lucha contra el fraude en el fútbol profesional hasta ese momento. Y el que sería despedido al cabo de unas semanas.

Marangos no puede creerlo. Le contesta que se trata de algo delicado. Tiene que proteger a sus testigos, no puede simplemente enviarle los «documentos o demás pruebas» por correo. Y deja claro: «Aunque ya he abonado novecientos diez euros por mi billete para el 24 de agosto, no quiero aceptar su amable propuesta de reembolso». Hablará con sus abogados.

¿Por qué la UEFA prefiere asumir los gastos de una reserva en lugar de hacer venir al hombre para que hable, a ese informante obstinado que lleva años dándole la lata con una historia que no parece ser tan descabellada tratándose del mundo del deporte?

El 15 de octubre, el abogado Neocleous vuelve a ponerse en contacto con la UEFA. En el correo electrónico dice que «tras la cancelación de la reunión prevista para el 24 de agosto con el señor Limacher por orden de sus superiores», su cliente tiene la intención de emprender acciones eficaces, y solicita «información sobre los procedimientos legales». El Departamento de Disciplina reenvía el correo al Departamento de Asuntos Jurídicos.

Una semana más tarde, Marangos lo divulga todo en los medios. Hace público su intercambio de faxes y correos electrónicos con la UEFA y asegura disponer de varios testigos que habrían presenciado cómo se llevaba a cabo un negocio corrupto en un despacho de abogados de Chipre. El abogado Neocleous certifica tal declaración. Dice que su cliente dispone de varios documentos explosivos y de un par de testigos que participaron en las transacciones.[209] Las declaraciones supuestamente firmadas por los testigos estarían plastificadas y con la fecha original, lo que permitiría a Marangos demostrar cuándo las recibió. Un periodista de televisión que se encuentra con los denunciantes llega a ver una pila de folios plastificados. Según el abogado, los testigos están dispuestos a declarar ante el tribunal y bajo juramento. Entre los inculpados de Marangos estarían miembros de la directiva de la UEFA que ya han llamado la atención por sus actividades sospechosas en el cargo. Y el directivo acusado de haber orquestado la supuesta compra de votos cuenta con una brillante trayectoria en el fútbol.

En el momento en que Marangos desembucha, Infantino está en una comida celebrando el día de la Federación Alemana. Enseguida niega conocer concretamente los hechos, pero dice: «Nuestras puertas siempre están abiertas, nos lo miramos todo». Y sobre el intercambio de correos electrónicos entre la UEFA y Marangos: «Casi a diario recibimos alguna denuncia sobre corrupción o fraude deportivo. Si les diéramos crédito a todas sin disponer de alguna prueba, perderíamos mucho tiempo».[210] Sin embargo, el intercambio de correos permite suponer que autoridades importantes de la UEFA no mostraron demasiado interés por las presuntas pruebas. Y resulta verdaderamente extraño que más tarde se haya retirado la invitación a una persona que formulaba acusaciones mucho más serias que la de algún chanchullo de apuestas en la Segunda División de Hungría (allí la UEFA sí que había puesto a trabajar a sus inspectores). ¿Por qué la cúpula de la UEFA paró una investigación de quien fuera jefe de los Servicios de Disciplina? ¿Quién la detuvo y por qué? Ni Infantino ni el Departamento de Prensa tienen una respuesta.

Marangos sigue sin aportar pruebas. Es comprensible, sin embargo, que si posee declaraciones comprometedoras de personas a las que quiere proteger no las envíe por correo a una federación que está dirigida por gente a la que se acusa en estos documentos. Él mostró su voluntad de presentar las pruebas a la UEFA, y fue la federación europea la que canceló el encuentro en agosto de 2010.

Los observadores de Transparencia Internacional están horrorizados. Anne Schwöbel, que dirige la sección suiza de la organización, notifica que la UEFA procede de tal manera que no se pueden evaluar los verdaderos hechos, y aconseja a la federación que contrate a un experto independiente para que examine los documentos de Marangos. Transparencia Internacional propone incluso la mediación de defensores del pueblo. Pero los documentos de Marangos nunca se trasladarán de Limasol a la sede de la UEFA. Ahora el informante exige a la UEFA que envíe a Chipre al inspector encargado de delitos de corrupción, y entonces él le enseñará los papeles que demuestran que un directivo, supuestamente, cobró tres millones y medio de euros, y que otros tres se quedaron con dos millones cada uno. Pero la UEFA no manda a nadie. Y Europa está que trina. En Italia, la prensa deportiva informa ampliamente sobre el tema y se exige que se investigue. Y en el sudeste de Europa comienzan las protestas.

Al final, la UEFA toma cartas en el asunto. No accede a enviar un representante a Chipre, no. Marangos recibe un ultimátum de cuarenta y ocho horas para entregar los papeles. Luego la federación europea lo demanda, interponiendo un recurso contra Marangos en el Tribunal Penal de Suiza y ante el Fiscal General de Chipre. «La UEFA se ha visto obligada a actuar judicialmente para averiguar si las acusaciones son fundadas y si existen pruebas concretas. En segundo lugar, debemos proteger la integridad de la FIFA y del fútbol europeo, que se ve seriamente dañada por tales acusaciones.»[211] Solo la UEFA entiende cómo se protege dicha integridad cuando se retira la invitación a un testigo y luego se le amenaza con un ultimátum.

Mientras tanto, en Europa del Este, los dirigentes han de dar explicaciones. Grigori Surkis, presidente de la Federación de Ucrania, rechaza los informes referentes a las acusaciones. «En el mundo del fútbol son comunes los rumores y las falsas acusaciones, no importa quién esté en la presidencia de la Federación de Ucrania, la UEFA o la FIFA. El fútbol despierta la codicia.» El magnate de la construcción sabe bien de lo que habla. Surkis era funcionario de la Administración en Kiev, y tras la independencia en 1991 se hizo millonario en tiempo récord con un negocio de materias primas cuyas fuentes de financiación se desconocen.[212] Ya en 1993, adquirió el Dinamo de Kiev y nutrió al club con sus millones; en los años noventa, lo convirtió en campeón de la liga ucraniana. En 1995, un escándalo de corrupción alrededor del Dinamo sacude la Champions League. El árbitro español López Nieto recibe una oferta de costosos abrigos de piel a cambio de un resultado favorable en la Copa de Europa. La UEFA investiga, pero Grigori Surkis, el amo todopoderoso del club, no sale afectado, ya que, supuestamente, no tiene la menor idea del intento de soborno. En cambio, su hermano Ígor y otro dirigente son suspendidos de por vida. Y no es que Grigori se tome a mal esa jugada individual terriblemente perjudicial por parte de su hermano, todo lo contrario. Pese a la máxima sanción, en 1998, Ígor releva a Grigori en la presidencia del club. Y, en 2004, Grigori Surkis se incorpora al Comité Ejecutivo de la UEFA, donde se convierte en un ayudante electoral clave de Platini. En aquel momento, el Dinamo de Kiev estaba excluido de las competiciones europeas debido a casos de corrupción, pero la sanción de tres años no tardó en reducirse. El jefe de estado de Ucrania, Leonid Kuczma, habló con el excanciller alemán Helmut Kohl, que recurrió a Egidius Braun, tesorero de la federación y una eminencia en la UEFA, y al año siguiente el Dinamo pudo regresar a las competiciones.[213] Solidaridad con los hermanos del este.

En Rumanía, la comisión anticorrupción DNA investiga la causa. No se menciona a quién se está investigando, pero, según la cadena Realitatea, se trata del presidente de la Asociación Rumana de Fútbol (FRF), Mircea Sandu. Se dice que habría cobrado dos millones de euros para votar a favor de Ucrania y Polonia. Sandu, de cincuenta y ocho años, niega rotundamente las acusaciones y anuncia que presentará una demanda contra Marangos. Pero este, por su parte, no ha dado ningún nombre, y tampoco recibe demanda alguna.[214]

Ante la ofensiva general de la UEFA, Marangos guarda silencio. Y en enero de 2011, la federación europea comunica que la Fiscalía General de Chipre ha dado por terminado el asunto, puesto que las denuncias de sobornos han resultado ser «totalmente inconsistentes». Por lo pronto, el asunto también concluye para Marangos, aunque no por decisión de la fiscalía, afirma, sino más bien porque sus testigos se habrían echado atrás al sentirse intimidados. Marangos no se aparta de su línea, y afirma no tener conocimiento de investigaciones en Chipre y nunca haber hecho entrega de los documentos. Supuestamente, solo en una ocasión presentó la siguiente declaración a dos directivos: «Entre las fechas 1/1/2007 y 30/4/2007 recibí una información referente a la adjudicación de la sede de la Eurocopa 2012 a Ucrania y Polonia. Me puse en contacto con la UEFA de manera insistente para hacerles llegar tal información. Después de tres años de reiterados esfuerzos, finalmente, conseguí concretar un encuentro en Ginebra para el 24/08/2010. Cuatro días antes de esta fecha, la UEFA canceló el encuentro. A continuación me pronuncié públicamente basándome en la información de la que disponía, aunque sin revelar nombres ni denunciar a nadie en particular [...] Mis testigos ya no están dispuestos a corroborar la información. Lamento esta situación. No tengo nada que añadir ni declarar».[215]

Las autoridades de Chipre se abstienen de emitir un juicio. La UEFA deja preguntas sin responder, tales como si la federación o alguna autoridad llegaron a ver los documentos de Marangos y a evaluar su contenido. Tampoco queda claro por qué la denuncia por difamación se presentó en Suiza y no en Chipre, donde Marangos vivía y donde formuló sus acusaciones. ¿No bastaba con una denuncia en Chipre para obligarlo a presentar sus documentos? Como Marangos se aferra a su versión, solo estos papeles pueden contribuir al esclarecimiento.

Para los expertos de Transparencia Internacional, la táctica de la UEFA de suspender la reunión con el testigo y exigirle el envío previo de «los elementos probatorios» parece un pretexto. «Creemos que en estas condiciones es imposible evaluar la veracidad de los hechos —dice Anne Schwöbel—. La manera de proceder de la UEFA plantea muchos interrogantes. Si no es posible evaluar la calidad de estos materiales, no hay transparencia.»[216] Durante el escándalo, Platini brilla por su ausencia. Tampoco se oye nada del vicepresidente Marios Lefkaritis. Este último es un directivo discreto e influyente, director de Finanzas del fútbol europeo y miembro de la directiva de la FIFA. Y es de Limasol, como Marangos.

Así es el mundo que gobierna Michel Platini, que cada vez se acerca más a su padre adoptivo de la FIFA. En enero de 2012, se completa el cuadro con la entrada del hijo de Platini en el Fondo Soberano de Inversión en Catar (QIA), que meses antes había adquirido el setenta por ciento del capital del Paris Saint-Germain. Laurent Platini, de treinta y tres años, había sido director jurídico de la empresa Lagardère Sport. En su nuevo trabajo, vela «por los intereses de QIA en Europa». QIA es uno de los mayores inversores en el mundo del deporte. El poder financiero de Catar es legendario. Su extensión a toda clase de fundaciones vinculadas con el deporte es palpable, ya sea como el máximo patrocinador mundial presente en la camiseta del Fútbol Club Barcelona o en el campo de la seguridad deportiva global a través del ICSS.[217]

El Fondo Soberano de Inversión en Catar posee el trece por ciento del grupo Lagardère, que, por otra parte, es accionista de Amaury Sport Organisation (ASO), organizador del Tour de Francia entre otros grandes eventos deportivos. Amaury es socio de la FIFA en el máximo acontecimiento deportivo fuera del campo: la entrega del Balón de Oro al mejor jugador del año. Lagardère posee, además, la agencia Sportfive, titular de muchos derechos de comercialización de la UEFA, también en la Eurocopa 2012. Tras haber escalado de Lagardère hasta QIA, Platini júnior se sitúa ahora en el nivel más alto y se ocupa de Europa, mientras que el máximo responsable de Europa es papá, que admite haber votado a Catar como sede del Mundial. De verdad, el que no crea que solo se trata de puras coincidencias es un retorcido. Y es que son coincidencias que también se dan en otras familias. En la de Blatter, por ejemplo.

¿Es aquí donde se completan los círculos?

Hay un aspecto sumamente irritante en esta proximidad empresarial entre familiares. Michel Platini dirige con bombo y platillos un programa de *fair-play* financiero para contener la influencia desmedida de los inversores multimillonarios en los clubes europeos. Esta amenaza proviene, principalmente, de los oligarcas e inversores de la región del Golfo. «Estoy en contra de que haya tantos millonarios extranjeros al frente de los clubes», se queja Platini públicamente.[218] ¡No vaya a ser que lo escuche su hijo! El propio Laurent administra los fondos de los millonarios de Catar que compraron el Paris Saint-Germain. En febrero de 2012, el club francés presenta a un nuevo patrocinador: el Catar National Bank (QNB). Y en diciembre se suma la Catar Tourism Authority (QTA), que durante cuatro años pagará entre ciento cincuenta y doscientos millones de euros por temporada por la publicidad en las camisetas. Quizás el compromiso de Platini júnior con la rama deportiva de Catar solo debe entenderse como una muestra de la máxima independencia que puede darse en la relación entre un padre y un hijo que trabajan en el mismo campo profesional, en el transparente mundo del fútbol.[219]

Las contradicciones internas que vive Platini son sensacionales. No se trata solo del hijo, que encarna los movimientos inversionistas de un futuro al que su padre supuestamente se opone. También se trata del padre adoptivo, cuya misteriosa filosofía le susurró al oído que votara por Catar para 2022, y que luego pusiera patas arriba el calendario de competiciones internacionales para poder celebrar la juerga. De vez en cuando, despreocupadamente, Platini establece paralelismos que encajan con la idea intacta de Blatter acerca del Mundial: «Estuve en Sudáfrica y vi que, a partir de las cinco de la tarde, ya no había aficionados en las calles, que en la ciudad no se celebraba porque hacía más frío que en Inglaterra. Es como que te falta algo. Por eso no quiero que el Mundial de Catar se juegue en julio».[220]

¿Resultan familiares estos vaivenes de Platini? Como hizo Blatter durante muchos años, él también se opone a la tecnología en la línea de gol. Y al igual que Blatter, insiste en que cualquier cambio renovador en la federación «tiene que venir de dentro de la FIFA y no de fuera. Para eso tenemos órganos competentes». ¿Y qué opina sobre que a Blatter lo piten a menudo en los estadios de Europa? Es víctima de acusaciones injustas, nada más. «Si ha habido casos de corrupción, no han tenido ninguna relación directa con Blatter. Se puede criticar su gestión, pero con toda certeza no es un corrupto.» ¿De verdad que no, señor presidente? «Es honesto, al doscientos por cien».[221] Es decir, el doble de honesto de lo que puede ser cualquier mortal. Es una opinión creíble si tenemos en cuenta cómo trata Platini los asuntos delicados en el coto de la UEFA. Ahora bien, ¿no es absurdo creer que alguien que avala la honestidad de Blatter al doscientos por cien puede liderar la reforma de una FIFA deteriorada por los efectos de cuarenta años de régimen blatteriano?

Se trata de la herencia de Blatter. Se romperán las viejas alianzas y se llegará a nuevos acuerdos. Y se trata del futuro deportivo de Catar y de Francia. Un amor apasionado une a ambos países. En 2007, el emir Hamad Bin Khalifa Al-Thani fue el primer jefe de estado del Golfo que felicitó a Sarkozy por su triunfo electoral. Más tarde, la compañía aeroespacial franco-alemana EADS suministró a Catar sistemas de seguridad por doscientos cincuenta millones de euros, y una empresa del mismo grupo recibió un encargo de sesenta aviones Airbus para Catar Airways. La compañía energética francesa EDF y Catar Petroleum Internacional realizan exploraciones conjuntas en los campos de la energía nuclear y las energías renovables. Como resultado de una visita de Sarkozy al Golfo, el conglomerado francés de energía nuclear Areva firmó un contrato de suministro eléctrico por más de cuatrocientos cincuenta millones de euros.[222] Con los años, Catar se ha convertido en uno de los principales proveedores de energía de Francia. También los telespectadores disfrutan cada vez más de esta buena relación, pues la cadena de televisión Al-Jazeera de Catar tiene dos canales en Francia. A comienzos de 2012, esta cadena adquirió también los derechos de televisión de pago para la liga francesa de fútbol profesional hasta 2016, que le costaron alrededor de doscientos cuarenta millones de euros.[223] Y allí donde circulen los petrodólares de Catar no puede faltar la UEFA de Platini, que le concede a Al-Jazeera Sport los derechos televisivos en Francia de todos los partidos de la Europa League, de 2012 a 2015, incluidas las finales.[224]

¿Y a quién vuelve a visitar el emir pocos días antes de acudir a Zúrich para la elección de la sede mundialista? A Sarkozy. La ampliación de capital de cuatro millones de dólares prevista para Areva se ha estancado, así que el jeque Hamad al-Thani y Sarkozy tienen que discutir las condiciones para una inversión del fondo de Catar ya acordada.[225] Y a la cena se suma Platini.

Ambos países persiguen sus objetivos en el escenario internacional. Catar penetra cada vez más en las zonas centrales de Occidente con su fabulosa riqueza, y para ello el deporte es un campo esencial (Doha aspira a ser la sede de los Juegos Olímpicos de 2020). La Francia centralista también forja alianzas globales. Cada dos años se realiza una cumbre de países francófonos donde el mundo de habla francesa, desde Gabón hasta la Guayana Francesa, refuerza sus vínculos. A mediados de marzo de 2012, Sophie Dion, la consejera de Sarkozy en materia deportiva, anuncia una cooperación entre la venerable Universidad de la Sorbona de París y el Centro Internacional de Seguridad Deportiva de Catar (ICSS).

Más tarde, a finales de 2012, Sarkozy es derrotado por Hollande en las elecciones presidenciales. Y, en la primavera de 2013, la prensa económica internacional sorprende con una noticia: Sarkozy asumirá un puesto en la directiva de una compañía de fondos de capital privado llamada Columbia Investments, con una remuneración de tres millones de euros al año. La compañía invertiría en «la reconstrucción de Europa», principalmente en España (dotación: doscientos cincuenta millones de euros) y contaría con cien mil millones de dólares de Catar provenientes del sólido Fondo Soberano de Inversión. Este proyecto de millardos, para el que Sarkozy solo tendría que viajar una o dos veces a la semana a Londres, se suspendió cuando, a finales de marzo, la Justicia francesa presentó acusaciones contra el expresidente. Se trataba de esclarecer si Sarkozy había engatusado a la heredera de L'Oréal, Liliane Bettencourt, una millonaria con demencia senil, para conseguir el dinero con que financió su victoriosa campaña en 2007. El mánager de los fondos misericordiosos de Catar, provisionalmente impedido de ejercer su cargo, lo negó con total rotundidad.

Por suerte, Platini descubrió justo a tiempo su amor íntimo por Catar. De otro modo, en la elección de la sede mundialista, el hijo predilecto del fútbol francés habría votado en contra de los enormes intereses de la economía local. Y es que el emirato no solo suministra la energía, sino que además compra empresas francesas de toda la vida. Solo en edificios, Catar ha invertido 4,8 miles de millones, y ha recibido incluso un tratamiento fiscal privilegiado. Votando por otro Platini, también habría ignorado el deseo de su presidente, y ¿qué habría pensado su hijo empleado en Catar? Así que bravo por el futuro presidente de la FIFA, cuya calentura pasional lo llevó a elegir un nuevo territorio para el Mundial. Ahora bien, ¿quién va a sacar este torneo del horno?

Estas son las preguntas que conducen a los últimos días de la federación *blatteriana*.

Una familia terriblemente encantadora

El 2 de diciembre de 2010 son elegidos los organizadores de los Mundiales de 2018 y 2022. ¿Quién decidió aquel día además de Sepp Blatter, que estaba con Putin, y del amigo de Catar, Platini? Veinticuatro electores integran el Ejecutivo de la FIFA. Sin embargo, Amos Adamu (Nigeria) y Reynald Temarii (Tahití) no llegaron a la recta final. Quedaron eliminados antes de tiempo a causa de unos vídeos donde aparecían regateando el precio de sus votos. Blatter, un incorruptible según Platini, no apreció el trabajo de esclarecimiento de los periodistas encubiertos del *Sunday Time*, sino que los tildó de tramperos disimulados.

Entre los que votan está Ricardo Teixeira. Tanto el Senado como el Parlamento de Brasil han certificado que su federación nacional es un espacio delictivo. A la luz del expediente, Teixeira cobró solo de la ISL un importe millonario de dos dígitos, en dólares. Desde 2011, una unidad especial de la policía brasileña investiga el entramado de empresas *offshore*, sociedades deportivas y comerciantes de derechos que lo rodea. Hay lavado de dinero, evasión fiscal, corrupción. En marzo de 2012 deja sus cargos en la CBF y en el Comité Organizador del Mundial de Brasil (COL). La presidenta del país, Dilma Rousseff, ha ido cortando todas sus conexiones políticas, y ahora se muestra preocupada por la Copa en casa, especialmente porque acaba de destaparse un nuevo caso de corrupción en el que Teixeira está involucrado. Se trata de los negocios turbios con su socio Sandro Rosell. Este dirigía una agencia de márketing llamada Ailanto, que en noviembre de 2008 organizó un partido amistoso entre Brasil y Portugal por una factura exorbitante. El gobierno regional de Brasilia pagó cuatro millones de euros por el partido, luego la policía dio con las pistas de la sobrefacturación y la Justicia se puso a investigar: malversación de fondos estatales. Ocho días antes del encuentro, se descubrió una nueva empresa vinculada a Ailanto que figuraba con el domicilio privado de Teixeira. Además, Teixeira recibió dinero de Ailanto, aunque este lo niega.

Todavía hay más. En junio de 2011, el socio Rosell habría hecho una transferencia de 1,7 millones de euros a una cuenta a nombre de la hija de Teixeira, una niña de once años. El escándalo salpica al club más famoso de Europa, el FC Barcelona, que preside Rosell.[226] El dúo Teixeira-Rosell ya venía provocando mucha irritación con sus operaciones financieras. Rosell era el responsable del departamento de Márketing de Nike para Latinoamérica. En 2010, tras acceder a la presidencia del Barça, creó un vínculo publicitario entre el mejor club del mundo y Catar Foundation. Por primera vez en su historia, el Barça llevaba publicidad en la camiseta. El contrato se firmó pocos días después de la concesión del Mundial a Catar. El Barça cobrará en total ciento sesenta y cinco millones de euros hasta 2016. Por lo visto, hace falta aclarar muchas cosas acerca del dúo Teixeira-Rosell. ¿Es la nueva ISSC la unidad idónea para esto, ahora que está integrada por antiguos miembros del FBI y la Interpol? Hay motivos de sobra para dudarlo. Sobre todo porque en la maraña empresarial de este dúo pronto se descubrirán más negocios turbios, en los que cobrará protagonismo una sociedad *offshore* relacionada con inversores árabes.

En la familia directiva de la FIFA, Julio Grondona era el segundo padrino después de Blatter. Desde 1979 presidía la Asociación Argentina de Fútbol (AFA). En diciembre de 2011, el juez Claudio Bonadio anunció en Buenos Aires que pediría investigar presuntas cuentas de Grondona en el Banco Central de la República Argentina, así como también en bancos de Suiza, España y Estados Unidos. Las autoridades financieras también querían investigar al pez gordo de la AFA, y de paso al secretario general de la Conmebol, Eduardo de Luca (Paraguay). Había sospechas de blanqueo de dinero y evasión fiscal. Grondona rechazó las acusaciones. Para el directivo de Río de la Plata, acostumbrado a los escándalos, las investigaciones eran algo normal. Nada más ocupar el trono en 1998, Blatter lo había colocado al frente de la Comisión de Finanzas y el Consejo de Mercadotecnia y Televisión de la FIFA. Don Julio, que solía comentar en privado a qué periodista le gustaría retorcerle el pescuezo, tenía un lema grabado en su anillo: «Todo pasa».

Ahora bien, ¿eso valía también para el escándalo de los cien millones? Varios abogados presentaron demanda. Entre ellos, Mariano Cúneo Liberona, en representación de Carlos Ávila, el rival de Grondona que acusó a Don Julio y a De Luca de atesorar decenas de millones de dólares en cuentas de Suiza, Inglaterra y Estados Unidos. Los signatarios de las empresas fantasma eran Grondona, su hijo, su mujer y De Luca. En los extractos bancarios figuraban nombres y cifras como los siguientes: «Bank Vontobel AG, Account Holder Kellog Development Inc, Balance 11.109.002,11 CHF (francos suizos)», y el número de cuenta. Otros importes correspondían a empresas con cuentas en el Credit Suisse First Boston y el Bank of America. El total ascendía a más de cien millones de dólares. Un asunto misterioso. Sobre todo porque uno de los bancos desmintió la existencia del número de cuenta que se le había asignado. Los otros no. Continuaron las investigaciones. ¿De dónde salieron esos cien millones?

Otro viejo familiar es el paraguayo Nicolás Leoz, provecto jefe de la Conmebol, que figura más de una vez en la lista de destinatarios de la ISL con un importe total que supera los setecientos mil dólares. Más tarde, los representantes de la malograda candidatura británica para el Mundial dirán en el Parlamento que Leoz les pidió que le nombrasen caballero. Leoz lo desmiente.

El catarí Mohamed Bin Hammam y su socio caribeño Jack Warner también son de la familia. Lo mismo que el surcoreano Chung Mong-joon, que consiguió llevarse el Mundial de 2002 a casa y que vuelve a presentarse para 2022. Warner, el maestro de historia de un pueblecito llamado Río Claro, se hizo multimillonario gracias a sus cargos honoríficos en el mundo del fútbol. Y en Trinidad y Tobago lo nombran ministro de Trabajo y Transporte. Ambos vicepresidentes llevan más de una década dirigiendo la Comisión de Finanzas junto con Grondona. Ambos se quejan de que todas las decisiones importantes las tome Blatter. En mayo de 2011, medio año después de la elección de la sede, la FIFA suspendió a Warner y a Bin Hammam por denuncias de sobornos, algo de lo que ya se había oído hablar en otras campañas electorales, solo que, en esta ocasión, los incentivos estaban destinados a perjudicar a Blatter.

Al guatemalteco Rafael Salguero se le considera la marioneta de Warner, lo mismo que el ruso Witali Mutko en relación con Putin. Entre los representantes europeos sigue habiendo gente como el chipriota Marios Lefkaritis o el turco Senes Erzik, que están a favor del resurgimiento de los países pequeños del este de Europa, y de las relaciones corruptas en el fútbol.

El ricachón petrolero Lefkaritis siempre ha evitado llamar la atención. Ni siquiera se pronunció en el escándalo que desató su paisano y conciudadano Marangos. El hombre tiene poder en Europa del Este. En el fútbol internacional, se le considera un facilitador de votos muy eficiente en el ámbito de los países pequeños. Si Platini llega a la presidencia de la FIFA, Lefkaritis y el español Ángel María Villar serán los candidatos para la cúpula de la UEFA. El chipriota ya es tesorero de Europa, y también desempeña puestos claves en la FIFA. Está en la Comisión de Finanzas y dirige el Consejo de Mercadotecnia y Televisión, que controla la fuente vital financiera de la FIFA. Se alegra de que el Ejecutivo de la UEFA le brinde su apoyo oficial con la máxima cantidad de votos.

Ángel María Villar también se presenta a las urnas. En tiempos de crisis, finge ser el fan número uno de Blatter. Lidera la candidatura de España en la elección de la sede mundialista, y en el medio le toca jugar un partido difícil. Febrero de 2012: Villar ya piensa en su séptimo mandato al frente de la Federación Española, cuando, de repente, se le acusa de irregularidades en el proceso electoral. Ignacio del Río, exconcejal de Madrid, intenta en vano presentar su candidatura y quiere impugnar las elecciones. Habla de «clandestinidad» en el proceso electoral. El tribunal rechaza la solicitud. Luego, la asociación española Manos Limpias denuncia que Villar y un antiguo directivo habrían manipulado las elecciones. La Liga de Fútbol Profesional (LFP) y la Asociación Nacional de Entrenadores de Fútbol (ANEF) también expresan dudas sobre el proceso electoral. La federación no hace ni caso y Villar es reelegido como único candidato. Platini aplaude en primera fila, declara que se siente «orgulloso y feliz» de estar allí, y que la comunidad internacional del fútbol necesita a gente como Villar.[227]

Luego está Franz Beckenbauer, presidente honorario del Bayern de Múnich. Ya nadie recuerda que fue el socio de confianza de Horst Dassler. Tras cumplir solo un periodo en la directiva de la FIFA, dimite. No se sabe si votó a favor de Rusia o de Catar. Aunque su compañero Fedor Radmann no tuvo éxito en Australia, dispone de los mejores contactos con Rusia. El dúo Beckenbauer-Radmann ya tenía bastante experiencia en candidaturas cuando ayudó a Alemania a llevarse el Mundial a casa. ¿Votó Beckenbauer a favor de Rusia y Catar? Solo se pueden afirmar dos hechos: que en 2000, cuando la política señaló a Alemania como sede mundialista, Catar desempeñó un papel muy importante, y que en 2011, un día después de que Beckenbauer dejara su cargo en la FIFA, fue nombrado representante de Gazprom, la compañía rusa de gas que había surgido como un nuevo protagonista mundial en el ámbito del fútbol.

Worawi Makudi, de Tailandia, se mueve con maestría en el mundo del enchufismo, los negocios y los tratos de favor. A finales de 2011, la FIFA lo libra de la sospecha de haber destinado ochocientos sesenta mil dólares del proyecto Goal al embellecimiento de sus terrenos privados. El mismo Makudi se gana este descargo presentando documentos que demuestran que ha transferido los terrenos a la asociación nacional de fútbol de su país. Pero esto sucedió solo ocho años después de que Makudi lo prometiera y de recibir la primera subvención del proyecto Goal en 2003, y, por cierto, pocos días antes del final de una prórroga que la FIFA le había concedido.[228]

La federación de Makudi es el primer aspirante asiático a una de las escuelas de fútbol Aspire, un costoso proyecto de Catar para forjar talentos. Propuesta de emplazamiento: una región próxima a Bangkok en la que Makudi casualmente tiene otro terreno. Hace años que en la asociación del siniestro directivo reina el caos. El hombre no tiene problemas en hacer negocios con la venta clandestina de entradas para los partidos de la selección nacional. Durante la candidatura de Alemania, Makudi llegó a conseguir dos partidos para su selección, uno contra el Bayern de Múnich y otro contra la selección alemana. Más tarde, los representantes de la candidatura inglesa lo acusaron de haber pedido un partido internacional entre Inglaterra y Tailandia a cambio de su voto. Makudi lo niega, como niega todas las acusaciones. En su país han intentado destituirlo. Sin éxito.

Makudi, como Jack Warner, es sospechoso de haber hecho negocios con los derechos televisivos del Mundial en su país.

Por lo general, los derechos para toda Asia los comercializa la empresa japonesa Dentsu; sin embargo, en los Mundiales de 2010 y 2014 lo hizo la firma InterBroadcasting and Sport Challenges, una empresa fantasma detrás de la cual, supuestamente, se encuentra el tailandés de la FIFA. Ni él ni la federación internacional responden a las preguntas de la prensa. Al parecer, Blatter firmó un precontrato en 2005 con la empresa de Makudi. De este modo, InterBroadcasting and Sport Challenges habría pagado cuatro millones de dólares por los derechos de 2010 y cinco millones por los de 2014. Supuestamente, los pagos se realizaron de forma puntual en una cuenta de la FIFA en el banco UBS.[229]

En la Federación de África tenemos a Issa Hayatou, de Camerún, uno de los países más corruptos del continente. Su hermano Alim es ministro, su hermano Sardou fue presidente del país y luego director del Banco de los Estados de África Central (BEAC). Desde hace medio siglo, siempre hay un Hayatou en el gobierno. Los pocos periodistas críticos de Camerún dicen recibir amenazas. Pertenecen al Foro de Reporteros de Investigación para África (FAIR) y siempre siguen la pista del dinero que el estado o los patrocinadores pagan al fútbol y que apenas se destina a proyectos deportivos. Un periodista que quiso averiguar cómo lograba Issa Hayatou vivir tan bien fue acusado de «antipatriótico», amenazado y agredido físicamente, hasta que tuvo que esconderse. Otros periodistas que investigaban a los poderosos del país perdieron la vida.[230]

Ya antes de la elección de las sedes mundialistas, el presidente de la CAF, Hayatou, pierde a uno de sus hombres: Amos Adamu. Lo que apenas se ha mencionado es que, además del nigeriano, otros tres exdirectivos africanos de la FIFA fueron suspendidos. Un año después de la elección de la sede, el propio Hayatou recibe una sanción. En ese momento, Hayatou también forma parte del COI, donde trasciende (por medio de la lista de pagos) que recibió dinero de la ISL. A la FIFA esto no le interesa, y a los del nuevo Comité de Ética tampoco. Cuando en abril de 2013 se oculta la orden de sobreseimiento, estos juristas presuntamente independientes no dicen una sola palabra sobre los incentivos por los que el COI había sancionado a Hayatou. A la FIFA tampoco le interesa que Jean-Marie Weber, el hombre de los maletines, lleve años en la Federación Africana de Hayatou ocupándose del márketing. El Parlamento británico también acusa a Hayatou de cohecho en el contexto de la elección de la sede de la Copa del Mundo, como al directivo Jacques Anouma, de Costa de Marfil. Los investigadores de FAIR en este país revelan que, en ocasiones, los donativos de las empresas para el fútbol se pagan directamente al Ministerio de Deportes, «para evitar que el dinero pase por las manos de Anouma».[231] El miembro ExCo de FIFA también preside la Federación Marfileña FIF, donde reina el caos. Los clubes rara vez reciben algo del millón y medio de dólares que anualmente les envía la refinería de petróleo nacional SIR. Y el 29 de marzo de 2009 murieron por lo menos veinte personas en una avalancha que se produjo en el partido de las eliminatorias clasificatorias para el Mundial entre Costa de Marfil y Malaui. Las investigaciones demuestran que hubo una sobreventa premeditada de dos mil entradas por parte de los directivos de la FIF, lo que desbordó la capacidad del viejo estadio de Abiyán, construido en 1936.

Volviendo a la elección de las sedes, la informante (una exdirectiva de Catar) retiró las denuncias en extrañas circunstancias, disculpándose por supuestas falsas acusaciones contra Anouma y Hayatou.

Ahora vamos con el egipcio Hany Abo Rida. Medio año después de la elección de las sedes, acompaña a su amigo Bin Hammam a un misterioso encuentro en el Caribe, donde los directivos reciben sobres con dinero. En la página web de la FIFA figura como «asesor del jefe de estado y la Comisión de Seguridad Nacional» de su país, lo que demuestra su estrecho vínculo con el régimen de Mubarak, derrocado apenas un mes después de la elección de las sedes. Después de la masacre de Puerto Saíd, que en febrero de 2012 dejó un saldo de setenta y cuatro muertos, el fútbol egipcio queda completamente tocado.

Finalmente están los tres personajes más discretos del

ejecutivo de la FIFA. Aunque, en la elección de las sedes, ellos también tenían planes ambiciosos. Se trata del japonés Junji Ogura, que compite representando la candidatura de su país, y de los colegas Geoff Thompson (Inglaterra) y Michael D'Hooge (por la dupla Holanda-Bélgica).

Más tarde, Blatter habla de la doble adjudicación a los periodistas que escuchan pacientemente. Si fuera por él, no lo habría hecho. Ha sido un grave error. Pero, en fin, «el que trabaja duro comete errores de vez en cuando». El suyo fue no haber pensado en ningún momento cuán corrompido está el mundo. «En estas circunstancias, era de esperar que surgieran conflictos de intereses, ya que incluso podían votar aquellos cuyos países eran candidatos.» Eso es cierto. Como es cierto que en la FIFA siempre ha sido así.[232]

¿Ya está la familia completa? Un momento. Falta uno: Chuck Blazer.

El sueño americano

Mel Brennan es norteamericano y está loco por el fútbol. De pequeño jugaba a la pelota en la calle, más tarde fundó varias peñas de aficionados, y siempre quiso trabajar en el negocio del *soccer*, como llaman al fútbol en Estados Unidos. En 2001 se cumple su sueño: lo contratan para un «proyecto especial» de la Concacaf. Ahora tiene un despacho en la Trump Tower de Nueva York. Ha encontrado el trabajo de su vida.

Eso cree.

Al noveno día recibe una llamada de su jefe para la prueba de fuego. Brennan sube a la limusina color pastel de Chuck Blazer. El que conduce es el hermano de la cantante Gloria Gaynor. Arrancan para ir a ver un partido de fútbol por la noche, pero, en cambio, se dirigen a Manhattan. El portero del club de *striptease* Scores parece conocer bien a Blazer. En el interior del local hay un sector reservado para el personal de la federación de fútbol. El tiempo pasa entre el filete tierno, los masajes en los hombros y un televisor que centellea en algún rincón, y «cuando ya empezaba a ponerse aburrido, Chuck sacó una cosa que yo no había visto en mi vida, una tarjeta American Express con su nombre y el de la Concacaf. Nunca había visto una de ese color. Negra. Era la Tarjeta Centurión. Para ser titular se requiere una invitación que solo reciben los clientes exclusivos que cumplen con criterios muy estrictos».[233]

Brennan dice que pilló enseguida de dónde venía el dinero que se gastaba a través de esa tarjeta. «De su bolsillo, y del de todo aquel que viva en la región de la Concacaf», escribió en su blog *Football Speak*. Supuestamente, veía a menudo cómo se gastaba el dinero de la federación en cenas, bailarinas de *striptease*, masajes y muchas otras cosas que no tenían relación con el fútbol.

Brennan describe la *dolce vita* en la sede de la Concacaf, donde se trabajaba muy poco. A menudo, los empleados «jugaban al solitario o dormían la siesta en la oficina». Al parecer, el jefe los despertaba de un susto cuando necesitaba que alguien subiera a la *suite* de la planta superior «para cambiar de sitio una alfombra o darle de comer al papagayo». En ese tipo de cosas se malgastaba el dinero, dice Brennan, que después de dos años y medio desilusionantes dejó el trabajo en la Concacaf. «El dinero procedente de millones de aficionados que aman el deporte.»[234]

Esto le da otro color a la historia. Chuck Blazer, secretario general de la Concacaf y director de la Comisión de Medios de la FIFA, también estuvo rodeado durante años de una prensa deportiva estadounidense que le era favorable, delante de la cual le gustaba presumir de cuánto ganaba con el crecimiento económico del fútbol en Norteamérica y Centroamérica. Blazer llega a su cénit cuando, en mayo de 2011, se convierte en informante y cuenta cosas sobre un encuentro entre la CFU (la Federación Caribeña) y Mohamed Bin Hammam, el rival de Blatter. Blazer, conmocionado, revela a la prensa norteamericana que en esa reunión no se habría tramado nada limpio. La prensa premia enseguida su integridad con titulares corrosivos, como el de *The Wall Street Journal*: «Intimidades ardientes de un informante».[235]

Chuck Blazer. El talentoso informante de la FIFA. La antítesis de Jack Warner en América. También Blazer está metido en algún que otro asuntillo turbio, pero durante diez años no ha llamado la atención. Increíble para un directivo que en la Concacaf ha elevado el autocontrol a la categoría de cultura empresarial. Y es que Blazer en su federación es, a la vez, secretario general y tesorero. Con eso se ahorra un sueldo, y de paso todos los complicados procedimientos de controles y auditorías. Todo está controlado por él. ¿Es esto lo más habitual en el estándar empresarial norteamericano? Por cierto, el sueldo de Blazer es información estrictamente confidencial.

La situación podría cambiar, ya que el FBI viene observando desde hace tiempo los negocios de Blazer. Desde 2011, se investigan los flujos de dinero de una sociedad *offshore* del hombre de la FIFA en el Caribe. Las autoridades estadounidenses han recibido más de una docena de documentos comprometedores. Los investigadores confirman para Reuters algo que rara vez suelen dar a conocer: la existencia de una unidad del FBI que se ocupa del crimen organizado en Eurasia y que busca «pruebas de pagos efectuados a Blazer».[236]

El robusto norteamericano de barba imponente y modales amables también tenía buenos contactos en el mundo de las apuestas. Desde Las Vegas hasta el Caribe, eso es lo que dicen. Lo de directivo del fútbol profesional era una tapadera. Cuando se mudó a la Torre Trump de Nueva York, instaló allí también la oficina de la Concacaf. Desde allí se manejaban toda clase de negocios paralelos que durante mucho tiempo permanecieron ocultos. Pero después de hacer explotar a sus viejos compañeros Warner y Bin Hammam en Trinidad, empezaron a filtrarse las primeras pruebas incriminatorias desde la isla. Estas demostraban que, a lo largo de los años, Blazer había cobrado una fortuna por operar claramente con información privilegiada. Desde hacía dos décadas, el secretario general Blazer contaba con los servicios de una agencia llamada Sportvertising, que se encargaba de los contratos de márketing de la Concacaf, quedándose con un porcentaje de estos, además de los honorarios mensuales.[237] ¿Qué es lo más notable? Que Sportvertising, con domicilio fiscal en el Caribe, es propiedad de Chuck Blazer. El dinero circula por los paraísos fiscales caribeños, desde las Caimán hasta las Bahamas.

Cuando se le pregunta, Blazer señala que las comisiones en sí mismas son correctas[238] y que la Concacaf tenía pleno conocimiento de ello. Supuestamente, todo está dentro de la legalidad. Por su parte, la FIFA explica con despreocupación que no tiene constancia de ninguna infracción del código ético.[239] La federación tampoco interviene en relación con otros pagos dudosos percibidos por el americano. Sin embargo, cuando el grupo anticorrupción Change FIFA quiere denunciar ante la Comisión Ética las sociedades *offshore* de Blazer, el secretario general Jérôme Valcke responde que las denuncias solo pueden efectuarse en el ámbito del fútbol, y añade que, por otra parte, las pruebas son insuficientes.[240]

La FIFA hace todo lo que puede por Blazer. Tras la salida de Jack Warner asume la presidencia Lisle Austin (Barbados), que despide a Blazer de inmediato. Blazer le impide la entrada a Austin en la sede de la Concacaf en Nueva York. Austin acude al Tribunal de las Bahamas, donde está registrada la Concacaf y donde se le reconoce como presidente. Entonces interviene la caballería de la FIFA: los miembros de la familia del fútbol no pueden acudir a un tribunal ordinario, los conflictos deben resolverse en familia, Austin queda suspendido. Un círculo vicioso. En un marco de nepotismo como el de la FIFA a quien goza de poca popularidad se le despoja de sus derechos.

Mientras tanto, Blazer tiene otro problema. No puede negar los doscientos cincuenta mil dólares que en marzo de 2011 recibió precisamente de la CFU, a la que meses más tarde descubrió como el objetivo de los sobornos de Bin Hammam. A través de la Federación Caribeña, Blazer cobró en total más de medio millón. Según él, el giro de marzo fue la devolución de un préstamo del jefe de la CFU, Jack Warner. He aquí un tráfico crediticio entre directivos de la FIFA que se lleva a cabo entre las cuentas de las asociaciones. ¿No es motivo para que la FIFA realice investigaciones internas, en ese momento en que tanto se habla de transparencia?

Pues no. La FIFA tampoco mueve un dedo cuando Warner niega lo del préstamo.

Warner y Blazer gobernaron la Concacaf a su antojo durante veinte años. Tenían una suite en el piso 56 de la Torre Trump, hasta que, según cuenta gente bien informada, Warner ya no aguantó más las compañías de su amigo del deporte. Así que Blazer se mudó a la planta 49. Este apartamento también costaba dieciocho mil dólares al mes, y eso en el año 2002.[241]

La conexión norteamericana de la FIFA empieza a llamar la atención con la disputa de Visa-Mastercard. La jueza Loretta Preska niega toda credibilidad a la declaración de Blazer, testigo de la FIFA. Sin embargo, este vuelve a liderar la comisión de Márketing. Todo le salió a pedir de boca.

Otros actores de la órbita norteamericana de la FIFA salen a la luz con el caso de los sobornos de Bin Hammam. Es el caso del bufete de abogados Collins, de Chicago, que, por un lado, preparó las declaraciones de los testigos en el Caribe para Blazer, y, por el otro, dejó sin responder las preguntas de la Concacaf sobre las comisiones que este percibía. O como Louis Freeh, el exjefe del FBI, que con su empresa de seguridad ya había facturado algunos millones a la FIFA y luego recibió un lucrativo encargo para investigar el caso de corrupción en el Caribe.

Mientras toda la nación deportiva de Estados Unidos mira béisbol, fútbol americano o la NBA, Blazer está en la Trump Tower divirtiéndose con los millones del fútbol sin nadie que lo controle. Su participación activa en el negocio de las apuestas también pasa inadvertida. Aunque, de vez en cuando, su pasión lo lleva a estar en aprietos. En 2000, junto con Kirch, el antiguo socio televisivo de la FIFA, rescata del pozo a una empresa que se dedica a las apuestas deportivas. El proyecto con la Global Interactive Gambling (GIG) difícilmente pueda considerarse representativo de un cargo honorífico. Se trata de tentar a los telespectadores para que participen en juegos de apuestas interactivos durante los acontecimientos deportivos televisados, y todo a través de la empresa de un directivo de la FIFA que se encarga de la supervisión de la firma Kirch, que al mismo tiempo es su socia. A finales de 2001, el *Daily Mail* saca un artículo sobre «El directivo de la FIFA que recoge las apuestas para el Mundial», y Blazer enseguida envía a Blatter un informe extenso en el que explica la relación de GIG con Kirch, lo que casi seguro ya se conoce internamente desde hace tiempo. Aunque se queja de la prensa amarilla, admite que probablemente en el futuro sea posible apostar por los resultados del Mundial a través de su casa de apuestas. «Esto se decidiría a finales de enero», informa citando a los directivos de su propia empresa.[242]

Blazer le recuerda a Blatter que en la última sesión de miembros ExCo, cuando se decidió el traspaso de los derechos televisivos de la insolvente ISL al grupo Kirch, él no votó, sino que se declaró parte interesada. De modo que todos lo saben, casi cada directivo de la FIFA está al corriente de los negocios paralelos de ciertos colegas, ya sea en el área de las apuestas o de los derechos de televisión. Lo que recuerda una vez más a los afectos del padrino Vito Corleone, que decidía qué miembro de la familia se ocuparía de cada negocio.

Un escrito del surcoreano Chung Mong-joon también viene a demostrar que así son las cosas. En ese momento, él forma parte de la oposición a la que Blatter quiere expulsar. En 2002, Chung se queja de unas palabras de Blatter que ha leído en la prensa: «¿Por qué siempre preguntan por Blazer y Warner? ¿Por qué no preguntan por Chung y su participación en Hyundai?». Está claro que Blatter, cuando le conviene, tiene un ojo clínico para las operaciones con información privilegiada, las que llevan a cabo sus opositores. Chung integra la directiva de la FIFA, y Hyundai es un patrocinador estrella de la FIFA. Chung le recuerda al jefe que, tras la retirada de Opel, la FIFA buscaba un *sponsor* y encontró a Hyundai como sustituto. «Fue la FIFA la que recurrió a Hyundai, no al revés.» Le explica que «la integridad es la línea divisoria entre el patrocinio de Hyundai y las personas que explotan los derechos de televisión de la FIFA para beneficio personal. En tanto que la FIFA posee los derechos, surge un conflicto de intereses si un miembro del Ejecutivo interviene en esta transacción. [...] Si usted todavía sigue sin poder comprender la diferencia entre el patrocinio de Hyundai y el caso de los derechos de Jack Warner, no dude en contactar conmigo».[243]

La Concacaf de Warner y Blazer siempre fue para la FIFA un caso especial, y no solo en términos financieros. La desvergüenza de Blazer es casi igual que la de Blatter, como queda demostrado en la contienda con Edgardo Codesal. En ese momento, el mexicano es director de árbitros de la Concacaf y quiere disputarle el trono a Warner en 2002. Blazer rechaza la nominación de Codesal remitiéndose a los estatutos, según los cuales un miembro remunerado de la federación no puede ocupar ningún cargo electivo en esta. Es lo que argumenta precisamente Chuck Blazer, el secretario general de la Concacaf, que, en calidad de tesorero, se controla a sí mismo, y que constantemente remite cheques de cinco dígitos al presidente honorario Warner a su oficina en Puerto España.[244]

Es una comunidad de fines. Mientras Warner dirige el electorado caribeño a través de la CFU, Blazer mantiene relaciones más íntimas con los padrinos de la FIFA que con la clientela de las islas. Su héroe es el hombre al que se identificó como destinatario de sobornos y que dejó el COI antes de ser destituido. Blazer dice que su ídolo futbolístico no es ningún futbolista, sino «un símbolo majestuoso de elegancia en nuestro deporte: el doctor João Havelange».[245] Los vínculos con Blatter son diversos. Su hija Corinne vivió un tiempo en el lujoso alojamiento de Blazer en la Torre Trump.[246]

Por su parte, Marci, la hija de Blazer, fue acogida durante un periodo en la Comisión de Asuntos Jurídicos de la FIFA. El hijo, Jason, fue médico en la Concacaf. Y en la Comisión Jurídica también ocupó un cargo temporalmente el abogado de confianza de Blazer, John Collins, asesor general de la asociación estadounidense. Ante la FIFA, el abogado de Chicago había defendido con pasión los negocios de Jack Warner con las entradas del Mundial 2006. Collins se esmeró en analizar minuciosamente las «conclusiones desacertadas» del revisor externo de Ernst & Young.[247] Y cuando, más tarde, Blazer denunció la reunión secreta del CFU con Warner y Bin Hammam, volvió a incorporar en el equipo al amigo del deporte Collins, que proporcionó declaraciones de testigos. De la investigación se ocupó Louis Freeh.

Además del gestor rechoncho que habita en la Torre Trump, hay pocos estadounidenses renombrados en el negocio del *soccer*. Uno de ellos es el abogado Alan Rothenberg, que siempre estuvo muy cerca de Blatter y los príncipes de la Concacaf, donde ocupa un cargo en la directiva. Fue organizador del Mundial de 1994 y presidente de la Federación Estadounidense de Fútbol. En 2012, Rothemberg revela que el Mundial en Estados Unidos solo funcionó gracias a la ayuda financiera de la FIFA, proporcionada a su vez por un banco suizo. Esto lo da conocer en Doha, donde es un referente en el Centro Internacional para la Seguridad Deportiva, ICSS.

Pero hay más amigos discretos e influyentes. Henry Kissinger es uno de esos hombres para todo. En 1999, incluso echó una mano en el Congreso de Estados Unidos, cuando al presidente del COI, Samaranch, lo citaron en Washington por una orgía de sobornos y le echaron una buena bronca. Kissinger hizo valer su palabra y sus influencias. Después de la crisis de 2002, Blatter le invitó a que le ayudara a limpiar la FIFA. Un año más tarde, sin embargo, solo se lo convocó como orador cuando Blatter recibió el Premio de la Paz de una organización estadounidense llamada International Amateur Athletic Association. Después de la reelección de 2011, Blatter vuelve a llamar a Kissinger. En ese momento sueña con un comité de notables: «Estoy pensando en personalidades como Henry Kissinger y Plácido Domingo».

Es el Premio Nobel de la Paz de 1973 lo que ha convertido a la vieja estrella de la política en un apóstol del mundo del deporte. Ese premio es la obsesión de todos, es el Santo Grial de los ejecutivos del mundo del deporte. Ya en los años noventa, el trabajo de *lobby* del mundo del deporte en Oslo (residencia del comité del Nobel de la Paz) fue motivo de penosos titulares: una vez más, Havelange era propuesto por sus amigos del deporte. También a Blatter le gusta hablar del Premio Nobel.

Sin embargo, el amigo del fútbol Kissinger es una figura política controvertida, como demuestran más tarde ciertos archivos y algunas investigaciones. Al igual que Louis Freeh, la consultora de Kissinger (Kissinger Associates, Inc) brinda asesoramiento en materia de negocios, riesgos, seguridad y gobierno.248 Y en el área deportiva tiene un pasado turbio. En el Mundial de 1978 de Argentina, la primera Copa del Mundo de Havelange como presidente, Kissinger permaneció siempre en compañía de Jorge Videla, el jefe de la Junta Militar que gobernaba el país. Kissinger no aclaró que no se trataba de una visita oficial, como parecía. Lo cierto es que entonces ya llevaba tiempo fuera de servicio y el gobierno de Jimmy Carter estaba denunciando las violaciones de los derechos humanos en Argentina. En el partido clave de la albiceleste, que en igualdad de puntos disputaba el acceso a la final con Brasil, Kissinger estuvo junto al general Videla. Llegada esta instancia, el campeonato se había manipulado para que el partido de Brasil, el rival de grupo de Argentina, se jugara antes. La *verdeamarela* había vencido a Polonia por 3 a 1, y ahora la anfitriona sabía qué resultado debía obtener para acceder a la final. Argentina tenía que vencer a Perú por una ventaja mínima de 4 a 0.

El exsenador peruano Genaro Ledesma reveló que el partido se amañó; los gobiernos militares de ambos países habrían llegado a un acuerdo. La declaración de Ledesma se produjo en Buenos Aires ante el juez Norberto Oyarbide, que había expedido una orden de detención contra el expresidente militar de Perú, Francisco Bermúdez. Durante la Operación Cóndor, Bermúdez habría entregado trece opositores peruanos a los torturadores argentinos. En aquellos años siniestros, las dictaduras latinoamericanas estaban coordinadas para perseguir a los disidentes a través de la Operación Cóndor. Y el propio Ledesma, en aquel entonces sindicalista, fue una víctima. Según su declaración, Videla habría aceptado a los prisioneros peruanos con la condición de que Perú perdiera el partido del Mundial por la cantidad de goles necesaria. «Videla quería ganar el Mundial para mejorar la imagen de Argentina en el mundo», dijo Ledesma en el tribunal.[249]

El partido se desarrolló de acuerdo con estas circunstancias. Perú no solo no alineó a cuatro de sus jugadores titulares, sino que tampoco salió al campo con su camiseta tradicional, la de la banda roja. El once andino vistió camiseta roja y pantalón blanco. Alberto Lacoste, director de la organización del mundial y posterior vicepresidente de la FIFA, también hizo todo lo imaginable. Con los máximos directivos peruanos, se negoció un envío de treinta y cinco toneladas de cereales a Lima y un préstamo de varios millones de dólares. Más tarde, tres jugadores peruanos confesaron que a cada miembro del equipo se le ofrecieron veinte mil dólares por la derrota. Desde entonces, al defensa Rodolfo Manzo, que después del Mundial fue traspasado al Vélez Sarfield, es conocido en su país como «el Vendido».

Pero no alcanzaba solo con una derrota. Perú tenía que recibir cuatro goles, tenía que salir al campo desmoralizado. Poco antes del comienzo del encuentro, sucedió algo insólito. En el vestuario de la selección peruana aparecieron dos grandes de la historia del mundo: el presidente de la junta argentina, Videla, y el exministro de exteriores estadounidense Henry Kissinger. No solo al delantero Juan Oblitas le pareció «intimidatoria» la presencia de ambos. Videla les habría soltado un sermón apasionado sobre la unión y la hermandad de los pueblos latinoamericanos. Argentina venció por 6 a 0 a un Perú paralizado y se plantó en la final. En el banquete de despedida después del triunfo, Kissinger, ese amigo del deporte, vaticinó el éxito de la sangrienta dictadura argentina: «Este país tiene un gran futuro en todos los aspectos».[250] Fue el único día (además del día de la ocupación de las Malvinas) en que la mayoría del pueblo celebró algo con los dictadores.

Game over

Incluso después de 2001, Chuck Blazer sigue vinculado al negocio de las apuestas. En su día, la idea no estaba muy madura; eso de animar a los telespectadores a que con solo un clic apostaran por el siguiente gol, el siguiente tiro de esquina o tiro libre. Sin embargo, ya podía vislumbrarse una evolución, sobre todo en el mercado asiático, donde la escena de las apuestas se estaba volviendo peligrosa e imposible de controlar. Hoy se realizan apuestas absurdas e instantáneas por los saques de banda, los cambios o incluso por la cantidad de jugadores de béisbol que llevarán gafas al llegar al estadio. Principalmente se trata de un pasatiempo aburrido detrás del cual se esconde un negocio gigantesco. El dinero que mueve esta clase de apuestas tontas (al igual que el de las apuestas convencionales por los resultados o los partidos manipulados) circula a través de las agencias tradicionales o de casas de intercambio de apuestas. Aun así, las vías de circulación apenas se comprenden. En Europa, las apuestas se han convertido en un problema sociocultural.

Sin embargo, mientras en el Viejo Continente cada estación de tren grande está rodeada de locales cutres de apuestas, en Estados Unidos esta clase de juego sigue estando demonizado. Especialmente, las apuestas *online*. El ramo lleva años batallando. Se pueden mencionar empresas como Multisport Games Development, que también pertenece a Chuck Blazer. En 2005, un socio mexicano tiene que reclamar judicialmente un millón que invirtió allí, antes de llegar a un acuerdo con Blazer. En este contexto, surgen preguntas sobre varios cheques enviados en 2002 por la Concacaf a Multisport, firmados por Blazer, secretario general de la Concacaf y director de Multisport.[251] Blazer no se toma la molestia de responder.

En 2011, la lucha resistente de los empresarios del sector para que se legalicen las apuestas en línea recibe un apoyo importante. Las poderosas asociaciones de casinos de Estados Unidos mandan a dos pesos pesados a la batalla: Louis Freeh, exdirector del FBI, y Tom Ridge, antiguo secretario de Seguridad del Territorio Nacional. Ambos se suman a una iniciativa denominada «*Fair Play* USA», puesta en marcha por los dos grandes operadores de casinos, Caesars Entertainment y MGM Resorts International. El objetivo es llevar adelante la liberación del póker en línea. Desde la primavera de 2011, se han presentado denuncias contra tres de los grandes grupos del sector, pero, a pesar de eso (o debido a eso), los dos *lobbistas* prominentes creen que la legislación vigente es ineficaz. Ridge argumenta que la voluntad de prohibición de los legisladores es comprensible, pero inaplicable; por tanto, se necesita una liberación controlada.[252] Freeh, el investigador de la FIFA, se expresa con vehemencia: «El póker en línea es un deporte nacional, una pasión». El objetivo de la piadosa iniciativa *Fair Play* USA (que nadie se piense que se trata de un grupo de presión) consiste en integrar los juegos de azar de Internet dentro de «un marco seguro y legal».[253] A veces, el frágil mundo del deporte y las apuestas se puede regular, incluso en Estados Unidos.

Jack Warner dice que ya en 2004 le pidió a Blazer información sobre sus negocios; como no la recibió, dejó de confiar en él. «Por eso mismo, desde 2004, no he firmado ningún contrato con su empresa Sportvertising.» Si esto pudiera probarse, sería una declaración demoledora, sobre todo porque Warner remarca: «Desde entonces, ni Blazer ni su empresa han tenido un contrato válido con la Concacaf». Entonces, ¿cómo es que se le han seguido pagando millones en comisiones de mediación?

Blazer no responde a ninguna pregunta. Tampoco en relación con su residencia de lujo en la calle Casino Drive de Nasáu, el paraíso de los juegos de azar. A través de un entramado de empresas en Bahamas, se le han atribuido propiedades por valor de varios millones de dólares.[254] Blazer deja su cargo en la Concacaf a finales de 2011, pero conserva el de la FIFA. Además, quiere desempeñar un papel importante en la liga de fútbol de Estados Unidos, por lo que ya está pensando en una franquicia del antiguo club de Beckenbauer, el Cosmos de Nueva York. ¿Se podrá en tiempos de crisis económica convencer al alcalde Michael Bloomberg para que invierta el dinero de los contribuyentes en algo tan indispensable como un estadio de fútbol?

Blazer es el amigo de las apuestas en la directiva del fútbol, pero no se le puede reprochar haber traído el juego a la FIFA. Este sueño de forrarse a costa del deporte más popular del mundo ya existía desde hacía mucho tiempo en la federación, y es un proyecto que se ha emprendido de manera secreta por lo menos una vez. Así lo revela un norteamericano que, al servicio de un grupo financiero brasileño, brindó su asesoramiento para este proyecto secreto. En mayo de 2011, cuando la ISL acababa de quebrar, el empresario californiano Richard Herson envió por fax una carta de cuatro páginas a Blatter y Zen-Ruffinen. Herson quería aportar algunos datos a las hipótesis que ellos manejaban referentes al vínculo prolongado de la ISL con la FIFA.[255]

Herson dice que, entre 1993 y 1994, puso en marcha un proyecto de juegos de azar junto con un círculo de personas integrado por: el presidente de la FIFA, João Havelange; su yerno, Ricardo Teixeira; el pasador de dinero, Jean-Marie Weber; el banquero brasileño Antonio Carlos Coelho; y Matías Machline, que entonces era su jefe. Machline era inversor financiero y multiemprendedor. El 27 de julio de 1993, el grupo se reúne por primera vez en Miami, ocasión a la que solo falta Teixeira. Todos firman un documento, menos Havelange, «que prefería que su nombre no figurase. Por eso todas las negociaciones se llevaban a cabo con el señor Weber».

Así es como Herson describe el proyecto: «La organización de un sistema global creado por la FIFA, llamado FIFA Club, compuesto por un club y una lotería, que gestionará una quiniela bajo licencia de la FIFA en relación con los partidos de la FIFA». El concepto habría desembocado rápidamente en un plan de negocios. «Los números eran más que impresionantes», escribe Herson. Después de tres años, el beneficio se gabría estimado en 8.750 millones de dólares, sin impuestos. ¡Viva la bonanza del fútbol!

«Con el conocimiento y la aprobación de la ISL —continúa Herson—, en 1994 se presentaron estos planes a una serie de empresas como Caesars World en Las Vegas y VISA International.» El proyecto se habría impulsado en Dallas, Zúrich y Londres. En Dallas se habría aprobado la minuta del contrato el 3 de julio de 1994, durante el Mundial (firmada por Weber, Machline, Coelho y el propio Herson). Al grupo Machline supuestamente se le concedió una amplia competencia para el uso del logo de la FIFA y los derechos de comercialización. El 12 de agosto se firmó el contrato en Nueva York. A la reunión acudió Raúl Rosenthal, director del nuevo FIFA Club y reciente exdirector de American Express en Argentina. Había pleno convencimiento de que muchas «entidades bancarias y operadores de apuestas de todo el mundo se sumarían rápidamente al proyecto».

Horas más tarde, comienza una película de terror.

Herson le comunica al presidente de la FIFA lo siguiente: «Han sucedido cosas extrañas. El 12 de agosto, algunas horas después de la firma del contrato, el señor Machline falleció en un accidente de helicóptero mientras se dirigía a Atlantic City. A los pocos días a mí me diagnosticaron cáncer linfático en fase terminal y me dieron solo unos meses de vida. El señor Rosenthal se encuentra en una situación delicada, puesto que ya había presentado su renuncia a American Express. El señor Machline era el impulsor y organizador de este proyecto».

Antes de empezar con la quimioterapia, Herson habría viajado a Brasil a petición de la familia Machline para encontrarse en São Paulo con Teixeira y Coelho. «Fue un encuentro tenso y amargo, pues Teixeira dejó muy claro que llevaría a cabo el proyecto con Coelho, sin tener en cuenta acuerdos anteriores y en perjuicio de los herederos de Machline.» Herson no habría podido hacer nada al respecto, debido al fuerte vínculo entre Teixeira y Havelange, y a su propia enfermedad.

Supuestamente le llegó el rumor de que más tarde Teixeira y Coelho habían querido poner en marcha la lotería del fútbol en Francia, pero no había prosperado. Según Herson, la prensa brasileña le pidió los documentos para comprometer a Teixeira, pero él nunca entregó ni los papeles ni los archivos informáticos que contenían ciertas notas. «Para honrar la memoria del fallecido señor Machline.» Sin embargo, concluye diciendo que, si Havelange hubiera reclamado esos documentos, se los habría enviado.

Y así es como acaba el misterioso intento de la FIFA de forrarse con las apuestas del deporte que está en sus manos.

Un trabajo para el FBI

La historia del deporte señala que Estados Unidos tiene escasos méritos en el negocio del fútbol. Sin embargo, hay motivos para pensar que eso podría cambiar. El cambio se produce a lo sumo de manera tangencial en las investigaciones de los llamados «federales» sobre las finanzas de las sociedades *offshore* de Blazer, especialmente porque estas no se ponen en marcha hasta mediados de 2011. Y la visita del FBI a Inglaterra en noviembre de ese año, para ver a la gente de la candidatura mundialista, está relacionada principalmente con sucesos recientes que se produjeron en el contexto de la lucha global por la sede.

Bien mirado, se advierte que detrás de las investigaciones del FBI en el mundo del fútbol se esconde algo más. El caso Blazer, por ejemplo, gira alrededor de los negocios entre la Concacaf residente en Estados Unidos y las sociedades *offshore* del hombre de la FIFA en el Caribe. Pero, según el FBI, la causa la investiga una unidad especial que se ocupa del «crimen organizado en Eurasia».[256] ¿En Eurasia? ¿Y qué tienen que ver los negocios de Blazer basados en la información con el crimen organizado? Por definición, la delincuencia organizada es la actividad delictiva de un grupo de, cómo mínimo, tres personas. Y aunque esta peligrosa forma de criminalidad está muy extendida en el salvaje este de Europa, los Balcanes y los Urales están muy lejos de las islas tropicales de Blazer.

Podemos especular. No sería extraño que los investigadores que siguen la pista de las cuentas *offshore* advirtieran que se destinan a relaciones comerciales y de tránsito de flujos financieros que ellos desconocen. Según los medios, en el caso de Blazer trabajaron especialistas que tenían acceso a las cuentas bancarias y que podían rastrear el origen de las transferencias de dinero.[257]

La zona del Caribe, donde abundan paraísos fiscales y de apuestas, no es el único caso.

La creación reciente de nuevos centros de juegos de azar llama la atención de los investigadores internacionales que siguen los pasos de la mafia de las apuestas en diferentes países mediante las prácticas de vigilancia habituales. Se dice que también estarían involucrados algunos ejecutivos del deporte. Supuestamente, las pistas conducen a Europa, a la región costera de un país de los Balcanes. Informantes familiarizados con los hechos cuentan que allí se está llevando a cabo un plan ambicioso: un paraíso del juego en la pintoresca franja marítima, cien hectáreas o más, con todas las instalaciones necesarias. Por lo que dicen, hay gente de negocios conectada con la capital mundial del juego, Las Vegas, y está prevista una inversión de mil quinientos millones de dólares para el proyecto. Las investigaciones se traban y se complican, como sucede a menudo en el contexto internacional cuando se necesita la cooperación entre autoridades de diferentes países que a veces advierten con envidia que no aportan suficiente material propio. Estas investigaciones también pueden complicarse, por ejemplo, cuando hay bancos nacionales por en medio, y con ello se ven afectados los intereses del estado.[258] Con todo, en febrero de 2012, se percibe una señal alentadora: dos investigadores de peso viajan de los Balcanes a Washington para reunirse con el vicedirector del FBI, Sean Joyce, y con el fiscal jefe Eric Holden. La versión oficial es que en estas reuniones se reforzaría el trabajo en colaboración referente a seguridad, asistencia judicial en materia penal, lucha contra el terrorismo y la delincuencia transfronteriza. Es llamativo que los visitantes se hayan tomado una semana entera para eso, cuando meses antes habían negado tales investigaciones.

Pocas veces las autoridades judiciales estadounidenses consideran tratar con periodistas, solo cuando estos pueden reunir pruebas. Por lo general, prefieren actuar con total discreción. El FBI está autorizado a trabajar sin ninguna clase de obstáculos en Europa y en cualquier parte fuera de Estados Unidos. De vez en cuando se filtra algo, pero esto es casi siempre gracias a los colegas de otros cuerpos de policía, que son los que mantienen los contactos con la prensa local.

Así ocurrió en diciembre de 2011. La policía londinense no es tan discreta como los llamados «federales» norteamericanos. De repente, la prensa británica informa de que, en noviembre, el FBI interrogó a representantes de la candidatura inglesa para el Mundial. La investigación obedece a la sospecha de que antes de la concesión de la sede se perpetraron ataques informáticos contra los sistemas de las federaciones inglesa y estadounidense. Los investigadores habrían reunido «pruebas contundentes» y habrían llegado a un acuerdo con gente de Londres que había estado presente en la votación en Zúrich. Según esto, los ataques de *hackers* se llevaron a cabo justo antes de la elección. Se insiste en que el FBI tendría «pruebas sustanciales» de que organizaciones externas intentaron infiltrarse en el sistema informático de Estados Unidos.[259] Un método que, como se ha dicho, se instaló en el negocio del deporte hace ya tiempo.

Las autoridades oficiales de Estados Unidos no se pronuncian sobre estos hechos. Pero los contactos también existen en Suiza, donde, desde comienzos de 2012, ejércitos enteros de investigadores privados están a la caza de datos informáticos referentes a cuentas bancarias, que se venden por una cantidad de siete dígitos. ¿Y qué pasaría si un día la honorable Loretta Preska tuviera que volver a coger el martillo? La imperturbable jueza de Nueva York aprendió mucho sobre los responsables del fútbol en aquella época de turbulencias, cuando se produjo el escándalo del patrocinio con las dos grandes compañías de crédito. También llegó a ver algunas cosas y leer otras.

Cuando salió a la luz el asalto del FBI a Londres, la FIFA, espantada, no podía imaginar qué motivos tenían los federales para investigar. Eso es lo que se cuenta. Lo cierto es que algunas de las razones eran obvias, aunque supuestamente solo se sospechaba que el escándalo en el Caribe alrededor de Bin Hammam, Jack Warner y los sobres de dinero pudiera haber infringido la ley contra el blanqueo de dinero en Estados Unidos. Enseguida la FIFA ofreció a los investigadores eso que en la federación llaman «todo nuestro apoyo». En qué consiste este apoyo o cómo se debe valorar esta clase de ayuda es algo que los jueces suizos y norteamericanos ya han explicado con enérgicas palabras en los juicios, calificando a la federación de Blatter como encubridora y obstaculizadora. Igualmente inquietante resultó la noticia de que Chris Eaton, jefe de seguridad de la FIFA, quería reunirse con la gente del FBI.[260] Ah, vale, que Eaton estuvo en la Interpol. ¡Qué bien! Solo que en ese momento era empleado de una asociación sospechosa con sede en Suiza que él se encargaba de proteger. El acceso a la información confidencial del FBI debería ser tan limitado para un empleado de la FIFA como para el tesorero de una asociación alpina de cultivadores de hongos.

La Federación de Fútbol de Estados Unidos (USSF) no respondió a ninguna pregunta sobre el caso. ¿Cómo es posible? Siempre se ha dicho que el presidente Sunil Gulati es un títere de los peces gordos de la Concacaf, Blazer y Warner, y un asesor en la sombra de los inescrupulosos vendedores de entradas de la FIFA, los hermanos Byrom. Trabajó por lo menos diez años para ellos, dicen los expertos de Estados Unidos, que tampoco se sorprenden de que Gulati haya reemplazado a su antiguo protector Blazer en el Comité Ejecutivo de la FIFA a mediados de 2013. En ese momento, el FBI ya llevaba tiempo realizando nuevas investigaciones en la Torre Trump.

En la elección de la sede para 2022, la USSF de Gulati fue ampliamente superada por Catar. La Federación Estadounidense guardó silencio respecto a las denuncias de corrupción, como lo hizo cuando se le preguntó por las investigaciones del FBI. Antes del nombramiento en la FIFA, Gulati ya había conseguido un cómodo puestecito en la Comisión Independiente de Gobernabilidad (IGC) de Mark Pieth, junto con voluntarios de la gobernanza como Carlos Heller, el dirigente de Argentina, el país de las maravillas de Julio Grondona.

Tiempo de descuento

Una ley que molesta

*L*as turbulencias del año electoral 2011 provocan el recalentamiento del aparato de seguridad que rodea a Blatter. Este se centra en tres asuntos claves: las elecciones presidenciales, la corrupción de Mohamed Bin Hammam y su colaborador Jack Warner, y el propósito de lavar la imagen desastrosa de la federación. Esto último desemboca en un proyecto de reforma iniciado y controlado por Blatter. La FIFA está rodeada de policías e investigadores, detectives privados y proveedores de servicios de seguridad especializados, lo que dificulta cada vez más distinguir los intereses particulares. Se desdibujan los límites y aparecen conexiones inquietantes, en las que también participan personas e instituciones comprometidas con la buena causa.

El 2 de diciembre de 2010 se conceden los dos Mundiales a Rusia y Catar.

A partir de entonces se multiplica la cantidad de sabuesos por cuenta propia que pululan por allí, además de los servicios de investigación. El primero, Louis Freeh, que anda en busca de documentos para poder comprometer de manera definitiva a Bin Hammam, el fracasado oponente de Blatter. Las pruebas de los acontecimientos en el Hyatt Regency Hotel de Puerto España parecen irrefutables. Allí veinticinco miembros de la asociación caribeña de fútbol (CFU) se reunieron con el candidato a la presidencia Bin Hammam, y algunos días después de su partida, el 11 de mayo de 2011, se repartieron sobres de dinero que contenían cuarenta mil dólares cada uno. Hay fotos de los fajos de billetes, hay declaraciones de testigos, hay incluso un vídeo en poder de los investigadores de la FIFA, donde se ve a Jack Warner refiriéndose al tema y enseñándoles regalos a los delegados.

Y, sin embargo, la FIFA se encuentra con un inconveniente: el catarí lleva el caso ante el Tribunal Deportivo, él también quiere resolverlo por la vía judicial. ¿Y si un tribunal se percatara de que esta forma de soborno viene siendo una práctica habitual en la FIFA desde los años noventa, como dice el versado en la materia Bin Hammam? ¿Y si un tribunal comprobara que a Bin Hammam y a Warner, que no habían actuado a hurtadillas, se les tendió una trampa, como ellos afirman?

Hay un hecho clave. Los dos opositores habían avisado de antemano a Blatter de sus planes, y el máximo dirigente del fútbol no impidió que se llevaran a cabo, solo protestó un poquito por teléfono. Blatter tuvo que explicar esta pasividad al Comité Ético de la FIFA, que, por supuesto, lo declaró inocente. Pero, en el caso de un tribunal ordinario, ¿aplicaría este mismo criterio de ética tan particular de la FIFA? ¿O acaso el tribunal se preguntaría si este aviso, que no se trataba de una sospecha por parte de un tercero sino de un aviso de las propias personas involucradas, no había sido suficiente para que el máximo protector del fútbol se viera obligado a intervenir? Hubiera bastado con enviar a alguien que controle, o tal vez algunas cartas de advertencia a los delegados del Caribe, y entonces unos cuantos se habrían acobardado. En lugar de eso, se les dejó hacer, para después disponer de abundante material fílmico y fotográfico. Cómo se procedió a continuación, cómo se presionó a los delegados, todo eso requiere un esclarecimiento judicial.

Además de Louis Freeh, contratado por la FIFA, y diversas agencias de detectives, se realizan investigaciones privadas por todas partes. Se investiga, por ejemplo, qué movimientos de dinero podrían haberse realizado en la trastienda de la doble adjudicación para las sedes del Mundial. Como es habitual, hay otros que están para entorpecer estas investigaciones o inducir a error.

Cumpliendo con una obligación implícita, las sedes de los Mundiales se concedieron a países con enormes reservas de recursos naturales y con gobiernos autocráticos. La victoria aplastante de ese punto en el desierto que es Catar parece casi inexplicable. El 2 de diciembre, en el pabellón ferial de Zúrich, el emirato se impuso a Estados Unidos por catorce votos a ocho en la ronda final. Si hubieran votado los directivos suspendidos de Nigeria y Tahití, la victoria, sin duda, habría sido de dieciséis a ocho. La mayoría de dos tercios para Catar es solo una de las grandes sorpresas de la noche. La otra: pese a la clara votación, no hay ningún directivo de la FIFA que pueda explicar la decisión de manera lógica. Si bien, en líneas generales, se habla de «la apertura de nuevos mercados», lo cierto es que todas las observaciones más concretas sobre Catar resultan negativas. «Esto dará que hablar», maldice el directivo Michel d'Hooge al salir nervioso del pabellón después del anuncio de Blatter. El belga es médico y advierte sobre los riesgos para jugadores y aficionados de estar expuestos a las temperaturas de hasta cincuenta grados que alcanza el desierto en verano. Desestima el argumento de que habría estadios climatizados. No se trata solo de los partidos del Mundial. Más de setecientos profesionales deben entrenar a diario, y para eso no habrá pabellones climatizados.

El estado desértico, que tras el Mundial tiene la intención de regalar la mayoría de los estadios a países de África, no cuenta siquiera con una infraestructura decente en el arenal que rodea a Doha. Diez de los doce estadios están sobre un eje de unos cincuenta kilómetros, y todos se llegan a divisar sin prismáticos en medio de la nada. En el Parlamento británico, el exjefe de la candidatura, David Triesman, afirma con rabia que la FIFA se dejó engañar desde el principio. «Cuando lanzamos nuestra candidatura, la FIFA nos animó mucho. Dijeron que no tenían ninguna certeza de cómo se financiarían los Mundiales de Sudáfrica y Brasil, y que el riesgo de que no obtuvieran ingresos significativos era muy alto.» De modo que Inglaterra estaba en condiciones de garantizar este y otros aspectos como la seguridad.[261] Así fue como habrían sonado los cantos de sirena.

Después de la decisión, todos se esconden bajo tierra, como el edificio de la FIFA en la colina de Zúrich. Incluso Blatter se escaquea cuando le preguntan si podría descartarse el enriquecimiento privado de los electores. «A ver, no puedo decir nada sobre este tema, pues, si hubiera algo que decir, entonces tendríamos que cerrar esta entidad.»[262] ¿Y qué nos dice del calor en Catar? El patriarca apuesta al cambio climático. «Quién sabe cómo serán las condiciones climáticas en el planeta de aquí a diez años. Dos veces al año, los expertos se reúnen para hablar del clima, y ni siquiera ellos saben qué pasará.»[263] Ya, claro.

El príncipe Guillermo, David Cameron y Bill Clinton se marchan del pabellón ferial de Zúrich sin pronunciar palabra, mientras que Barack Obama en Washington opina que Catar fue «la decisión equivocada». Poco antes, la humillada delegación inglesa ya está a punto de declararle la guerra a Blatter. Se difunde que, antes de la votación, el presidente predispuso a los electores en contra de la malvada prensa británica, que, de hecho, el día anterior a la elección había publicado cosas muy feas. Según las noticias, la FIFA había pedido que se estableciera una excepción en la ley británica contra el blanqueo de dinero. ¿Llegaron demasiado lejos? ¿Fue realmente así?

Cada país candidato a ser sede del Mundial debe firmar una lista de garantías, con lo que queda sometido a una situación jurídica especial en caso de resultar el adjudicatario del torneo. Por medio de esta lista, la FIFA formula exigencias más amplias para su familia. Por ejemplo, la garantía número cinco impone al país organizador disposiciones legales especiales sobre las divisas, según las cuales el gobierno «debe garantizar la plena circulación de monedas extranjeras en la entrada y salida del Reino Unido, como, asimismo, el pleno intercambio de estas monedas en dólares, euros o francos suizos». Una carta blanca para transferencias financieras que se debe conceder a toda la gente que se encuentre de viaje con el séquito oficial de la familia del fútbol, y también a una serie de «individuos incluidos en las listas de la FIFA».[264]

La FIFA no explica para qué se requiere una exención en las leyes contra el lavado de dinero, lo que inquieta a los británicos, sobre todo al establecer comparaciones: el COI, que también había exigido un marco legal especial para los Juegos Olímpicos de Londres, no había tocado la legislación referente al blanqueo de capitales. Pero conforme a la garantía de la FIFA, los funcionarios de aduana, que están obligados a confiscar todo el dinero de dudosa procedencia, ahora tienen que dejar pasar a todos aquellos personajes sospechosos que presenten una acreditación de la familia del fútbol.

El extraño catálogo de garantías se divulga ampliamente en Holanda, candidata a la sede del Mundial. Ante la presión social, el gobierno hace pública la lista de exigencias que se le han impuesto. Se puede ver que la garantía número uno es tan alarmante como la cinco. La familia del fútbol de Blatter exige lo siguiente: «Se concederán visados de entrada y permisos de salida sin condiciones ni limitaciones. [...] A las personas que quieran asistir a los partidos y/o demás eventos no se les negará el visado o la entrada sin informar de manera satisfactoria a la FIFA de que existen razones fundamentales para ello».[265]

¿Informar a la FIFA? Esto viene a ser algo así: una asociación suiza cuyo estatuto es equiparable al de los criadores de setas o conejos, dirigida en parte por gente que está siendo investigada por la Justicia, presiona a los gobiernos por medio de una lista de exigencias para tener acceso a datos protegidos. Se trata del acceso a información secreta y/o confidencial, pues justamente en las fronteras internacionales suele darse la presencia indeseable de personas sospechosas de terrorismo o que pertenecen a organizaciones criminales. Cuando la FIFA exige que se la informe «de manera satisfactoria», no está queriendo decir que las autoridades de las fuerzas de seguridad pueden limitarse a comunicar: «A esta persona se la acusa de algo, pero no diremos de qué». Para eso no se requiere ninguna lista de garantías. La FIFA exige disponer de un conocimiento adicional. ¿Con qué derecho?

¿Está permitido facilitar esa clase de información delicada a una entidad privada que organiza un juego con una pelota? Que la comunidad internacional entre en este tipo de negociaciones desde hace tiempo resulta preocupante. Y que ni siquiera en países democráticos se sometan a debate. Demuestra hasta qué punto está implicada la casta política en el sistema corrupto del deporte: se hace la vista gorda. ¿Quién se atrevería a ser el aguafiestas de eventos como el Mundial o los Juegos Olímpicos, que convocan a ídolos modernos? Así, no hay razón de estado que la borrachera deportiva nacionalista no pueda ahogar.

Solo una vez un organizador de la familia del deporte se atrevió a plantar cara. Fue en los Juegos de Verano de 2000, en Sídney, cuando se les negó la entrada a Australia a los altos directivos Gafour Rachimov (Uzbekistán) y Carl Ching (Hong Kong). El ministro de Interior, Philip Ruddock, explicó que esta «seria decisión» se había tomado de conformidad con «la seguridad nacional». Samaranch, el presidente del COI, escribió cartas acaloradas para presionar a los miembros de su familia en el país, insistiendo en el contrato firmado por el COI y el comité organizador, en el cual se establecía que la invitación olímpica sustituiría al visado de entrada en el país anfitrión. Y, pese a haber firmado esta locura, los australianos no cedieron.

En su día, el FBI y las policías de varios países de Europa vinculaban a Rachimov con la mafia de Uzbekistán. El directivo de la Asociación Internacional de Boxeo (AIBA) también solía viajar por el mundo con André Guelfi, el colaborador de Dassler. Entre sus socios y amigos figura Alimsan Tochtachunow, el padrino del fútbol en Rusia, también vigilado por el FBI y el Departamento de Lucha contra el Crimen Organizado en Eurasia. Aunque desde entonces no se ha sabido nada sobre detenciones o condenas, Rachimov no ha podido desprenderse de su aura mafiosa. En septiembre de 2007, el diputado británico Tom Wise lo describe en el Parlamento Europeo como un criminal de alto rango en su país.[266] El otro desterrado de Sídney, el jerarca del baloncesto Carl Ching, está identificado como representante de la tríada china.[267] Una vez le negaron la entrada a Canadá por la misma razón. En Hong Kong, sin embargo, vive tranquilo. Samaranch, que dio la cara por dos miembros proscritos como si fuera su padre, estaba en contacto con Rachimov, a través de Guelfi. Años más tarde, salió a la luz que Samaranch fue agente del KGB.

Tras la muerte de Franco, en 1975, Samaranch se marchó a Moscú para ejercer como embajador de España en la Unión Soviética. Allí hizo carrera en el deporte. En 1980, Moscú fue la ciudad anfitriona de los Juegos Olímpicos; poco antes de la ceremonia inaugural, Samaranch fue nombrado presidente del COI. Fuentes de los servicios secretos apuntan a que el KGB le habría conseguido votos en el bloque del Este, pero, antes de eso, los soviéticos habrían obligado a Samaranch a colaborar, después de haberlo detenido por contrabando continuado de antigüedades, joyas y obras de arte fuera del país. Esto fue documentado en reiteradas ocasiones por periodistas rusos especializados en la época de Samaranch, que falleció en abril de 2010. Así pues, al catalán lo reclutaron como general del deporte soviético.[268] Samaranch, que era íntimo de Franco, Dassler y los más altos funcionarios de estado en la Unión Soviética, siempre negó el vínculo con los servicios secretos (lo mismo que su pertenencia al Opus Dei, confirmada por periodistas de investigación). El trono del COI también lo entregó en Moscú, en 2001, en presencia del máximo mandatario ruso, Vladimir Putin, quien fuera director del Servicio Federal de Seguridad (la antigua KGB).

Rusia no habría tenido ningún problema con Rachimov y Ching. Por eso, con la exclusión tan sonada de los dos miembros de la familia olímpica en Sídney, sale a la luz por primera vez un fenómeno que venía preocupando a los expertos desde hacía tiempo: la fácil infiltración de empresarios oscuros en las instituciones deportivas mundiales y el abuso de estas como salvoconducto internacional y plataforma de contactos. Y eso también es posible gracias a las garantías estatales concedidas ya no solo por los países anfitriones, sino también por los aspirantes. Especialmente en las fases de concurso, todos los gobiernos se muestran extremadamente serviles, pues es el momento de omitir todo aquello que suponga una amenaza para el objetivo principal. En este sentido, son precisamente los estados que durante un acontecimiento deportivo conceden garantías monetarias, fiscales y de libre circulación a todo el que se presente como ejecutivo del deporte los que provocan el abuso. Para los estafadores solventes, nada es tan sencillo como asegurarse un cargo honorífico en el deporte, ya sea como patrocinadores, inversores, mánagers o bienhechores. Y con él un viaje gratis por las economías mundiales.

En el COI, las cosas habían mejorado con el sucesor de Samaranch, el médico belga Jacques Rogge, que marcó el camino de la reforma. Por eso mismo, la relación con la FIFA se volvió más tensa, y no solo por la estigmatización de Havelange como destinatario de los sobornos de la ISL. Rogge sufrió las consecuencias de lo que dijo Blatter en 2011 durante la Copa de Asia en Doha: «Mientras que la contabilidad del COI carece de transparencia, los libros de cuentas de la FIFA están a disposición de todo el mundo». Desde que él gobernaba era así, matizó Blatter, que desde 1999 es también miembro del COI.[269]

Allí lo tendría más fácil en el futuro. En septiembre de 2013, el trono del COI pasa a manos de Thomas Bach, antiguo colaborador de Dassler, un directivo al que también se le acusa constantemente de tener una agenda encubierta. Cuando Bach tomó posesión del cargo, Blatter era uno de sus grandes partidarios.

Los aspirantes a la sede del Mundial tienen que tragar todavía más sapos. La segunda garantía de la FIFA exige la anulación de la legislación laboral vigente en el país con vistas a los trabajos relacionados con el Mundial. La número tres establece amplias exenciones fiscales para todas las personas de la FIFA e invitados al Mundial, desde delegados de federaciones hasta proveedores de servicios. La cuarta garantía fija medidas de protección y seguridad que el gobierno debe poner a disposición de la familia de la FIFA y el evento, desde los cuerpos de bomberos hasta el ejército, «a costa de los Países Bajos», como consta en el presente documento. La número ocho contiene requisitos jurídicos y de indemnización considerables a favor de la federación.

El vetusto círculo de Blatter encuentra en Rusia y Catar a dos candidatos que, con respecto a estas garantías, se lo ponen más fácil que los demás aspirantes, y cuyas políticas económicas no están tan claras como en el caso de la competencia. Según se comenta, se habría llegado a un acuerdo con los ganadores tres semanas antes de la elección. En consecuencia, Vladimir Putin se mostró muy despierto la noche del triunfo. Se quedó en Rusia expresamente, mientras dirigentes mundiales de cuatro continentes hacían la reverencia ante los electores de la FIFA. Pero en cuanto los perdedores regresaron cabizbajos a sus hoteles después de la ceremonia, el ruso cogió un jet, y a las diez de la noche se plantó solito en el escenario de la FIFA. Le habló a la prensa del pequeño Vladimir, del fútbol y de la tranquilizadora reserva en oro valorada en quinientos mil millones de dólares que Rusia tenía guardada. No había acudido a la elección por respeto a la FIFA, que, según le habían informado, fue sometida a una presión injusta antes de la votación.

Ya vemos que las revelaciones de los medios británicos también se pueden apreciar desde la óptica de Putin, por ahora el político del deporte más poderoso del planeta. Resulta imponente cuando delante de la prensa mundial compromete a Roman Abramovich, el multimillonario dueño del FC Chelsea. El oligarca, rodeado por el personal de seguridad, asiente como un niño cuando Putin le pide públicamente que se sume a las contribuciones financieras para la Copa del Mundo. Sin embargo, en lo referente a las garantías exigidas por la FIFA para el Mundial, Rusia no tiene problemas en entregar todo aquello que un verdadero régimen democrático no debería entregar. A principios de 2012, Blatter celebra la decisión de Putin de permitir la entrada sin visado en el país a todos los extranjeros amantes del fútbol que acudan al Mundial 2018, siempre y cuando presenten una entrada válida en el puesto de control de pasaportes.[270] Unas semanas más tarde, Putin vuelve a ser elegido presidente de Rusia en una votación no exenta de polémica.

Lucha entre hermanos

Desde la doble adjudicación, el fútbol mundial es un río revuelto. A mediados de marzo de 2011, Mohamed Bin Hammam anuncia su candidatura para la presidencia de la FIFA. Afirma que Blatter intentó impedírselo hasta el último momento, y que llegó incluso a hablar con el emir. La lucha es encarnizada. El nuevo candidato ataca duramente al hermano Sepp. Por primera vez, admite haber hecho un gran esfuerzo para apoyar a Blatter en campañas anteriores, aportando medios propios y buenos contactos en Asia y África. Supuestamente, Blatter dependía por completo de él. Le advierte con mayor dureza que impugnará su campaña debido al uso de recursos humanos y financieros de la federación: está prohibido usar los medios de la FIFA para las relaciones públicas personales.[271]

Bin Hammam lamenta que en la actualidad «los medios y la gente consideren a la FIFA una organización sumamente corrupta. Blatter ya no está en condiciones de defender la reputación de la FIFA. Por el contrario: cuanto más habla de la FIFA, más gente se pone en contra de la federación». Y Bin Hammam no es ningún peso ligero. La revista *Arabian Business* lo sitúa entre los tres hombres árabes más influyentes, por delante del gobernante de Catar.[272] Un honor un tanto excesivo, aunque los dos sean amigos desde la juventud.

Los adversarios también viajan por el mundo, estrechan manos, dan discursos y forjan alianzas. Bin Hammam moviliza a sus seguidores de Asia y África. Él dirige desde hace años el proyecto Goal, así que puede contar con más de la mitad de estos votos. En Europa, en cambio, la mayoría de Platini apoya a Blatter. Precisamente, la Federación Alemana da una señal más que clara cuando ni siquiera le concede una audiencia al candidato de Catar. Este tipo de jugadas benefician a Blatter. Inglaterra, de manera justa, invita a los dos candidatos.

Blatter se ve presionado. Sudamérica oscila, y eso que el anciano Havelange, con sus noventa y cinco años, entra en el cuartel de la FIFA para mover los viejos hilos. Parte de Sudamérica se ha vuelto disidente, empezando por Ricardo Teixeira, a quien la espontaneidad de su hija de doce años lo delata. En la semana del Congreso de Zúrich, Teixeira, que necesita con urgencia un poco de buena prensa en su país, va acompañado de una periodista. Ella describe con elegancia lo que sucede cuando Teixeira, una vez que Bin Hammam se ha retirado, afirma durante una cena que siempre ha estado con Blatter: «Su hija Antonia, que estaba comiendo patatas fritas, lo miró confundida: "Pero ¿tú no querías que ganara Bin Hammam?". Teixeira movió rápidamente la mano derecha por debajo de la mesa, procurando ser discreto, pero su hija chilló: "¡Ay, papá, no me pellizques!". A continuación, se produjo un silencio incómodo».[273]

Para ambos candidatos es evidente una cosa: que la decisión está en manos de Jack Warner. Los treinta y cinco votos de la Concacaf serán decisivos. El que consiga una amplia mayoría de estos será presidente.

Soplones privados e informantes profesionales no paran de moverse. Se mantienen cerca, muy cerca de los acontecimientos. La política del fútbol es un mundo pequeño donde la mayoría de ellos se conocen, aunque a menudo no saben para quién trabaja el otro. En la política deportiva, la información lo es todo. Por ejemplo, algunos años antes de la doble adjudicación, partidarios de Blatter abandonaron la sede para sumarse a diversas candidaturas como consultores. El jefe de prensa Markus Sigler trabajó un tiempecito para Inglaterra, y después para Rusia. Su colega Andreas Herren se acopló a la candidatura rusa. El hombre de las relaciones públicas Peter Hargitay primero ilusionó a Inglaterra, luego a la frustrada Australia y terminó con Catar. El que conoce las estrategias de la competencia, el que sabe con qué votos cuenta y a quién ve como rival no tiene problemas para observar tendencias, influir sobre las decisiones y convencer a los indecisos o disidentes.

En la carrera hacia la presidencia, los servicios de consultoría crean diariamente nuevos escenarios. La exactitud es difícil de comprobar al detalle, y la información se caracteriza por valoraciones y rumores. La impresión general es que, si se contrasta con la realidad, el análisis de los hechos por parte de consultores y observadores es bastante preciso. A mediados de abril, algunos de estos asesores,[274] llamémoslos espías, localizan en Europa «a más votantes de lo previsto» que están con Bin Hammam. El apoyo de seis países de los Balcanes ya se da por seguro, y muy probablemente se podría persuadir a otros seis, entre ellos dos de Escandinavia, y hay tres más a los que con mucho esfuerzo, finalmente, ya se habría logrado convencer.

El cable enviado el 8 de mayo de 2011 al candidato de Catar es escalofriante. Los espías le informan de que la Interpol está trabajando como informante de la FIFA. La federación es debidamente informada a través de investigaciones globales sobre apuestas y corrupción, por lo que estaría al corriente de las averiguaciones en Finlandia y Gran Bretaña, en las que también estaría involucrada. Los espías hacen alusión al escándalo de las apuestas, que está metiendo mucho ruido. Se dice que Wilson Raj Perumal, de Singapur, «es el objetivo de las investigaciones que realiza la FIFA junto con la justicia de ese país y la Interpol, en las que se han reunido pruebas de trescientos partidos manipulados. Los rufianes de las apuestas organizaron partidos amistosos en tres continentes para manipular los resultados, y además tenían en la mira a cientos de clubes europeos».

Luego se cita a Chris Eaton, el jefe de seguridad de la FIFA, que trabajó muchos años para la Interpol: «Los implicados nos han informado que los estafadores pueden llegar a gastar hasta trescientos mil dólares en la organización de un partido amistoso entre países, a la espera de obtener beneficios mayores». Supuestamente, también tenían indicios de que los estafadores abordaban a jugadores de las divisiones juveniles, menores de diecisiete años. «Por lo que llegamos a la conclusión de que es necesario tomar medidas preventivas.»[275]

¿Es que ahora la FIFA, que siempre ha ido a la zaga de la UEFA en lo referente a combatir el fraude, interroga por su cuenta a los implicados? La federación informa a la prensa sobre procedimientos policiales en curso. A Perumal lo detienen en Finlandia a finales de febrero, «en principio, por inmigración ilegal, y ahora está siendo investigado por su implicación en la supuesta manipulación de partidos de la liga finlandesa». También habría habido redadas y teléfonos intervenidos.[276]

En julio de 2012, condenan a Perumal a dos años de prisión; en marzo de ese año, lo trasladan a Hungría, donde vuelven a procesarlo.

Los espías analizan con preocupación el desarrollo de los hechos: «Si bien es conveniente recurrir al servicio secreto (Interpol) para aumentar la credibilidad de la FIFA, existe el riesgo considerable de que Blatter utilice algunos casos para hacer campaña». Dentro se comenta que «es imposible que la FIFA pueda comprobar que trescientos partidos se amañaron», ni con los servicios de Early Warning System (EWS) ni basándose en los patrones de apuestas. Por tanto, el objetivo de estas acciones no sería otro que el de conseguir «buena prensa para la FIFA y sobre todo para su presidente. La conferencia de prensa anunciada para el lunes 9 de mayo se debe ver como puro márketing».[277]

Lo que parece una teoría conspirativa, al día siguiente resulta visionario. El 9 de mayo, el secretario general de Interpol Roland Noble se presenta junto con Blatter ante los periodistas que han acudido a la sede de la FIFA. Incluso hay investigadores de Bochum que esperan ansiosos, pues, desde finales de 2009, en esa ciudad se está investigando y juzgando el mayor escándalo de apuestas hasta el momento, que implica más de trescientos partidos.

Pero no, la FIFA no tiene ninguna primicia sobre nuevos escándalos vinculados con las apuestas. Los trescientos partidos de los que se viene hablando en los medios se refieren claramente a casos ya conocidos por la mayoría desde hace tiempo. Lo que se va a anunciar allí es otra cosa de la que nadie tiene la menor idea: la firma de un acuerdo. «La lucha mundial contra la corrupción en el fútbol ha recibido un apoyo significativo —comunica la FIFA a través de un texto informativo—. Se donará a la Interpol la mayor cantidad jamás recibida de una institución privada para llevar a cabo un programa pionero, de diez años de duración, en un ala del edificio Global Complex de la Interpol de Singapur dedicada a la FIFA para combatir la corrupción. Interpol recibirá los dos primeros años cuatro millones de euros anuales, y un millón y medio de euros anuales durante los ocho años siguientes. La iniciativa se dirigirá a las apuestas ilegales e irregulares, así como al amaño de partidos. En este sentido, la Interpol ofrecerá lo último en formación y prevención para proteger al deporte, a los jugadores y a los aficionados ante el fraude y la corrupción.»[278]

La lucha contra el fraude está muy bien. Sin embargo, ¿por qué tiene que presentarse con semejante alevosía y nocturnidad, y sobre todo de una manera tan efectista y pocas semanas antes de las elecciones presidenciales de la FIFA? El hecho plantea problemas. Esta acción inesperada en un momento de claro oportunismo irrita a la Administración y al Parlamento. El aluvión de críticas no se hace esperar.[279]

Al cabo de seis meses, el secretario general de Interpol Ronald Noble responde a una pregunta diciendo que las conversaciones con la FIFA habían empezado mucho antes. Pero más tarde, a finales de abril de 2011, él había leído una declaración de Chris Eaton en la prensa que lo había instado a actuar. ¿Qué señal de alarma emitió Eaton? Según citan los periódicos del 30 de abril, en la ciudad estado se había establecido una «academia del fraude» en toda regla, por lo que Singapur era el centro de la trama mundial de manipulaciones de partidos.[280] Esto, según Noble, le provocó espanto. Pero, si bien es cierto, no es precisamente una novedad. Todo el mundo tiene a Singapur como el epicentro de la mafia de las apuestas. Ya en 2008, el canadiense Declan Hill publicó el superventas *Juego sucio*, que arroja luz sobre el lugar central que ocupa Singapur en el negocio de las apuestas. Además, en ese momento, la Interpol ya lleva meses ocupándose del caso de Perumal, el padrino de Singapur.

Sin embargo, Roland Noble no acepta tales argumentos. «No es lo mismo cuando el jefe de seguridad de la FIFA define a Singapur de esta manera que cuando lo hacen los periodistas u otras personas. Hay una diferencia enorme. Desde que la Interpol, a finales de 2010, instaló el Global Complex para la innovación en Singapur, estoy atento a todos los artículos que relacionan a Singapur con el crimen. Si hace un año hubiera leído lo mismo de otra fuente que no fuera Chris, no le habría prestado atención.»[281] Según él, tampoco importa si las declaraciones de Eaton no aportan nada nuevo. «Aquí se trata de que yo, como secretario general de la Interpol, las tome en consideración como algo excepcional y reaccione de inmediato. Me crea usted o no.»[282]

Eso significa que solo ocho días antes de la firma del contrato con Blatter, Noble se enteró por primera vez de la amenaza que suponía Singapur, donde la Interpol estaba creando un nuevo complejo administrativo y donde, en menos de una semana, se pondría en marcha un programa de contribución de veinte millones de dólares que duraría más de diez años. Blatter enseguida advirtió esta necesidad urgente y no tardó nada en dar el visto bueno: una contribución millonaria a la Interpol, como de costumbre pasando por alto una vez más a los órganos competentes. Bin Hammam denuncia que, con respecto a la donación, Blatter «tomó una decisión arbitraria, sin haberlo consultado con la directiva». Ese hecho no era más que «otro ejemplo de la forma de gobierno vigente en el fútbol, basada en la conveniencia y no en la transparencia». Bin Hammam dice lo que muchos piensan: «Pensadlo un momento: ¡la FIFA está financiando las actividades de la Interpol!».[283]

Está claro que la financiación contempla la lucha contra la manipulación de apuestas deportivas. Sin embargo, da qué pensar. Sobre todo porque, en la conferencia de prensa sobre el compromiso de la Interpol, Blatter contempla justamente una posibilidad que los asesores de Bin Hammam ya se temían: «¿Por qué de esta contribución no habría de surgir en el futuro una especie de Servicio de Inteligencia de la FIFA? Tenemos que mantener vigilados a aquellos que quieren destruir nuestro deporte».[284] La Interpol como servicio secreto de la FIFA. Noble está sentado junto a Blatter y no hace ningún comentario al respecto.

Una de las preguntas que surgen: ¿por qué la Interpol hace una aparición pública tan destacada tres semanas antes de las elecciones en la FIFA y junto a Blatter, el presidente marcado por las denuncias de corrupción contra su federación y que pelea por la reelección? ¿No podría haber esperado tres semanas para evitar el revuelo electoral? Es cierto que eso le habría hecho perder a Blatter aquella conferencia de prensa de gran eficacia publicitaria, en la que figura a la par de autoridades policiales de alto rango. Pero, por otro lado, le habría dado tiempo para solicitar debidamente el visto bueno de su directiva para aquella generosa contribución. ¿Por qué tanta prisa? Nadie puede explicarlo de una manera convincente, por lo que se pueden realizar conjeturas. Y es que la pregunta más importante es si la policía secreta internacional era plenamente consciente de la reputación de su nuevo patrocinador estrella. Ya lo veremos.

Al día siguiente de la presentación de la Interpol en la FIFA, la federación vuelve a asumir su papel activo en la lucha contra la corrupción, y recibe las críticas de siempre. En una sesión del Parlamento británico, David Triesman, exrepresentante de la candidatura mundialista, acusa a cuatro miembros de la directiva: Jack Warner, Nicolás Leoz, Ricardo Teixeira y Worawi Makudi. Presenta casos concretos. Warner habría pedido cuatro millones de dólares para la construcción de un centro de formación en su isla (la transferencia había que hacerla a su nombre). Leoz habría pedido que le nombrasen caballero. Makudi se habría mostrado codicioso con respecto a los derechos de televisión de un partido entre Inglaterra y Tailandia. Y Teixeira le habría soltado a Triesman: «Dime qué tienes para mí». Los cuatro ejecutivos niegan las acusaciones. En una declaración crucial, Triesman afirma que Inglaterra no comunicó nada de esto a la FIFA por miedo a que desestimaran su candidatura.

Por su parte, el parlamentario Damian Collins afirma que, antes de la adjudicación del Mundial 2022 a Catar, dos directivos africanos de la FIFA recibieron un millón y medio de dólares, cada uno, por votar a favor del emirato. Se remite a un material inédito del *Sunday Times*. Blatter exige pruebas y dice no estar seguro de si sus directivos son «ángeles o demonios».[285]

Al mismo tiempo se sigue librando la batalla electoral. La presión diplomática de París sobre Argelia es evidente. Se dice que un exfutbolista serbio, excompañero de Platini en el fútbol francés y con pasaporte de Francia, es el lobbista de Blatter en los Balcanes. También estaría operando una agencia de deporte internacional ligada a Francia, que trabaja con mayor frecuencia en el *lobby* de las campañas del ámbito deportivo.

Ahora los espías también advierten los movimientos de los altos cargos de la UEFA. El 6 de mayo, el ejecutivo de Platini se declara a favor del septuagenario Blatter e incluso recomienda con determinación a todos los países miembros de la UEFA que hagan lo mismo.[286] Los vigilantes observan sobre todo a Lefkaritis, tesorero y directivo de la federación europea, quien supuestamente «desempeña un papel importante en estas actividades. El millonario chipriota, dueño de una fortuna petrolera, es conocido en toda Europa por su capacidad para reunir votos. En las federaciones pequeñas lo aman, tiene contactos sólidos con el este, el sudeste y el sur del continente. Está muy cerca de Platini y se lo ve como su sucesor el día en que este asuma la presidencia de la FIFA».[287] También se dice que la liga alemana, como otros campeonatos europeos, no estaría plenamente en la línea de su federación (DFB).

Entre tanto surgen informes alarmantes. Los espías comunican que las autoridades policiales están investigando movimientos de dinero. Un candidato a la sede mundialista de 2018 habría realizado una transferencia a Suiza. Se mencionan dos bancos suizos.

Al cabo de unos días, se vuelve a hablar de la Interpol. A través de un círculo de investigadores cercano, los espías se enteran de que hay reparos con respecto a la generosa donación de la FIFA. También se pone en tela de juicio la finalidad de la elevada suma. Supuestamente es «un secreto a voces» que antes de que la Interpol firmara el acuerdo con la asociación privada algunos países le advirtieron que «a los directivos de la FIFA se los relaciona frecuentemente con casos de corrupción». Esta apreciación es más que acertada. Incluso en la reunión anual de Hanói, la Interpol recibió duras críticas de algunos países por su compromiso con la FIFA. En el Parlamento suizo, se debatió sobre este compromiso.[288]

Y en el Consejo de Deporte del Parlamento alemán se extendió un murmullo de malestar por toda la sala cuando se mencionó la donación de la FIFA.[289]

Los espías localizan las actividades del bando pro Blatter en la región francófona de África Occidental. Supuestamente, un alto cargo de la FIFA, infringiendo el principio de neutralidad para la gente de la federación, mantuvo conversaciones con otros altos cargos de Guinea y Costa de Marfil. Los asesores de estos ejecutivos les aconsejan dejar el móvil encendido sobre la mesa durante determinadas conversaciones. Así es como los directivos se enteran de que Warner ya no es un aliado de Blatter. Pero la noticia solo les llega el 11 de mayo, el día de la visita de Bin Hammam a la CFU en Trinidad, cuando este se marcha luego de haber dejado los sobres en Puerto España. El informe intermedio para el catarí dice que sin los votos de la Concacaf sus posibilidades son del cincuenta y cinco por ciento.

El 16 de mayo, los espías informan de una discusión entre Blatter y Warner. El de Trinidad se habría quejado de la falta de apoyo cuando se produjeron ataques contra su persona. No se conocen más detalles, pero la relación se vuelve tensa.

Putin no forma parte del bando de Blatter. Sus aliados en Europa son Ucrania, Armenia y Estonia. Y también Bielorrusia, pues Blatter se lleva bien con su presidente, Alexander Lukaschenko.

La CAF de África también se declara a favor de Blatter. Los espías creen que no hay que preocuparse: es el típico apoyo de boquilla. También Lennart Johansson recibió la palabra de honor de la CAF en 1998, y en el último momento fueron tantos los electores africanos que saltaron del barco que, al día siguiente, se abrían paso en una procesión de lágrimas para disculparse en la sede de la UEFA en París. Y en

2002 ni siquiera el presidente de la CAF, Issa Hayatou, consiguió el apoyo de su continente cuando fue claramente derrotado por Blatter. En las federaciones africanas no decide la mayoría, sino que las decisiones solo las toman los delegados. Lo mismo ocurre con las federaciones europeas.

El 17 de mayo se produce la siguiente sacudida, cuando se agrava el conflicto entre Blatter y Warner. El presidente de la FIFA le habría reprochado a su viejo camarada que fuera a votar por Bin Hammam. «Evidentemente, Warner no lo afirmó ni lo negó», informan los espías. De hecho, la situación fue mucho más dramática. Warner más tarde dijo que Blatter le había enviado un jet privado que lo llevó hasta Guatemala para una reunión a medianoche, en la que él se mantuvo firme ante las embestidas del presidente.[290] Otro hecho es que, el 18 de mayo, Warner recibe un correo electrónico de Jérôme Valcke. El secretario general, que según los estatutos de la FIFA está obligado a una estricta neutralidad, le pide que se pronuncie públicamente a favor de Blatter para acabar con Bin Hammam. Este correo electrónico demuestra un claro incumplimiento por parte del miembro honorario de mayor rango en la FIFA, y la situación delicada en la que se encontraba el bando de Blatter.

Valcke escribe: «En cuanto a MBH, nunca he comprendido por qué se presentó. No sé si de verdad cree que tiene alguna posibilidad, o si solo pretende poner de manifiesto la envidia que le tiene a Blatter. O tal vez pensó que tú podías comprar la FIFA como ellos compraron el Mundial».[291] Con «ellos» se refiere a Catar. ¿Así que Catar compró el Mundial? Vaya reproche del secretario general a un vicepresidente. Más tarde, Valcke se justificará diciendo que se trataba de correspondencia privada. «Lo que quise decir era que el ganador usó sus recursos financieros para estimular el apoyo a su candidatura.»[292]

Típico de Valcke. Ya tiene bastante práctica reinterpretando sus propias declaraciones comprometedoras. Sobre todo en marzo de 2012 pasó mucha vergüenza, cuando criticó la lentitud de los preparativos del Mundial 2014 y dijo que los brasileños necesitaban «una patada en el culo». En el

Pan de Azúcar se desencadenó una tormenta y el ministro de Deportes, Aldo Rebelo, exigió a Blatter que apartara al secretario general de la organización de la Copa del Mundo. En una sentida carta de disculpas, Valcke explicó que las palabras escogidas tenían en francés otro significado, «acelerar el ritmo», pero que se habían traducido al portugués de manera distorsionada.[293] Pero tuvo mala suerte. Días más tarde, un periodista de la AP y la Press Association Sport comunicó lo siguiente: «Valcke dice que su comentario se tradujo mal del francés al portugués. Yo creo que no es así. Yo estaba presente cuando él dijo eso, y lo dijo en inglés».[294]

En el correo electrónico del 18 de mayo, Valcke también da su opinión acerca de las posibilidades de Bin Hammam. Y qué sorpresa, es la misma que la del bando de Blatter, solo que él le quita importancia. «Obtendrá algunos votos. Menos de sesenta, después del apoyo confirmado hoy por la CAF.»[295] Esto sí que es nuevo. Todo el mundo sabe que las promesas de la CAF son insignificantes, y los expertos no tienen duda de que Bin Hammam, más allá de lo que digan los pro Blatter, podría asegurarse una parte considerable de los votos de África. En este sentido, aunque se llevara menos de la mitad de los votos africanos estaría alrededor de los ochenta votos, lo que también confirman los cálculos del bando blatteriano. En el bando de Warner y Hammam llegan a un resultado casi idéntico en el mismo momento; calculan que sacarán ochenta y cinco votos, y Blatter noventa.[296] Todo esto sin contar los votos del Caribe, que son los decisivos.

Valcke, el secretario general de la FIFA obligado a mantener una estricta neutralidad, sabe que no le espera ningún futuro si gana Bin Hammam, así que mendiga desesperado los treinta y cinco votos de la federación de Warner. «Sería un golpe de gracia —recita Valcke—, si como presidente de la Concacaf enviaras un mensaje anunciando el apoyo unánime de tu federación.»[297] ¿Se puede considerar esto una charla privada?

Valcke se luce con otra declaración reveladora. «Al comienzo de la campaña hice una apuesta —escribe—. Creo que se retirará, aunque sea en el último momento, después del discurso de diez minutos el día de la elección. Puede que entonces diga que obligó a Blatter a aceptar nuevos compromisos y bla, bla, bla, para luego bajarse del escenario con un aplauso.»[298]

Bin Hammam nunca tuvo esta intención. No tenía sentido. Si perdía, en el futuro solo podría integrar la oposición, pues Blatter no perdona. Un gesto de sumisión lo haría quedar mal, y además perdería su cargo de presidente de la Federación Asiática. De modo que una retirada en el último momento, como anunciaba Valcke, solo podía ocurrir bajo mucha presión. De hecho, al final lo obligaron a abandonar, enseñándole a él y a un hijo del emir los instrumentos de tortura: las pruebas de los sobornos en el Caribe y la inminente suspensión. ¿Acaso Valcke sabía que esto sucedería?

Los espías informan sobre la siguiente estrategia: la UEFA invita a los presidentes de las federaciones de la FIFA a la final de la Champions League en Londres, servicio VIP incluido. Hasta ese momento nunca se había llevado a cabo una acción similar, recurriendo a métodos de persuasión informales con los indecisos. Los espías proponen vigilar esto y colocar a sus agentes en las cercanías del hotel. Los expertos en espionaje también están cada vez más atentos a los crecientes rumores sobre movimientos bancarios que se habrían realizado en Suiza en el marco de una de las candidaturas para el Mundial 2018. En sus informes, nombran a un directivo europeo que supuestamente transportó el dinero a Suiza para depositarlo.

Nuevos presagios en el informe del 19 de mayo: allegados a Blatter están divulgando que Bin Hammam se retirará esa misma noche. «Al parecer, Blatter tuvo una charla con el emir.» Días más tarde, se producirá una conversación con el hijo del emir, a continuación de la retirada de Bin Hammam. Los espías se equivocan solo respecto a las causas. Siguen suponiendo que se presionará a Bin Hammam con detalles sobre la candidatura mundialista de Catar.

Sin embargo, sus presagios anticiparon el hecho que se produjo al cabo de ocho días: Bin Hammam abandonó la noche del 28 de mayo. Antes, según informan personas relacionadas con los acontecimientos, un hijo del emir llamado Jassim Al-Thani había ido a hablar con Blatter. Para entonces las investigaciones sobre los sobornos en el Caribe avanzaban a toda máquina. En círculos de Catar se comentaba que el acuerdo establecía que, si Bin Hammam retiraba su candidatura, la Comisión Ética dejaría de investigar. Esto solo afectaba al candidato Bin Hammam, que luego dejaría de serlo. Más tarde, el propio Bin Hammam confesó a sus aliados que para él la traición más grande había sido que lo suspendieran, incluso después de haber retirado la candidatura. Blatter nunca se pronunció. Él mismo estaba involucrado en el procedimiento penal, ya que se le había informado previamente sobre los planes de soborno en el Caribe. A su Comisión Ética le pareció correcto que no hubiera hecho nada, y presentaron un argumento de lo más original: hasta entonces no se había realizado ningún pago.

¿Es esta la clase de prevención que fomentan la FIFA y la Interpol en el plano del fraude deportivo?

El siguiente boletín de los espías anuncia que Putin definitivamente no está con Blatter. Tampoco es amigo de Tochtachunow, el padrino del fútbol en Rusia y un personaje ambiguo que estuvo detrás de la candidatura rusa para el Mundial. La neutralidad de Putin se considera alentadora. Los espías también vigilan a Jean-Marie Weber. Creen que las posibilidades de su cliente Bin Hammam oscilan entre un sesenta y un cuarenta por ciento.

Solo hay algo clave que se les escapa: el caso de los sobornos en el Caribe, pues los espías no tienen vigilado a su propio cliente. Así que a ellos también los coge desprevenidos la renuncia de Bin Hammam el 28 de mayo, poco antes de las elecciones en Zúrich. A los pocos días comunican que al catarí, que se encuentra suspendido de forma provisional, le espera la pena máxima. Y, efectivamente, en julio lo suspenden de por vida, tras la aportación de pruebas de Louis Freeh. Según los espías, la intervención de la filial suiza de una empresa de seguridad alemana, «conocida por hacer todo lo necesario para satisfacer a sus clientes», habría resultado determinante.

En aquel momento se había creado una nueva trama de investigadores privados en el mundo del fútbol, en la que además participaban algunos representantes de clubes y torneos europeos. Según los espías, en Zúrich era posible crear «un clima de silencio efectivo» mediante la adquisición de un CD con información delicada sobre personas que tenían cuentas en Suiza.

A comienzos de junio, Louis Freeh empezó a seguir la pista del Caribe por encargo de la FIFA. Semanas más tarde, cuando la prensa británica publicó resúmenes de los informes de Freeh, los asesores de Bin Hammam le recomendaron un buen abogado inglés. Y volvieron sobre «el famoso CD que solucionaría todos los problemas».

En los últimos años, un montón de información financiera procedente de Suiza y otros paraísos fiscales había llegado a manos de los investigadores. El acceso era posible, solo hacían falta medios. Eso era un secreto a voces entre los investigadores privados. Unos querían empezar una carrera, otros buscaban clientes interesantes. El tema del CD llamaba la atención de todos los interesados.

Nunca faltan personas que se sienten a disgusto por las adjudicaciones de los Mundiales u otros concursos. Uno de ellos es el jefe de la candidatura australiana Frank Lowy. «Esto no ha terminado —dejó claro un año después de la elección—. No sé en qué acabará, pero no ha terminado.» El gobierno australiano había gastado treinta y siete millones de euros en la candidatura, para, finalmente, obtener un solo voto. Lowy, el hombre más rico de Australia y presidente de la federación de fútbol, había hecho el ridículo. «Recordad lo que dije al regresar a casa después de aquel día tan triste: que eso no iba a quedar así. Que cada uno saque sus propias conclusiones», declaró para los medios, cosa que dio lugar a ciertas especulaciones. [299]

Se dice que una de las agencias de sabuesos internacionales en activo trabaja para clientes americanos y australianos. Supuestamente, cuentan incluso con los servicios de asesoramiento de un directivo del Comité Olímpico. Él lo niega, pero dice que le gustaría tener un puesto como ese. La misma pista lleva hasta un conocido despacho de abogados que opera en todo el mundo y cuya sede está en California. Entre otras cosas se ocupa de reclutar estrategas europeos para sus clientes y presenta un contrato revelador cuyo encargo se describe como «Promoción de la reforma de la FIFA». Allí se solicitan cartas, correos electrónicos, documentos y demás, todo lo que pueda probar las relaciones entre los representantes de Catar y las autoridades de la FIFA en el marco de la adjudicación de la sede mundialista para 2022.

Para todo esto se ruega actuar con suma prudencia. Eso lo saben sobre todo aquellos que andan a la caza del CD, ya que en Suiza la adquisición de esa clase de datos es delito. Esas acciones también pueden traer problemas en los países del sudeste europeo, aunque allí la crisis económica abre algunas puertas con mayor facilidad. Otro que está muy al tanto de estas nuevas actividades es Spyros Marangos, el hombre que durante mucho tiempo ofreció a la UEFA supuestas pruebas sobre un supuesto soborno en la concesión de la Eurocopa 2012. En marzo de 2012, se lo preguntan y él lo confirma, aunque aclara que las investigaciones de las que tiene conocimiento son privadas, sin la participación de ningún directivo. Los interesados habrían visitado al chipriota en varias ocasiones; de hecho, llevaban un año haciéndolo. «A mí también vinieron a verme para informarse sobre el tema.» El tema del viejo asunto con la UEFA ya había quedado al margen, y supuestamente él tampoco quería volver a tocarlo. En ese momento, el asunto central eran las candidaturas para la sede mundialista y sus posibles vías de financiación. En Chipre circulaban «muchos rumores sobre Catar y Rusia, pero sin pruebas ni indicios».[300]

En los círculos de periodistas también se habla cada vez más a menudo de los ominosos archivos digitales. En una ocasión se llega a mencionar públicamente el valor de aquellos preciados datos: cinco millones de euros. Sin embargo, es uno de los precios más altos.

La elección presidencial se lleva a cabo el 1 de junio en Zúrich. Bin Hammam ha dado un paso a un lado, y pese a ello la Comisión de Ética, presidida por Petrus Damaseb

(Namibia), lo suspende por treinta días. Lo mismo para Jack Warner, que devuelve el golpe enseguida: «En el Congreso de Miami, a principios de mayo, Blatter le ofreció a la Concacaf un millón de dólares para cualquier finalidad. El presidente Platini se enfureció, pues Blatter no contaba con el permiso del Ejecutivo. El secretario general Valcke dijo que ya había conseguido el dinero».[301] A continuación, Warner comparte con la prensa aquel tristemente célebre correo electrónico que le había enviado Valcke el 18 de mayo.

¿Es una presión para el presidente de la FIFA? Qué va, solo el Fiscal del Estado puede poner a un hombre como Blatter bajo presión. Se presenta ante la prensa y realiza el viejo truco: «¿Crisis? ¿Qué significa crisis? —dice—. ¡El fútbol no está en crisis!». Pero nadie le ha preguntado por el fútbol. Blatter parece Nerón tocando el arpa mientras ve cómo Roma arde. Esta es su respuesta a las denuncias de Warner: «He ofrecido financiación para dos proyectos Goal. Proyectos de construcción que pasan por los órganos competentes. Mediante las competencias que la FIFA le otorga, el presidente está facultado para tomar decisiones, solo que después tiene que hacer que el Ejecutivo las apruebe. También me he encargado de eso». Pero esta vez no cuela la referencia a estatutos flexibles que permiten al presidente regalar millones. La conferencia de prensa culmina en escándalo, ya que Blatter deja sin responder todas las preguntas importantes y termina huyendo de los preguntones.

A la sombra de esta extraña actuación, Valcke deja caer algo que confirma el contenido del correo electrónico enviado a Warner, e incluso sus palabras sobre Catar y la compra del Mundial y su petición de que la Concacaf se pronuncie a favor de Blatter. Sin embargo: lo había dicho en privado y de manera relajada, y se le había malinterpretado. Borrón y cuenta nueva.

Ahora Platini también se porta bien y es uno de los más cercanos a Blatter. Cuando le preguntan al presidente por su gente de confianza en la directiva de la FIFA, responde: «Confío en dos miembros. Uno de ellos es Platini. La mayoría tiene su propia agenda».[302]

Ahora Platini también obedece. ¿Está disgustado con la decisión unilateral de Blatter de hacer regalos a la Concacaf? «*Mais non* —responde el heredero del trono—, era solo una broma entre Blatter y yo. Él puede subvencionar proyectos como mejor le parezca. Le dije en broma: "Oye, Sepp, que esto no tiene la autorización del comité". Lo cierto es que él concede muchos proyectos a muchas federaciones nacionales y nosotros después los aprobamos.» Una bonita costumbre en el manejo de los millones en el fútbol; seguramente, con Platini no se perderá. Al francés tampoco le molestan los fondos de reptiles de Blatter que en esta ocasión salen a la luz. El patriarca puede hacer lo que quiera con su presupuesto, incluso usarlo en una campaña electoral, eso es lo que piensa Platini, aunque tal cosa contradiga los estatutos. «Él dispone de un presupuesto propio y puede hacer una contribución a una confederación. Después, esto está claro, el Ejecutivo la tiene que aprobar.»[303] ¿Así que Blatter, cuatro semanas antes de las elecciones, cogió un millón del presupuesto presidencial para entregárselo a la federación más determinante en la votación? ¿Cómo va a comprobar la FIFA si el presidente usa el dinero para su campaña cuando este puede tirar millones por la ventana sin ninguna supervisión?

En un comunicado de prensa, la FIFA lo presenta de otra manera. La donación de Blatter a la Concacaf se habría hecho a través de la oficina del proyecto Goal. De alguna manera, eso le pasó inadvertido al que entonces era el director de este proyecto: Bin Hammam, el oponente de Blatter. Y, desde luego, el director del proyecto Goal no advirtió otras cosas: que poco antes de las elecciones presidenciales cada una de las casi doscientas federaciones mundiales cobró trescientos mil dólares de los beneficios de la hambrienta Sudáfrica, una suma que debe de haber alegrado a incontables países pequeños y pequeñísimos. ¿Por qué se repartió este dinero faltando tan poco para las elecciones? ¿Se pudo certificar en tan poco tiempo que el dinero se usaría en todos los casos para fines razonables? Sea como sea, el descontento con Blatter se hace oír cada vez más. En una encuesta del *20 Minutos* suizo, el ochenta y seis por ciento de los lectores está convencido de que el presidente de la FIFA es corrupto. ¿La buena noticia? Pues que el siete por ciento cree que solo es «un poco corrupto».

Los patrocinadores estrella, temerosos, se ponen a cubierto. La canción de Coca-Cola: «Las actuales denuncias son preocupantes y le hacen daño al deporte. Estamos convencidos de que la FIFA dará una explicación apropiada y precisa».[304] No pasa nada. ¿Le parece bien a Coca-Cola que el presidente, poco antes de las elecciones, le regale un millón a una federación cuyos votos necesita? Sony también calla. (Seis meses antes, cuando suspendieron a los dos directivos, la compañía había expresado que quería reconsiderar el contrato de publicidad.) Emirates murmura algo sobre la decepción y las expectativas; los pasajeros solo se rebelarán más tarde. ¿Y qué dice Adidas, el eterno socio de la FIFA? «El tono negativo del debate público en torno a la FIFA no es bueno ni para el deporte ni para la federación ni para sus socios.»[305] Así que el problema es el tono, no los hechos. Desde luego que a una marca que desde hace décadas se abre paso por el pantano de la política deportiva le va mejor un tono amistoso: en el negocio del deporte, el éxito depende de hacer amigos. Sería espectacular si un día pusieran sobre la mesa todos los contratos secretos de consultoría, las donaciones y las demás prestaciones que se han concedido en este sector. Y si se planteara la pregunta de cómo es posible que un fabricante de artículos deportivos, pese a las ofertas considerablemente superiores de sus competidores, siga haciendo negocios con las federaciones y los clubes. Por lo general, se habla de «una relación consolidada» y de las oportunidades de empleo en la zona en cuestión. Pero esto último ya parece un chiste, pues la fabricación, en su mayor parte, está deslocalizada y las instalaciones se encuentran en las regiones más pobres de Asia.

Al cabo de medio año, Karl Heinz Rummenigge y el jefe de Adidas, Herbert Hainer, dan una conferencia de prensa juntos. «La imagen de la FIFA es un desastre, no podría ser peor —se lamenta el director general del FC Bayern y presidente de la Asociación de Clubes Europeos (ECA)—. Cualquier empresa o club se arruinaría si tuviera estos problemas. Ahora hay que convencer al mundo del fútbol y al planeta entero de un nuevo comienzo.» De lo contrario, se entiende, los clubes podrían retirar sus jugadores a las grandes federaciones, a la FIFA y a la UEFA. ¿Y qué dice Hainer de la FIFA? «Estamos trabajando con nuestros socios y manteniendo conversaciones en privado. No somos proclives a criticar públicamente a gritos.»[306] Cabe preguntarse qué tipo de conversaciones privadas mantiene Adidas con la FIFA. Puede que, en tales ocasiones, la FIFA elija una manera relajada de romper el hielo: «Hola, socio, ¿ves este número? Es el número directo del jefe de Nike».

Un antiguo patrocinador estrella se pronuncia de una manera totalmente diferente. Paul Meulendijk, jefe de Publicidad y Patrocinio de Mastercard en Europa, dice qué haría su empresa si su socio publicitario estuviera en un aprieto como la FIFA: «Creo que nos reuniríamos de inmediato para aclarar qué medidas tomar con respecto a ese contrato de patrocinio». Mastercard es patrocinador de la Champions League. «Creo que pondríamos el asunto sobre la mesa para encontrar soluciones», dice Meulendijk.[307]

La noche anterior a la apertura del congreso en Zúrich sucede algo misterioso. A través de una agencia, un tal Walter Petersen invita a los medios reunidos a una conferencia de prensa en el Dolder Grand Hotel, que se realizará al día siguiente. Allí, este desconocido presentará comprobantes de supuestos pagos que realizó Catar a cuatro directivos de la FIFA. El hombre afirma que se habrían hecho transferencias de diez millones de euros y diez millones de dólares.[308]

Esa misma noche, alguien se presenta en el prestigioso hotel, donde los visitantes de la FIFA se alojan desde hace décadas, y le enseña al director la invitación acompañada de la reserva de Petersen. Sin embargo, el director del hotel no puede responder a la sencilla pregunta de si hay una conferencia de prensa anunciada para el día siguiente en el área «Gallery». Se le realiza, insistentemente, la misma pregunta por teléfono, y la respuesta es siempre la misma: «No facilitamos ninguna clase de información de nuestros huéspedes». Pero nadie quiere información, solo saber si alguien le ha gastado una broma a la prensa internacional invitándola a una conferencia inexistente en el hotel. La respuesta es idéntica. Al día siguiente, una multitud de periodistas acuden en peregrinación al hotel, pero se encuentran con que no hay ninguna conferencia de prensa. ¿Qué fue eso, una broma pesada? ¿A qué estaba jugando el director del hotel la noche anterior, cómo es que no sabía si había una sala reservada para una rueda de prensa o no? ¿Dejó seguir esta farsa y engañó a los periodistas?

Petersen pone a circular un correo electrónico en el que explica que las autoridades judiciales suizas habían cancelado la rueda de prensa con escasa antelación. La Oficina Federal para la Justicia de Berna se apresura a comunicar que el contenido de este correo electrónico es falso.[309] En los meses siguientes, tampoco queda claro cuál es la intención del misterioso Petersen, si es un chalado o si realmente posee ese material explosivo del que habla una y otra vez. Sus actividades se siguen de cerca, y el caso Petersen llega incluso hasta los servicios de investigación de Estados Unidos.

Primero de junio. En el Pabellón Ferial de Zúrich se está a punto de empezar a tratar la prolongación del mandato del único candidato, Blatter, en un acto etiquetado como «elecciones presidenciales». El secretario general Valcke se asegura de que los doscientos tres votantes prueben sus dispositivos de voto. Para eso les hace preguntas sencillas a las que los delegados deben responder pulsando verde para sí, rojo para ⁿᵒ, y amarillo para abstención. Primera pregunta: «¿Este congreso se realiza en Hungría?». Cuarenta y cinco delegados están convencidos de que sí. La segunda pregunta es más fácil, algo para verdaderos expertos. «¿España ganó el Mundial 2010?». Hay siete votantes que no saben quién ganó ese Mundial.[310]

Poco más tarde, este congreso se atribuye la elección de los países organizadores del Mundial de allí en adelante. La decisión será del congreso y no del Comité Ejecutivo. Pero no se votará abiertamente, claro que no: el voto será secreto.

Eso provocará más enfrentamientos entre las candidaturas. Para Blatter y la directiva, en cambio, es una renuncia sin dolor. Ellos ya han concedido las sedes hasta 2022. Puede que para entonces alguno que otro ya no esté en condiciones de viajar a causa de la edad. Y la sede para la siguiente Copa del Mundo de 2026 no se adjudicará hasta 2019.

Blatter promete mejoras a su familia del fútbol. Mientras habla, la palabra «transparencia» se repite como el hipo. Aprovecha para jugar la baza del cambio: «Hemos firmado un acuerdo con la Interpol para combatir el amaño de partidos. Si dejamos que eso ocurra, perderemos la credibilidad ante los aficionados, que dejarán de ver fútbol. Es un gran peligro. ¡Tolerancia cero!». No podría actuarse mejor para distraer la atención de los propios problemas.

Una testigo se retracta

La política enseñó su verdadera cara el día en que en el Parlamento británico salieron a la luz las intrigas de la FIFA. La corrupción en el deporte es algo que solo les interesa a aquellos que precisamente se ven afectados. Suiza había organizado un encuentro sobre el tema en el Consejo de Europa, pero se canceló por falta de interés. Se habían apuntado menos de diez países.[311]

Semanas más tarde, la Comisión de Cultura, Medios de Comunicación y Deportes de la Cámara Baja presenta su informe. «Estábamos horrorizados por las denuncias de corrupción contra la directiva de la FIFA. [...] Son lo bastante serias como para instar a la FIFA a que encargue una investigación independiente y con carácter de urgencia. Sin embargo, la FIFA da la impresión de querer esconder debajo de la alfombra estas denuncias de conductas graves y desestimar a quienes presenten denuncias con una actitud próxima al desprecio.»[312]

Triesman, exrepresentante de la candidatura inglesa, se pregunta si es posible ganar la concesión de la sede mundialista sin conceder antes favores a los directivos de la FIFA. «Sería como cargar con una piedra de molino.»

El inglés Mike Lee, asesor de Catar y anteriormente miembro de otras exitosas candidaturas, se chiva de la competencia. Dice que los representantes de la candidatura inglesa «intentaron pensar de manera creativa, como muchos otros. Dónde debería jugar la selección inglesa, adónde se deberían destinar las ayudas al desarrollo, qué campos de entrenamiento deberían visitar sus embajadores». Lee, todo un experto, también hace alusión a «la laxitud de las reglas de la FIFA en relación con los regalos, que pueden recibir los directivos de menor categoría, aunque no se especifica qué cargos son esos».

El reglamento de los altos cargos de la FIFA ignora que los sobornos funcionan, siempre de forma indirecta: a través de testaferros, tapaderas o contratos de derechos televisivos, por medio de empleos, donaciones para los familiares o inversiones en los países de los votantes. Sin embargo, estas estrategias constituyen un supuesto básico en cualquier concurso. De hecho, Catar hace llegar su protesta a Londres; asegura que se habría procedido «con absoluta corrección y según las normas establecidas por la FIFA para el concurso».

Los parlamentarios británicos critican a la FIFA por ignorar las denuncias. La federación afirma no disponer de elementos para abrir un expediente. Supuestamente, tampoco recibió ninguna clase de pruebas del *Sunday Times* ni de su informante en relación con otros dos miembros de la directiva (aquí se hace referencia a Hayatou y Anouma). Los parlamentarios, sin embargo, creen que hay «material suficiente para nuevas investigaciones», como, por ejemplo, el vídeo de varias horas y las cintas de audio de ocho personas de la FIFA. Siempre se vuelve a hacer alusión al misterioso testigo, que ahora resulta que es una mujer: Phaedra Almajid, una estadounidense de familia iraquí. Trabajó en la candidatura de Catar. El informe del Parlamento dice lo siguiente: «*The Sunday Times*, a su vez, nos informó de sus intentos por reunirse con la FIFA y la informante, pero la federación internacional se negó sin dar explicaciones».[313]

En mayo, el *Sunday Times* había comunicado por escrito al Parlamento la existencia de un testigo, sin mencionar a

Almajid por su nombre.[314] Seis días después de la publicación del informe del Parlamento, donde se alude por primera vez a un informante, ocurre algo asombroso: se presenta ante los medios por su propia cuenta y retira sus acusaciones con una gran parafernalia. El arrepentimiento la consume, y llega a colgar una sentida carta de disculpas en la Red: «He mentido sobre todos los hechos en relación con los sobornos para el Mundial de Catar en 2022». Phaedra Almajid dice haber acusado injustamente de corrupción a Hayatou, Anouma y Adamu. Al parecer, ese trío «no recibió en ningún momento ofertas de soborno, incentivos ni pagos de ningún tipo». Hasta entonces, el *Sunday Times* nunca había publicado sus acusaciones anteriores, solo las había remitido al Parlamento manteniendo el anonimato de la informante. Los periodistas, sin embargo, las encontraban creíbles. Las denuncias se dieron a conocer por primera vez en la comisión parlamentaria a través de lord Triesman.

¿Quién es Almajid? Trabajó en la campaña de Catar, en el Departamento de Comunicación y Relaciones con los Medios, desde mayo de 2009 hasta marzo de 2010. Luego perdió su trabajo. Cuenta que eso le dolió tanto que quiso demostrar con sus mentiras que «podía seguir controlando a los medios». Y una cosa más: «No he recibido presiones ni ninguna clase de incentivo económico».[315]

Con respecto a las acusaciones de Almajid, la FIFA dice que le habría gustado investigar a fondo, pero que la mujer puso condiciones inaceptables. Esto también lo confirma Almajid, cuando dice que no quiere verse envuelta en una investigación. Su paso atrás en favor de Catar queda certificado en una declaración jurada, en la que consta que ella habría elaborado y hecho circular un documento interno, donde se insinúa entre otras cosas una inyección financiera de Catar en clubes de Argentina. Aparte de esto, asegura que nunca recibió amenazas.[316]

Todo esto resulta verosímil. La única pega es que Argentina, incluso sin las declaraciones de Almajid, ya desempeñaba un papel importante en algunos casos de sospecha no aclarados. Allí estaba la riqueza fabulosa que se le atribuía al directivo del fútbol Julio Grondona, por la que estaba siendo investigado: extractos bancarios de empresas gigantescas y un entramado de cuentas que sumaban una fortuna de cientos de millones. Pero no había pruebas, y en Catar también negaron rotundamente que se hubiesen hecho aportaciones financieras a la AFA, la federación de Grondona. El presupuesto de márketing era de doscientos millones de dólares, apenas unas monedas dentro del plan general para una Copa del Mundo, que puede alcanzar los cien mil millones. El jefe de la campaña, Hassan al-Thawadi, venía del acaudalado Fondo Soberano de Inversión, y su asistente era un mánager de la industria petrolera nacional. Estos máximos ejecutivos industriales actuaron con profesionalidad, mandando a elaborar los perfiles personales de los veinticuatro votantes de la FIFA, según le explicó Al-Thawadi al autor de este libro. Pues estas dos docenas de hombres eran todo lo que importaba, solo ellos podían conceder la sede para el Mundial. ¿Y qué hay de los documentos de la campaña que se filtraron a la prensa? ¿Y de los setenta y ocho millones de dólares que habría recibido la AFA de Grondona? Al-Thawadi admite que en la trama del elector Grondona figura un importe faltante de setenta y ocho millones de dólares. En ese momento, la Federación Argentina tenía problemas con la comercialización de los derechos televisivos. Además, un colaborador de la campaña de Catar habría sugerido ayudar a la AFA. Pero Al-Thawadi dice que nunca se envió dinero.[317]

La aparición pública de la informante Phaedra Almajid se hace esperar. Se ha retractado en un lugar desconocido de Estados Unidos. Se dice que durante un tiempo estuvo vigilada. El alivio para Catar llega en diciembre, cuando se publican las primeras noticias sobre las investigaciones del FBI en relación con las candidaturas para el Mundial.

Sin embargo, se espera que la misma Almajid cuente toda la verdad. No es frecuente que alguien actúe, por venganza, de una manera tan autodestructiva, para ensuciar a todo un país con mentiras malintencionadas, un país que puede pagar a todos los abogados de este mundo. ¿No se merecen Catar y la FIFA todo el respeto por no haber destruido con denuncias a la fallida informante? Al final se pueden considerar tres posibles versiones. La primera es que Almajid realmente faltó a la verdad en el testimonio. La segunda es que dijo la verdad y luego se contradijo debido a las presiones. Y la tercera: nunca la despidieron, sino que siempre trabajó en la campaña creando cortinas de humo.

Amigos y ayudantes

En los días previos a las sorprendentes revelaciones de Almajid, el informe del Parlamento británico constata algo más: que las promesas de mejora de Blatter pueden valorarse teniendo en cuenta «en qué medida la FIFA emprende investigaciones contra los directivos, hasta qué punto lleva a cabo reformas sistemáticas y de qué manera ambas exigencias están ligadas de un modo satisfactorio. Preferentemente, estas tareas deberían realizarse de manera independiente».[318]

Lo ideal sería una revisión sin miramientos del pasado de la FIFA, incluidas las finanzas. Es lo que también exigen los expertos de Transparencia Internacional (TI). Esta organización le ofrece a la FIFA ayuda especializada para la aclaración de todos sus casos anteriores y actuales, junto con un claro sistema de cumplimiento normativo para el futuro, con la condición de trabajar con una independencia total respecto de la federación de fútbol. Pero nada más empezar con el proceso de reforma, los miembros honorarios de TI advierten por dónde van los tiros. Blatter no quiere detalles del pasado. Sylvia Schenk, la encargada de Deportes de TI, lanza una amenaza: «Si tenemos la impresión de que no se toman en serio nuestras propuestas, lo dejaremos».

Blatter no tiene que preocuparse. Ha encontrado a alguien que encaja mejor en el modelo: el experto en cumplimiento Mark Pieth. El criminalista suizo dirige el Instituto de Basilea sobre la Gobernanza (BIG) y acumula importantes logros en la lucha contra la corrupción, entre los que destaca el esclarecimiento del caso Petróleo por Alimentos. Este programa tenía que darle la posibilidad a Irak, pese a las sanciones económicas, de intercambiar productos de subsistencia por petróleo en el mercado internacional. La comisión de Pieth dio a conocer que miles de empresas internacionales le habían pagado comisiones encubiertas al gobierno iraquí. Ahora Pieth dirige un equipo de trabajo anticorrupción en la Organización para la Cooperación y el Desarrollo (OCDE), y asesora al presidente del Banco Central en cuestiones de cumplimiento normativo. Un hombre de estas característic as tiene los mejores contactos. En ese momento, es un experto en materia política y económica muy valorado.

Blatter lo contrata. El catedrático suizo elabora un informe de cuarenta páginas titulado «Gobernando la FIFA», por el que la federación habría pagado alrededor de ciento veinte mil francos; realizan transferencias a la Universidad de Basilea y al Instituto de Basilea. El periódico suizo *Handelszeitung* publica que el instituto «se negó a facilitar una cifra exacta», solo confirmó «la magnitud de la transferencia» y aclaró que Pieth no había cobrado ni un solo céntimo.[319] A finales de noviembre, la FIFA nombra a Pieth director de su Comisión Independiente de Gobernabilidad (IGC), cuyo personal lo elegirán la FIFA y él mismo. Supuestamente, la federación paga unas dietas diarias de cinco mil francos suizos, dinero que también se le abona a la universidad y al instituto.[320] La abogada canadiense Alexandra Wrage, miembro de la IGC y jefa de la organización anticorrupción Trace International, asegura que ha rechazado todo tipo de remuneración, «sin embargo, otros miembros sí cobran de la FIFA por sus servicios de asesoramiento y gastos, a través de una cuenta fiduciaria administrada por el Instituto de Gobernanza de Basilea».[321]

Pronto sale a la luz que un colaborador de Pieth habría amenazado con acciones legales al periodista del *Handelszeitung* que investiga las remuneraciones. Los periodistas, a los que inicialmente Pieth quería invitar a una audiencia pública para hablar sobre el pasado de la FIFA, ahora le reprochan esto al jefe de la reforma en una carta abierta.322 No reciben respuesta.

La IGC tiene la tarea de mejorar la gestión y la transparencia de la FIFA, como, asimismo, de supervisar el proceso de reforma. Pieth, que carece de experiencia en el ámbito deportivo, se niega a revisar el pasado de la FIFA. Por eso se gana duras críticas, pero él relativiza: «Miro de reojo hacia el pasado. Quiero saber cuáles son los riesgos. Para eso no tengo que probar la culpabilidad de ningún gánster. No tengo que probar que Havelange se embolsó muchos millones más de una vez. Para mí lo relevante es que lo hizo».[323] Lo relevante para la familia Havelange es que no se investigue minuciosamente. De ahí en adelante rigen aquellas palabras que se publican en el breviario de la federación: «Blatter exhorta a dejar el pasado en paz de una vez para que el profesor Pieth y su comisión puedan concentrarse en el futuro».

Transparencia Internacional critica duramente la función de Pieth y se retira. Otro prestigioso paladín de la legalidad sale a defenderlo: la Interpol. La organización policial emite un extenso comunicado de prensa en el que aplaude a la FIFA por su compromiso con Pieth. «Hay quienes se preguntan si es conveniente que el profesor Pieth cobre por su intervención. Sin negar la importancia de que la sociedad sepa quién paga el trabajo de Pieth, cabe decir que es más importante que este proceso se lleve a cabo con profesionalidad, imparcialidad y autonomía».[324]

Las críticas de Transparencia Internacional no hacían referencia al pago en sí, aunque ponían en duda que Pieth, en tanto contratista remunerado, pudiera dirigir el proceso de reforma de manera independiente.

La Interpol deja ver en qué consiste la ilustre red de ayudantes de la FIFA: «Si la FIFA quiere beneficiarse de los expertos en estas áreas, el trabajo de estos debe estar convenientemente remunerado. [...] Es un error pensar que el resultado de una supervisión está predeterminado y condicionado solo porque se ha pagado por ese encargo». Y así sigue, con una esmerada defensa de Pieth y la promoción de una reforma en la FIFA a la medida de hombres como Blatter, Blazer, Grondona, Makudi o Hayatou: cumplimiento legal en el futuro, sí, pero nada de revisar los propios chanchullos del pasado. «Los comités anticorrupción orientados al futuro desempeñan un papel muy importante —nos enseña la Interpol—. En todas partes del mundo, gobiernos y empresas han creado comités independientes y les han pagado por su trabajo.» Solo que a los miembros de estos comités no los contrataron las mismas personas que llevaron a estos gobiernos y empresas a una situación lamentable, sino sucesores libres de culpa y cargo.

La Interpol destaca a una serie de personas beneméritas del área del cumplimiento legal. Entre ellas está Michael Hershman, cofundador de TI, a quien, después de la crisis de corrupción que sacudió a Siemens, se lo mantuvo en la empresa como asesor de la directiva en materia de cumplimiento normativo. Pero Siemens también había hecho primero una limpieza en los niveles jerárquicos. La mayoría de los máximos ejecutivos tuvieron que irse durante el escándalo. El proceso continuó, y solo con los nuevos directivos del consorcio mejoró el cumplimiento. Así debería ser también en la FIFA. Y no que poco antes del salto la pandilla que ha gobernado durante décadas guarde a buen recaudo su propia gestión corrupta detrás de un programa de cumplimiento legal rígido y opaco que ellos mismos imponen a quienes vendrán. Y tampoco que los «gánsteres», como los llama Pieth,[325] que han facturado sumas millonarias, al final puedan decirle al mundo: «¡Mirad nuestro programa de cumplimiento normativo! ¡Hemos limpiado el fútbol!».

El plan deja ver sus intenciones. Transparencia Internacional no se presta. En cuanto a su cofundador, el norteamericano Hershman, tan destacado por la Interpol, es uno de los veintisiete miembros que acompaña a TI desde su fundación, y queda cesante cuando se incorpora al proyecto de Pieth.[326] ¿Qué puede simbolizar esta clara separación entre los grupos? Esta fisura en el sector, ya visible desde un primer momento, se producirá también en el grupo de la reforma de Pieth.

Los medios siguen con escepticismo las prácticas de la reforma. Persiste la presión de muchos sectores del fútbol. Karl Heinz Rummenigge, presidente de la Asociación de Clubes Europeos (ECA), critica la corrupción en Zúrich.[327] El Colectivo Europeo de Aficionados (FSE), que representa a los seguidores del deporte en treinta y ocho países, demuestra que tiene olfato. No se cree la reforma de Blatter y hasta rechaza la invitación de la comisión de Pieth. Los fans dudan de la independencia del grupo de gobernabilidad y se sienten atropellados: «Nos pidieron que nombrásemos un delegado en el plazo máximo de dos días», publican en su página web. Evidentemente, a la IGC le meten toda la prisa del mundo y está bajo la fuerte influencia de la FIFA. Los aficionados dicen que también fueron invitados por Valcke. El colectivo cree que un comité como ese «solo podría ser independiente de verdad si a su presidente lo nombrara el comité mismo o si se eligiera democráticamente, y no viniera asignado por la FIFA, que en este caso es el objeto de la reforma que la IGC debe inspeccionar». El FSE sostiene, además, que los reformistas de la FIFA habrían presentado propuestas demasiado pronto, «después de solo tres reuniones, y creemos que en un espacio de tiempo tan limitado será muy difícil […] reunir conocimientos, realizar cambios sustanciales y llevar a cabo investigaciones en el pasado».[328]

Otras personas implicadas en la reforma se muestran más relajadas. François Morinière, por ejemplo, que es un personaje ilustre. El director del grupo mediático francés Amaury tiene una relación inmejorable con el secretario general Valcke. Su consorcio organiza junto con la FIFA el mayor evento social fuera del césped: la entrega del Balón de Oro al mejor jugador del año. Una cuarta parte de Amaury pertenece al grupo Lagardère, cuyo principal accionista desde finales de 2011 es el emir de Catar.[329] Un comité de tales características es ideal. Paralelamente, Blatter hace el numerito de la transparencia. Ya en octubre promete nada menos que la publicación de la orden de sobreseimiento de la ISL, en concreto para la próxima reunión de la directiva a mediados de diciembre. ¡Vaya sorpresa! Pero, a principios de ese mismo mes, anuncia, de repente, que lo de la publicación no será posible, pues supuestamente había protestas de terceros que debían aclararse en sede judicial. Así es, hay protestas, incluso por parte de la FIFA. Y ya las había cuando Blatter le tomó el pelo a la prensa manifestando su intención de publicar en cuanto fuera posible el dichoso documento. Además, los juristas dicen que la FIFA es libre de dar a conocer el acuerdo extrajudicial. En todo momento. Esta sería la situación jurídica. A finales de diciembre, el Tribunal Superior de Zug también dictamina que el documento se puede publicar. Por supuesto que los directivos siguen poniendo obstáculos. Todavía queda una última instancia, el Tribunal Federal, solo que ahora ya no es la FIFA la que impide la publicación, pues eso empañaría las promesas de transparencia de Blatter. Pero da lo mismo, porque Havelange y Teixeira seguirán impidiendo que se publique.[330] ¿Suena muy pesimista?

Bajo el mando del jefe que firma en solitario, la Interpol conoció otra cara de la FIFA totalmente distinta: íntegra, fiable y la mar de generosa. La policía internacional intenta ganarse la confianza: «La Interpol puede afirmar que no es un problema que la FIFA financie actividades que se llevan a cabo con absoluta autonomía». Y concluye la declaración con un enérgico «Valen más los hechos que las palabras». Al igual que el proyecto de la Interpol, la reforma de la FIFA con el experto Pieth también será todo un éxito.[331]

A comienzos de 2012, la situación se vuelve embarazosa. En la conferencia anual de anticorrupción de la OCDE en París, al secretario general Ángel Gurría le toca estar al lado de un conferenciante de prestigio: Joseph S. Blatter. ¿El presidente de una organización considerada corrupta en todo el mundo dando una conferencia para los expertos en anticorrupción? A Mark Pieth no le gusta nada: «Personalmente lo encuentro inapropiado. Con eso quiero decir que se le está dando un espacio a alguien que está metido en un proceso de reforma».[332] Dicho de una manera suave.

Es un asunto delicado, sobre todo porque en la conferencia el mismo Pieth dirige el grupo de trabajo sobre la corrupción en transacciones comerciales. Pieth afirma que no tenía idea de que se había convocado a su contratante Blatter. Unos días más tarde, todo se arregla discretamente y el nombre de Blatter desaparece de la página web. En la primavera de 2013, se da a conocer que Pieth dejará la dirección del grupo de trabajo anticorrupción de la OCDE después de veintitrés años de servicio. Los medios informan de que se le cuestiona permanentemente y que varias de sus reelecciones se consideran dudosas.[333]

La reforma de la FIFA también se efectúa en la más estricta intimidad. En las entrevistas, Pieth se revela como intransigente, pues no deja dudas sobre lo poco que confía en Blatter y su entorno. Según él, habría tardado en comprender que la corrupción en la FIFA había estado protegida durante mucho tiempo.[334] Supuestamente, «hay denuncias contundentes contra la FIFA que han quedado en suspenso y que nunca se examinaron. Eso es frustrante e intolerable».[335] El experto anticorrupción también exige que caigan las caretas: «En reiteradas ocasiones, ejecutivos y delegados han estado bajo sospecha de obrar en beneficio propio y mediante prácticas corruptas. Es sumamente urgente que la comunidad internacional tome conciencia de la importancia del deporte y deje de considerarlo un limbo jurídico». Las organizaciones deportivas «no pueden seguir sirviendo de espacio libre para ambiciosos del poder y hombres de negocios sin escrúpulos». Además se requiere de una justicia independiente en las federaciones «que no vacile en pedir cuentas a sus directivos».[336]

Pieth lamenta también que la FIFA se encuentre «al margen de la justicia. Más allá solo está el Cielo».[337] En febrero de 2012, sorprende al decir que ha comprendido la importancia de «ocuparse más del pasado. Es necesario saber qué cosas se hicieron mal antes para procurar que eso no vuelva a suceder. En segundo lugar, es para desconfiar de una organización en la que la impunidad es tal que todos salen indemnes». Esto en sí no es sorprendente, pero sí lo es la conclusión tardía. La comisión se muestra abierta a investigar el pasado.[338]

Noble, el jefe de la Interpol, se lo toma con más tranquilidad. Así responde a la pregunta de si era consciente de todas las denuncias de corrupción contra la FIFA cuando firmó el acuerdo: «No entiendo la pregunta. Si se me quiere preguntar si estaba al corriente de la cantidad de acusaciones que orbitaban en torno a la FIFA, la respuesta es sí».[339]

Más preguntas para Noble: «Cuando la Interpol firmó el acuerdo, ¿estaba al tanto de la expulsión de seis miembros de la FIFA? ¿Y cómo diferencia usted un indicio serio de una acusación vaga?».

Noble: «En mi modesta opinión, usted confunde manzanas con naranjas. Aquí la cuestión no es si los directivos de la FIFA son corruptos o están suspendidos o siendo investigados. Para la Interpol, la cuestión es si el amaño de partidos ocasiona problemas en un contexto global. Nuestro acuerdo con la FIFA no influye en las investigaciones externas o internas relacionadas con la conducta de sus directivos». Noble cita a Hershman, que «también se mostró absolutamente a favor de este acuerdo entre la FIFA y la Interpol».[340] Al cabo de poco tiempo, Hershman ingresa en la comisión de Pieth.

¿Cómo fue progresando este proyecto sin precedentes cuyo contrato se tuvo que firmar urgentemente a comienzos de mayo en la sede de la FIFA? Pues para el primer año se destinaron cuatro millones de euros. Se estableció un comité directivo, se realizó un encuentro de expertos y se procedió a un análisis de necesidades. Los representantes de la Interpol hicieron formaciones especializadas durante dos torneos juveniles de la FIFA. Se trabajó en una base de datos, se organizó una conferencia en Singapur, y Noble hasta pensó en una reunión con Platini. Mientras tanto, el ala del edificio Global Complex de la Interpol reservada a la FIFA ya tenía el visto bueno.

En la nueva sede de la Interpol se esperaba con ilusión la llegada de la FIFA. Lo que no se explica es la urgencia máxima a comienzos de mayo, que obligó a trabajar a toda marcha para que, en el plazo de ocho días, todo acabara con una contribución de veinte millones de euros, la más alta que ha recibido la organización policial internacional en toda su historia. En Singapur, en cambio, todo se desarrolla lentamente, la conferencia se aplaza, y además surge una pregunta respecto al proyecto: ¿qué sentido tiene llevar a cabo una lucha preventiva en Singapur? La ciudad estado está llena de estafadores que trabajan en el mundillo de las apuestas, pero no asistirán a ninguna formación. Por otra parte, todos los afectados, como es el caso de jugadores, árbitros y entrenadores, están esparcidos por el mundo y la mayoría vive en Europa.

La iniciativa FIFA-Interpol al menos arroja luz en lo referente a Frederick Lord. Noble reitera expresamente que el antiguo director adjunto de la policía internacional, al que la FIFA a finales de 2010 primero quiso contratar y luego le dio calabazas, no es un hombre de la Interpol. Lo define como un «funcionario policial australiano». Entonces se le pregunta por los enlaces de Internet, donde Lord figura desde marzo de 2009 como director adjunto de un departamento de la Interpol en Lyon y encargado de la base de datos anticorrupción UMBRA. Y Noble explica esta contradicción de forma recurrente: es cierto que Lord en 2010, cuando la FIFA solicitó sus servicios, trabajaba para la Interpol; sin embargo, estaba en la nómina de la policía australiana, que era la que le pagaba. Por eso, «en términos jurídicos», se lo considera un funcionario policial australiano. *Secondment*, así es como se llama la transferencia de un empleado a un puesto de servicio temporal. Sin embargo, en el otoño de 2010, Lord ya es un auténtico agente de la Interpol, contratado para el nuevo proyecto con la FIFA. Medio año más tarde, otro ex Interpol llamado Ralf Mutschke sustituye a su antiguo colega Eaton como jefe de seguridad de la FIFA.

Entre las autoridades que siguen los hechos con escepticismo está la Bundeskriminalamt (BKA). Sorprendentemente, la Policía Federal Criminal de Alemania tiene una opinión del todo diferente a la de Noble con respecto a la categoría *Secondment*. «En cuanto al estatus de los funcionarios y funcionarias de la BKA que desempeñan un cargo en la sede central de la Interpol en Lyon, se puede comprobar que estos figuran como empleados y empleadas de la Interpol —comunican las autoridades—. No es frecuente que se dé otro tipo específico de relación laboral.»

En términos generales, la BKA no está a gusto con la alianza con la FIFA, que se habría forjado en Hanói, en la reunión general anual de la Interpol en noviembre de 2011. Así se pronuncia la Policía Federal Criminal de Alemania nueve meses después del acuerdo: «La BKA sigue con mirada crítica el proceso de desarrollo de esta iniciativa, aunque se valoran todos los esfuerzos en la lucha contra la corrupción y el fraude deportivo». En Hanói, la BKA presentó algunas sugerencias. «Debe garantizarse la transparencia en el proceso de trabajo conjunto de la Interpol y la FIFA. La puesta en práctica de esta iniciativa requiere que la autonomía de la Interpol esté asegurada.» ¿Acaso eso no se sobreentiende? Lo siguiente sí que deja perplejo. «Con respecto a la iniciativa FIFA-Interpol para combatir la corrupción en el ámbito del deporte, se solicita entre otras cosas trabajar en estrecha colaboración con la IACA de Viena (Academia Internacional Anticorrupción), para evitar redundancias y aprovechar las sinergias.»[341]

¿Redundancias, sinergias? Desde el 2 de septiembre de 2010 hay una academia anticorrupción en Europa Central. En la asamblea general de la Interpol en 2006, se decidió que la IACA formaría a expertos en corrupción de los ciento ochenta y seis países europeos, y que «ofrecería un foro a representantes de organizaciones internacionales y la sociedad civil para intercambiar ideas y opiniones, como asimismo programas de capacitación e investigación apropiados y personalizados».[342] ¿Fue la BKA la que abrió las puertas?

Hasta ese momento, Estados Unidos y muchos países europeos no están afiliados a la IACA. No obstante, el Instituto de Gobernanza de Basilea (BIG) de Mark Pieth estuvo presente desde el día de su fundación y firmó un «Memorándum de Entendimiento» que contenía la agenda de actividades conjuntas de ambos institutos en la lucha contra la corrupción.[343] En el BIG no se criticó el acuerdo de la Interpol y la FIFA como en la BKA.

La BKA también se siente superada por el ritmo del proceso: «Habría sido conveniente integrar previamente a los países miembro en las conversaciones y acuerdos entre la Interpol y la FIFA». Pero ¿acaso las prisas de la Interpol por firmar el contrato con Blatter no obedecían a la urgencia? ¿No había una necesidad de actuar de inmediato? La BKA dice que no participó en las negociaciones entre la Interpol y la FIFA y que, por lo tanto, no dispone de información detallada. Pero parece que tampoco hay mucho que contar. «De momento no es posible valorar la iniciativa, puesto que acaba de ponerse en marcha», dicen las autoridades cuando ya han pasado nueve meses desde la firma de este inesperado acuerdo.

La iniciativa también causa mucho revuelo en Suiza, donde el Consejo Federal se reúne el 19 de diciembre de 2011. La consejera Simonetta Sommaruga lleva gafas de sol, no porque vaya a hablar de la Interpol, sino por culpa de una conjuntivitis. «La delegación presente en Hanói durante la Asamblea General de la Interpol tomó parte en ese asunto [...] Al mismo tiempo, la delegación suiza hizo hincapié en la obligación de observar las normas de financiación de la Interpol, así como la compatibilidad con los objetivos y actividades de la organización. Del mismo modo es importante que la Interpol conserve su autonomía. En ningún caso se debería tener preferencia por el donador en la concesión de mandatos ni permitir la influencia de este en las actividades de la Interpol o de las autoridades policiales y judiciales. En este sector, la transparencia es indispensable.» La Interpol habría asegurado que decidiría independientemente sobre el uso de los fondos.[344]

A la larga, estas relaciones pueden ser un lastre, pues hay quienes están muy atentos. En febrero de 2012, la Interpol recibe críticas porque supuestamente ayudó a Arabia Saudí a detener a un periodista de veintitrés años en Malasia. Hamza Kashgaris cometió el crimen de publicar en Twitter una opinión negativa sobre el profeta Mahoma. Las organizaciones de derechos humanos criticaron a la Interpol «por su intervención en un asunto claramente religioso».[345]

La organización Reporteros Sin Fronteras también formuló graves acusaciones contra la Interpol por colaborar en un procedimiento dudoso. La organización policial habría obedecido al pedido de captura de un periodista francés que estaba haciendo un reportaje para la televisión sobre el turismo sexual en Phnom Pehn. Supuestamente, Daniel Lainé fue condenado, sin estar él presente, a siete años de prisión después de haber filmado a una prostituta mientras realizaba su trabajo, sin que ella lo supiera. Al parecer, la acusación se basa en un documento escrito firmado por una persona «que nunca se presentó ante el juez», según afirma la ONG.

En 2012, en Berlín, la diputada de los Verdes Marie Luise Beck planteó una pregunta sobre una visita del jefe de la Interpol a Bielorrusia: «¿Puede confirmar el gobierno federal que [...] Noble estuvo en Minsk entre el 12 y 13 de mayo de 2011 para reunirse con el ministro de Interior bielorruso, a pesar de que la UE y el Consejo de Europa habían congelado sus relaciones con Bielorrusia debido a la brutal represión de las protestas contra el fraude electoral [...], y qué conocimiento tiene el gobierno federal de la participación de la Interpol en las investigaciones llevadas a cabo contra los ejecutados, presuntamente inocentes [...] de cuya culpabilidad la Interpol no habría dudado en ningún momento?». Respuesta del Ministerio del Interior: la BKA advirtió a Noble de manera explícita «sobre la gravedad política de su visita a Minsk, teniendo en cuenta el panorama de la conocida crisis democrática en Bielorrusia y las sanciones que la UE había impuesto al país». Aunque, supuestamente, la UE no había tomado la decisión formal de congelar las relaciones con Bielorrusia.

La Interpol también recibe críticas por otras colaboraciones millonarias. En 2012 firma un contrato con la tabacalera Philip Morris de más de quince millones de euros, a repartir en tres años. Se anuncia que se dará comienzo a «una iniciativa global para combatir el contrabando organizado». La Organización Mundial de la Salud (OMS) se alarma ante el hecho de que la Interpol reciba dinero de la industria del tabaco. Sus expertos preguntan en Lyon «qué medidas preventivas ha adoptado la Interpol para evitar conflictos de intereses». Es una pregunta generalizada. La OMS también critica que la Interpol recurra a un sistema de control desarrollado por el consorcio. Con respecto a esto, los expertos sospechan que el mismo sector del tabaco está implicado en el contrabando.

Por otra parte, la Interpol firmó un acuerdo de cooperación con el Comité Organizador del Mundial de Catar por diez millones de dólares, que incluiría la seguridad de la Copa del Mundo y otros grandes acontecimientos. De momento, al Mundial de Catar no le preocupan las amenazas terroristas o los gamberros, sino su situación incierta. Varias unidades de investigación de todo el mundo, e incluso dentro de la FIFA, están averiguando cómo es que se concedió el Mundial a Catar y qué fue lo que convenció tan decididamente a los catorce electores. Una misión para la que se podría llegar a necesitar a los chicos de la Interpol. ¿Quiénes sino ellos?

Las críticas a los acuerdos con la FIFA, Catar y otros no tienen un efecto demoledor inmediato. Y solo duran hasta que queda demostrado el éxito del acuerdo de los veinte millones. La Interpol ya estaba operando en Singapur, donde Dan Tan Seet Eng seguía viviendo tranquilamente. Pasaron años hasta que el presunto mafioso de las apuestas, que tiene una orden internacional de arresto desde 2011, fue detenido: ya era otoño de 2013. Una muestra de cuán irritados estaban los investigadores es la manera en que Noble atacó públicamente al periodista Declan Hill, que llevaba tiempo preguntándose por qué la Interpol, que tenía una nueva sede en Singapur, tenía tantas dificultades para encontrar allí a Dan Tan. Noble dijo que el periodista experto en la mafia de las apuestas y reconocido en todo el mundo desconocía la diferencia entre escribir artículos y presentar acusaciones.

Chris Eaton trabaja actualmente al servicio de la seguridad deportiva en Catar. Durante su breve periodo en la FIFA, el ex de Interpol se volvió una figura clave, lo que desviaba la atención de los líos internos de la federación. Sin embargo, al mismo tiempo, aumentaba el recelo entre las autoridades europeas por la manera en que cierta información confidencial relacionada con investigaciones trascendía desde los círculos de la FIFA hacia el exterior. ¿Cómo era posible, por ejemplo, que en un dosier de la FIFA sobre un empleado constara que este tenía expedientes abiertos en la BKA y que se esperaba recibir más información al respecto? Las autoridades judiciales se extrañaban ante estos datos confidenciales. ¿Cómo lo hacía la FIFA para acceder a ellos? En ese momento, Eaton ya no trabajaba para las autoridades, sino en un servicio de seguridad privado.

Hechos como estos sugieren que el policía de la FIFA tuvo más éxito protegiendo a su jefe con un cordón de seguridad que combatiendo las apuestas clandestinas. La FIFA ni siquiera llegó a facilitar la línea directa telefónica para testigos de amaños de partidos que anunció en febrero de 2012. Dos días antes de la inauguración de este servicio, la federación comunicó que por razones administrativas no era «factible», y añadió que no había una fecha prevista para ponerla en funcionamiento en el futuro.[346] La esperada *hotline* solo se inauguró un año más tarde.

«He aprendido mucho aquí, como solo se puede aprender en la FIFA», dijo Eaton en su despedida, y añadió que seguiría «trabajando con autoridades del deporte, gobiernos, agencias e instituciones académicas».[347] Se alegraba por el desafío asumido, «el cual afecta a todos los deportes. Muchos podrían seguir el ejemplo de la FIFA en la lucha contra la manipulación de apuestas deportivas». Es difícil saber a qué se refería con eso. ¿Hablaba de los veinte millones?

¿Cuál es la magnitud del fraude que la Interpol quiere combatir en Catar junto con la FIFA y Eaton? Los números dan miedo. Los tres principales corredores de apuestas facturan en total más de cien mil millones de dólares al año. Solo en 2011, el líder del mercado IBC obtuvo unos beneficios aproximados de cuarenta y cinco mil millones, casi triplicando el volumen de negocios de Adidas.[348] La formación es necesaria, pero lo imprescindible es el trabajo de investigación, del que se siguen ocupando los fiscales. Y por esa razón el canadiense Declan Hill, que como experto en el escenario global de las apuestas brinda su asesoramiento a gobiernos, califica de «hipocresía» la gestión de FIFA-Interpol. «Aquí no hay ni dinero para investigaciones y seguimientos, ni una gestión que persiga la corrupción en el interior de la FIFA. Todo el dinero de la FIFA se invierte en formación.» ¿Quién va a tener miedo de aceptar dinero sucio si no existe la amenaza de una investigación? Hill supone que «algunas asociaciones deportivas están desesperadas por tomar la delantera, para así poder decidir sobre el rumbo de las investigaciones». Según él, la FIFA, en particular, no estaría realizando ninguna investigación creíble, sino más bien una campaña de márketing para lavar su imagen.[349]

La UEFA de Platini también tiene dificultades. La segunda gran variante del fraude deportivo salta a la vista. Detrás no están los mafiosos de las apuestas, sino los clubes de fútbol. Se trata de la manipulación de resultados para obtener ventaja deportiva. En la temporada 2010-2011, la serie A de Italia se ve afectada por catorce partidos manipulados, como mínimo. «Algunos clubes alteraron partidos para mantener la categoría, otros para entrar en la Europa League», afirma el fiscal Roberto Di Marino. El capitán del Atalanta, Cristiano Doni, confiesa: «El arreglo con el rival es algo muy común en Italia».[350]

Esta sospecha pesa también sobre un partido de Champions disputado el 7 de diciembre de 2011. En la última jornada del grupo D, el Olympique de Lyon (5 puntos, 2 goles a favor, 6 en contra) visitó al Dinamo de Zagreb, ya eliminado. El equipo francés quería aventajar al Ayax (8 puntos, 6 goles a favor, 3 en contra), que podía perder contra el Real Madrid (y así fue) y de todos modos clasificarse para octavos. El Olympique iba siete goles por detrás, así que, en el caso de que el Ayax perdiera, necesitaba una victoria con una ventaja mínima de seis goles. Pero hasta ese momento los franceses solo habían marcado dos goles en los cinco partidos de Champions disputados. En Zagreb también estaban atascados; al acabar el primer tiempo con el marcador 1-1, el sueño de pasar a octavos parecía esfumarse. Pero en la segunda parte, de repente, se volvió muy fácil penetrar en el área del Dinamo. El resultado final fue una victoria contundente: 7 a 1 para los franceses (misión cumplida); gracias a la fulminante diferencia de goles, continuaron en la competición. Enseguida empezaron a circular en la red vídeos del partido, donde se veía a un defensa del Dinamo que después del quinto gol le guiñaba un ojo a un rival francés.

Lo que desconcierta a los expertos es que Platini rápidamente archiva el caso; a la prensa se lo explica a su manera: «Hay partidos en los que el portero tiene un mal día, ya sea por cambios en la defensa o porque el equipo sale al campo totalmente desmotivado».[351] Sportradar, la empresa de servicios de seguridad en el juego en línea que trabaja para la UEFA, identificó un patrón irregular en las apuestas. Lo que no significa nada, como demuestran los trescientos casos de fraude acumulados en Bochum. Y, de todos modos, en estas circunstancias, ¿no hay que buscar el problema del partido sospechoso en los equipos que lo disputaron más que en el mundo de las apuestas?

Dos días después de que Platini echara el freno a la alarma, con respecto a la derrota en casa del Dinamo de Zagreb por 1-7, son detenidos Zeljko Siric, vicepresidente de la Federación Croata, y Stjepan Djedovic, presidente de la Comisión de Árbitros. No, no tiene nada que ver con el partido del Lyon, pero el motivo es de lo más típico: habrían amañado como mínimo un partido de la primera división.[352] El año anterior se habían llevado a cabo veintidós detenciones de profesionales y directivos en el fútbol croata.[353] Siric y Djedovic son amigos íntimos de Zdravko Mamic, presidente del Dinamo de Zagreb, y aliados del presidente de la federación, Vlatko Markovic. Este es un buen amigo de los peces gordos de la FIFA, que siempre están presentes cuando hay problemas con las elecciones o la asignación de fondos para el desarrollo. Diez años antes, una ayuda al desarrollo que el mismo Blatter concedió a la federación de Markovic había provocado cierta irritación dentro de la FIFA.

«Una especie de servicio de inteligencia de la FIFA»

¿A qué se dedican todos los profesionales de seguridad, gestión política y consultoría que mantienen buenas relaciones en el ámbito de la FIFA? ¿Estamos ante una alianza de voluntades que no vislumbra las motivaciones del proveedor de fondos? En los círculos de seguridad prevalece un espíritu colectivo: la confianza es lo que cuenta. El que está dentro pertenece a ese mundo. Sin embargo, eso puede volverse problemático en campos profesionales delicados, sobre todo cuando los empleadores y los contratantes cambian a menudo. Entonces, por mucho que los actores tengan buenas intenciones, se genera una maraña de clientes y patrocinadores en la que se tejen redes de contactos y se hace carrera, en la que se mueven millones y se trabaja en lavado de imagen. ¿Una situación en la que todos salen beneficiados?

En cualquier caso, la FIFA, justamente en el peor momento de una espiral de crisis de diez años en la que se ha visto afectada por escándalos de corrupción, procesos judiciales y un deterioro galopante de su imagen, puede permitirse renacer de las cenizas como el ave Fénix y alardear con valores como cumplimiento normativo, buen gobierno o la Interpol. Transparencia Internacional y la OCDE saltaron del barco justo a tiempo, y la organización Trace lo hizo en 2013. Da igual lo que ponga en esos contratos de limpieza bien remunerados, porque la realidad empresarial del deporte rara vez se ciñe a los contratos. «¿Por qué no habría de surgir en el futuro una especie de Servicio de Inteligencia de la FIFA?», vaticinó Blatter ante la prensa, sentado al lado del jefe de la Interpol.[354]

La pregunta pone al descubierto la complejidad del problema. Tiene una lógica extraña eso de que Noble como director de la Interpol proponga a alguien para que ocupe el puesto clave, el de jefe investigador, en el proceso interno de limpieza de la FIFA. Adiós a todas las recomendaciones de la triste comisión de Pieth.

¿La FIFA no cuenta incluso con el FBI? No, pero sí con un exdirector. Louis Freeh también está entre los contratados por la federación. Noble cree que es «el mejor para su puesto»,[355] es conocido y valorado. El trabajo de Freeh no consiste en investigar hechos de la campaña presidencial, sino en proporcionar material a su cliente sobre los sobornos en el Caribe. Freeh ofrece servicios en el área de seguridad. Antes de mostrarse a favor del póker en línea ya había sido objeto de críticas.

En su libro *My FBI*, Freeh habla de su etapa al frente del FBI, desde 1993 a 2001. No todo el mundo cree que es un buen libro. Según John Podestá, exjefe del gabinete de Clinton en la Casa Blanca, la obra «está llena de medias verdades y falsedades».[356] Y Clinton escribe en su autobiografía que, antes del nombramiento de Freeh, le habían advertido que tenía «claras inclinaciones políticas e intereses personales». Pero todo eso se le puede pasar por alto, porque este experto en seguridad es bueno en su trabajo y muchos confían en él. En la página web dice que el Freeh Group «en todos los aspectos contribuye a la integridad, sin concesiones». La prensa estadounidense examinó el papel de Freeh en dos de los mayores escándalos de corrupción del país en 2011.

En noviembre, la quiebra de la firma de inversión FM Global sacudió el mundo de las finanzas. Los máximos ejecutivos habían apostado por un final precipitado de la crisis europea. Justo antes de la quiebra, se habrían extraído 1.200 millones de dólares de las cuentas de los ahorradores. El FBI sigue la pista de este escándalo.[357] También la entidad financiera y sus acreedores, como JP Morgan, requieren un esclarecimiento desde su punto de vista, así que contratan a Louis Freeh. En relación con el compromiso de integridad de Freeh, el *Business Week* estadounidense opina que le será «difícil» equilibrar los intereses del cliente y de los ahorradores, que echan en falta mil doscientos millones de sus cuentas.

Luego está el escándalo de la Universidad Estatal de Pensilvania. El mítico entrenador Joe Paterno dirige el equipo de fútbol americano desde hace décadas. En noviembre de 2011, sale a la luz que las autoridades de la universidad llevan años sin actuar ante las reiteradas denuncias de abuso sexual contra el exasistente de Paterno, Jerry Sandusky. Paterno y el presidente del centro Grahan Spanier son destituidos. Supuestamente, Spanier estaba al tanto de todo y no había hecho nada. En 2002, un testigo ocular había informado a Paterno del incidente, y este se lo había comunicado a sus superiores, pero sin hacer nada más al respecto. A Sandusky se lo acusa de haber abusado por lo menos de ocho menores durante más de diez años. Él lo niega.[358]

Las autoridades universitarias, que supuestamente encubrieron los hechos durante años, contratan a Freeh para que aclare cómo la universidad trató el caso. Freeh les hace saber que trabaja «con total independencia, sin importar el rumbo que tome la investigación».[359] Luego les presenta un informe provisional y les permite realizar modificaciones. Los profesores del centro afirman que Freeh dijo en varias ocasiones que trabajaba para su cliente. ¿Cuán independiente puede ser una investigación que se realiza para un cliente?, se pregunta el personal docente. Por su parte, la dirección de la universidad dice que Freeh ha elaborado el informe con absoluta autonomía. A partir de entonces se abre una grieta entre el cliente de Freeh y la mayoría de los centros universitarios.

El juez Michael Chertoff, exsecretario de Seguridad Nacional, critica duramente un trabajo por encargo de la agencia de Freeh para la cadena de hoteles Wynn: un informe «estructuralmente defectuoso, parcial e interesado». Sobre la base de este informe de Freeh, el cliente había obtenido importantes ventajas comerciales. Para Chertoff y otros colegas, aquel documento «sumamente deficiente» no cumplía siquiera con los requisitos básicos de una investigación sólida, objetiva y fiable.

Freeh investiga por encargo de la FIFA las maniobras de corrupción de Mohamed bin Hammam y Jack Warner en el congreso del Caribe. Hay un vídeo de este encuentro que será de gran ayuda. Supuestamente, lo grabó Angenie Kanhai, secretaria general de la CFU.[360] Chuck Blazer, que denunció los sobornos ante la FIFA, afirma que no se enteró del reparto de sobres en Puerto España hasta que ya había terminado. Pero, por lo menos, hay alguien que sí lo sabía de antemano: Blatter. Warner le había informado. ¿Acaso se guardó la información? ¿Acaso la señorita Kanhai estaba filmando a escondidas para tener un recuerdo del encuentro, sin tener la menor idea de que esa grabación podría resultar decisiva en las elecciones presidenciales? Algunas semanas después del escándalo, ella se largó a Estados Unidos. Al poco tiempo, Jack Warner empezó a ventilar los primeros detalles sobre las aguerridas campañas electorales de 1998 y 2008, en las que él y Bin Hammam habían trabajado para Blatter. Anunció su intención de revelar los obsequios que el millonario de Catar le había hecho al presidente de la Federación de Namibia, Petrus Damaseb. Damaseb fue quien, en calidad de vicepresidente de la Comisión Ética, suspendió a los dos hombres de confianza de Blatter.

Damaseb se defiende del ataque de una manera original: «Lo único que recuerdo es una cena en la majestuosa residencia del señor Bin Hammam durante el congreso de la FIFA en 2003, junto con otros presidentes de federaciones, y haber recibido un reloj, que es un presente muy habitual en el mundo del fútbol».[361] Pero Bin Hammam también habla de «presentes habituales» en referencia al congreso de la CFU, donde según él solo habría pagado «los gastos de viaje y alojamiento». Petrus Damaseb admite incluso que ha recibido «varios relojes de funcionarios, de asociaciones y de la FIFA». Está claro que el que no pueda beneficiarse de remuneraciones, primas y pensiones gracias a la FIFA, por lo menos puede abrir una joyería. Después de la multa impuesta a Rummenigge por no declarar relojes en la aduana, se sabe que estos preciados regalos obtenidos en el contexto de las misiones futbolísticas no son ninguna baratija. Damaseb, presidente de la Comisión Ética de Blatter, afirma que él solo se dedica a desempeñar su cargo honorario en el fútbol mundial, y que todo lo que dice Warner es falso.

La puesta en escena completa de la investigación de la FIFA se realiza en octubre de 2011, cuando el *Daily Telegraph* publica el vídeo del congreso de la CFU. Las imágenes son impactantes, desde luego también para los quince sobornados de la Federación Caribeña, a quienes, ese mismo día, la FIFA interroga. Warner hace referencia a esta casualidad, afirmando que «el material fue preparado por la Secretaría de la Comisión Ética». La FIFA no contradice tal acusación.

Otras acusaciones muy concretas no tienen ninguna importancia en la investigación de la FIFA, pese a que se precia de ser independiente. Después de que los vídeos de la CFU salieron a la luz, Warner difundió un montón de material. Incluso prometió dar detalles sobre las dos cruzadas que él y Bin Hammam hicieron con Blatter por África y Asia, en 1998 y 2002. «Se os revolverá el estómago cuando os enteréis de los regalos que hizo Blatter para ganar las dos elecciones.»[362] Blatter expone lo que los críticos vienen exponiendo desde hace años. «Daré detalles sobre los intentos que llevé a cabo como vicepresidente de la Comisión de Finanzas para averiguar el salario de Sepp Blatter. Ni mirando los libros ni preguntando era posible determinar la cantidad de dinero que recibía por su cargo en la FIFA.» También se propone descifrar la influencia de Chuck Blazer en la Concacaf. «Se sabrá cómo influye su dependencia del mercado bursátil en las finanzas de la federación. Y también la razón por la que hace siete años no le renové el contrato a Blazer y por qué él, ni siquiera en este momento, tiene un contrato. El mundo del fútbol se quedará estupefacto al conocer sus chanchullos. No me extrañaría que tuviera que dejar su cargo en la Concacaf.» Blazer deja su cargo a fin de año. La explicación de Warner: «Sabe lo que supondría para él una revisión de cuentas de los últimos cinco años en la Concacaf». Se encontraría suficiente material como para «estremecer a los patrocinadores de la FIFA y de la Concacaf». Y al FBI, que ha ampliado el radio de sus investigaciones.

La situación de Warner también arroja luz sobre la relación de votos antes de la elección. «El último cálculo le daba noventa votos a Blatter y ochenta y cinco a Bin Hammam, de un total de doscientos nueve. Se necesitaban ciento cinco votos para ganar. La Concacaf tenía treinta y cinco, de los cuales veinticinco eran del Caribe. Prometía ser una carrera interesante, pero luego la región de Blazer y Blatter se vendió. Yo le había negado el apoyo oficial a Blatter, pese a que me había pagado un vuelo privado para que me reuniera con él ese día a medianoche, en Guatemala.» El exvicepresidente de la FIFA divulgó estos hechos por todo el mundo. Una organización que lucha por la transparencia ¿no debería haber comprobado al menos si fue cierto lo del avión y quién lo pagó?

Lo que Warner expuso era lo que los críticos venían contando desde hacía años y lo que Warner hasta ese momento siempre había negado. Era evidente que estaba diciendo la verdad, pero ¿estaba dispuesto a aportar pruebas? En su campaña de venganza no tenía nada que perder, hasta que le llegara el momento de declarar, como tiene que hacer todo aquel que asuma el papel de testigo arrepentido. Hasta que lo cogieran mintiendo. Sin embargo, Warner, de repente, empezó a presentar pruebas.

Lo primero que confiesa es que los máximos directivos de la FIFA le vienen concediendo los derechos televisivos del Mundial para el Caribe desde 1990, por sus servicios prestados en las campañas electorales. Hasta 2014 habría obtenido los derechos por un precio de ganga, él dice «simbólico». En 2011, también le habrían ofrecido los derechos para los Mundiales de 2018 y 2022, esta vez como compensación por su apoyo a Blatter en la campaña. Warner dice que los rechazó.

La FIFA no ofrece réplica a la mayoría de estas declaraciones, pese a que Warner la desafía a que las «desmienta públicamente». La federación se limita a una explicación parcial en referencia a la concesión de los derechos desde los años noventa hasta el Mundial de 2002. En aquel entonces, supuestamente, los derechos en el Caribe no valían mucho y el beneficio de la venta se habría destinado a proyectos de desarrollo. La FIFA no explica por qué la operación se realiza a través de la empresa privada de un directivo.[363] Simplemente se niega a dar más información relacionada con Warner.

Este presenta la primera prueba de sus denuncias: una nota escrita a mano por el secretario general Valcke que documenta un arreglo interno con Blatter. Según Warner, la nota se refiere a la decisión que se tomó con respecto a los derechos de televisión para 2010 y 2014. Dice así: «Jack, aquí está el acuerdo firmado por el presi. Esta operación no ha pasado por todos los órganos competentes y comisiones. Así que te pido que, de momento, no lo hagas público».[364] El presi es, obviamente, el presidente.

La FIFA lo admite: «Sí, la nota parece auténtica. Lo que hay que preguntarse es a qué acuerdo se refiere y cuál es el contexto». Básicamente, el presidente puede firmar contratos sin consulta previa y luego presentárselos a los órganos competentes. «Cuando a Warner se le pide que, por el momento, no lo haga público, solo se le está solicitando que antes informe a los órganos competentes.»

Así es precisamente como la FIFA confirma la acusación de Warner de que Blatter toma las decisiones importantes sin consultarlo. Incluso si se trata de una adjudicación de derechos televisivos, como es el caso, a la directiva y las comisiones se las informa más tarde. Y como Blatter está autorizado a firmar en solitario, Warner tiene en las manos un contrato con validez. Informar posteriormente a los órganos competentes no tiene sentido en términos jurídicos, y al mismo tiempo demuestra la clásica estrategia del engaño: remodelar una maniobra por libre para que parezca una decisión formal. ¿No es lo mismo en el caso de los regalos millonarios de Blatter a la Concacaf poco antes de las elecciones? Aquí la directiva no podría haber modificado nada del acuerdo con Warner, ni con respecto al regalo que recibió su federación. Al que no le guste, que vaya y demande al presidente por firmar en solitario.

Se sospecha que la venta de derechos a Warner a partir de 1990 nunca se ajustó al valor del mercado ni fue sometida debidamente a consulta en los órganos competentes de la FIFA. Los derechos de televisión aportan los mayores beneficios a la federación, y concretamente los que se le adjudican a Warner equivalen al valor de una cifra millonaria de dos dígitos. Se deberían subastar y no permitir que la alta dirección los adjudique por su cuenta. ¿O es que esto también es compatible con los estatutos? Aquí es la FIFA la que sale perdiendo.

Semanas más tarde, la FIFA contraataca. De repente, se pone a investigar una transferencia de un cuarto de millón de dólares a Trinidad, a nombre de Warner, realizada supuestamente por la federación internacional el 12 de junio de 2010, después del terremoto de Haití, y que se debe destinar a ayuda de emergencia. El presidente de la Federación Haitiana dice que solo recibió sesenta mil dólares. Y añade que no vio un solo céntimo de los quinientos mil dólares que le había enviado el surcoreano Chung Mong-joon a través de Trinidad, también para ayudar a las víctimas del terremoto. Warner ya ha demostrado que es capaz de cualquier cosa durante las décadas en las que se hizo rico al lado de Havelange y Blatter. Derechos televisivos, venta de entradas, Mundiales juveniles: no ha desaprovechado nada. Sin duda, Blatter siempre lo supo y le dejó hacer. Por eso el contraataque con lo de Haití recae sobre la FIFA. La FIFA ya conocía bien el carácter codicioso de Warner antes de su renuncia en 2011.

Otra maquinaria de guerra que asedia a la FIFA es Walter Petersen, el convocante de la conferencia de prensa en aquel hotel de Zúrich que finalmente se canceló. Puede que ese no sea su verdadero nombre. Ya en marzo de 2011, Petersen lía al periodista norteamericano Grant Wahl, presentándose como García. Wahl, reportero de *Sport Illustrated*, había anunciado que quería ser presidente de la FIFA incluso antes de que Bin Hammam se postulara; iba en serio, aunque desde luego no era un candidato serio. Petersen le ofrece ser su asesor y le promete que lo llevará a federaciones pequeñas y medianas. Para ser un candidato oficial uno ha de estar nominado por la federación de un país. Se vuelven a encontrar en el congreso de la UEFA en París. Petersen siempre queda con Wahl fuera del recinto del congreso. Con los periodistas se encuentra en la zona acreditada. Tiene acceso al mundo del fútbol, se nota que es un intermediario.

Después de la reelección de Blatter, Petersen empieza a difundir desde Bruselas que Catar habría sobornado a ejecutivos de la FIFA. Catar lo niega rotundamente. La versión de Petersen se diferencia de todos los otros rumores, ya que no habla de arreglos individuales, sino de una operación concertada. Afirma que el entorno de la FIFA tenía pleno conocimiento. Se refiere a «canales» que supuestamente se utilizaron repetidas veces. La FIFA siempre ha negado que tuviera conocimiento de maniobras oscuras en la adjudicación de la sede para el Mundial.

Durante meses, Petersen va informando de cómo se realizaron los pagos encubiertos. Describe el «principio del octágono», por el cual los flujos de dinero circulan por numerosos canales. Menciona a banqueros supuestamente involucrados, así como a bancos de Suiza y Estados Unidos. Adjunta documentación. En noviembre de 2011, envía un correo electrónico al Ministerio de Justicia de Estados Unidos con las denuncias que ya había presentado en Zúrich en el mes de mayo. Solo que esta vez figura un nombre de prestigio: Petersen menciona a Michael Hooge, lo que parece ser una adaptación del nombre del directivo belga de la FIFA, Michel D'Hooge.

Petersen tiene en su poder un intercambio de correos electrónicos con el director de una empresa, un especialista en la creación y administración de sociedades *offshore* y fundaciones en paraísos fiscales. La empresa ofrece, además, conocimiento técnico global en la obtención de licencias para casinos en línea. Petersen dice haber dado con la firma a través de contactos en el mundo del fútbol. En los correos electrónicos con el mánager, se puede comprobar que él mismo dio de alta a empresas *offshore* para cuatro directivos de Dubái, y que solicitó el envío de documentos a un comisionista suizo de la FIFA.

Estos correos electrónicos podrían ser falsos. Sin embargo, el mánager, presuntamente involucrado y con residencia en Gibraltar, afirma que recuerda al cliente. «Sí, me acuerdo del señor Petersen, pero no del negocio que estaba planeando.»[365] Pero al comprender el trasfondo de la pregunta niega otras informaciones, y dice no saber nada sobre Petersen ni las negociaciones mencionadas.

Al mánager se le enseñan sus propios *e-mails* y los folletos enviados a Petersen, en los que promociona su firma especializada en proyectos empresariales *offshore* en una zona de libre comercio de los Emiratos. No niega la correspondencia, tan solo declara: «Puedo afirmar que nunca mantuve conversaciones de negocios con las personas que usted menciona, y le aseguro que nunca me reuní con ninguna de ellas. Si acaso, solamente les hemos enviado folletos y material informativo».[366] El banco estadounidense también reacciona a la defensiva cuando se confronta con los correos de Petersen, quien incluso ha dado nombres de banqueros y ha remitido documentos del banco donde figuran nombres de directivos de la FIFA. ¿Todo falso? En varias conversaciones telefónicas, estos banqueros se protegen mutuamente. Muy raro.

A partir de entonces, los grupos de investigadores también empiezan a prestar atención. Un hombre como ese puede ser interesante. Incluso podría tener pruebas. Los perros de caza se lanzan en una nueva dirección.

No lo destruyáis

Hay algo en el aire. Crece la ansiedad. ¿Cómo fue que la rigurosa Rusia de Putin y el multimillonario Catar salieron victoriosos? Los cazadores están al acecho, pero necesitan pruebas sólidas. Siguen el rastro de los tentáculos empresariales de Catar, que se proyectan desde el Fondo Soberano de Inversión (QIA), cuya participación en el extranjero podría alcanzar los setenta y cinco mil millones de dólares, como mínimo. Hay otras empresas dignas de atención, como Catar Diar, Catar Gas o Catar Foundation. También está Catar Sport Investment, cuyo director es el hijo de Platini, y el Centro Internacional de Seguridad Deportiva (ICSS). Y, desde luego, hay mucho más.

Catar da y recibe de todo el mundo. Posee el tercer yacimiento de gas más grande del planeta, y la producción de gas licuado del petróleo lo convierte en uno de los países más ricos del mundo. En la industria alemana, Catar tiene participaciones en Volkswagen y Porsche. En el sector bancario suizo, Catar es el principal accionista de Credit Suisse, y lo es también del Barclays de Inglaterra, además de propietario de la cadena de centros comerciales Harrods. Francia se asegura el suministro de energía a través de Doha. En España, país ganador del Mundial y la Eurocopa, Catar acabó con un tabú y consiguió que el mejor club del mundo, el FC Barcelona, luciera publicidad en su camiseta por primera vez en más de cien años. El entonces presidente del club, Sandro Rosell, no pudo resistirse a la oferta, lo que también llamó la atención, pues algunos negocios millonarios de Rosell y su socio Teixeira estaban siendo investigados por la justicia de Brasil.

A Hassan Al-Thawadi, director de la candidatura y luego del comité organizador del Mundial, lo sacan de quicio las preguntas sobre corrupción. Para él la fuente de todos los males es el permisivo sistema electoral de la FIFA. Al fin y al cabo, es un todo vale, cosa que provoca un recelo constante ante la competencia. Al-Thawadi enumera todas las faltas cometidas por los otros candidatos.[367] En cuanto a Catar, hizo campaña a todos los niveles. A muchos países de África les hacen ilusión los nuevos estadios que se desmontarán después del Mundial en Catar y que volverán a montarse en otros países del continente. Por otra parte, a comienzos de 2010, Catar patrocinó el congreso de la CAF en Angola, y luego fue el único candidato mundialista que tuvo acceso a los cuatro ejecutivos africanos de la FIFA: una clara ruptura de las reglas. El intento de patrocinar también el congreso de la UEFA fracasó, lo mismo que la idea de conseguir que el arzobispo Tutu de Sudáfrica fuera el embajador de la candidatura. Catar ya había donado cincuenta mil dólares a una de las instituciones de ayuda de Tutu, el hospital infantil Tygerberg de Ciudad del Cabo, cuando se supo que Tutu apoyaba la candidatura de Australia. Este rival le había donado al Tygerberg más de cien mil dólares.[368] A este tipo de cosas se refiere Al Thawadi cuando ve a Catar como una víctima en el cuestionable proceso de la FIFA.

Catar financia la Aspire Dream Academy, un proyecto de ensueño que cuenta con las instalaciones más modernas: estadios, escuelas, centros de formación y hasta mezquitas. El objetivo es la búsqueda de talentos, lograr que los mejores futbolistas de cantera de los países beneficiados vengan a Doha y se conviertan en las estrellas del futuro, a cuenta de Catar. Como los talentos locales son escasos, tienen tiempo hasta el Mundial de 2022 para nacionalizar una gran cantidad de artistas del balón del tercer mundo. Entre los quince países beneficiados del soñado proyecto Aspire, hay seis que casualmente votan en la adjudicación de la sede mundialista: Tailandia, Costa de Marfil, Camerún, Nigeria, Paraguay y Guatemala.

Pero estas cosas son pequeñeces. Está claro que si los que votaron por Catar tienen otros motivos, además del deseo ardiente y altamente contagioso de celebrar una fiesta del fútbol en el desierto, no hay que buscarlos en el mundo del deporte, sino en el de las grandes compañías de materias primas. Esto es todo un desafío para los investigadores.

Entre quienes disputan la carrera se encuentran aquellos que persiguen la corrupción en su propio entorno. Catar ocupa el puesto veintidós del índice de anticorrupción mundial, a tan solo ocho posiciones de Alemania.[369] En el caso de que se haya llegado a tramar algo con respecto al Mundial, sin duda se ha hecho de una manera muy sutil. Nada que ver con el burdo numerito de Bin Hammam en el Caribe.

Y aquí viene la pregunta del millón: ¿no son estas investigaciones un campo laboral lucrativo para todas las unidades policiales especializadas en el área del fútbol? En principio, sí. Hasta tal punto que, desde mediados de 2011, las unidades de investigación destacadas están agrupadas en una nueva unidad de seguridad. Se trata de una organización a la que Eaton no tardará en incorporarse: el Centro Internacional de Seguridad Deportiva (ICSS). En este contexto particular no deja de resultar llamativo que este centro tenga su sede en Doha. El presidente y el vicepresidente del ICSS trabajaron para la fuerza aérea de Catar, y el director también tenía contactos con los servicios de inteligencia.

El director del ICSS es Mohamed Hanzab, que en la página web describe esta nueva formación como «una contribución de Catar a la seguridad en el deporte». En el mismo espacio, lord John Stevens, exjefe de la Policía Metropolitana de Londres, transmite el mensaje revolucionario de que «la seguridad de los grandes eventos no solo se ve amenazada en los lugares donde estos se realizan, sino en todos los rincones del mundo». El secretario general de Interpol, Roland Noble, también está presente para decir que los desafíos se abordan mejor cuando «se reúne a los expertos para que intercambien información», como ha hecho Catar.

Se percibe una fusión rara cuando en la web aparece Mike Lee, de la agencia británica Vero Communication, asesor principal de la candidatura de Catar. Lee no solo asesoró al emirato, sino a algunas otras candidaturas sorprendentemente exitosas, tanto para el Mundial como para los Juegos Olímpicos, entre ellas Río de Janeiro 2016 y Londres 2012. Ahora el facilitador de votos trabaja junto con expolicías e investigadores para preservar la integridad del deporte.

¿Pueden los directivos de las federaciones deportivas recurrir discretamente a los servicios de inteligencia para que les proporcionen toda clase de información? Se hace un poco raro que figuras destacadas del ámbito policial se refieran permanentemente al concepto de «integridad del deporte». Sobre todo porque están al servicio de un deporte líder que representa la mayor feria de negocios, publicidad y entretenimiento del planeta, y porque ellos mismos figuran en la nómina de ese deporte en el que los temas centrales son la corrupción, el enchufismo y el dopaje, y que al mismo tiempo mantiene una jurisdicción propia. Esta última es la razón, y aquí coinciden todas las unidades de investigación del mundo, de que el fútbol se vea constantemente amenazado por la infiltración del crimen organizado, a través del blanqueo de dinero y del tráfico de estupefacientes. Podría pensarse que estos son los principales peligros para la integridad.

En el primer consejo directivo del ICSS se aprecia una red de conexiones que resulta familiar. Allí se reúnen actores claves: expertos de la FIFA y el COI, expertos de Interpol, un experto en la lucha contra el fraude deportivo de Singapur, y los británicos, en representación de la liga más importante y valiosa del mundo. Las federaciones estrella están representadas por Peter Ryan (COI) y Horst R. Schmidt (FIFA). Ryan se graduó en el FBI, fue jefe de policía en Australia y presidente del Comité de Formación de Interpol. Rick Parry fue presidente de la Premier League y del Liverpool, y en los años noventa apoyó la candidatura olímpica de Mánchester. Es gente cuya mala gestión está libre de críticas en los niveles directivos del deporte. La amenaza la perciben allí fuera, en ese mundo donde las autoridades judiciales y los investigadores parecen estar al acecho. También participa el presidente de la agencia de derechos IMG, Eric Drossart, que, desde hace tiempo, prefiere no referirse a la mala pasada que le jugó Blatter cuando era secretario general. Y es que en el mundo de los negocios siempre hay que pensar en los contratos del futuro. ¿Qué tendrá que ver todo esto con la credibilidad?

Seguimos con los expertos del ICSS. Khoo Boon Hui, de Singapur, asumió el cargo de presidente de la Interpol en 2008, donde sucedió al sudafricano Jackie Selebi, que en 2010 recibió una larga condena en su país por corrupción. Durante el mandato de Khoo Boon Hui, se desarrolla el proyecto del nuevo centro de la Interpol en Singapur. Catar fue uno de los grandes contribuyentes para el Global Complex, donde se instalaría la FIFA, con una aportación de dos millones de dólares. En 2013, Hui dejó el cargo para que lo asumiera la francesa Mireille Ballestrazzi.

El ICSS también cuenta con Alí Soufan, un exagente especial del FBI que, al igual que Louis Freeh, tiene su propia empresa, el Soufan Group. Durante su servicio en el FBI, su jefe Freeh le confió una de las misiones más delicadas, el esclarecimiento del ataque al buque USS *Cole*. En esos círculos pequeños, todos se conocen, se respetan y se relacionan. Soufan, que también es director de la Academia de Estudios de Seguridad de Catar (QIASS), dice que desde su salida del FBI en 2005 sus contactos con la oficina de investigación han permanecido intactos. «Mis mejores amigos, con los que me encuentro a menudo, todavía están en el FBI.»[370]

Lord Stevens hace de decano. Hasta 2005 fue comisario de la Policía Metropolitana de Londres y consejero de seguridad británico. En 2011, su imagen salió deteriorada, cuando, en el caso de las escuchas, se supo que Stevens mantenía una relación estrecha con directivos del grupo mediático de Murdoch, sobre todo con aquellos que más tarde se vieron en aprietos y acabaron detenidos por el escándalo del *News of the World* (*NotW*). La noticia alarmó a la opinión pública y a las autoridades policiales británicas. «Esta información solo aporta una prueba más de que el vínculo entre la policía de Londres y el *News of the World* era absolutamente inadecuado y vergonzoso», dijo un portavoz. Y una política reveló: «Los intentos por conocer los detalles sobre las relaciones entre la cúpula policial y los máximos ejecutivos de *News of the World* han presentado tantas dificultades como una extracción de muelas».[371] En la comparecencia de Stevens del 6 de marzo de 2012 ante la comisión Leveson, salió a la luz que el excomisario tenía un contrato de columnista muy bien remunerado con el *Revolverblatt*: cobraba siete mil libras por artículo. Dejó el cargo después de que se diera a conocer la primera acusación contra el *News of the World* por escuchas telefónicas en el ámbito de la familia real.[372]

Chris Eaton, el nuevo colaborador del ICSS, explica en un vídeo de la web cuáles son los desafíos para el futuro del deporte: «Para nosotros, la clave es hacer de la seguridad un compañero sigiloso, casi invisible». Su sucesor en la FIFA, Ralf Mutschke, acuña un término afín al fútbol: «La familia de la Interpol». Una familia con la que supuestamente sigue estando ligado.[373]

A diferencia de Catar, que sigue temiendo por su Mundial e insiste en ganar la sede olímpica, poco se sabe sobre la estrategia que llevó al éxito a los rusos, que ya tienen asegurados los Juegos de Invierno de 2014. ¿Y cómo saberlo? Putin contaba con especialistas del sector mixto del deporte y el comercio de materias primas que hicieron buenos contactos en esa zona a la que solo llegan los servicios de inteligencia. Según la prensa británica, el fútbol ruso también habría llegado a acuerdos con el ICSS.[374] Rusia es un estado mafioso en cuyo gobierno se pueden depositar pocas esperanzas. Esta es la valoración resumida del embajador norteamericano en Moscú, la cual publicó Wikileaks coincidiendo con la adjudicación del Mundial 2018. En el telegrama del embajador, se describe Moscú como una ciudad en manos de la «cleptocracia», bajo el dominio de unos ladrones. Supuestamente, la policía y el funcionariado cobran sobornos que llegan a las altas esferas, incluso a un sector del Kremlin, que, según publica el *New York Times*, se describe en el telegrama como «el centro de una constelación de estafadores oficiales y semioficiales». Para el embajador norteamericano, Rusia «es un país fuertemente centralizado que a veces da muestras de un cinismo y una corrupción despiadada e irremediable».[375]

The Guardian también cita fragmentos impactantes de los cables de Wikileaks. Se dice que en Rusia los criminales están protegidos por la policía, el servicio secreto y la Fiscalía. De acuerdo con informes confidenciales, las autoridades rusas recurren a la mafia para poder llevar a cabo determinadas acciones que como gobierno no podrían ejecutar en un marco de corrección. Así, según la apreciación del embajador norteamericano, los espías rusos le encargarían a la mafia tareas especiales.

En cuanto al deporte en Rusia, está plagado de agentes secretos. A los deportistas rusos sí que suelen pillarlos en falta, cuando llegan en grupos a las pruebas de dopaje. A los directivos rusos jamás. Entre ellos se encuentran, además de oligarcas, gente como Wjatscheslaw Koloskov, que una vez hizo que Blatter le enviara ciento veinticinco mil dólares cuando ya ni siquiera era miembro del Ejecutivo. Koloskov se lleva muy bien con los antiguos compañeros de la directiva, o al menos con Blatter. Aunque solo es presidente honorario de la Federación Rusa, para la candidatura vuelve a ser la persona de contacto con la FIFA. La propuesta de Rusia como sede mundialista llega desde otro país amigo, de la mano del ucraniano Grigori Surkis, miembro de la directiva de la UEFA. Este había estado en la presidencia de su club, el Dinamo de Kiev, que luego traspasó a su hermano. Más tarde, amigos de Putin ingresaron en el club como inversores. El deporte ruso sigue disponiendo de la red de contactos que abarcaba la antigua Unión Soviética.

Bielorrusia también está en el ajo. Allí viajaron altos ejecutivos del fútbol en reiteradas ocasiones antes de la votación. Se desplazaban de Minsk a Moscú sin pasar por controles de frontera; no necesitaban pasaportes ni visados. Poco antes de la elección de la sede se corre el rumor de que los rusos se habrían reunido con representantes de Catar.

Los rusos se cierran al mundo exterior con una resistencia profesional. En el interior del país, sin embargo, tienen que tratar de vez en cuando con asuntos delicados. En 2009, una carta enviada por Kudrin, el ministro de Deportes, al presidente Putin cae en manos de los pocos medios opositores, y grapada a la carta el presupuesto previsto para la candidatura mundialista. En el documento figura una partida que lo dice todo sobre la mentalidad de esta campaña. Sumas millonarias que se destinarán a «servicios de expertos y asesores internacionales, apoyo técnico especializado para el dosier de la candidatura, desarrollo de estrategias clave». Y no solo eso, también se incluyen los gastos de «obtención y análisis de información procedente de FIFA, UEFA y otras federaciones continentales». Y hay otra partida que se añade inocentemente en el presupuesto: «Actividad grupal con los miembros del Comité Ejecutivo de la FIFA». Para esto último se habían previsto dos millones de dólares, de un presupuesto total que en ese momento ascendía a dieciocho millones.[376] Meses más tarde, la suma poco clara se incrementó oficialmente hasta oscilar entre los treinta y los cincuenta millones de dólares.[377] Puede que haya aumentado sobremanera el coste del «trabajo grupal con los miembros del Comité Ejecutivo de la FIFA». ¿A qué clase de actividad grupal se referían? ¿Un taller de cerámica? ¿Un coro?

Otro pez gordo que está detrás de la candidatura rusa es el mafioso del fútbol ruso, Alimsan Tochtachunow, de origen uzbeko. En 2002 se hizo famoso por el escándalo en los Juegos de Invierno en Salt Lake City, donde, en la competición de patinaje artístico, se denunció un amaño en la puntuación a favor los rusos Elena Bereschnaya y Anton Sicharulidse. Con la ayuda de las confesiones de los implicados y las actas de conversaciones telefónicas del FBI y la policía financiera italiana, se comprobó que la pareja rusa salió ganadora gracias a la ayuda de un miembro femenino del jurado de nacionalidad francesa. En compensación, la pareja francesa compuesta por Marina Anissina y Gwendel Peizerat habrían recibido ayuda de Rusia para salir vencedores en la categoría de danza sobre hielo. Si bien el COI, en medio del escándalo, concedió posteriormente la medalla de oro a los canadienses Jamie Salé y David Pelletier, el veredicto para la competición de danza no sufrió modificación alguna. Anissina, de origen ruso, había vivido un tiempo en el piso de Tochtachunow en París, y las grabaciones telefónicas dan fe de que «Taiwanchik», como le llaman al padrino de Uzbekistán, felicitó a la madre de la futura ganadora olímpica por la medalla de oro días antes de la exhibición final. Todos los amaños en Salt Lake los había hecho a través de un intermediario radicado allí, mientras él seguía los acontecimientos desde su casa de Italia.

Meses más tarde, Tochtachunow entró en prisión. La policía financiera italiana llevaba dos años investigándolo por blanqueo de dinero y contactos con la mafia, y había intervenido su línea telefónica. Cuando se enteraron de lo ocurrido en Salt Lake, pensaron que era una broma. La Interpol averiguó que el FBI buscaba al mafioso, sobre el que pesaba una orden de arresto por fraude y corrupción. Y la policía italiana asestó el golpe.[378]

Taiwanchik apenas pasó un año entre rejas y sus buenas relaciones se mantuvieron intactas. La Italia de Berlusconi denegó una petición de extradición de Estados Unidos. Los norteamericanos querían demandar a Tochtachunow por numerosos delitos, pero él salió bajo fianza y se instaló en la privilegiada ciudad de Peredélkino, cerca de Moscú. Su intermediario en Salt Lake y presidente de la Asociación Juvenil de Deportes rusa murió tiroteado en 2005 en plena calle de Moscú. A Taiwanchik, sin embargo, le fue muy bien en el entorno deportivo de Putin. Para él era arriesgado dejar Rusia, ya que el FBI tenía una orden de captura. En Moscú, Taiwanchik no tenía antecedentes penales, y además se le necesitaba. Estaba al frente de la fundación de la asociación de fútbol profesional[379] y desarrollaba proyectos de obra para la

Eurocopa de 2012 en Ucrania.[380] En ocasiones, recibía visitas destacadas, como la de Sepp Blatter. Cuando este lo visitó, Taiwanchik llevaba un año y medio fuera de la cárcel después del escándalo de los Juegos Olímpicos. Hay imágenes de los dos en una fiesta del fútbol en China, brindando y riendo ante las cámaras. A Koloskov se lo ve en el fondo muy satisfecho, pues él los había reunido. La fiesta fue en 2005 y Platini también estuvo presente.

Taiwanchik tenía los mejores contactos en el mundo del deporte. Él mismo había sido futbolista. Entre otras cosas, se dedicaba a la venta de jugadores. Uno de sus representados era Kakha Kaladze, entonces jugador de la selección georgiana y del AC Milan. Como intermediario llegó a trabajar incluso en Argentina. No solo era amigo de futbolistas como el ucraniano Andriy Shevchenko, sino de los ídolos del tenis ruso Yevgueni Kafelnikov, Andrej Medvedev y Marat Safin, como también de la estrella de hockey sobre hielo Pawel Bure.

Otro buen amigo suyo era el miembro del COI Schamil Tarpischtschew, quien fuera ministro de Deportes durante el gobierno de Boris Yeltsin y que se vio envuelto en la desaparición de algunos miles de millones de dólares del Fondo Nacional del Deporte. Por esa razón, Tarpischtschew tuvo problemas varias veces para ingresar en Estados Unidos.[381] A Koloskov también le gustaba moverse por ese país. Después de la concesión de la sede mundialista dijo que Putin se había reunido por lo menos con un tercio de los miembros del Ejecutivo antes de la votación. «Lo mantuvimos en secreto, pero ahora ya se puede decir.»[382]

La riqueza de Tochtachunov proviene principalmente de la venta de drogas y armas, según publicó *Russland aktuell* basándose en un informe de la Interpol.[383] Vive en pisos lujosos en Roma y Milán y tiene control sobre testaferros y sociedades pantalla. El agente investigador de la policía financiera italiana afirma que estas empresas ficticias recibieron elevadas sumas de cuentas del Bank of New York, y que se realizó una operación de blanqueo de dinero perteneciente a la mafia por un monto de cincuenta millones de dólares. «El dinero venía de Moscú, y fue transferido al Bank of New York siguiendo la ruta de las Islas Caimán y las Islas Vírgenes Británicas.»[384] La petición de busca y captura para Taiwanchik en Estados Unidos la solicitó el agente del FBI William E. McCausland, un experto del área del crimen organizado en Eurasia.

En la primavera de 2013, un colega tomó el relevo. George Venizelos, de la misma oficina del FBI, y representantes de la fiscalía general de Manhattan presentaron acusaciones contra «treinta y cuatro presuntos miembros y colaboradores de dos empresas ruso-americanas vinculadas al crimen organizado, incluido un "ladrón en la ley"», por una serie de delitos que comprendía la explotación de, por lo menos, dos agencias de apuestas deportivas que proveían de cantidades millonarias de dinero a Estados Unidos, Rusia y Ucrania. Una de las empresas, la Taiwanchik-Trincher Organization, habría blanqueado decenas de millones de dólares provenientes de Rusia y Ucrania a través de Chipre, para finalmente hacer ingresar el dinero en Estados Unidos. «Ladrón en la ley» es una denominación vinculada con el crimen organizado de origen ruso; se refiere a un presunto capo de la mafia. «La Taiwanchik-Trincher Organization operaba bajo la protección de Alimsan Tochtachunov, a quien se conocía como "un ladrón en la ley", un criminal de alto rango de la antigua Unión Soviética que cumple con los requisitos del hampa rusa.» Taiwanchik estaba para resolver problemas relacionados con las apuestas. Amenazaba a quien fuera necesario, con violencia o con castigo económico. En el plazo de dos meses, la organización le había pagado «diez millones de dólares por sus servicios». Finalmente, se ordenó su detención.[385]

La historia suena de lo más familiar. Taiwanchik, el directivo del fútbol, el de los contactos con la FIFA, el del lavado de dinero en Chipre, etc. Los tentáculos de esta banda desmantelada llegaban hasta la Torre Trump de Nueva York. Hasta allí donde, casualidad o no, la Concacaf tenía su sede desde hacía tiempo, y donde residía su tesorero, Chuck Blazer, el experto de los juegos de azar en Estados Unidos que vivía en la planta 49 de la torre.

Tochtachunov tenía a sus compañeros instalados allí. Justo debajo del piso del propietario de la Torre Trump, llevaban una especie de puesto de control de un sitio de Internet que los demandantes llamaban «el portal de apuestas más grande del mundo», al que casi solo tenían acceso oligarcas de Ucrania y de la Federación Rusa. Supuestamente, en una conversación telefónica grabada, se puede oír al capo de la banda amenazando a un cliente que le debe dinero, a quien le advierte que sufrirá «torturas» o que lo encontrarán «enterrado» si no cumple. La primera comparecencia de la banda ante el tribunal estaba prevista para el verano de 2014. Se podría haber apostado a que uno de los miembros no se presentaría ante el juez, y así fue. El gran ausente fue Tochtachunov, el hombre del fútbol ruso, quien, al igual que todos los acusados, negó su implicación: «No soy de la mafia, no soy ningún bandido».[386]

Es lo que también afirma el hombre que se ocupa de lavar la imagen de Taiwanchik: Vladimir Owtschinski. Anteriormente, dirigió la Interpol en Rusia y también trabajó para la Administración. Los interesados se ponen en contacto con Tochtachunov a través de Owtschinski. El antiguo alto cargo de la Interpol describe a Taiwanchik como un contemporáneo honrado.[387]

La unidad del FBI especializada en bandas euroasiáticas tenía a alguien más en la Torre Trump. Se trata de Chuck Blazer, que durante años había llevado su empresa de apuestas a la sombra de Taiwanchik[388] y que también estaba siendo investigado. Después de varios años de investigación, los federales convencieron a Blazer para que cooperara. Siguiendo el consejo de su abogado, Blazer nunca se pronunció públicamente sobre esta cooperación. Al FBI llegó también un informe de la Concacaf elaborado en 2013 sobre los chanchullos de Blazer y Warner. El FBI llevaba investigando desde 2011 una transferencia de más de quinientos mil dólares a la cuenta *offshore* de Blazer en el Caribe. Los inspectores de la Agencia Tributaria de Estados Unidos (IRS) se unieron a las investigaciones, que además trataban sobre fraude y engaño. «Todo esto va camino de convertirse en un gran caso», dijo un dirigente estadounidense familiarizado con los hechos.[389]

En el informe sobre la Concacaf presentado en el congreso de Panamá en abril de 2013, el exjuez superior David Simmons (Barbados) acusó a Blazer y a Warner de fraude a gran escala con fines de autoenriquecimiento. Ambos rechazaron la acusación. A Blazer se le culpó de la apropiación de más de veinte millones de dólares de la Concacaf, de los cuales diecisiete millones corresponderían a comisiones. Tampoco se encontraban «razones comerciales» para sus gastos de alquiler en la Torre Trump, el alojamiento en hoteles de lujo de Miami, un todoterreno de marca Hummer o un seguro de coche para una novia. Además, en 2007 habría usado cantidades millonarias del fútbol para pagos iniciales de apartamentos en las Bahamas.[390] El secretario general altamente remunerado habría tramitado «con extrema negligencia» el impuesto sobre la renta de la federación, por lo que la Concacaf perdería la categoría de asociación sin fines de lucro. En cuanto al auditor de la era Warner-Blazer, supuestamente no trabajaba con absoluta independencia, pues tanto Jack como Chuck eran clientes privados suyos. Entre los oyentes presentes en Panamá estaba Sepp Blatter, que a lo largo de los años había tenido como compañeros de ruta a los dos acusados.

Con respecto a Jack Warner, Simmons comprobó, entre otras cosas, que el Centro de Excelencia João Havelange en Puerto España, de veintiséis millones de dólares y subvencionado por la FIFA, no figuraba entre los activos de la Concacaf, pues había sido construido en terrenos que eran propiedad de las compañías de Warner. Supuestamente, una de estas empresas se llama Renraw: Warner deletreado al revés. Otros 462.000 dólares que donó la Federación Australiana de Fútbol (Australia aspiraba en ese momento a la sede mundialista de 2022) a la academia de fútbol nunca quedaron registrados en los libros de la Concacaf. En el estadio Marvin Lee, anexo a dicha academia, solo se jugaban los partidos del club de Warner, el Joe Public FC, aunque sobre todo se usaba para conciertos, mercados de pulgas o ceremonias religiosas.[391] El exvicepresidente de la FIFA calificó todas estas denuncias de «insustanciales», y afirmó que ya no tenía «ningún interés en los asuntos relacionados con el fútbol».[392]

Sin embargo, entonces, los medios de Trinidad empezaron a ofrecer más detalles. Al parecer, doce millones de euros provenientes de fuentes públicas y privadas ligadas al deporte habría ido a parar a empresas fantasmas de Warner, como la LOC Germany 2006 (entre las fuentes se encontraba el patrocinador estrella Adidas). Una pista de esta trama de sociedades *offshore* conducía a África. La manera de actuar mafiosa de los testaferros del Caribe quedó demostrada en un hecho que estaba siendo investigado: un encuentro en un hotel casino de Las Vegas de dos enviados de Trinidad y el representante de un grupo constructor que tenía que pagarles un soborno de cinco millones, ya que la empresa había construido un complejo turístico gigantesco en Trinidad. En la mesa del casino, el representante de la constructora le cedió su lugar al dúo de Trinidad junto con todas sus fichas. Estos cambiaron las fichas y depositaron el dinero en un banco en el complejo de casinos.[393]

Toda esta movida tuvo efecto en Trinidad, donde Warner había ascendido de dirigente honorífico del fútbol a ministro de Seguridad Nacional. No es broma, si se tiene en cuenta que en ese momento el aumento del tráfico de drogas tenía en vilo al Caribe. En el gabinete llamaba mucho la atención que el nuevo ministro no se atreviera a realizar viajes oficiales al extranjero. ¿Tenía miedo de que lo estuviera esperando el FBI? Eso hacía el trabajo más difícil, tal como explicó la primera ministra, Kamla Persad-Bissessar, después de la renuncia de Warner: «No viajaba ni a Washington, ni a Toronto, ni a Nueva York, ni a Haití». Ni siquiera aunque tuviera que acudir a citas obligadas en materia de seguridad nacional. La primera ministra dijo que Warner había confesado que él y su familia eran objeto de una investigación llevada a cabo por las autoridades policiales estadounidenses en relación con una serie de delitos financieros. «Le dije que primero limpiara su nombre y entonces sería reincorporado.»[394]

Warner regresa al Parlamento como candidato independiente. Sin embargo, en noviembre de 2012, su hijo realiza un viaje a Estados Unidos, y el FBI lo coge por el cuello. Daryan, por así decirlo, es el ministro de Finanzas de Jack, y fuentes no oficiales de la investigación confirman que estaría dispuesto a cooperar. Hasta el otoño de 2013, Warner Junior permanece en un domicilio de la familia en Miami, y ya no dejará ese país. Daryan niega los informes que dicen que está bajo arresto domiciliario, pero el largo periodo que lleva allí indica que el FBI tiene pruebas suficientes para amenazarlo con la cárcel.

Daryan se encarga de los negocios de papá, que abarcan desde entradas para los Mundiales hasta apartamentos de lujo. La noticia de que el hijo está cooperando con el FBI podría quitarle el sueño a más de un miembro de la FIFA. Daryan habría proporcionado nombres de personas y entidades bancarias, lo que facilitaría la investigación para seguir el rastro de diversos flujos de dinero. Una pregunta inevitable: ¿quedaron pistas en el portafolio de Warner sobre la adjudicación de las sedes mundialistas a Rusia y Catar que pudieran llevar hasta otros socios? La investigación llevará su tiempo, sobre todo porque compromete a la banca extranjera.[395]

El regreso de Warner al Congreso de Trinidad dejó helados a los investigadores. «Los parlamentarios también pueden ser extraditados», advirtió Peter Carr al respecto. El vocero del Departamento de Justicia norteamericano se expresó en el marco de las investigaciones en curso contra exdirectivos de la FIFA, cosa que no es nada habitual.[396]

«No me destruyáis»

Durante años, la ISL había sobornado a ejecutivos del deporte para disponer de los lucrativos derechos de márketing. Eso alimentó la sospecha de una gestión corrupta. Incluso Blatter habría bromeado en privado sobre los sobornos, diciendo que eran como el oxígeno.[397] En 2005, el juez instructor Thomas Hildbrand inició un procedimiento que concluyó en 2010 con un sobreseimiento amparado en el artículo 53 del Código Penal suizo. La FIFA y dos directivos acusados pagaron en total la suma de cinco millones y medio de francos en compensación por los daños. El artículo 53 dice: «Si el autor ha resarcido el daño o ha hecho todos los esfuerzos exigibles para compensar el mal que hubiese causado, la autoridad competente se abstiene de perseguirlo penalmente». El archivo de un procedimiento, según el artículo 53, supone que las pruebas se encuentran en estado avanzado y podrían dar lugar a una sanción penal. Además, un procedimiento no puede archivarse si no se ha abierto con anterioridad.

Las cuarenta páginas de la orden de sobreseimiento contienen la dimensión moral de un prolongado fraude millonario a costa del fútbol. No, no llegó a comprobarse que Blatter hubiera recibido incentivos. Sin embargo, en el expediente del caso ISL, consta que conocía y toleraba estas prácticas de sus colegas, y que en 1997 fue testigo del importe millonario de un soborno que se transfirió por error a una cuenta de la FIFA.

Tanto la FIFA como los acusados lucharon por la vía jurídica para impedir la divulgación de este documento. Realmente alucinante. En junio de 2010, con motivo del cese de las investigaciones, la federación mundial había anunciado: «El presidente de la FIFA ha sido declarado inocente de toda infracción». Entonces, ¿por qué impedía la divulgación de un documento en el que resultaba completamente absuelto? El mundo quería comprobar que no había sido de Blatter, sino de otros, la responsabilidad de que el nombre de la FIFA figurara en los registros judiciales y de que la federación acabara en el banquillo de los acusados.

El 23 de diciembre de 2013, el Tribunal Superior de Zug da curso a la solicitud de los medios de hacer público el expediente de la ISL. Este tribunal contradice diametralmente la sentencia absolutoria del presidente de la FIFA. Frente a la proclamación de inocencia de los acusados, cabe objetar que «conforme al artículo 53 del Código Penal, un sobreseimiento supone que el autor reconoce la infracción de la ley». Esto ha sucedido así, por eso los jueces desestiman la preocupación de la FIFA de que la divulgación del expediente de la ISL «pueda generar sospechas no aclaradas». Las sospechas expuestas en el documento presentan un nivel de desarrollo avanzado, lo que resulta de la aplicación del artículo 53. También se desestima el reparo según el cual los hechos habrían sucedido mucho tiempo atrás. El tribunal constata que, en cualquier caso, la FIFA ya no puede escapar de los titulares sobre corrupción. «Crece el interés por la FIFA y sus ejecutivos, como, asimismo, por los rumores persistentes sobre presuntos sobornos.»[398]

La sentencia de Zug también revela qué entiende la FIFA por libertad de prensa. Los abogados del fútbol opinan que esta tendría «una determinada importancia en un estado de derecho, como eslabón entre el gobierno y la ciudadanía». ¿Es realmente esta la función que cumple el periodismo, o más bien la de ser el órgano de prensa de las empresas, las federaciones o los gobiernos? La FIFA opina que el periodismo de investigación persigue intereses peligrosos, «concretamente la venta de sus productos y el aumento de su valor en el mercado».[399]

En resumen, no se puede aceptar que «la fiscalía actúe impulsada por las denuncias sensacionalistas de los medios». Eso demuestra miedo.

El contenido de la orden de sobreseimiento es de tal gravedad que los inculpados tuvieron que pagar cinco millones y medio de francos para evitar la amenaza del procedimiento penal. ¿Quién pagaría esa cantidad si estuviera seguro de que las acusaciones son inconsistentes? En el expediente de la ISL queda claro cuál es el papel de la cúpula directiva de la FIFA, que estaba al tanto de los pagos de sobornos y, sin embargo, nunca tomó medidas.

El derecho penal societario permite que se investigue a la FIFA con carácter «subsidiario», es decir, a modo sustitutivo. Si los acusados hacen uso del derecho al silencio y no se puede proceder de forma lo suficientemente concreta, en su defecto se puede sentar a una empresa o asociación en el banquillo de los acusados.

Es el caso de los acusados de la FIFA. La federación tuvo

que dar la cara y su prestigioso nombre quedó expuesto para que un dirigente pudiera ocultarse detrás, ya que no podían formularse cargos concretos en su contra. Es algo único. El peor de todos los escándalos viene a demostrar el interés de los capos por el fútbol mundial, pues ellos permitieron que la FIFA fuera acusada en un proceso penal.

En marzo de 2012, Blatter recibe el siguiente golpe. El Consejo de Europa le pide oficialmente que autorice la publicación de la orden de sobreseimiento. A puerta cerrada, el Consejo comunica que lo habría consultado con el juez instructor Thomas Hildbrand.[400] Europa también le pide a la FIFA que investigue la reelección de Blatter. Lo más importante es aclarar si el padrino cometió abuso de autoridad en la campaña electoral. La petición queda asentada en un informe de veinte páginas publicado el 7 de marzo por la Comisión de Cultura, Ciencia, Educación y Medios del Consejo de Europa. En el apartado «Buen gobierno y ética en el deporte», los políticos critican la escasa transparencia de las finanzas de la FIFA. Se preguntan sobre todo por los costes salariales de la federación y realizan comparaciones chocantes. Mientras que, en 2010, el Tribunal Europeo de Derechos Humanos de Estrasburgo pagó solo cincuenta y cinco millones de euros en salarios a cuarenta y siete jueces y seiscientos veintinueve empleados, la FIFA gastó mucho más: ciento cinco millones de euros en sueldos para trescientos ochenta y siete empleados y veinticuatro directivos. El choque final de civilizaciones se avecina: el sentido común de la gente contra el reglamento y los párrafos ambiguos de la FIFA.[401]

Una reforma a gusto de la casa

El jefe de la reforma, Mark Pieth, que había generado grandes expectativas al asumir el cargo, no tardó en darles la razón a los escépticos. En principio no se llevó a cabo ninguna reforma creíble. Por consiguiente, él mismo renunció a sus propias exigencias. «¿Cómo se puede conseguir que esta institución haga algo eficaz? —se lamentó—. La FIFA no tiene que hacer absolutamente nada.»[402] Entonces, ¿por qué aceptó? Nadie lo obligó a colaborar con una reforma a gusto de la FIFA. Una reforma aparente que deja de lado lo más importante: el pasado del hombre que lleva más de tres décadas reinando en este «negocio», como Pieth en varias ocasiones definió a la FIFA.

En realidad, la FIFA sí tenía algo por hacer, pues su reputación era un «desastre», tal como Pieth pudo comprobar. Para eso necesitaba gente cuyos nombres le sirvieran, y a la que pudiera manejar para que lo más importante permaneciera intacto: concretamente el presidente Sepp Blatter. Y al final así fue. Blatter encontró en Pieth la solución a sus problemas. La Comisión Independiente de Gobernabilidad (IGC), escoltada por los expertos en cumplimiento de Basilea, legitimó la confusa maniobra como una carrera hacia el futuro. ¡Adelante con el hombre que llevó la FIFA a la bancarrota moral! «Los problemas de la familia los solucionamos en familia», reza el credo blatteriano, al que los reformistas también se adhieren.

Los peces gordos de la FIFA hacen rebotar a los reformistas de Pieth en todos los frentes. Nicolás Leoz, presidente de la confederación sudamericana y destinatario de jugosos sobornos de la ISL, hizo que lo proclamaran «presidente de por vida» en la Conmebol. Sin embargo, un año más tarde, este paraguayo de ochenta y cuatro años renunció por «razones de salud», curiosamente poco antes de que la Comisión Ética de la FIFA pudiera sancionarlo. Justo en ese momento, los documentos judiciales del caso de la ISL estaban sobre la mesa.

Chuck Blazer también conservaba dignamente su puesto en la directiva. El experto en sociedades *offshore* y juegos de azar no solo estaba asediado por el FBI, sino también por la Agencia Tributaria estadounidense (IRS). Su antiguo amigo y reciente enemigo Jack Warner advirtió a los medios de que Blazer, además del alquiler de las oficinas, facturaba a la Concacaf el alquiler de su apartamento privado en la Torre Trump por un importe de dieciocho mil dólares. Supuestamente, la Concacaf tampoco sabía que, en mayo de 2010, Blazer había adquirido dos propiedades en Miami a través de una subempresa, la Concacaf Marketing & TV Inc. En abril de 2012, los dos apartamentos con vistas al mar se pusieron nuevamente a la venta por ochocientos mil dólares en total.[403]

En el congreso de la Concacaf de mayo de 2012, los delegados pidieron que Blazer no estuviera en la directiva para el siguiente congreso de la FIFA. La petición llegó a la agenda demasiado tarde. En la FIFA, el ejecutivo de los escándalos, el que se había encargado de los enemigos íntimos de Blatter (Warner y Bin Hammam), seguía siendo intocable. En el congreso de Budapest, su voluminosa figura dominaba el estrado de la directiva, mientras se alababan los logros invisibles de la reforma de Pieth. En esa ocasión, la nota la dio alguien cuyas palabras provocaron una creciente irritación: Ron Noble. Se suponía que el secretario general de la Interpol tenía que informar sobre el uso de la primera donación millonaria. Sin embargo, aprovechó su momento en el escenario para elogiar la reforma de la FIFA en presencia de la familia del fútbol. «¡No cabe duda de que la directiva de la FIFA ha dado un gran paso!», dijo Noble.[404] Esta particular visión del mundo era contraria a la evaluación del Consejo de Europa del mes anterior, cuyos resultados habían sido desastrosos. Los parlamentarios pidieron que se investigara la reelección de Blatter en 2011.

Sin embargo, Noble trató los temas realmente importantes con Blatter y compañía, en privado. Otro peligro amenazaba: la ocupación de la presidencia en dos cámaras del Comité de Ética. Los expertos en gobernabilidad, liderados por Mark Pieth, tenían que ocuparse de encontrar candidatos. Por lo general, estos órganos se componen de personal con antigüedad. ¿No sería arriesgado confiar un trabajo eventual a un experto en ética llegado de fuera? Las dos cámaras trabajan sucesivamente. Primero investigan los expertos, luego deciden los jueces. De modo que el puesto clave lo ocupa el jefe investigador. El juez solo puede intervenir a continuación. Pieth propuso al alemán Hans-Joachim Eckert como presidente de la cámara de resolución. Un hombre con experiencia en casos de corrupción. La FIFA aceptó.

Para el puesto más delicado, sin embargo, el de investigador del Comité de Ética, los blatterianos rechazaron las cuatro propuestas de la IGC. El favorito era Luis Moreno Ocampo, exfiscal jefe del Tribunal de La Haya. Pieth se lamentó de que los enchufados latinoamericanos no quisieran a aquel argentino en la directiva de la FIFA. Ocampo había llevado a algunos déspotas ante el Tribunal Internacional. Quién sabe de lo que hubiese sido capaz como jefe investigador. La FIFA bajó el pulgar y Pieth se aguantó. «Si usted elige a Grondona o a Nicolás Leoz, de Paraguay, y con ellos al pasado de una región con dictadores como Strössner y Banzer, ya puede imaginarse el resto. No quiero decir nada más, si no, me meto en líos.»

Las siguientes propuestas de la IGC tampoco fueron aceptadas. Se propuso a Sue Akers, la exsubcomisaria adjunta de Scotland Yard, en un ambiente donde las mujeres son rechazadas de plano. Pieth: «Akers fue nuestra segunda candidata, pero los venerables ancianos de la FIFA dijeron: "¿Es que vamos a confesarle a una mujer las cosas malas que hemos hecho? ¡Eso es pedir demasiado!"»

De repente, surgió un nuevo nombre: Michael García. Lo recomendó Ron Noble. García, exfiscal norteamericano, no solo trabajaba con Noble codo a codo en la Interpol, sino que además tenía una amistad personal con él, puesto que sus caminos se habían cruzado varias veces. A la FIFA le gustó. Habían encontrado al hombre apropiado.

El 11 de julio estalló una bomba. El Tribunal Federal de Suiza anunció que la Fiscalía del cantón de Zug podría facilitar a los medios la orden de sobreseimiento. Havelange y Teixeira habían fracasado en última instancia. Antes, tras la decisión del Tribunal Superior de Zug, la FIFA había dejado de oponerse a la publicación de la orden. Así fingió, durante un tiempo, que estaba deseando que se confirmara oficialmente la complicidad de Blatter en los casos de corrupción. Con el documento ya sobre la mesa, la federación siguió con este juego. Y cuando la decisión del Tribunal Federal la cogió desprevenida, la FIFA se mostró muy «satisfecha» de que ese documento comprometedor, finalmente, se pudiera publicar.

¡Yupi! Con la fortuna que les hemos pagado a los abogados para que lo impidieran.

La FIFA afirmó que el documento exoneraba al presidente: «La sentencia del Tribunal Federal confirma que solo se dan a conocer los nombres de dos directivos extranjeros y que el presidente de la FIFA no está involucrado en el caso». Vaya disparate. En la sentencia se menciona a Blatter con la abreviatura P1, y P1 estaba al tanto de los pagos millonarios a altos directivos. Incluso los investigadores aludieron a él en la alegación: «No se puede negar que la FIFA tenía conocimiento de los sobornos a ejecutivos de sus órganos». Por eso la federación fue declarada cómplice y tuvo que pagar dos millones y medio de francos al término del juicio. Y ahora actuaba como si en Zúrich estuvieran brindando de alegría por la publicación del documento. «La sentencia del Tribunal Federal se encuentra en la línea que la FIFA y su presidente vienen siguiendo desde 2001, cuando dimos a conocer nuestra voluntad de que la orden de sobreseimiento de la ISL se hiciera pública.»

La prensa dejó de creérselo. Y Blatter reaccionó como cada vez que se encuentra entre la espada y la pared: embistiendo. De repente, admitió lo que había negado durante años y confesó lo que ya había salido a la luz a través de los medios: que estaba al corriente de aquellos pagos. Hasta ese momento siempre había afirmado que no tenía ni la menor idea. En el documento dice que el entonces director de Finanzas de la FIFA, entre otros, corroboró que un pago de la ISL para Havelange, superior a un millón de francos, se había transferido por error a una cuenta de la federación, un hecho del cual no solo él tenía conocimiento, sino también P1. Es decir, que P1 fue testigo de una transferencia de un millón de francos para Havelange que se le realizó a la FIFA. Por si fuera poco, P1 fue invitado en 2009 por el fiscal a una «ronda informativa», donde se le informó de que los hechos de apropiación indebida y gestión desleal constituían un delito. Faltaba determinar si el procedimiento se iniciaría contra la FIFA en calidad de empresa o contra personas físicas responsables de dicha actuación.

Una vez disipadas todas las dudas, la FIFA confirmó que P1 era Blatter. Y, a continuación, puso a circular otro comunicado de prensa grotesco, esta vez bajo el formato de un juego de preguntas. Se titulaba: «Cinco preguntas para Blatter», y tenía fecha: 12 de julio de 2012. Su agente de prensa le pregunta si estaba al corriente. «¿De qué? —responde Blatter—. ¿De que se pagaban comisiones?» Supuestamente, en aquella época no era delito. Claro que estaba al corriente de los pagos, pero «en aquella época, ese tipo de comisiones podían desgravarse de los impuestos. Hoy son ilegales».

Sylvia Schenk, de TI, se muestra «conmocionada por las declaraciones de Blatter». Para ella no se trataba del derecho penal, sino de «directivos honorarios que se habían llenado los bolsillos, y con el consentimiento de Blatter, como ahora él mismo admite. Eso también fue una violación del derecho civil». Lo que Blatter llama «comisiones» en los documentos se menciona como «soborno».

Según el expediente del caso ISL, Blatter tiene que responder por los daños ocasionados a la FIFA: dos millones y medio de francos que pagar. No era la FIFA la que había procedido mal, sino su presidente. Había tolerado y encubierto los pagos por sobornos, y no había cooperado con la investigación. Los honorarios de los abogados también deben de haber costado una fortuna. El juez instructor Hildbrand cuenta que los abogados de la FIFA habían intentado frenarlo durante las investigaciones, a él y a las autoridades de Zug. Los mismos directivos que le habían birlado millones al fútbol se estaban costeando la defensa con ese dinero.

Para Blatter todo volvió a la normalidad poco tiempo después. «¡La FIFA es algo muy especial!», recitó al final de la siguiente sesión de emergencia de la directiva. Tan especial como un *show* unipersonal, y así quedó demostrado en la alegre reunión de ejecutivos en Zúrich, donde el jefazo obtuvo, como siempre, la aprobación unánime de su gente. En el periódico suizo *Blick*, fue nada menos que Mark Pieth quien pidió un voto de confianza: «Sin Blatter, este proceso de reforma fracasaría».

¿Proceso de reforma? ¿Qué proceso de reforma?

Ahora es el órgano de instrucción de Michael García el que debe examinar los documentos de la Justicia suiza. En esa cámara, hay viejos conocidos de la anterior comisión ética de Blatter, entre ellos un presentador de televisión australiano y los presidentes de las federaciones de Francia y Mauritania. ¿Serán capaces de derribar al jefe, ese que tuvo que responder por los daños de imagen y de pérdidas de millones ocasionados a la FIFA? Es el mismo jefe que, según supo Markus Siegler (director de Comunicación) por la cadena ZDF, había dicho sonriendo: «La acusación de la transferencia a Havelange es falsa. No eran francos, sino dólares». Siegler añadió que Blatter siempre había estado al tanto de la corrupción en la FIFA. «En los años ochenta, ya era un secretario general con mucho poder. Más tarde pasó a ser un presidente que decide de forma unilateral. Y hasta hoy, en la FIFA no vuela una mosca sin que Blatter se entere.»

Reinhard Rauball, presidente de la liga alemana, le pidió a Blatter la renuncia, y el expresidente de la Federación Inglesa David Bernstein explicó: «Definitivamente, no vamos a apoyar otro mandato de Blatter». Por su parte, el presidente de la DFB, Wolfgang Niersbach, dijo que en el caso de la ISL «sucedieron cosas que no son dignas de un mandatario». Blatter le replicó que él llevaba con orgullo la condecoración que le había otorgado la Federación Alemana. Sus aliados también lo apoyaban. El directivo alemán Theo Zwanziger dijo que Blatter era «totalmente apto».

¿Qué harían, entonces, García y Eckert, los supuestos perros de caza?

García siguió el camino marcado desde el primer momento. Había sido fiscal de Nueva York desde 2005 hasta 2008. La veneración de los medios por este cargo hizo que se olvidara cuán determinante fue ese periodo. Precisamente, 2008 fue el año en que quebró la compañía financiera Lehman Brothers junto con otras entidades bancarias. La codicia desmedida de los altos ejecutivos había empujado al mundo al abismo y había desencadenado una crisis económica mundial cuyas consecuencias persisten hasta hoy. Según la valoración de expertos, García tuvo menos éxito como supervi-

sor de Wall Street que su antecesor Eliot Spitzer. El demó-
crata Spitzer, con sus investigaciones, se había ganado el
odio del mundo de las altas finanzas. Y se ganó hasta tal
punto la confianza de la ciudadanía que fue elegido gobernador de Nueva York. El presidente George W. Bush tuvo que
nombrar a su sucesor, y nombró a García.

Desde el punto de vista de Bush, fue una buena elección.
Y también lo fue años más tarde para la FIFA. Sin embargo,
en Estados Unidos se oyen otras voces que hablan acerca de
las aptitudes de García. Scott Horton, profesor de la Universidad de Derecho de Columbia, cree que una supervisión deficiente dio lugar a la crisis de Wall Street. Esta opinión es
general. Horton dice que el órgano judicial de García ha sido
«históricamente el músculo determinante de la Comisión de
Mercado de Valores (SEC)». Sin embargo, la fiscalía, en sus
treinta y nueve meses de mandato, no habría llevado a cabo
ninguna acción significativa en la ejecución. Ni una sola.
Horton le dijo al autor de este libro: «Él era responsable en
2008, cuando se produjeron las irregularidades y la quiebra
de Lehman Brothers. Ocurrió en su último año como fiscal
de Estados Unidos, y hoy se considera el mayor fallo de control en la historia de Wall Street. Y esa función de control
era su responsabilidad».

El jurista Horton había estudiado a García y a otros fiscales para la película norteamericana *El cliente n.º 9. La
caída de Eliot Spitzer*. No pone en duda el mérito de García
como investigador, pero «se dice que no tiene autonomía,
que se abrió camino haciendo lo que sus jefes querían».
También provocó irritación cuando García se trasladó al ex-
quisito mundo de los bufetes estrella y fue contratado por
Kirkland & Ellis. El ascenso vertiginoso de García no se atri-
buyó a sus méritos como fiscal (solo hay que ver los escombros de Wall Street), sino a sus contactos políticos. Estas
acusaciones formuladas por Horton en el ámbito internacional no reciben la menor atención de García, poco dado a
aparecer en los medios.

El cliente n.º 9 retrata el ascenso y la caída del antecesor
Spitzer, al que García ayudó a rematar. Spitzer, conocido

como el *sheriff* de Wall Street, había acosado con tenacidad a bancos y fondos de inversión durante su mandato. Como gobernador, Spitzer se vio perjudicado por un lío con una prostituta. García había llevado adelante esta investigación, lo que por razones jurisdiccionales suele ser muy poco frecuente. Al final reconoció que no había delito, pero la investigación ya había logrado su objetivo político: acabar con el *sheriff* de Wall Street. Spitzer renunció.

Ahora le tocaba a García descubrir a los malos de la FIFA. Este abogado, que una vez fuera propuesto como director del FBI, recibía sumas desconocidas del fútbol mundial. García se lanzó sobre el enemigo íntimo de Blatter, Bin Hammam, que se había vuelto peligroso. En mayo de 2012, el Tribunal Arbitral del Deporte (TAS) le había retirado la suspensión de por vida. En la sentencia, los jueces pusieron en duda la credibilidad de Blatter y el papel de la FIFA. Incluso levantaron sospechas sobre el hecho de que las investigaciones contra Bin Hammam podrían haberse acelerado poco antes de las elecciones con el propósito de frenarlo. Por otra parte, la FIFA, en lugar de reforzar las pruebas, habría intentado demorar el fallo del TAS, para lo que encargó un informe de auditoría. El auditor PwC (PricewaterhouseCoopers) inspeccionó a la AFC, la Federación de Asia que Bin Hammam dirigió durante diez años.

La supuesta táctica dilatoria quedó confirmada el día después del triunfo de Bin Hammam. La FIFA volvió a suspenderlo de inmediato basándose en el informe de PwC. El informe acusaba a Bin Hammam de desviar fondos de la Federación Asiática, y oficialmente había sido encargado por Zhang Jilong, presidente interino de la AFC y miembro de la directiva de la FIFA. Curiosamente, en el periodo de tiempo citado, de 2000 a 2011, el chino fue el director de Finanzas de la Federación Asiática. El lobo se convirtió en oveja.

Los auditores trabajaron basándose en conjeturas, y parte del material que suministraron comprometía a la FIFA. En el informe salieron a la luz los nombres de varios beneficiarios de la AFC: Hayatou, Fernando, Makudi y hasta Blatter. En los registros figuraban catorce camisas para el patrón por un valor de dos mil dólares. También se le plantearon preguntas embarazosas a la Comisión de Ética, que antes de la llegada de García y Eckert estaba compuesta por personal con cierta antigüedad. En el equipo de Eckert estaba Nguyen Thi Mi Dung, que aparecía en el informe de PwC como destinatario de 2.564 dólares. ¿Un miembro de la Comisión Ética de la FIFA en la lista de beneficiarios, uno que integraba la Comisión de Disciplina de la AFC? Este percance se solucionó meses más tarde, cuando el vietnamita fue discretamente sustituido.

En la sentencia del TAS, los jueces habían planteado otras preguntas razonables. ¿Por qué la FIFA seguía dejando en paz a Jack Warner? Después de todo, se había hecho rico ocupando un cargo honorario. Pero, a diferencia de Bin Hammam, al que los temibles gobernantes de Catar tenían cogido por la correa después de la adjudicación de la sede 2022, Warner era independiente y, por lo tanto, más peligroso. Ya lo había demostrado al publicar aquella nota que probaba que Blatter le concedía los derechos de la FIFA. Un donativo millonario en derechos de televisión para darle las gracias por su colaboración en las campañas electorales, según afirmaba Warner. De momento, la FIFA se aguantaba.

Pero estaba claro que García no sabía por dónde empezar. ¿No debía guiarse por la sospecha de que Blatter durante décadas dilapidó millones regalándole derechos de la FIFA al siniestro Warner, que con sus votos siempre le había asegurado el trono? ¿Acaso Blatter había concedido favores a otros colaboradores?

El jefe investigador García prefirió seguir la pista de un exdirectivo en Asia. Pero en esta misión también debieron de influir los solapados trucos de Blatter, ya que, de repente, se requería mucha prisa. El 19 de diciembre de 2012 surgió una seria amenaza. Bin Hammam estaba decidido a confesarlo todo sobre las prácticas empresariales de la FIFA ante el Consejo de Europa. La sesión en París se adelantó y las futuras declaraciones de Bin Hammam parecían cada vez más peligrosas. La prensa se frotaba las manos.

La semana anterior a la audiencia, Blatter aterrizó en

Doha. «Me siento profundamente honrado —publicó en Twitter— de poder reunirme nuevamente con su alteza el jeque Hamad bin Khalifa, emir de Catar.» Y amo de Bin Hammam. A los pocos días de la entrevista con el jeque, el eterno problema con el enemigo mortal se resolvió de buena voluntad. Los adversarios de Blatter siempre habían dicho que solo el emir podía prohibirle a Bin Hammam que viajara a París. De repente, Bin Hammam canceló su cita con el Consejo de Europa. Cuarenta y ocho horas más tarde, el diputado croata Gvozden Flego dijo en la introducción de la audiencia: «El lunes los colaboradores del señor Bin Hammam comunicaron que no estaría presente debido a medidas restrictivas adoptadas por la FIFA». Mediante presión política, la FIFA impidió la comparecencia del testigo principal de sus presuntos negocios sucios. ¡Viva la reforma!

Bin Hammam dimitió de la noche a la mañana a todos sus cargos en el fútbol. Un auténtico pase de gol para los reformistas de Blatter, que ahora podían cerrar el caso rápidamente. «De por vida, por conflictos de intereses», decidieron García y Eckert. Hasta ese momento se trababa de corrupción. La explicación de Eckert se remite a los estatutos flexibles de la FIFA, y gracias a la renuncia de Bin Hammam no se requiere ninguna otra explicación. Todo fue como la seda. Y no hubo que sacar chanchullos internos a la luz.

En el Consejo de Europa todo transcurrió relajadamente, según la versión de la FIFA. Blatter envió al ayudante Zwanziger, que elogió la reforma y ni siquiera se enteró de que el jefe había estado en Catar. Sylvia Schenk, de TI, se mostró indignada porque la FIFA había suspendido a Bin Hammam de por vida después de la visita de Blatter al emir y dos días antes de la importante cita. Eso demostraba el escaso valor que tenían los asuntos de ética para los reformistas. En este caso, ¿no resultaba evidente la coacción? Bin Hammam era el súbdito de un gobernante que temía por su Mundial y en cuyo reino prevalecía un sistema de coacción medieval. ¿Hasta qué punto pudo haber sido voluntaria esa retirada, sobre todo cuando el mismo delincuente había advertido de que solo el emir podía detenerlo? La forma en que estos reformistas, supuestamente capacitados, manejaron una evidente situación de acoso, que, sin duda, llevaba la firma de Blatter, continuó echando por tierra la credibilidad de la FIFA y puso en ridículo su reforma.

Por otra parte, cuando, en el Consejo de Europa, un diputado de Luxemburgo le enseñó a Zwanziger el libro *FIFA Mafia* y le preguntó si conocía su contenido y si era verdad, el directivo alemán se mostró evasivo. Quien no eludió la pregunta fue Jérôme Champagne, también citado por el Consejo, el asesor al que Blatter echó después de once años de servicio: «El noventa y cinco por ciento de lo que está en el libro es verdad».

Las personas informadas lo veían venir: Sepp Blatter, patrocinador y financiador de la reforma de la FIFA, no se vería en apuros con el nombramiento de García. Los críticos depositaron sus esperanzas en el juez Eckert. Al comienzo, hubo algunos cruces de palabras, y Eckert amenazó con que esperaría solo medio año; si no tenía un caso serio sobre la mesa (la triste maniobra para frenar a Bin Hammam no contaba para él), se pensaría si continuar o no. Después se cumplió su deseo: en marzo de 2013, Eckert recibió un documento de García. Cuatro mil doscientas páginas. El expediente de la ISL. Allí se dejaba constancia de la participación de Blatter en el mayor escándalo de sobornos del deporte mundial.

Durante el corto mandato de Eckert, también hubo datos impresionantes sobre la veracidad de Blatter. En un artículo para el *Times* británico, Sebastian Coe cuenta cómo Blatter engañó a los representantes de la candidatura inglesa: «Nada más llegar a Zúrich, David Cameron y su equipo fueron a ver a Blatter, pues temíamos que el empeño de los medios británicos por informar sobre las malas acciones durante su gestión pudiera volverse en nuestra contra. Blatter nos dijo: "No os preocupéis. Nuestra decisión no se basará en el *Sunday Times* o en los programas de la BBC". Sin embargo, minutos antes de la elección, les hizo un último comentario a los miembros que tenían que votar, referido a la intromisión de la prensa. Lo sé porque Geoff Thompson, nuestro delegado en la FIFA, estaba presente». Coe también cuenta que Blatter una vez le dijo: «Vuestro juego está dirigido por idiotas».[405]

Así es como actúa Blatter. Y se supone que García y Eckert se ocuparán de él. De Blatter, el que presenta la corrupción endémica en la FIFA como un fenómeno social del que la sociedad sería responsable. Ese que cuenta que la justicia lo declaró no corrupto. Lo cierto es que hasta hoy la justicia solo ha podido asignar a los destinatarios una parte de los ciento cuarenta y un millones de francos en sobornos, y es la parte que salió a la luz a través de los pocos nombres reales o de las cuentas *offshore* descubiertas. Siguen sin conocerse los destinatarios de los otros millones que se pagaron en efectivo en Suiza y otros lugares, las sumas enormes transportadas en maletines, como en las películas de la mafia. Mientras cada uno de esos ciento cuarenta y un millones no se le adjudiquen a un destinatario corrupto, aquí nadie puede venir a contar que ha sido declarado no corrupto, y mucho menos si existen motivos evidentes para que se lo incluya en el círculo de receptores potenciales. Lo único cierto es que la justicia llevó a cabo una investigación limitada y permanentemente entorpecida contra los principales implicados, sin haber encontrado pruebas contundentes. La mayoría de las preguntas continúan sin respuesta.

De aquí surgen preguntas para García y Eckert. ¿Cómo explican las maniobras engañosas de Blatter como secretario general en el concurso por los derechos de los Mundiales de 2002 y 2006 en detrimento de la competencia de ISL? ¿Cómo explican, en vista de la cantidad de sobornos, la maniobra engañosa de los negociadores de la FIFA con firmas como IMG o Team, con el claro propósito de aupar a ISL, a pesar de que las empresas de la competencia habían presentado ofertas mucho más elevadas? ¿Y por qué el hombre que con tan poco decoro venía presionando a favor de la ISL fue el que gestionó la fusión de la FIFA con la ISL? Lo que se esperaba de un auténtico proceso de reforma era que respondiera a estas preguntas.

Sin embargo, esta farsa acabó como todas las demás. Según la valoración de García y de Eckert a finales de abril de 2013, Blatter tuvo un comportamiento intachable. Está claro que las preguntas sobre motivos y causas no tienen ninguna importancia. La farsa solo resultó atractiva para los crédulos que siguen pensando que aquí el objetivo es el triunfo de la ética en el deporte y de los negocios. Antes de que Eckert evaluara el informe de García, sucedió lo de siempre. Leoz, que según el expediente del caso ISL cobró setecientos treinta mil dólares, se apresuró a dejar la directiva de la FIFA por repentinos motivos de salud. La misma reacción espontánea tuvo Havelange en 2011. El expresidente de la FIFA dejó, de la noche al día, el COI para anticiparse a una salida forzada. Con los documentos del caso ISL sobre la mesa, el último mandato en la FIFA también llegó a su fin, y Havelange dejó la presidencia antes de que lo destituyeran.

El 30 de abril de 2013, la FIFA dio por concluidas sus propias pesquisas del caso ISL. Y la conclusión de Eckert maravilló tanto a Blatter que el alemán tuvo que adornarla con sus propias palabras: «Me alegra comprobar lo que este informe certifica: que la conducta del presidente Blatter no muestra ninguna clase de incumplimiento del código ético». Pieth, cuyas propuestas a los señores de la FIFA habían fracasado una vez más la semana anterior, también se mostró entusiasmado.

Más allá de este microcosmos, el diagnóstico de Eckert reavivó las críticas contr la federación en todo el mundo. En Inglaterra exigieron la renuncia de Blatter. Transparencia Internacional encontró alucinante el informe de Eckert. «El informe es insatisfactorio y simplificador, y minimiza la participación de Blatter. Eckert no aborda los temas centrales», declaró Sylvia Schenk. Los expertos en cumplimiento dudaron mucho de que fuera «un informe completo y profesional», tal y como lo definió elogiosamente Mark Pieth. Sobre todo porque no arrojaba luz sobre el papel desempeñado por Blatter.

Al patrón no se le culpaba de nada. Según Eckert, solo había estado «poco hábil» al devolver el dinero de aquel soborno, en lugar de investigar el hecho a fondo. Es el colmo de lo grotesco: un dictamen basado en una afirmación del propio Blatter. Le había contado a García que aquella vez no comprendió por qué alguien abonaba a la FIFA una suma de dinero destinada a otra persona, y que no sospechó que podía tratarse de una «comisión». Claro: igual era una propina, o dinero para gastos personales. Hasta Eckert tiene pequeñas dudas al respecto: «Sin embargo, debe analizarse seriamente si el presidente, durante el proceso de concurso, sabía o debería haber sabido que la ISL efectuaba pagos (sobornos) a otros miembros oficiales de la FIFA». Vaya, qué pena que nadie lo «analizó». Eckert no llegó al fondo de los negocios.

Según el presidente de la cámara de resolución, desde lo estrictamente legal, el comportamiento de Blatter no está contemplado en el reglamento, pues el Código Ético de la FIFA se creó en 2004. Eso ya se sabía desde hacía tiempo. ¿No se le podía haber ahorrado al público todo este numerito?

«¡Así que Blatter estuvo "poco hábil"! De solo oír esa formulación se me revuelve el estómago», dijo con malicia Sylvia Schenk, la responsable de TI. La ética no empieza con un código ético. En los años noventa, también había normas éticas. Desde Inglaterra llega la voz de Damian Collins, presidente de la Comisión Parlamentaria de Cultura, Medios de Comunicación y Deportes: «Blatter debería retirarse, por no haber cortado por lo sano mucho antes y no haber actuado contra los ladrones». La sentencia de Eckert aviva la creencia de que «la FIFA intentó encubrir el gran escándalo de corrupción para proteger a los máximos directivos». Clive Efford, otro miembro del Partido Laborista británico, dijo: «La cúpula de la FIFA seguirá estando bajo sospecha de corrupción hasta que haya una investigación del caso ISL que sea realmente independiente». Efford tiene una opinión diferente a la de Eckert con respecto al hecho de que Blatter le haya enviado a Havelange una suma millonaria. «Esto solo permite suponer que el soborno a altos ejecutivos era una práctica habitual y aceptada, en el que la FIFA habría actuado como agente de liquidación.» Conclusión: «Es sumamente decepcionante que esta gente se llene los bolsillos mientras que en el ámbito del deporte amateur la falta de dinero es desesperante». Esto ya no tendría que ver con el derecho penal, sino con la responsabilidad política. Y, en medio de todo esto, Eckert deja ver la idea ingenua que tiene de Blatter. Al pobre «siempre se le echa la culpa».[406] Incluso lo defiende de las acusaciones de Jack Warner: «Que alguien lo afirme no significa que sea cierto. Siempre debemos tener en cuenta el interés que podría estar detrás de tales declaraciones». Correcto. Entonces, ¿qué interés tenía Blatter a la hora de rechazar a la competencia de la ISL en el proceso de licitación? ¿A quién se refería Urs Linsi, exdirector de Finanzas, cuando dejó constancia por escrito de las «órdenes de arriba» de no presionar a la ISL en el caso de que hubiera problemas financieros? ¿Por qué Blatter no cooperó para nada con el esclarecimiento de la causa? ¿Quién le regaló a la FIFA los dos millones y medio para la reparación de daños?

Desde la distancia, todos los colaboradores blatterianos encuentran una justificación para su gestión memorable. Puede que Pieth, García y Eckert sean profesionales en sus verdaderos ámbitos laborales, pero en el terreno sucio de la política deportiva son unos aficionados. Y eso es precisamente lo que necesita el profesional instalado en la cúpula de la FIFA. Y lo que explica que, según la idea de ética que tiene la FIFA, también se libre de toda participación a un probado destinatario de sobornos en el caso de la ISL, Issa Hayatou, a quien el COI suspendió a finales de 2011 por tal razón. Es el colmo de la vergüenza.

Mientras la FIFA anunciaba con parquedad la salida de infractores como Leoz, alguien más se iba por la puerta de atrás. En abril de 2013, Alexandra Wrage dejó la IGC. La jefa de la organización anticorrupción Trace era el único miembro de la comisión que había renunciado a una remuneración por parte de la FIFA. El motivo de su renuncia fue el fracaso rotundo de la reforma, después de que en marzo se rechazaran una serie de propuestas de la IGC, que abarcaban desde la publicación oficial de los salarios y las primas hasta el establecimiento de unos límites respecto a los mandatos y a la edad de los directivos. Wrage dijo que la FIFA continuaba siendo una sociedad cerrada y la verdadera causa de todos sus problemas.

Alexandra Wrage siempre había insistido en la transparencia en relación con los salarios de Blatter y otros altos ejecutivos. Había solicitado controles externos e independientes. Esas eran también las principales exigencias de toda la IGC desde el primer momento. ¿Que así no llegaron muy lejos? Bueno, ¿y qué? Por otra parte, la IGC nunca dio a conocer cuánto le pagaba la FIFA por el trabajo. Empezaron a circular rumores; se hablaba de cinco mil francos al día y otros tantos de dietas por cada miembro de la IGC. Sigue sin saberse.

Así convivían los expertos de la IGC y los altos directivos. Estos últimos seguían sirviéndose como reyes. Según el informe financiero de 2012, la dirección general (presidente, directiva, secretario general y directores) se embolsó treinta y tres millones y medio de dólares. Eso equivalía a una subida del 13,6 por ciento en relación con los veintinueve millones y medio del año anterior. En 2008, la distribución de beneficios había alcanzado apenas los dieciocho millones y medio, mientras que en el plazo de cuatro años los salarios de la directiva, las primas y las prerrogativas subieron un ochenta y uno por ciento. ¿Seguía Blatter ganando un millón o «quizás un poco más»? Con esta subida, los máximos dirigentes de la FIFA se hicieron millonarios, y los miembros honorarios también. Por supuesto, sigue sin saberse cómo se distribuye esa inmensa fortuna. Y a partir de 2014 ya no hay primas, sino «un sistema de compensaciones»… Vaya usted a saber qué significa eso.

Más críticas de Wrage: «La IGC recomendó que la dirección de la FIFA diera a conocer su remuneración total, incluidos sueldos, primas y dividendos complementarios. La directiva explicó que eso tenía más que ver con la curiosidad pública que con una buena administración. La FIFA se beneficia de subvenciones estatales a través de su exención fiscal; sin embargo, cree que la sociedad no tiene ningún derecho a conocer sus números. Según parece, la sociedad tampoco tiene derecho a conocer los criterios en los que se basan estas retribuciones».[407]

Semanas antes, en marzo de 2013, una entrevista en el *Süddeutsche Zeitung* había provocado la separación entre la directora de la organización Trace, la IGC de Pieth y la FIFA. En la entrevista, Wrage mostró su preocupación por el proceso de reforma, ya que solo consistía en «reordenar las tumbonas del *Titanic*». Ella había exigido «que las investigaciones a altos directivos fueran creíbles y tuvieran consecuencias reales, para que la gente pudiera creer que la FIFA estaba empezando a cambiar». ¿Podía esto convencer al jefe de la FIFA cuando faltaba tan poco para el veredicto de Eckert?

Wrage habló sin pelos en la lengua. «Si el proceso no da lugar a un control independiente, podrían anular cada logro obtenido sin inconvenientes. [...] A mí incluso se me comunicó que era inaceptable que una mujer ocupara una posición de liderazgo en la Comisión de Ética. No se me ocurre un ejemplo peor de sexismo.» Supuestamente, el comentario llegó a sus oídos en nombre de Blatter. ¿Había ganado credibilidad la FIFA desde que la IGC empezó a trabajar a finales de 2011? «No. Una organización no se vuelve más creíble solo por hablar de transparencia.» Wrage reclamaba la intervención de Suiza. «La IGC nunca tuvo los medios para impulsar cambios en la FIFA. La única institución que puede reclamar mayor transparencia es el gobierno suizo, al que el descarado encubrimiento de la FIFA debería parecerle tan vergonzoso como su reserva de mil cuatrocientos millones exenta de impuestos. Espero que actúen.»

Días más tarde, la FIFA presentó de manera camuflada, como programa de reforma, todo aquello que no quería. Nada de miembros independientes en la directiva, nada de valoraciones libres sobre la integridad de los altos directivos (de eso mejor se ocupan los mismos directivos). La IGC de Pieth había dejado claro que esto era innegociable. Y ahora, en el Congreso de Reforma reunido en Mauricio a la sombra de las palmeras, solo se podría decidir sobre los límites de edad y de los mandatos. «Suerte que nos hemos bajado del barco —suspiró Schenk de TI—. Está ocurriendo exactamente lo que nos temíamos.»

¿No se había llegado ya al límite del dolor? Si los reformistas de la IGC se hubieran marchado junto con Wrage (Pieth había coqueteado varias veces con la renuncia), podrían haber demostrado que realmente les interesaba la reforma. Pero la IGC ignoró cada señal de que nada había cambiado. Ante la mirada de los gurús de la transparencia, la FIFA mejoró su maquinaria de propaganda: aplicaciones, un periódico semanal propio y un estudio de televisión en el búnker de la federación, allá en la colina de Zúrich. El nuevo canal de presentación de Blatter costó un millón y medio de francos, una inversión que, según el jefe de prensa, Walter de Gregorio, serviría para «desmentir declaraciones erróneas con hechos». A modo de ejemplo, mencionó las falsas declaraciones de Wrage.

Pieth no tomó partido por su colega. Y actuó con la misma indiferencia ante el hecho de que la FIFA hubiese encontrado una manera original de reaccionar a su amenaza de siempre, la de ejercer una presión estatal sobre la federación. Mientras la FIFA se armaba mediáticamente, empezó con tácticas de *lobby* en Berna, Bruselas y Estrasburgo.

De modo que la opereta de la reforma definitiva en las idílicas playas de Mauricio, lejos de los medios, solo resultó interesante por su valor humorístico. El primer cómico en entrar en escena fue el anfitrión. Dinnanathlall Persunnoo, presidente de la federación de Mauricio, se habría asegurado, mediante amaño, la permanencia en la primera división de su club, el Mahebourg Quartier. El presidente del equipo descendido, el Stanley United, Anzal Hossenbaccus, presentó ante el tribunal una llamada telefónica que dejaba en evidencia a Persunnoo. La emisora local Radio Plus emitió la cinta. A lo que Persunnoo dijo: «¡Solo estaba bromeando!».

En el programa del Congreso *Happy Hour* también se vieron caras nuevas a las que Blatter les dio la bienvenida a la FIFA. En representación de Asia, se incorporó a la directiva el jeque Salman al Califa, del reino de Baréin, apoyado por la AFC. Defensores de los derechos humanos lo acusan de vejaciones contra jugadores y directivos durante la sangrienta rebelión de 2011. Salman, primo del soberano de Baréin, ha rechazado las acusaciones. Los nuevos emisarios de la Concacaf también se presentaron en aquel congreso transmitiendo una imagen de confianza. El mandato de Chuck Blazer terminó en las playas del océano Índico. Algunos días antes, la valiente Comisión de Ética había suspendido a Blazer.

¿Será, como Pieth y Blatter predican, que los sucesores de Blazer y Jack Warner, a los que el FBI tiene bien pillados, lo harán mucho mejor? Los nuevos representantes de la Concacaf en la FIFA se llaman Sunil Gulati y Jeffrey Webb. Gulati, presidente de la Federación Estadounidense, pasó de la IGC de Pieth a la directiva de Blatter. El directivo modelo de raíces indias hizo carrera al lado de Blatter. Durante mucho tiempo, Gulati operó en la oscura trama de reventa de entradas dirigida por los hermanos Byrom, íntimos de Warner, que, como se sabe, no solo se hizo rico con los derechos que Blatter le regaló, sino también con las entradas para los Mundiales. Increíblemente, los Byrom conservan su trabajo seguro como guardianes de las entradas de la FIFA, pese a todos los escándalos (parte de las entradas se venden a un precio carísimo en el mercado negro). ¿Qué pasó con los cincuenta millones de dólares que supuestamente perdieron en Sudáfrica? Pues que iban a recuperarlos en Brasil 2014. Desde los años noventa, Gulati asesoraba a los hermanos. Desde 2010 también integraba el consejo de administración de FIFA Ticketing AG, que regula la política de precios y la distribución de entradas. La empresa que se encarga de la venta y la entrega de estas entradas es Match Services AG, de los hermanos Byrom.

¿Y quién es Jeffrey Webb, el nuevo presidente de la Concacaf? Es banquero, agente fiduciario y dirigente del fútbol en las Islas Caimán, donde se da cobijo a las fortunas de los ejecutivos colegas de Blazer. Además, Webb es socio y amigo de Horace Burrel, otro destacado personaje escandaloso de la Concacaf, presidente de la Federación de Jamaica. En el congreso de la FIFA de 1998, Burrel hizo votar a una amiguita suya en nombre de la Federación Haitiana, cuyos representantes no podían asistir por falta de medios económicos. Y en el congreso de Seúl de 2002 había aclamado al patrón. Ahora forma parte de la Concacaf de Webb y es vicepresidente de once comités, entre ellos el Comité Financiero y el de Asuntos Jurídicos. En ese momento, Burrel estaba en libertad condicional, situación que duró hasta el otoño de 2013. Durante el escándalo de Warner, en 2011, le habían aplicado una suspensión de seis meses que le impedía hacer negocios en el mundo del fútbol.

Webb y Burrel dirigen la Concacaf, y al mismo tiempo son aliados comerciales. Burrel lleva la cadena gastronómica Captain's Bakery en Jamaica; en las Caimán hay una filial que administra Webb, que desde luego también es un viejo partidario de Blatter. En 2002 lo invitaron a sumarse a la comisión de auditoría elegida a dedo por Blatter, después de que la auditoría interna anterior quedara desmontada.

¿Y qué hay de la reforma? A la sombra de las palmeras, Pieth celebró «los grandes progresos» que se habían hecho. «¡Ahora disponemos de un organismo judicial creíble e independiente!» Domenico Scala, director de la nueva Comisión de Auditoría y Cumplimiento, también estaba encantado. Incluso con Grondona. Con don Julio, el vicepresidente sénior de Blatter, el que dirigía la Comisión de Finanzas desde tiempos inmemoriales, así como la Federación Argentina en medio de un caos financiero, y al que la fiscalía de su país le atribuía una fortuna millonaria en cuentas *offshore*. «Grondona es un hombre de una franqueza extraordinaria», afirmaba Scala elogiosamente en la página web. Y hay más testigos que confirman la sobrecogedora ingenuidad del heredero de Pieth. Su primera impresión en 2012: «No encontrarán a nadie en la FIFA que tolere el incumplimiento».[408] Una persona como Scala está perfectamente cualificada para dirigir una reforma de la FIFA.

Animado por los grandes progresos, Pieth acudió a una entrevista con Roger Schawinski en una televisión suiza. Su libro acababa de salir a la venta. Tenía un título ambicioso: *A la caza de la corrupción*. Pero en la entrevista se vio de qué estaba hecho realmente el líder de la reforma.[409] Pieth se presentó con un alegre mensaje: el gobierno de Berna estaba elaborando nuevas leyes sobre los sobornos en las asociaciones deportivas. «Vamos por el buen camino.» Qué pena que Schawinski estuviera mejor informado.

—Y la FIFA está usando todos sus recursos para bloquear el camino.

—¡No! ¡No!

—Pues sí, están haciendo *lobby* por todas partes.

—Si fuera así, sería una tontería.

—Pues lo están haciendo.

Schawinski quiere saber si la transparencia de los salarios no está entre las prioridades de Pieth, en tanto que es un aspecto clave de una buena gestión.

—Estaría bien —dice Pieth.

—¿Estaría bien? Pero si es lo que exigen las normas internacionales.

Pasan un vídeo en el que Blatter se niega a dar a conocer su salario.

—¿Qué tiene que ver esto con la transparencia?

Bochornoso. Pieth balbucea algo que les dijo en Mauricio:

—«Gente, si entendierais de qué va esto, accederíais a divulgar vuestros salarios». Y estaban todos a mi lado cuando hablé en la sala.

—Pero no lo hacen —dice Schawinski, indiferente—. ¿Por qué no lo hacen?

—Porque no lo entienden.

El gurú anticorrupción muestra una comprensión paternalista y defiende la falta de transparencia de Blatter mejor de lo que lo haría el propio patrón.

—Probablemente tiene miedo de sus colegas africanos y asiáticos.

—Venga ya —dice el entrevistador, sonriendo.

Comienza el patinazo. Se trata de las retribuciones ocultas de Blatter, una cantidad exorbitante extraída de los ingresos del fútbol, los cuales provienen, en parte, de las arcas públicas. Pero Pieth rebosa comprensión.

—Si no lo dice, es porque no quiere que disparen contra él.

—No se dispara a nadie por dos millones —aclara el entrevistador.

—Pero, probablemente, tendría problemas con sus africanos —dice Pieth.

—Pero a esos ejecutivos los suspenden continuamente, ¿no es así?

Pieth se muestra evasivo. Prefiere hablar de las oportunidades perdidas antes que del salario de Blatter.

En la pantalla aparece un gráfico que pone: «Objetivos de Pieth: divulgación de los salarios, límite de los mandatos, límite de edad, verificación de la reputación». Los tres primeros objetivos están tachados (las intenciones han fracasado) y el cuarto aparece entre signos de interrogación. Pieth culpa a la UEFA de que no se hayan logrado los objetivos dos y tres. Finalmente, el entrevistador le suelta:

—¡Pero si tú no has conseguido nada!

—No es así. He conseguido que atiendan a la mayoría de mis exigencias.

—A las que no les dan ninguna importancia ni suponen un problema.

—No es así. Ahora tenemos un órgano judicial independiente y un órgano de control de las finanzas que supervisa todo lo que Blatter firma.

Lo que sigue es una evaluación positiva del trabajo del auditor interno, Domenico Scala, el hombre que alaba «la franqueza extraordinaria» de don Julio Grondona.

Y luego la cosa se vuelve realmente áspera, cuando se intercalan las declaraciones de Alexandra Wrage: «Nunca antes me había visto en la situación de presentar propuestas de reformas que se quedan en nada, que no llegan a ninguna parte. De las recomendaciones que hicimos a la FIFA, algunas las aceptaron, pero rechazaron la mayoría sin admitir discusión y, en muchos casos, sin darnos ninguna explicación».

Schawinski quiere saber si eso es verdad. El rostro de Pieth se congela. No responde a la pregunta. Tira de lo personal.

—La razón por la que la escogí para trabajar conmigo es que la conozco desde hace veinte años. Antes trabajó para un fabricante de armas, así que está acostumbrada a las situaciones difíciles. Tiene una ONG, gana seiscientos mil dólares al año, solo por su labor en la ONG.

—Ella trabajó gratis para la FIFA, no como tú.

—No, no es así. Ella gana 600.000 dólares con la ONG, y además tiene una empresa...

—Pero ¿qué tiene que ver eso con lo que ella ha dicho?

—Que ella sabe cómo debe de sentirse Blatter.

—Pero ¿por qué? —Schawinski alucina con los ataques personales de Pieth—. Ella solo ha dicho que era un caso perdido.

—Pues se olvida de lo que ella misma ha logrado, de que ahora tenemos un órgano judicial que será capaz de inspeccionar el pasado.

Otra vez el famoso órgano judicial, cuyo balance exculpó a Blatter en lo de la ISL y suspendió a su enemigo íntimo de por vida, después de que el propio Blatter hubo arreglado las condiciones con el emir. ¿Qué dice Pieth de estos resultados, no sería un caso que debería analizar la OCDE, a la que renunció a finales de 2013?

—Siempre te hemos oído decir que renunciarías si las cosas no salían como esperabas —dice Schawinski, exasperado—. Ahora, en este congreso, se han dejado a un lado todos los asuntos controvertidos, y tú sigues de lo más contento. Por lo que tengo que preguntarte: ¿cuánto te pagan, a ti o al instituto? ¿Cinco mil francos por día?

—Eso es falso. Tú te crees cualquier cosa que lees o que escuchas en los medios de comunicación. La verdad es que no me pagan nada.

—A ti no, pero al instituto sí.

—No, a la Universidad de Basilea.

Son fondos destinados a la investigación, para escribir libros. Schawinski sigue criticando el libro de Pieth.

—No me gusta la tolerancia frente a todos estos errores, ni la publicidad que el libro te da a ti y a tu instituto.

Pieth no replica. El presentador le recuerda que «ya han

pasado casi dos años sin que haya sucedido nada importante».

—Pensar en todo o nada es infantil.

—Tú fuiste el que lo dijo: ahora o nunca.

Una última declaración: a Pieth parece preocuparle que Suiza empiece a ser considerada «un puerto de piratas» si no se combate la corrupción ni se abordan otros problemas.

—Ahora ya ves por qué hago todo esto —dice Pieth, radiante, y se viene arriba una vez más, demasiado pronto.

Schawinski le contesta:

—Pero cuando te frenan una y otra vez, ¿no llegas a la conclusión de que, perdona que te lo diga así, eres un tonto útil? ¿Y no te preguntas si tu credibilidad internacional está en juego?

—Hay que entender que se trata de un proceso —dice Pieth—. Hay un punto de vista ideológico que les da mucho juego a los medios en Alemania. Pero lo cierto es que se han logrado muchas cosas.

O sea, que el verdadero problema no es la corrupción, sino una ideología perversa. Justamente lo que siempre ha dicho Blatter.

A finales de septiembre de 2013, Pieth informó de que se retiraría a fin de año. Dijo que ya se habían creado «estructuras de gobernanza independiente que podían funcionar». El resto dependía de la FIFA. Estaba cansado de bregar con las camarillas y de la lucha por el poder entre Blatter y Platini. «No quisiera verme otra vez en una *jamboree* donde arremeten unos contra otros», dijo Pieth. A partir de entonces, ese auditor de buena fe que era Scala adquirió protagonismo. Pieth confesó su decepción con el estado suizo, que no emprendía ninguna acción para inspeccionar a las asociaciones deportivas residentes en el país, donde aparentemente se podían seguir haciendo negocios en la sombra. «Suiza podría controlar a la FIFA y demás asociaciones mediante el derecho tributario; sin embargo, las exonera de pagar impuestos», dijo Pieth. ¿No habría sido más efectivo que se concentrara en esto desde el principio?

Blatter sobrevivió al 2012, un año agitado. El hermano

Mohamed ya era historia. En 2013, un nuevo enemigo íntimo entró en escena: Michel Platini. Otro desagradecido que, después de su aprendizaje bien remunerado y de la conquista del trono de la UEFA, se había distanciado. En territorio enemigo, Blatter desplegó sus magníficos contactos con la revista *France Football*, el buque insignia del grupo mediático Amaury, con el que la FIFA organiza todos los años la entrega del Balón de Oro al mejor jugador del año. François Moriniere, director ejecutivo de Amaury, integraba el equipo de reforma de la FIFA. La revista deportiva le ofreció a Blatter la oportunidad de destruir las aspiraciones de Platini al trono de la FIFA. «¿Platini sería un buen presidente?», le preguntan. Blatter arruga la nariz y responde que se le debería preguntar a Platini si todavía se adhiere a la filosofía de «fútbol para todos, y todos para el fútbol». «¿Tiene usted alguna duda?» «Sí, permítame que lo dude», contesta Blatter. Habría que preguntarle a Platini, «eso sí que le serviría para hacer campaña».

—¿Está haciendo campaña?

—Sí, sí. Y va muy en serio.

—¿Y tiene rivales?

—Sí, sí. Ángel María Villar. Todavía no es oficial, pero es un candidato.[410]

Blatter coloca descaradamente a dos candidatos en el cuadrilátero, pero omite a un tercero: él. Espera hasta febrero para salir del armario: «Mi mandato concluye en 2015. Sé que algún día tendré que retirarme, pero todavía no sé cuándo —anuncia en la Copa de África en Johannesburgo—. Nadie puede adivinar el futuro, pero, en todo caso, lucharé por la reforma de la FIFA».[411] En la televisión suiza vuelve al ataque: el uso de la tecnología en la línea de gol no es un problema de la UEFA contra la FIFA, sino de Platini contra Blatter.

La farsa de la reforma va sobre ruedas; el patrón puede dedicarse intensamente a conservar su puesto. No solo un amplio sector de europeos insatisfechos quiere ver a Platini en el trono de la FIFA; entre los disidentes también podría contarse gente como el príncipe jordano Alí. Jordania recibe miles de millones de dólares de Catar, y Platini es el principal simpatizante del emirato y el nuevo opositor de Blatter. El francés trabaja intensamente en la modificación del calendario internacional de competiciones para que el Mundial 2022 se dispute en invierno, cuando las temperaturas de Catar son tolerables. Y no solo eso, también ataca la farsa de la reforma y desestima todos y cada uno de los puntos que Blatter quiere que se aprueben. Frente a las amenazas del patrón, se muestra imperturbable.

En marzo de 2013, Blatter rechaza, una vez más, todos los planes para el Mundial de Catar en invierno. En todo caso, el país debería solicitar oficialmente a la FIFA el cambio de calendarios. Hay contratos en los que se exige que el Mundial debe realizarse en junio y julio, y esto siempre «ha sido un requisito previo para todos los candidatos». Que Catar fuera por libre podría dar lugar a demandas por parte de los otros candidatos anteriormente descartados. Cada palabra de Blatter es un ataque contra Platini: «Defender los principios de la FIFA es mi obligación, mi responsabilidad y mi derecho. Uno de estos principios es: ¡el Mundial, en junio y julio!». Y también tiene claro que una modificación posterior de las condiciones del concurso «no favorecería la reputación de la FIFA».[412]

El presidente del comité organizador de ese mundial, Al-Thawadi, señala que Catar está dispuesto a cambiar las fechas. Sin embargo, el emirato se niega a presentar una solicitud. El país teme que se trate de una trampa de Blatter: como el contrato solo es válido para el verano de 2022, todos los candidatos podrían volver a presentarse. Cuando Estados Unidos, Australia, Japón y Corea del Sur invirtieron millones en sus candidaturas no se trataba de una convocatoria para un Mundial en invierno. Australia y Estados Unidos no se conformaron con la derrota, y desde entonces están investigando en qué circunstancias se llevó a cabo la elección. En el otoño de 2013, Frank Lowy, presidente de la Federación Australiana, anunció que exigiría una compensación de más de treinta millones de euros si el Mundial de Catar se jugaba en invierno.

Ya en marzo de 2013, Blatter les había enviado una señal clara a los derrotados (engañados) por Catar. En el caso de que los otros candidatos presentaran demandas ante el intento de trasladar el torneo a los meses de invierno, «el Comité Ejecutivo de la FIFA tendría problemas»[413] y la federación se vería en apuros. El mensaje para los perdedores: «Demandad, y lo más probable es que se lleve a cabo una nueva adjudicación». Sobre todo porque las leyes de Suiza permiten acudir al Tribunal Federal en caso de «infracción a las normas de la buena fe». Blatter vislumbró y confirmó este peligro.[414]

En julio de 2013 se produjo un cambio repentino: Blatter anunció que el Mundial tenía que realizarse en invierno. «Voy a someterlo a discusión en el Comité Ejecutivo», dijo, dejando entrever que los colegas de la directiva acostumbran a apoyarlo. «Pueden refrigerarse los estadios, pero no el país entero»; esta es la idea que había transmitido en su último viaje a Oriente Próximo. Toda una revelación, dos años y medio después de la adjudicación de la sede mundialista.

¿Cómo es que se produce este cambio?

Blatter no mantiene una buena relación de amistad con Catar. El amigo de Catar es Platini. Incluso antes de las aspiraciones presidenciales de Bin Hammam, Blatter ya tiene al emirato entre ceja y ceja. Y en 2010 él no vota por Catar. De modo que si aparecen pruebas sólidas de corrupción, no habrá inconvenientes a la hora de tomar medidas drásticas. Blatter pone a García a investigar la concesión del Mundial a Catar. No hay que ser un teórico de la conspiración para encontrar llamativa la preferencia de tantos directivos de la FIFA por un Mundial en aquel tórrido desierto. En el otoño de 2013, García anuncia un viaje por todos los países que presentaron candidatura. Anda en busca de pruebas. También en relación con Rusia 2018.

Blatter sorprende al mundo del fútbol con su nueva postura a favor del invierno. Hace referencia al pliego de condiciones que le permitiría a la FIFA realizar modificaciones. Pero a Catar no se le puede recriminar que haya omitido nada durante la candidatura. La comisión evaluadora de la

FIFA había destacado dos inconvenientes: la extensión reducida del país y el verano sofocante. Y ahora, de pronto, Blatter sale con que no hay nada establecido respecto al verano. «En nuestro pliego pone: en principio, en junio y julio».[415] Ese «en principio» no figura en ninguna parte. En los documentos se establece claramente «en junio-julio de 2022». Una portavoz de la FIFA se apresura a aclarar que las palabras de Blatter no son ninguna declaración jurídica.

¿Por qué se mete en este berenjenal? Tan solo los problemas jurídicos que ocasionaría un aplazamiento del torneo son tan considerables que todo podría resultar un fracaso. Especialmente porque Catar solo tiene un contrato para el verano de 2022, tal como Blatter dijo en marzo de 2013.

Sin embargo, el jefe de la FIFA sigue buscando argumentos para un mundial en invierno. Ahora hay que darle el gusto al mundo árabe. Todavía recuerda la decepción del rey de Marruecos. Habla casi como Platini. Y, en septiembre de 2013, su opositor le lanza el guante. En el encuentro de la junta directiva de la UEFA en Dubrovnik, Platini dice que, después del Mundial de Brasil, decidirá sobre su candidatura para la presidencia de la FIFA en 2015. Entonces surge la pregunta inevitable: ¿por qué Blatter apoya el traslado del mundial a los meses de invierno cuando se trata de una necesidad imperiosa del amigo de Catar, no suya? ¿Por qué le hace este favor a Platini, el único candidato opositor serio? ¿Por qué se echa en contra, innecesariamente, al mundo del fútbol?

Cada vez son más los que se oponen al Mundial en invierno. Desde la poderosa Premier League británica hasta la liga alemana, además de la cadena norteamericana Fox, cuya audiencia en invierno se interesa más por el fútbol americano que por el *soccer*. Fox señala que (junto con la cadena hispanohablante Telemundo, de la NBC) estaría dispuesta a pagar setecientos cincuenta millones de euros por los torneos de 2018 y 2022, pero si se disputan en verano, no en invierno.[416] Los aficionados y los clubes también se oponen, aunque la Asociación de Clubes Europea (ECA), ante la insistencia de Platini, está abierta al debate sobre el Mundial en invierno. Tal postura se adoptó en un encuentro de la ECA celebrado en Doha en febrero de 2013, donde el máximo comité del Mundial de Catar corrió con todos los gastos de los participantes. Un viaje de negocios del que el presidente de la ECA, Rummenigge, prefiere no acordarse, pues a su regreso de Doha le encontraron dos relojes de lujo. La multa por esa importación no declarada rondó los doscientos cincuenta mil euros, una suma que, además, le valió tener antecedentes penales.[417]

Quien lea entre líneas las declaraciones de Blatter sobre Catar hallará una explicación a su comportamiento. Su cooperación es mera apariencia. En realidad, toma distancia de este torneo al que supuestamente quiere darle la luz verde para que se realice en invierno. Si bien en líneas generales apoya a la región del Golfo, al mismo tiempo no descarta que en la elección de Catar se produjeran sobornos. Y lo dice como presidente de la FIFA. ¿Fue una adjudicación basada en la corrupción? «Le hemos pedido a nuestra nueva e independiente Comisión de Ética que vuelva a analizarlo todo, también la concesión de la sede a Catar.»

¿También? A Rusia no podía ofenderla, pues Gazprom acababa de ingresar en la cartera de patrocinadores de la FIFA. El gigante energético ruso sería un campo de investigación interesante. Muestra un gran compromiso con el deporte de masas, aunque no ofrece productos afines. Con el compromiso no se vende más gas, pero las demenciales inversiones rusas incrementan su influencia política en el mundo del deporte.

Catar también es fabulosamente rico. Pero carece de importancia global. Blatter ataca más y más fuerte al emirato. Cuando le preguntan si los países que votaron por Catar recibieron subvenciones a modo de incentivo, responde: «¡De eso no cabe duda! Hubo una influencia política directa. Los jefes de estados europeos recomendaron a sus votantes que apoyaran a Catar, en razón de los grandes intereses económicos que los unen con este país».[418]

Realmente impactante. Esa declaración le abre el camino a la investigación externa e interna, ya que la influencia política está prohibida. Es lo que se les inculcó una vez más a los candidatos en un escrito del 7 de julio de 2010. Y ahora Blatter explica que se infringieron las normas. La referencia apunta claramente a Nicolas Sarkozy, que poco antes de la elección de la sede invitó a cenar al emir de Catar al Palacio del Elíseo, ocasión en la que Platini también estuvo presente. Días más tarde, Platini votó por Catar. Al poco tiempo, su hijo Laurent fue contratado por el QIA. Son hechos que, según el legendario exfutbolista, no guardan ninguna relación. Si la FIFA se tomara en serio su reforma, se debería investigar a Platini, lo que reduciría sus posibilidades para su candidatura en 2015. ¿Y no ayudaría una suspensión del candidato opositor poco antes de las elecciones, como ya se hizo en 2011 con Bin Hammam? La historia suele repetirse.

Platini está advertido. Y su entorno de la UEFA está listo para pelear. Pronto sale a la luz la estrategia de sus asesores, que amenazaría el principal negocio de la FIFA. Están estudiando la posibilidad de invitar a selecciones de Sudamérica y Asia a competir en la Eurocopa 2020. «La idea está en su fase inicial, pero es realizable»,[419] dice un anónimo asesor de Platini. La Copa América serviría de modelo, un torneo sudamericano en el que desde hace dos décadas participan países de Centroamérica o Asia. «No es la primera vez que se piensa algo así en el ambiente de las tensas relaciones internas de la FIFA», asegura un exasesor de la UEFA. La idea sitúa la lucha de poder entre Platini y Blatter en un nivel superior. Una Eurocopa con la participación de Brasil, Argentina, México y Japón ofendería a la FIFA, además de que su gran negocio se vería afectado. Tomando en cuenta los aspectos del deporte de élite, el torneo sería como el concentrado de un Mundial, «una Champions League de selecciones nacionales», tal como lo describe el antiguo asesor de la UEFA.

Sin embargo, Blatter estaba ocupado hablando de los mandatarios europeos. Y también de Alemania, que en la campaña dirigida por Beckenbauer para la sede del Mundial 2006 se habría beneficiado del apoyo secreto del emir. Ya en el verano de 2012, Blatter se había regodeado en el recuerdo de la candidatura alemana. Y todo indica que, antes de la elección de la sede para 2022, el presidente alemán de entonces, Chirstian Wulff, le pidió a la DFB que votara por Catar, ya que el emir tenía una participación del diecisiete por ciento en Volkswagen. A finales de septiembre de 2010, dos meses antes de la votación, el emir fue invitado al Palacio de Bellevue en Berlín, la residencia oficial de Wulff. La canciller Angela Merkel también estuvo presente. ¿Fue Beckenbauer otro de los que votó por Catar?

España también quedó retratada, ya que supuestamente tenía un pacto de intercambio de votos con Catar que, al final, solo benefició al emirato. Y también Chipre, cuyo representante, Mario Lefkaritis, mantenía negocios con Catar a través del consorcio familiar Petrolinas Holding, que vio incrementar notablemente sus beneficios antes de la adjudicación. Se rumorean muchas cosas sobre el chipriota. Tiene una amplia variedad de contactos y no es dado a aparecer en los medios. Nunca pronunció una palabra sobre el escándalo aún no aclarado de la concesión de la Eurocopa 2012 a Polonia y Ucrania. Según Marangos, el otro chipriota, la entrega de dinero se habría llevado a cabo en la isla, que desde hace mucho tiempo se considera un paraíso fiscal.

Lefkaritis forma parte de la directiva de Petrolinas, compuesta por diez miembros, de los cuales siete llevan su apellido. Controla el negocio del petróleo en el país y es el principal socio de Catar en lo referente al gas licuado de petróleo, el recurso más importante del emirato. Catar y la sociedad Lefkaritis & Hassapis Kimonas Ltd. mantienen una relación particularmente estrecha. La empresa fomenta proyectos económicos en el Mediterráneo a través de Chipre, el Líbano y Catar.

En julio de 2011, una organización de empresarios chipriotas y cataríes de reciente creación tuvo su primer encuentro. Allí también estuvo presente un representante de Lefkaritis & Hassapis Kimonas. Esta firma tenía a su vez una participación activa en el mercado inmobiliario de Chipre. En mayo de 2011, Catar había recibido del gobierno de Chipre una concesión de cincuenta y un mil metros cuadrados en la periferia de Nicosia. En septiembre del mismo año, el

Fondo Soberano de Inversión en Catar (QIA) compró siete hectáreas en una lengua de tierra cerca de Larnaca y construyó un hotel de cinco estrellas. Según el periódico local *Haravgi*, la parcela pertenecía a la familia Lefkaritis.

Las relaciones se habían vuelto más intensas a partir del otoño de 2008, después de la visita a Chipre del primer ministro de Catar, Hamad bin Jassem bin Jabr Al Thani, que llegó acompañado por un séquito de treinta y cinco empresarios. Meses más tarde, el presidente de Chipre, Dimitris Christofias, suscribió un acuerdo entre los comités olímpicos de ambos países. En abril de 2010, ocho meses antes de la adjudicación, importantes personalidades de Catar visitaron Chipre de nuevo y firmaron seis acuerdos de cooperación.

De modo que hay varios dispositivos explosivos en torno a la adjudicación. Al mismo tiempo, Blatter despliega su estrategia de tal manera que parezca que está haciendo todo lo posible para que el Mundial 2022 se juegue en invierno, por el bien de la salud de los jugadores. Mientras, por detrás, se está tramando un plan para debilitar a Platini o dejar a Catar sin su Mundial; si es posible, ambas cosas. Así pues, el principal problema de Blatter estaría solucionado: ya no habría un candidato opositor serio, ni para él ni para el sucesor que él elija. Este podría ser Valcke, de quien se espera que mantenga los libros y la puerta de la cámara acorazada bien cerrados. Así también se daría por terminado ese asunto tan absurdo como delicado, lo del Mundial en invierno, que provocaría un caos en el calendario de las ligas más importantes del mundo.

Cada vez son más los aspectos que apuntan a una nueva adjudicación de la sede mundialista, además de los señalados por Blatter. Por una parte, está el jefe investigador García, que, desde comienzos de 2013, anda tras el caso Catar. Su propósito es visitar todos los países que presentaron candidatura, donde podría llegar a encontrar lo que busca. También cuenta con conocimientos y contactos de exmiembros del FBI (como el detective de la FIFA Louis Freeh) y de miembros actuales de la Interpol. Además ya hay unidades de investigación trabajando en el caso Catar. En 2013, el millonario australiano Lowy enfatizó mediante una amenaza de demanda cuán interesado estaba en esclarecer el misterio de la adjudicación de la sede para el Mundial 2022. La soga también podría apretar a la directiva de entonces; el FBI investiga a Jack Warner y a Chuck Blazer. Supuestamente, los federales también están interesados en Teixeira y en Grondona, lo que sugiere que hubo algún flujo de dinero internacional que, al menos en parte, se movió en dólares y pasó por el Caribe y Estados Unidos.

Por otro lado, Catar también se ve sometido a presión. Los informes sobre las condiciones de trabajo inhumanas en el país provocan conmoción en todo el mundo. Human Rights Watch y la Confederación Internacional de Sindicatos (ITUC) culpan a la FIFA de la falta de control de las condiciones laborales en Catar. Según *The Guardian*, hay miles de obreros trabajando como esclavos en los preparativos de la Copa del Mundo. Se emplea a inmigrantes de Nepal y de la India bajo condiciones deplorables. El periódico se remite a documentos de la embajada de Nepal en Doha, según los cuales, entre junio y agosto de 2013, fallecieron cuarenta y cuatro trabajadores nepalíes, más de la mitad como consecuencia de infartos o accidentes laborales. «Si la FIFA se lo tomara en serio, haría valer su poder para velar por relaciones laborales dignas o retiraría la adjudicación al país anfitrión», critica Sharan Burrow, secretaria general de ITUC.[420] Ya en noviembre de 2011, la FIFA habría prometido intervenir para mejorar las condiciones de trabajo. «La FIFA ha fracasado», asegura Burrow.

Según los informes, muchos trabajadores llevan meses sin cobrar su salario. Pese al calor extremo, les falta el agua potable. Una exembajadora de Nepal definió el emirato como «una cárcel abierta» para trabajadores inmigrantes; tras una protesta de Catar, la destituyeron de su cargo. El país cuenta con medio millón de trabajadores inmigrantes de Nepal, Sri Lanka y la India, que trabajan en la construcción de estadios, hoteles e infraestructuras. Pero a Catar le corre prisa que las obras avancen. Los analistas suponen que pretenden crear una situación *de facto*: en el caso de que le arrebataran el Mundial, podría reclamar una indemnización enorme. Se estima que los costes del proyecto mundialista superan ampliamente los cien mil millones de euros.

Según *The Guardian*, ITUC calcula que morirán unos cuatro mil trabajadores inmigrantes hasta el comienzo del Mundial 2022. Solo en los primeros cinco meses de 2013, la embajada de la India en Doha habría comunicado la muerte de ochenta y dos trabajadores de su país. La FIFA anunció que se pondría en contacto con Catar, aunque sin admitir su responsabilidad por las condiciones laborales en las obras que se hacen para el Mundial. El comité organizador de Catar anunció una investigación y un código de prácticas. Las autoridades del estado dicen no haber advertido nada de lo que sucedía en las obras principales.

Las circunstancias en torno a Catar hacen pensar que el Mundial todavía podría cambiar de sede. Teniendo en cuenta lo que falta para 2022, no habría problemas de organización que impidieran realizar la Copa en otro país. En el caso de un aplazamiento de fechas, las protestas internacionales serían más bien limitadas, y las asociaciones de fútbol no se opondrían con demasiada firmeza. Solo podría llegar a tener consecuencias en los niveles político y económico.

Así pues, no es descabellado pensar que la respuesta a estas amenazas podría estar en eso que Doha ha creado bajo el nombre de ICSS: una organización financiada por Catar que se ocupa de la seguridad y la integridad en el deporte internacional. «Catar tiene la necesidad estratégica de elevar su posición en el deporte internacional —explica Chris Eaton, que pasó de la FIFA al ICSS. El compañero de ruta de Pieth y Noble revela sin darse cuenta la razón de ser de este centro de seguridad deportiva—: No trabajamos para el Mundial 2022 ni para el gobierno de Catar. Estamos en Catar porque aquí contamos con la voluntad y los medios para financiar nuestra labor.» ¿No se han enterado estos salvamundos del ICSS de cómo eliminaron a Bin Hammam después de una visita de Blatter al emir? ¿Acaso fue una muestra de la integridad y la seguridad en el deporte que el ICSS quiere llevar desde Doha a todo el mundo del fútbol?

El ICSS domina el mercado de la seguridad en el deporte. Ha ganado las licitaciones para la mayoría de los eventos deportivos internacionales de la próxima década. Prestará servicios de seguridad para los Mundiales de 2018 y 2022, y para los Juegos Olímpicos de 2016 en Río de Janeiro. Una persona bien informada de la FIFA en Zúrich dice: «El mercado es terriblemente competitivo. Es un negocio de miles de millones. No es en absoluto normal que una sola firma se imponga de esta manera». El director de un importante organismo en materia de deporte llega incluso a sospechar que la manera en que se hacen las cosas no sería del todo limpia. «El ICSS recibió los encargos como un paquete adicional por el Mundial 2022. Esa fue una de las condiciones.»[421] Los responsables del centro lo niegan. Sin embargo, teniendo en cuenta el momento de desconfianza respecto de la adjudicación de la sede, la situación se vuelve todavía más absurda. Catar es un hierro candente. Y el herrero Blatter ya se ha puesto a forjar.

Rebelión en Brasil: la copa del pueblo

Dilma Rousseff quisiera desaparecer del Palacio de la Aurora, su residencia oficial. Pero eso solo sería posible en la ficción, y aquí todo esto es real. La presidenta de Brasil está expuesta a un huracán de abucheos, lo mismo que Blatter, que está de pie a su lado. Solo que el amo del fútbol ya está acostumbrado, pues muchas veces recibe pitidos de envidia en los estadios. En cambio, a Dilma Rousseff nunca antes la habían abucheado miles de personas. Si hubiera sabido que eso le iba a costar una caída de veintisiete puntos en su popularidad, por dos semanas de fútbol, se habría escaqueado del partido inaugural de la Copa de Confederaciones 2013, de la misma manera que canceló su visita a la final en Río de Janeiro.

Al comienzo del torneo, en medio del estrépito de las protestas, Rousseff se limita a mascullar una sola frase: «Declaro inaugurada oficialmente la Copa de las Confederaciones 2013». Apenas acaba de superar el primer obstáculo, su martirio no ha hecho más que empezar. A su lado está José María Marín, presidente de la Confederación Brasileña de Fútbol (CBF). Heredó el cargo de Ricardo Teixeira, que en 2012 se marchó precipitadamente a Florida. Hasta ese momento, la presidenta ha evitado fotografiarse con Marín, como antes con Teixeira. Pero ahora lo hace: le estrecha la mano a Marín y le sonríe cogiéndole del brazo. Vaya imagen. Dilma Rousseff, que en el pasado acabó en la cárcel por luchar contra la dictadura militar, y Marín, un mimado de los militares. En 1976, Marín elogió con vehemencia al torturador del régimen Sergio Fleury, que además fue el que llevó a cabo la persecución política de Carlos Araujo, marido de Rousseff y padre de su hija. «Araujo ha dicho en varias ocasiones que fue torturado, y Dilma lo sabe», cuenta Juca Kfouri, un referente en el periodismo deportivo de Brasil, y uno de los muchos críticos respecto a los extraños vínculos del fútbol.[422]

Marín niega rotundamente haber denunciado en 1976 a un periodista cultural que acabó asesinado por criticar al régimen. Sin embargo, cualquier negación parece vana a la luz de otro hecho indigno: el robo de una medalla en 2012. Una cámara grabó al directivo cuando, en la entrega de premios de un torneo juvenil, se guardó una medalla de oro en el bolsillo del pantalón.

Y ahora Rousseff y Marín. Las imágenes de esta nueva cordialidad recorren el país y documentan el enlace entre la política y los *cartolas*, como llaman en Brasil a los dirigentes odiados. Rousseff tendrá que vivir con eso.

En el día de la inauguración, los nubarrones se ciernen sobre el estadio de Brasilia. En los alrededores, el panorama también es sombrío. Los ciudadanos llevan todo el día protestando por el contraste entre la precaria situación social y aquel evento deportivo sumamente costoso. En Río y en São Paulo, la gente también sale a la calle. En otras ciudades se produce un fenómeno similar. El Mundial 2014 habría costado once mil quinientos millones de euros como mínimo, y a esto hay que sumar nueve mil ochocientos millones de los Juegos Olímpicos de 2016. Son cantidades descomunales que faltan en otros presupuestos, como el de Educación o Sanidad. Rousseff cede al mercadeo de la FIFA en un momento difícil para la economía brasileña. Los brasileños se dan cuenta de que la promesa del apogeo económico se ha quedado en nada. Si bien el nivel de consumo es más elevado que hace diez años, la clase media debe gastar el doble para acceder a algo mejor de lo que ofrece el miserable sistema público, ya sea en colegios privados, seguridad privada o transporte privado, pues el transporte público no funciona. Lo que encendió la mecha fue el aumento de la tarifa de cercanías en São Paulo. «¡Que baje la tarifa, que pague la FIFA!», gritan los manifestantes. «Mi Mundial se paga con el dinero de Educación y Sanidad», se lee en las pancartas. La rebelión de la ciudadanía indignada contra la autoridad es algo tan atípico en Brasil que hasta los activistas alucinan. Es el caso del profesor visitante norteamericano Christopher Gaffney, de la Universidad Fluminense: «No esperábamos protestas tan masivas como estas. La gente ha tardado en comprender que aquí ha habido un robo, pero mejor tarde que nunca».

El despliegue de seguridad alrededor de los estadios demuestra las dificultades del estado para manejar la situación. Hay furgones blindados por todas partes, además de helicópteros, motos y policías a caballo. Para los uniformados, los fans con la camiseta de Brasil son solo puntos amarillos. Los disturbios se intensifican más y más. Los manifestantes encienden objetos de pirotecnia; los militares y los policías responden con gases lacrimógenos, granadas cegadoras y golpes de porra. Se llevan a cabo detenciones masivas. Paralelamente a los disturbios, en los alrededores de los campos de fútbol, se realizan marchas de protesta en los centros de las ciudades.

En el partido inaugural se ve la fragilidad de la magia del fútbol en Brasil. El estadio Mané Garrincha costó quinientos millones de dólares, y hoy apenas se utiliza. Allí solo se disputan los partidos del Brasiliense, un club de Tercera División que nunca llenará las setenta y una mil localidades; ni siquiera en el partido inaugural de la Copa de Confederaciones se logró reunir a tal concurrencia, y quedaron cinco mil asientos vacíos. Sin embargo, el ostentoso estadio es un edificio emblemático del paisaje urbano inspirado en la arquitectura de Oscar Niemeyer, un monumento en memoria de la obcecada adquisición de un evento deportivo. Este templo del fútbol se remodeló para que se jugaran siete partidos del Mundial; los estadios de Manaos, Natal y Cuiabá tampoco volvieron a utilizarse eficazmente después del Mundial, según critican expertos como Paul Fletcher, exdirector del estadio Wembley de Londres.[423]

La FIFA y los *cartolas* subestimaron la frustración del país anfitrión. Blatter, que confiaba en la reacción habitual de los aficionados, había dicho al periódico *Folha de São Paulo* que todo se calmaría en cuanto el balón echara a rodar. Luego partió de Brasilia rumbo a Turquía, donde se disputaba un Mundial juvenil. Su gobernador, Jérôme Valcke, también puso de manifiesto su flagrante ignorancia política. Cuando los autobuses de la FIFA fueron apedreados en Salvador, el secretario general dijo al diario *O Globo*: «La FIFA no siente que haya hecho nada malo. No somos responsables de lo que sucede aquí». Valcke, a quien se le atribuyen aspiraciones electorales como sucesor de Blatter, deja claro en Brasilia cuán lejos está el planeta fútbol de lo que sucede en la Tierra. Ya en abril se le había escapado una frase que no dejó dudas sobre su cinismo: «Para organizar un Mundial, a veces es mejor que haya menos democracia». Valcke echa en falta a «un jefe de estado fuerte con capacidad de decisión, como lo será Putin en 2018». Las democracias sólidas son un obstáculo para los eventos deportivos. Desde los Juegos Olímpicos de 1936 en Berlín, es bien sabido que también se pueden realizar en otros contextos más favorables, y esto es lo esencial de los Mundiales de 2018 en Rusia y 2022 en Catar. La democracia molesta, ese es el lema en el planeta fútbol.

Blatter, Valcke y compañía confían en vano en el poder del balón. Los disturbios en Brasilia fueron el preludio de un clima social marcado por las manifestaciones, en un país que se mira al espejo y que ya no se contenta con el fútbol.

«No necesitamos un Mundial», se lee en las pancartas. «Necesitamos escuelas y hospitales.» El balón echa a rodar y los brasileños permanecen en las calles, se suben a los tejados de las instituciones de gobierno y ponen en pie a cientos de ciudades; la cantidad de manifestantes aumenta hasta alcanzar el millón. Durante el mundial, Rousseff se ve obligada a dirigirse al país. Promete un pacto de todas las fuerzas políticas que contendrá tres medidas clave: mejorar el transporte público, destinar íntegramente los beneficios del petróleo a la educación y contratar a miles de médicos extranjeros para mejorar el penoso sistema sanitario. No había otra solución. Con la codicia de la fiesta del fútbol, el poder político no solo se encontraba bajo la presión de los *cartolas*, sino también de la sociedad. Hasta entonces nadie se había atrevido a protestar.

A diferencia de lo ocurrido en Pekín o Ucrania, la gente en Brasil siguió protestando. Así, el país fijó un nuevo límite: lo que cuenta es la alimentación, la salud y la educación. Solo la industria de los sueños necesita de la euforia y el marco espectacular del fútbol, pues vive de eso. Así fue como Brasil expuso el negocio millonario del deporte como una pompa de jabón y devolvió el fútbol a ese lugar donde lo sitúa la razón: al margen de toda cuestión relevante, como una cosa de poca importancia. Al mismo tiempo, los brasileños desmontaron el cliché de la samba, los biquinis y el fútbol. Cuando, al final, las calles del país estaban en llamas, retiraron las banderas de la FIFA de la fachada del lujoso hotel Copacabana, situado en la playa del barrio más selecto de Río de Janeiro.

Todo había comenzado como los políticos y los *cartolas* habían imaginado. El día anterior al partido inaugural, en el distinguido distrito de Brasilia Lago Sul, una larga cola despertó la curiosidad de algunos allegados al gobierno. Agentes parlamentarios habían formado fila delante del edificio Centro Sul, donde tiene una oficina la Federación Brasileña de Fútbol. Las acreditaciones que lucían en sus elegantes camisas los identificaban como personal de la Cámara de Diputados. Estaban esperando entradas gratis para el partido inaugural. Se decía que el *lobbista* local de la CBF repartiría un montón de entradas de hospitalidad, con acceso a un bufé de primerísima, y los representantes del pueblo no querían perderse esta ocasión. ¿Acaso no le habían hecho a la FIFA una ley a su medida para el Mundial otorgándole así un poder colonial en el país?

Ente otras cosas, este absurdo decreto especial desplazó a los pequeños comerciantes locales y liberó el camino para los patrocinadores de la FIFA, como la cervecera Ambev, que podía vender su cerveza durante los partidos del Mundial y en los estadios, donde desde hacía años estaba terminantemente prohibida la venta de alcohol a un público que, en ocasiones, se mostraba demasiado efusivo. Y algo todavía más disparatado: el decreto para el Mundial permitía a los Ayuntamientos locales acumular deudas para el Mundial por encima de los límites establecidos por la ley.

En Brasil, la penetración del fútbol y de sus *lobbistas* no tiene límites. Se estima que un tercio de los quinientos trece parlamentarios de Brasilia, y otro tercio de los ochenta y un senadores, tienen vínculos con el mundo del balompié. Y la CBF mantiene a los *lobbistas* ocupados, más aún desde que trascendió que una deuda fiscal de mil cuatrocientos millones de euros se repartiría entre los ochenta clubes profesionales. En los círculos parlamentarios se comentaba que, en lugar de pensar en devolver el dinero, el *lobby* del fútbol lanzó una propuesta a través del ministro de Deportes, Aldo Rebelo, para que la jefa de estado, Rousseff, solicitara la supresión de esta desagradable carga.

Sin embargo, cuando el mundo del deporte se fijó en Brasil, los críticos también saltaron a la palestra y dieron a conocer la contribución obligatoria de todos los sectores a la orgía del fútbol. Con los más pobres, el gobierno no se lo pensó dos veces. Raquel Rolnik, relatora especial de la ONU, expresó que los desalojos forzados a causa de los eventos deportivos constituyen una violación de los derechos humanos. En años anteriores, miles de personas se habían encontrado un día con la nefasta D de «Demolición» pintada en sus casas. Se las echó de su barrio, muchas veces mediante expropiación, tan solo porque vivían cerca de un estadio nuevo o remodelado que sería usado para el Mundial o los Juegos Olímpicos. Mientras tanto, Blatter alababa la arquitectura espléndida de estos templos del deporte. Se hicieron amplios recortes en salud y educación. Los asistentes del diputado Romário de Souza Faria descubrieron cifras descabelladas en la mezcolanza de dosieres gubernamentales. Romário, que había sido un ídolo del fútbol, se lanzó a una carrera fulminante como diputado por los socialistas en Brasilia, y se opuso valientemente a la pandilla del fútbol. Su equipo se puso a buscar debajo de las piedras y descubrió una investigación que llevó a cabo una comisión perteneciente a la presidencia: entre 2002 y 2010, se habrían cerrado casi la mitad de las escuelas, sobre todo en las zonas rurales. Una medida desoladora que arroja una luz diferente sobre el carismático líder político del país, Luis Inácio Lula da Silva, antecesor de Rousseff. El expresidente consiguió para Brasil el Mundial de 2014 y los Juegos Olímpicos de 2016. Durante su mandato de 2002 a 2010, el país experimentó un crecimiento que ha ido perdiendo fuerza. Después del Mundial de 2014, había elecciones en Brasil, y mucho de lo que estaba en juego para los años siguientes tenía su foco de interés en el mundo del deporte. Ni Rousseff ni Lula iban a poner en su lugar a los *cartolas*.

El dominio de los *cartolas* se hizo patente al comienzo del torneo. En un distinguido restaurante celebraron la concesión de la orden de mérito de Brasilia al presidente de la federación, José María Marín. Se esperaba que, en 2014, Marín fuera reelegido en la CBF, a sus ochenta y dos años. Invitó al banquete a todos los *cartolas* de los clubes de primera división y de las federaciones que votarían en 2014. En Brasilia también fue condecorado el adjunto de Marín, a quien él considera su hermano: Marco Polo del Nero. En 2012, la policía nacional había registrado el domicilio y el despacho del abogado de Del Nero, y lo había interrogado. Del Nero aclaró que esta acción policial no tenía nada que ver con su labor como directivo ni con el trabajo de su abogado. Meses antes, Del Nero se había incorporado a la directiva de la

FIFA, en sustitución de Ricardo Teixeira. Se dice que en la época dorada de Teixeira (2000-2001), cuando se investigaban las intrigas de la CBF, considerada «un espacio delictivo donde reinan la anarquía, la incompetencia y la falsedad», la federación brasileña mantenía en la capital una casa como servicio de atención a políticos estresados.

En aquella época, los *cartolas* temían por sus mandatos, pero sus grupos de presión pusieron freno a los investigadores. El más importante de estos se llamaba Aldo Rebelo, miembro del Partido Comunista de Brasil, que estaba decidido a pararle los pies a Teixeira y a meterlo en la cárcel. Hoy en día, es ministro de Deportes y ha firmado la paz con los *cartolas*. Posa muy a gusto ante las cámaras vistiendo las marcas de los patrocinadores de la CBF. Según él, el prometido legado del Mundial para los brasileños consiste en «la alegría» de haberlo podido vivir.

Antes del Mundial, el crítico periodista Juca Kfouri hace un análisis de la situación: «Aquí la clase política está muy, pero muy asustada. En Río, Brasilia y São Paulo los manifestantes no marchan a la deriva, sino que se dirigen a los edificios centrales del gobierno. Es una señal más que clara. Tenemos un problema con nuestros legisladores. Necesitamos un sistema político nuevo». El Mundial será el punto de reencuentro para Blatter, Valcke, Marín, Del Nero y Rebelo.

Es probable que los políticos no solo hayan encontrado oposición en las calles. Durante la Copa de Confederaciones, el procurador general de Brasil, Roberto Gurgel, había intervenido en el Tribunal Superior contra la Ley del Mundial 2014, calificando de inconstitucionales algunos artículos del régimen especial para la FIFA y solicitando su anulación. Las consecuencias fueron enormes. El procurador había apuntado a la inconstitucionalidad de la exención fiscal para la FIFA y los patrocinadores. Los posibles beneficios estimados para la FIFA eran de hasta cuatro mil millones de euros, y los costes del Mundial alcanzarían los once mil millones como mínimo. Es decir, que los poderes públicos cargarían con la mayor parte, en contra de lo que afirmaba el gobierno. En la adjudicación de 2007, se dijo incluso que tampoco se pagarían impuestos por la construcción de estadios. En los privilegios fiscales para la familia del fútbol, Roberto Gurgel no veía «beneficios suficientes, de acuerdo con la Constitución». Según la demanda, se trataba de «un trato preferente totalmente ilegítimo». En los Mundiales de Alemania 2006 y Sudáfrica 2010, ni los políticos ni los jueces tuvieron semejante lucidez. En la próspera Alemania, no supuso un problema, ya que el Mundial sirvió para realzar la imagen nacional. En Sudáfrica, en cambio, sigue reinando la frustración, mientras se investiga un déficit de miles de millones y otras cuestiones pertinentes relacionadas con el Mundial. Desde extravagancias tales como las limusinas para directivos compradas con el dinero del Fondo del Legado (la caja común de los beneficios del torneo), hasta el uso del dinero público destinado a infraestructuras para el Mundial. Los Ayuntamientos de las ciudades mundialistas (Ciudad del Cabo, Johannesburgo, Durban, Puerto Elizabeth y Polokwane) sostienen que las constructoras les estafaron unos trescientos millones de euros y buscan una forma de compensación. Ya son quince las empresas que han admitido acuerdos de cartel y que han aprobado una cantidad compensatoria de ciento diez millones de euros.[424] Pero, año tras año, los municipios gastan millones en el mantenimiento de sus estadios abandonados, sin que se les pueda dar ningún uso. El estadio de Nelspruit está vacío por lo menos trescientos cincuenta días al año. No hay equipos de fútbol en la ciudad. Y el desempleo en la región ha vuelto a alcanzar el cuarenta por ciento, como antes del Mundial.[425]

En Brasil, la Fiscalía General argumenta que «es sencillamente imposible encontrar una razón que justifique un trato diferente tanto para la FIFA como para sus socios». Los órganos legislativos solo pueden consentir tratos preferenciales cuando existe una justificación sólida. Además, Gurgel considera que el principio de igualdad de trato, garantizado para todos los brasileños, se está vulnerando con respecto a otro acuerdo que el gobierno ha aprobado forzosamente: la exención de toda responsabilidad civil por parte de la FIFA en caso de accidentes e incidentes en el contexto de la Copa del Mundo. Absurdo: la obligación de responsabilidad queda suprimida. En opinión del procurador general (y de cualquiera con sentido común) se trata de una arbitrariedad. El principio de «quien contamina paga» no puede ser invalidado así como así y transferido íntegramente a la Administración Pública.

En la Copa Confederaciones, llevar el emblema de la FIFA se volvió un riesgo. Los *cartolas* brasileños desaparecieron después del partido inaugural. Algunos incluso cancelaron sus visitas a los partidos con banquete para los que anteriormente habían conseguido entradas, algo insólito hasta ese momento. Pero los directivos de la FIFA y los patrocinadores invitados no podían desaparecer así como así, ya que habían ido exclusivamente por la Copa Confederaciones. Buscaban soluciones con desesperación: ¿cómo hacer para no quedar expuesto ante las protestas contra eso que ellos siempre habían ostentado visiblemente: su pertenencia a la todopoderosa familia del fútbol?

En Salvador de Bahía, los autobuses de la FIFA fueron apedreados. Algunos miembros de la familia preferían viajar en taxi antes que en coches oficiales. En un hotel donde se alojaban invitados de la federación internacional se destruyeron tres autocares y cuatro limusinas. El torneo estaba a punto de suspenderse, y en consecuencia no habría Mundial.

En la semifinal de la selección brasileña en Belo Horizonte, se reforzó la seguridad. Se cancelaron las fiestas de los patrocinadores y se les pidió a los equipos que limitaran sus salidas. El entrenador de Brasil, Felipe Scolari, pidió furioso a los medios que informaran sobre la supuesta prohibición por parte de la FIFA del entrenamiento de su selección a puerta abierta.

Un representante de uno de los patrocinadores, Kia, informó al portal de noticias UOL de que, como la llegada escoltada de los hombres de estado a los estadios se había convertido en un riesgo, la FIFA había ofrecido medidas de seguridad a sus invitados y socios. Solo el fabricante japonés había invitado a decenas de personas. El portavoz de la firma se negó a confirmar la existencia de un plan B que contemplaba el traslado en otros vehículos que no fueran los de la marca patrocinadora. La escalada de violencia vino a demostrar cuán absurda puede volverse una campaña publicitaria para un anunciante cuando tiene que protegerse del evento que él mismo patrocina, escudándose en otras marcas. En el escenario de protestas de Belo Horizonte, un autobús Kia sufrió daños materiales, y la empresa decidió atrincherarse. Una sucursal de Hyundai también fue destruida. Otras marcas, en cambio, no recibieron ataques de ningún tipo. ¿Casualidad? En la página web de la FIFA pone que la estrategia de márketing del consorcio Hyundai-Kia se basa en «la pasión por el fútbol» de sus clientes, con el objetivo de «crear una relación emocional».

Cuando se produce un desequilibrio en el estado de ánimo, el juego lucrativo con las emociones puede volverse algo delicado. Antes de la semifinal Brasil-Uruguay (2-1), Blatter quería inaugurar un foro llamado «Fútbol para la Esperanza». A pocas horas del partido, la FIFA comunicó que, debido a un cambio imprevisto del lugar de encuentro, la ceremonia inaugural a la que estaban invitados los medios debía cancelarse. Cada aparición pública de Blatter podía convertirse en un detonante. El Foro de la Esperanza se celebró durante cuatro días y a puerta cerrada.

Entonces la FIFA, sumergida en este clima burbujeante, presentó a un nuevo patrocinador: la prestigiosa marca de champán Taittinger, «el champán oficial» del Mundial 2014. El acuerdo efervescente suscitó el escándalo y la FIFA actuó una vez más de manera escurridiza, afirmando que estos ingresos publicitarios se destinarían a donaciones. Queda abierta la pregunta sobre la manera de comprobarlo.

La jefa de estado, Rousseff, llevaba tiempo escondida. Ya no se molestó en acudir a la final que sus futbolistas ganaron a España por 3 a 0. Era evidente su alejamiento de los estadios, donde se desplegaban carteles que ponían *FIFA go home*. Dejando al margen los políticos serviles y los socios publicitarios, la Copa Confederaciones fue una muestra terrible de la soledad del jefe de la FIFA y de su familia. In-

cluso ídolos brasileños de Mundiales pasados, que al principio se habían mostrado fieles y obedientes con los poderosos, se dieron cuenta enseguida de que pactar con los *cartolas* era sumamente perjudicial para su imagen. En un
principio, el gran Pelé se había quejado de las manifestaciones, esgrimiendo la fórmula básica del negocio del fútbol:
deporte y política no tienen nada que ver. «Olvidemos la
confusión en el país —había dicho—, olvidemos toda esta
protesta. Pensemos que la selección es nuestro país, nuestra
sangre.» Después de lo cual la gente de su ciudad natal, Três
Coraçoes, le tapó la boca a la estatua de Pelé con una cinta
adhesiva gruesa y amarilla. La imagen salió en todos los medios y Pelé cambió de postura. Ahora afirmaba haber estado
siempre cerca de la gente y que apoyaba las protestas.

De Ronaldo no se esperaba ese compromiso. El hábil delantero había participado en los debates sociales argumentando que «para un Mundial hacen falta estadios, no hospitales». Es verdad que podría haber visto por donde iban los
tiros, pero, al ser la cara visible del comité organizador, COL,
tenía que encontrar un sitio entre los dos bandos, entre la
marca de champán y los gases lacrimógenos. Así que Ronaldo aguantó que los medios lo llamaran Judas y que se di-
jera que era uno de esos que seguían creyendo que las arcas
públicas las llena Dios.

Después del agitado torneo, algunos analistas como el
profesor Gaffney hicieron un balance: «En estos tiempos, la
FIFA es el imperio colonial por excelencia. La política y el
mercado le proveen las fuerzas y se complacen en prepa-
rarle el terreno. En Brasil exigieron la creación de un gobierno paralelo, que vendría a ser el comité organizador del
campeonato. Además está la Ley del Mundial, que modifica
el derecho nacional del estado. Luego está el contrato por el
cual el país anfitrión hace todo tipo de concesiones a la
FIFA. La federación recauda unos tres mil quinientos millones de dólares, se marcha y deja estadios y espacios públicos
que en el futuro carecen de funcionalidad». Este activista
con residencia en Río ya preveía una protesta social todavía
más intensa para el Mundial 2014: «Eso espero. Blatter dice

que quiere reintegrar a Brasil cien millones de dólares. Eso no es nada en comparación con los tres mil quinientos millones de beneficios.» La FIFA debería convencer a la sociedad de que contribuye al bien común, pero no es que le interese demasiado. «Creo que se alegran de poder ir ahora a Rusia y a Catar, y de no tener que visitar Inglaterra o Estados Unidos.»[426]

Los *cartolas* y la FIFA tienen una espina clavada: Romário. El diputado dirige la Comisión de Turismo y Deportes de la Cámara Baja. Se sabe de cabo a rabo cómo funciona el fútbol mundial, y cuando condena el abuso de los directivos escoge términos con reminiscencias mafiosas. En 2013 lanzó una ofensiva contra la corrupción en Brasil. Él y el ídolo argentino Diego Maradona pusieron a la federación sudamericana, la Conmebol, en el punto de mira. «Lo que pasa en la Conmebol es una vergüenza. Yo creía que no existía una federación más corrupta que la FIFA y la CBF», dijo en la sede del Corinthians de São Paulo donde, en septiembre de 2013, un grupo numeroso de exjugadores y clubes de primera división del continente presentaron una investigación contra la Conmebol. El abogado encargado, Jorge Pereira Schurman, argumentó que en la federación continental se venían sustrayendo los ingresos de los derechos de retransmisión desde 2011, y cifró la suma desaparecida en doscientos cincuenta millones de dólares.[427] «Es evidente que ha habido irregularidades, y no vamos a seguir tolerándolo», dijo Eduardo Ache, presidente del club uruguayo Nacional de Montevideo. Además de Romário y Maradona se encontraban otras viejas estrellas, como el uruguayo Enzo Francescoli, el paraguayo José Luis Chilavert y el brasileño Careca. Según la investigación de Schurman, hasta 2015 la Conmebol dejó escapar unos cuatrocientos treinta millones de dólares por haber rechazado mejores ofertas de contrato. Los negociados con licitadores que presentan ofertas inferiores constituyen un motivo de protesta habitual en el mundo del fútbol. La FIFA también dejó caer en saco roto la posibilidad de obtener contratos más rentables para poder negociar con la ISL, la agencia de la casa. Así salen ganando los directivos, en perjuicio del deporte. «Ya es hora de que los responsables vayan a la cárcel», exigió Romário.

Chilavert, por su parte, dijo: «La Conmebol es una cofradía que vive a costillas de los clubes. Veo que muchos compañeros no pueden permitirse un seguro médico, mientras que los dirigentes se hacen ricos». Maradona calificó el informe como «un hecho grave» y explicó que la mayoría de los clubes de su país no habían participado en el encuentro por miedo al presidente de la AFA, Julio Grondona.[428] El Pelusa fue muy claro al referirse a quien llevaba presidiendo la federación argentina desde 1979 y que había sido el eterno aliado de Blatter: «Vivimos en una dictadura de un mafioso como Grondona que no deja que ningún club se rebele». En ese momento, él y Romário exigían la renovación de la Conmebol, que presidía desde hacía décadas Leoz, el destinatario de los sobornos de la ISL. La iniciativa tenía como objetivos un mayor control y una mayor participación de los clubes en el reparto de los ingresos por la transmisión televisiva de la Copa Libertadores.[429]

¿Adónde fueron a parar todos esos millones? Las fiscalías de Brasil y Argentina habían puesto todo su esfuerzo en resolver enigmas similares, pero las investigaciones no prosperaban, ya sea porque los directivos sabían protegerse, o porque se largaban.

En marzo de 2012, Ricardo Teixeira se había largado a Florida. En agosto de 2013, trascendió que había solicitado residencia en Andorra. Justamente allí donde se depositaron los ingresos del partido de exhibición de Brasil en una cuenta que se atribuía a Sandro Rosell.[430] Andorra es el paraíso de las empresas buzón en los Pirineos, donde se registraron las transferencias de fondos de la ISL para Teixeira. El que quiera residir en este paraíso fiscal tiene que depositar como mínimo cuatrocientos mil euros. En el caso de Teixeira, según informó Catalunya Radio, se acordó una transferencia de cinco millones de euros a la entidad Banca Privada d'Andorra. Los nuevos ciudadanos andorranos deben permanecer en el país, por lo menos, ciento cincuenta días al año. No obtienen el pasaporte ni la nacionalidad, pero tienen derecho a abrir cuentas en el país y efectuar transacciones de dinero. Teixeira, además, podría escaparse de las autoridades brasileñas en el caso de que estas quisieran demandarlo. [431] Andorra no tiene ningún acuerdo de extradición ni con Brasil ni con Estados Unidos. Las autoridades europeas miran con recelo al pequeño país de los Pirineos, ya que sus flujos de dinero suelen tener una procedencia desconocida.

El caso Teixeira se convirtió hace tiempo en el caso Teixeira-Rosell, en el que, además, destacaba la figura de un futuro hombre fuerte de la FIFA bendecido por Blatter: Jérôme Valcke. Todo indicaba que la conexión era una bomba de relojería que ponía en peligro incluso a la FIFA. En Brasil había una demanda contra Teixeira y su socio Rosell, entonces presidente del FC Barcelona. Quienquiera comprender cómo es el mundo del fútbol moderno tiene que fijarse en estos dos. Teixeira llevaba veintitrés años al frente de la federación más famosa del mundo, y Rosell había sido elegido presidente del club más famoso del mundo en 2010. En 2008, el dúo había obtenido beneficios de un partido amistoso entre Brasil y Portugal a través de una empresa llamada Ailanto, creada por Rosell. El dinero provenía de las arcas públicas. Los investigadores querían saber por qué Rosell había hecho una transferencia de 1,7 millones de dólares a la hija de Teixeira, que entonces tenía once años. En febrero de 2013, después de dos años y medio de investigaciones, la fiscalía nacional presentó una demanda contra Ailanto y contra Rosell. El tribunal penal número 8 de Brasilia fijó una fecha para la vista. [432]

Rosell dijo que eran acusaciones antiguas y sin pruebas. Según él, nunca recibió una citación de un tribunal. [433] En agosto de 2013, declaró en Catalunya Radio que, en el asunto de Brasil, él solo había cobrado sus honorarios. Rosell negó también que hubiera ayudado a Teixeira a conseguir la residencia en Andorra. Pero aparentemente tenía una gestoría allí que habría tramitado el permiso de Teixeira. «¿Cuál es el problema? Él ya había renunciado a su residencia en Estados Unidos.» [434] A finales de 2013, el paraíso fiscal entorpeció el plan manifiesto de Teixeira de exiliarse en los Pirineos para evitar una posible extradición. Según el *Diari d'Andorra*, las autoridades le negaron la prórroga del visado. La razón oficial fue que no pasaba tiempo suficiente en el principado. Y eso que se había comprado una casa allí con la ayuda de su socio Rosell.[435] Solo después del prestigioso Mundial de 2014, Teixeira empezó a verse seriamente amenazado por una persecución penal.

Por su parte, Rosell se veía envuelto en rumores. Había ligado al FC Barcelona con Catar y, por primera vez en la historia, los jugadores del club lucían publicidad en las camisetas. El acuerdo se firmó hasta 2016 (año en el que Rosell debería haber acabado su mandato), días después de la concesión del Mundial 2022 a Catar. El Barça recibió ciento sesenta y cinco millones de euros. Un sector de los aficionados empieza a desconfiar de este negocio con el que Rosell llegó a la presidencia. Se reúnen pruebas que demuestran que el acuerdo publicitario es menos lucrativo de lo que parecía. Al parecer, en el paquete están incluidos los derechos publicitarios dentro y fuera del estadio, un partido de exhibición y la presencia de logos en la ropa de tiempo libre de los jugadores. En el entorno del club, también se especula con que el futbolista estrella Neymar, adquirido por el Barcelona en el verano de 2013, habría costado más de los cincuenta y siete millones de euros que se da como precio oficial. Ese año, poco antes de la Navidad, el juez español Pablo Ruz reacciona ante una demanda y le da a Rosell un par de días para que revele cifras y contratos de los últimos tres años, para dilucidar si hubo un desfalco de cuarenta millones de euros en la operación Neymar. Rosell lo niega. Entonces, ¿cuánto costó Ney? ¿Más de cien millones, como publicó El Confidencial?[436] Según Rosell, diecisiete millones fueron a parar al FC Santos y cuarenta millones a una empresa que posee los derechos de transferencia de Neymar y que dirige el padre del jugador. El acuerdo incluía opciones de compra para tres talentos del FC Santos por 7,9 millones de euros y una prima de dos millones en el caso de que Neymar fuera finalista del Balón de Oro en el plazo de dos años. Y además: dos partidos amistosos entre el Barça y el Santos por nueve millones de euros. ¿Algo más? Los partidos amistosos son una especialidad de Rosell. Antes de los problemas que surgieron por la operación Neymar, habían salido a la luz nuevos detalles impactantes sobre su conexión con su amigo Teixeira. Todo indicaba que los peores rumores sobre el dúo podían llegar a confirmarse. El periódico *O Estado do São Paulo* informó de que, a partir de 2006, las retribuciones por los partidos de exhibición de la selección brasileña ya no se pagaban a la CBF, sino a una empresa privada con sede en Nueva Jersey. Esta agencia se llamaba Uptrend Development LLC y estaba registrada a nombre de Alexandre R. Feliu, el nombre oficial de Sandro Rosell. La ISE (Internacional Sport Events) era la empresa propietaria de los derechos de los partidos amistosos de la selección brasileña, y la que depositaba el dinero de las comisiones directamente en Estados Unidos. Detrás de esta empresa con residencia en las Islas Caimán había conocidos inversores de Catar y Arabia Saudí. Quien quisiera contratar a la selección pentacampeona y más solicitada del mundo para un partido amistoso tenía que pagarle a la ISE, y no a la Federación Brasileña. Antes, estos partidos eran la principal fuente de ingresos de la CBF, pero en 2012 el presidente Teixeira, antes de renunciar a todos sus cargos y marcharse a Miami, había vendido a precio de ganga los derechos de la *canarinha* para partidos de exhibición hasta 2022: a la ISE. Teixeira seguiría manteniendo con la CBF una relación profesional muy bien remunerada.[437]

La ISE, compradora de los derechos, le habría pagado a la agencia de Rosell, Uptrend Development, las comisiones por veinticuatro partidos amistosos. Según el *O Estado do São Paulo* existía un precontrato entre ambas partes que así lo preveía y que pone al descubierto un plan de desfalco. La Federación Brasileña tenía que recibir 1,6 millones de dólares de la ISE por cada partido de la selección, pero solo le llegaban 1,1 millones. Unos cuatrocientos cincuenta mil dólares iban a parar a la empresa estadounidense, supuestamente por haber prestado servicios de publicidad y promoción. Sin embargo, la empresa que prestaba este servicio para los partidos amistosos de Brasil no era Uptrend Development, sino la agencia suiza Kentaro, que llevaba tiempo ocupándose de la promoción junto con la ISE, según confirma la página web de la agencia (aunque parece que otra empresa había asumido su función). Lo significativo es la referencia del periódico paulista al precontrato existente, según el cual Rosell cobraría casi once millones de dólares por los veinticuatro partidos amistosos de la *canarinha*. ¿Por qué? ¿Para qué?

Si se suman las acusaciones en Brasilia y la conexión en Andorra, aumenta la sospecha de que los negocios turbios de Rosell y Teixeira con los derechos del fútbol tenían un método, y que la participación en esta trama merecía la pena para todos aquellos que estaban interesados en que la sede mundialista se le adjudicara a Catar, pues los inversores árabes que estaban detrás de la ISE, a la que Teixeira alimentaba con los derechos de la CBF, tenían el ojo puesto en el Mundial 2022 y prestaban atención a los rumores incesantes sobre una adjudicación oscura.

Hay más hechos llamativos. Este modelo que se valía de la selección brasileña como fuente inagotable de recursos lo adoptó el presidente de la AFA, Julio Grondona, que lo aplicó con su propia selección nacional. Sobre esto también informó el *O Estado do São Paulo*. Grondona, número dos de la FIFA, era el único directivo honorario que también estaba autorizado como «signatario» de la federación internacional. Por supuesto que Grondona, cuyos negocios turbios interesaban a la Fiscalía de Buenos Aires, negaba todas las acusaciones. Pero ¿acaso no se jugó un partido absurdo en Catar pocos días antes de la adjudicación de la sede mundialista? Argentina contra Brasil, bajo una neblina de noviembre, en el golfo Pérsico. Las federaciones habrían recibido más de cinco millones de euros por ese encuentro.

¿Y en qué consiste la misteriosa ISE, ese constructo de inversores árabes registrado en el Caribe que posee los derechos de los partidos amistosos de la selección brasileña? El nombre ISE también aparece en el contexto de los supuestos sobornos a Bin Hammam, el malogrado opositor de Blatter al que suspendieron de por vida en 2012. El catarí había presidido la Federación Asiática durante muchos años. Después de su caída, en la sede de Kuala Lumpur se llevó a cabo una amplia revisión de cuentas. Según los informes de la policía malaya, habían desaparecido documentos que probaban un pago millonario de la ISE a Bin Hammam. Teniendo presente este y otros pagos en los que formó parte la trama de empresas del jeque Saleh Kamel, un viejo conocido de la FIFA, la auditora Pricewaterhouse Cooper, informó sobre un «riesgo de blanqueo de dinero». El largo brazo empresarial de Kamel también se encuentra detrás de la ISE.

Hay más misterios en torno a la parejita Teixeira-Rosell. A partir de 2010, la Fiscalía Nacional de Brasil empezó a seguir las idas y vueltas en las transacciones de un Cessna que había llegado al país desde un paraíso fiscal.[438] La sospecha: blanqueo de dinero mediante la compra y venta reiterada de esta avioneta, que supuestamente se había usado como parte del pago de un acuerdo publicitario en 2007, cuando la aerolínea brasileña TAM le había mendigado un contrato de patrocinio a la CBF de Teixeira. El avión cambia sucesivamente de dueño. De la Ailanto de Rosell pasa a las manos de una segunda empresa del amigo Teixeira, y luego vuelve a aterrizar en los dominios de su propietario original, donde lo adquiere un ejecutivo de TAM.

La aerolínea TAM se retira cuando trasciende que el pago de las cuotas anuales de patrocinio por siete millones de dólares no se efectuaba a la CBF, sino a las empresas de los amigos de negocios.[439] Algunas cuentas referentes a otros catorce patrocinadores actuales (entre ellos, Volkswagen) tampoco están claras. En 2012, la CBF facturó ciento doce millones de dólares en total. Romário quiere que una comisión parlamentaria investigue qué contratos firmó Teixeira. Las sospechas se basan en un contrato que firmaron él y Rosell, cuando este era director de márketing de Nike en Latinoamérica. Una comisión que investigaba este acuerdo averiguó que Nike podía decidir tanto las fechas de los partidos como los rivales, y hasta la alineación de ocho jugadores en el equipo titular.

El secretario general de la FIFA, Jérôme Valcke, pasaba algunos fines de semana con Rosell y Teixeira en la residencia de lujo del brasileño, adonde se hacía llevar en helicóptero.[440] Durante el medio año en que estuvo fuera de la FIFA, después de que lo despidieran por el lío con Mastercard y antes de que volvieran a contratarlo, Valcke ayudó a Teixeira a confeccionar el dosier para el Mundial de Brasil 2014. Poco tiempo después se concretó la adjudicación. En el mundillo, muchos presumen que Valcke, ese hombre intocable que siente debilidad por la dictocracia, es el hombre que Blatter elegirá como sucesor. Valcke niega conocer secretos de su jefe y que estos supuestos conocimientos lo hayan favorecido en su curiosa trayectoria. Sin embargo, admite que su relación con Platini se ha deteriorado. El francés cree que Valcke podría presentarse como sucesor al trono de la FIFA y que podría ganar las elecciones a la manera de Blatter. Para la FIFA sería la misa de coronación perfecta: un exdirector de mercadotecnia y televisión que no quiere saber nada con el fútbol, que es más bien un apasionado del esquí y el *kick boxing*.[441]

Además, si Valcke fuera el sucesor de Blatter, ¿no mantendría oculto todo aquello que no conviene que se sepa? Porque incluso el fantasma de la ISL sigue estando presente. Valcke es el hombre que tras la revisión de los libros de la ISL fue acusado de chantaje. Teixeira recibió millones de la entidad, y Rosell fue gerente de la ISL en España, donde siguió dado de alta en el Registro Mercantil hasta que asumió el cargo de presidente del FC Barcelona en 2010. Lo mismo que gente como Jean-Marie Weber, el hombre de los maletines, y otros personajes de la trama de la ISL.

En la futbolera Cataluña, hay cada vez más empresas asombrosas, y a menudo se comprueban conexiones entre las personas que están detrás de ellas. Además de la filial de ISL Marketing España SA, está la FIFA Beach Soccer S. L., donde Jérôme Valcke figura como presidente. Pese al nombre, solo un setenta por ciento pertenece a la FIFA. El treinta por ciento restante es de una firma llamada Beach Soccer Worldwide S. L., que dirige el español Joan Cuscó, que al mismo tiempo es directivo en la FIFA Beach Soccer que preside Valcke y trabaja en la FIFA como asesor. En relación con el Mundial de Fútbol Playa de 2013 en Tahití, la FIFA expresó lo siguiente: «Cabe destacar una exposición a cargo de Reynald Temarii sobre el desarrollo del fútbol playa [...] y el legado que dejará este Mundial de Fútbol Playa 2013. Además resultó muy interesante la presentación de Joan Cuscó, vicepresidente de Beach Soccer Worldwide y asesor especial de la Comisión de Fútbol Playa de la FIFA, quien habló sobre su amplia experiencia en la difusión de este deporte comercializable». Sin duda es comercializable. Y el gran organizador Temarii es uno de los miembros ExCo que la FIFA suspendió por corrupción antes de la concesión de los Mundiales a Rusia y Catar.[442] Le cayó un año.

De modo que Barcelona es el centro de negocios del fútbol playa, un deporte en el que el equipo de Brasil también destaca. Por eso no puede sorprender demasiado que aquí también exista una conexión empresarial directa entre Rosell y este deporte en el reino de Teixeira. En los registros judiciales de São Paulo del 12 de septiembre de 2013, consta que su controvertida empresa Ailanto está ligada a la Federación Brasileña de Fútbol Playa. El Tribunal Civil número 12 advierte que la federación tendría que pagarle a Ailanto una suma (no especificada) por los servicios prestados.[443]

La debilidad de Rosell por el fútbol playa no solo sorprende en Brasil. En el FC Barcelona también ha provocado el debate. En 2011 se creó la sección de fútbol playa y se eliminó la de béisbol, que contaba con setenta años de antigüedad en el club. ¿Cuánto habrá tenido que ver la urgencia del fútbol playa con el hecho de que el socio Teixeira dirigiera la comisión de este deporte en la FIFA hasta su salida?

Las conexiones árabes de Rosell también plantean interrogantes. A través de su firma Bonus Sport Marketing (BSM), estableció estrechos vínculos con Catar que resultan determinantes en el escándalo de Ailanto en Brasilia. La BSM ayudó a Catar en la creación del proyecto Aspire. Antes de las elecciones presidenciales en el FC Barcelona, un candidato opositor advirtió que las actividades de Rosell en el márketing deportivo y su compromiso con la Academia Aspire de Catar podrían generar conflictos de intereses. Rosell afirmó que en Catar solo dirigía un proyecto solidario y que vendería la BSM en cuanto asumiera la presidencia del club. Pero eso no ocurrió de inmediato, lo que también generó críticas por la falta de transparencia. Sobre los detalles de la venta, no se dijo nada. No sorprende que el nuevo propietario sea un empresario saudí, del grupo Al Baraka (DAG). Este grupo también pertenece a la ISE, propietaria de los derechos de la selección brasileña y beneficiaria de la empresa de Rosell en Estados Unidos. De pronto se dijo que el nuevo dueño era TAG, una firma con sede en Catar. Sin embargo, los extractos del registro mercantil muestran que la BSM fue a parar a manos de otra empresa con residencia en un país árabe, la Sport Investment Offshore, fundada meses antes en el Líbano. Las oficinas de la agencia en Barcelona permanecieron en el edificio donde también figura el domicilio de Rosell.[444]

En la trama de Rosell, además de la BSM, está integrada la firma Bon Us S. L. Si bien, en este caso, los papeles no revelan quién está al frente, la empresa aparece como copropietaria de una firma registrada en Polonia, en la que está un íntimo amigo de negocios del socio de Rosell. Este catalán también figura en la Comptages S. L., la gestoría de Rosell con sede en Andorra que realizó trámites para Teixeira. Además, el socio catalán de Rosell es consultor financiero en la villa andorrana Sant Julià de Lòria, donde Teixeira se hizo empadronar.[445]

Andorra. De este estado que limita con Cataluña, salieron millones para Suiza. Allí iba a parar el dinero de los partidos amistosos de la *canarinha,* en lugar de enviarse a la Federación Brasileña. Teixeira, que primero se había fugado a Miami mientras estaba siendo investigado, buscó refugio en el Pirineo. Queda una pregunta: ¿quién figura como P5 en el documento de la ISL, en el que se menciona a Blatter con la abreviatura P1? Se trata de la persona que hacía las transferencias para Teixeira desde Andorra.

El portador de maletines se llamaba Jean-Marie Weber.

Teixeira era un beneficiado. ¿Y Rosell? En los años noventa, antes de su periodo con Nike en Brasil, fue mánager de la ISL: gerente en España de la empresa suiza ISL. El grupo también operaba para Grondona en Argentina, donde se creó otra filial de la ISL. Solo que mientras esta desapareció en la red de Grondona después de la quiebra en Suiza, la ISL española sobrevivió. Según el Registro Mercantil, Rosell solo fue borrado de la ISL España en 2010, poco antes de que accediera al cargo de presidente del Barça. Junto con él figuraba otro viejo conocido del caso ISL: Weber.

Cuando le preguntaron si alguna filial de la ISL había sobrevivido al crac de la central en Zug y si tenía relación directa con el caso, respondió: «Eso queda descartado».[446] Fue en Buenos Aires, donde Weber merodeaba por el hotel en el que se alojaba el Comité Olímpico Internacional. Rogge, el presidente saliente del COI, le había prohibido la entrada, pero ahora habían elegido a un sucesor, que, según Weber, era un viejo conocido: Thomas Bach. Weber esperaba que le retiraran la sanción. Como debe ser en una pequeña familia de directivos que gobierna el deporte desde hace décadas.

El ocaso de los dioses

27 de mayo de 2015, seis de la mañana. El sol ha vuelto a conquistar el cielo sobre el lago de Zúrich. Por primera vez en varios días se anuncia una jornada radiante. Y sobre todo para el fútbol mundial será un día especialmente bonito. Los altos directivos de la federación mundial de fútbol salen por la puerta trasera del Baur au Lac, protegiéndose de las miradas de los curiosos con sábanas de una blancura inocente, como esas sobre las que dormitaban hace un instante en las habitaciones del hotel. Es el último detalle que el personal del lujoso hotel de Zúrich ha podido tener con estos huéspedes. Fuera los meten en los asientos traseros de coches particulares de la policía para llevárselos. Desde el hotel de cinco estrellas a orillas del lago se los transporta directamente para ser extraditados, por petición del FBI. Las autoridades suizas mantienen sus estrechos lazos de cooperación con la policía de Estados Unidos. Y al cabo de poco tiempo ya se sabe que entre los detenidos hay dos vicepresidentes de la FIFA: Jeffrey Webb y Eugenio Figueredo.

En total se vieron afectados siete altos cargos de Centroamérica y Sudamérica. Supuestamente los investigadores también querían hacerle una visita a un importante directivo europeo: Ángel María Villar, vicepresidente de la FIFA y la UEFA. Pero ese día el español estaba en Varsovia para presenciar la final de la Europa League. A los otros siete directivos latinoamericanos los llevaron a Estados Unidos y otros sitios. Entre los detenidos y buscados hay dos capos de Brasil: Ricardo Teixeira, que huyó de Miami a su país, y José María Marín. A este último lo trincaron en Zúrich. Su colega Marco del Nero se escapó antes del congreso electoral rumbo a su país, supuestamente porque allí lo necesitaban, según le dijo a los periodistas que lo aguardaban en el aeropuerto y que no le creyeron. Los expedientes del FBI constan de denuncias de todo tipo. En el caso de los brasileños se trata de una extensa lista de delitos relacionados con el lavado de dinero y el crimen organizado. Algo similar se da en el lado argentino. El FBI también tenía la vista puesta en el absurdo partido amistoso que disputaron las dos selecciones en Doha, en el otoño de 2010, poco antes de la concesión del Mundial a Catar, por el que solo la CBF cobró dos millones de dólares. La policía de Estados Unidos estaba investigando cuántos millones fueron en realidad, cuánto dinero para Teixeira y cuánto para el directivo argentino. Lo que facilitó el trabajo fue que pronto otros directivos y vendedores de derechos buscados por la Interpol fueron capturados. El 9 de junio se entregó en Italia Alejandro Burzaco, de la agencia argentina Torneos y Competencias, exmano derecha de Julio Grondona. El propio don Julio, uno de los grandes peces gordos del fútbol, no llegó a vivir el batacazo de la FIFA, ya que falleció el 30 de julio de 2014. Con la captura de Burzaco se logró abrir una vía de investigación que condujo hasta Argentina, y de vuelta a Europa. Pues al igual que en el caso de Teixeira, cuyas actividades empresariales con Sandro Rosell interesaban al FBI, también hay rastros de Grondona en el mundo de los negocios en España. Y en el reino de los hermanos mexicanos Byrom, la agencia camuflada de la FIFA, a la que también se le concedió la venta de entradas y otros negocios jugosos para el Mundial de 2018.

En todas estas investigaciones participaron más de treinta países y la sintonía internacional tuvo una importancia crucial. El FBI sigue la pista de operaciones de lavado de dinero, fraudes y delitos en el orden internacional. El Ministerio de Justicia de Estados Unidos habla de «décadas de corrupción en los más altos niveles del fútbol». Desde los años noventa se habrían pagado como mínimo ciento cincuenta millones de dólares en sobornos, en los que también estarían involucrados directores de empresas. En la primera etapa las investigaciones apuntaban principalmente a la concesión de derechos en todo el territorio americano. Las cuentas en diferentes bancos, a través de las cuales supuestamente se realizaban negocios dudosos, fueron canceladas a petición de la Oficina Federal para la Justicia de Suiza. Y el día de la intervención del FBI, en una conferencia de prensa, la ministra de Justicia norteamericana, Loretta Lynch, exigió a la FIFA una renovación desde la raíz. Este mensaje transmitido solo dos días antes de las elecciones de la FIFA estaba dirigido claramente al eterno patrón, Sepp Blatter.

Ese mismo día, la Fiscalía General de Suiza hace su entrada en la sede de la FIFA en la colina de Zúrich, con el propósito de «confiscar datos y documentos electrónicos», concretamente los expedientes de las concesiones de los Mundiales a Rusia y Catar, que están bajo sospecha de corrupción desde el mismo día en que se anunciaron, el 2 de diciembre de 2010. Todo esto resultó especialmente inoportuno para Blatter. La intervención del FBI ante la prensa mundial reunida en Suiza terminó de arruinar la imagen de la FIFA, así como también los planes de Blatter para el futuro.

Sin embargo, el hombre obstinado de 79 años fue elegido para su quinto mandato al cabo de dos días, pese a la resistencia de una UEFA exasperada. Y tras el último beso fraterno y cuando la fiesta familiar ya se había acabado, el patriarca amenazó con vengarse de todo aquel que se había negado a seguirlo. «¡Yo perdono, pero nunca olvido!» Pero cuatro días después de su reelección, Blatter comunicó que al cabo de pocos meses pondría su cargo a disposición. Y con esto ya no quedaron dudas de que las investigaciones del FBI habían dado sus frutos. Los medios estadounidenses incluso informaron de que ya se estaba investigando a Blatter, aunque las autoridades todavía no lo habían confirmado.

Como sea, está claro que Blatter asumió una vez más su mandato para poder arreglar todo lo referente a su salida desde el despacho presidencial y como mejor le conviniera. Y para influir sobre el segundo asunto más importante: su sucesor. Lo que recuerda a la salida de Havelange.

Ayudas al desarrollo para un supermercado

Retrospectiva. 25 de noviembre de 2013. En el Palacio de Justicia de Brooklyn, el honorable juez Raymond J. Dearie se tomó su tiempo. Hizo cerrar con llave la sala del tribunal, como es debido. Los funcionarios del FBI y de la Agencia Tributaria estadounidense habían tomado asiento y esperaban impacientes. Pero antes el juez preguntó por el estado del imputado. Chuck Blazer estaba frente a él, sentado en una silla de ruedas, y padecía cáncer de colon.

A continuación Dearie fue directo al grano. Le explicó a Blazer que, según la justicia norteamericana, se consideraba a la FIFA una organización RICO, una organización donde el chantaje, la extorsión y la corrupción forman parte de la actividad empresarial. Y Blazer confesó que como directivo había participado por lo menos en dos ocasiones en actividades de chantaje. Además, él y otras personas habrían aceptado «sobornos y comisiones» en el marco de la adjudicación de las sedes mundialistas para 1998 y 2010, y de la concesión de los derechos televisivos y otros derechos para los torneos de la Copa de Oro de 1998, 2000, 2002 y 2003.

El juez y el acusado repasaron rápidamente las actas. Blazer confesó transferencias de dinero ilegales y admitió todas las acusaciones. La transcripción del interrogatorio permitía suponer que las cosas pronto iban a complicarse para la FIFA. Las páginas 35 y 36 de este documento solo contenían un bloque de texto oculto. De momento las respuestas de Blazer a las preguntas de Dearie no se habían hecho públicas. «¿Desea añadir algo más?» De la réplica del juez a las alegaciones de Blazer solo dejaron una línea sin ocultar: «Fijaremos una cita para finales de año». Es decir, a finales de 2014.

Las declaraciones de Blazer publicadas por las autoridades estadounidenses pusieron a la FIFA en un gran aprieto. El exdirectivo de la federación dijo que había recibido dinero de Sudáfrica para el Mundial de 2010. Unos diez millones de dólares que en 2008 fueron transferidos al Caribe a través de la sede central de la FIFA en Zúrich. Tanto la FIFA como Sudáfrica negaron que se tratara de una maniobra de corrupción. El dinero se habría destinado a un proyecto de desarrollo. Precisamente dos años antes del comienzo del Mundial, un país pobrísimo como Sudáfrica no habría tenido una idea mejor que donar a la Concacaf de Blazer y Warner más de diez millones de dólares para que fueran destinados a una parte de la comunidad futbolística del Caribe con raíces africanas. El dinero llegó a las cuentas de la federación de Warner a través de la central de la FIFA en Zúrich. Los fondos se habían desviado de un pago de la federación internacional para el organizador del Mundial 2010. Por eso el FBI empezó a averiguar quién había firmado esa transferencia y quién estaba al corriente. La verdad salió a la luz a duras penas y con cuentagotas, como siempre ocurre cuando se trata de la FIFA. Primero nadie sabía nada, luego se dijo que el fallecido Grondona, exjefe de finanzas, había ordenado el pago. Y después el *Sunday Times* de Sudáfrica publicó un correo electrónico del secretario general Jérôme Valcke del 7 de diciembre de 2007 enviado al gobierno del país, en el que reclamaba el pago millonario para la federación de Warner y presionaba con firmeza señalando que su presidente (Blatter) y el entonces jefe de Estado de Sudáfrica, Thabo Mbeki, también habían participado en la discusión sobre ese pago. Ante este documento la FIFA admitió: vale, vale, Blatter estaba al tanto. Pero que tuviera conocimiento no significaba que el jefe también estuviera involucrado en el asunto. Se trataba más bien de una acción benéfica y en ningún caso podía considerarse un soborno a cambio de la elección de Sudáfrica.

En cambio para el FBI, e incluso para Blazer, el pago viene a ser otra cosa. Concretamente una compensación por los votos de Blazer y de «los conspiradores 1 y 3» en el marco del acuerdo para la adjudicación de la sede mundialista en la FIFA. El conspirador 1 es Warner. Según Blazer, los demás candidatos ofrecieron menos que Sudáfrica. Para la Copa del Mundo de 1998 Blazer y sus cómplices también recibieron dinero, según salió a la luz en la sala del tribunal presidida por Dearie. Aquella vez por cuenta de Marruecos, país que finalmente fue derrotado, ya que la sede del torneo se le adjudicó a Francia.

El 27 de mayo el FBI también hizo detener a Warner en Trinidad. Cuando Warner salió bajo fianza, la Interpol dictó una orden de busca y captura contra él (qué pequeño es el mundo), para evitar que huyera al extranjero. En Puerto España el hombre de los escándalos volvió a hacerse el chulo. En una aparición en los medios, por la que había pagado, Warner declaró: «¡Ni siquiera la muerte puede frenar una avalancha!». Un anticipo explosivo de lo que vendría, enviado a sus compañeros de partido a través de un mensaje televisivo, según el cual la FIFA habría apoyado su Independent Liberal Party en la campaña electoral de 2010. Supuestamente los directivos de la FIFA lo sabían. También Blatter; así lo afirmó Warner. Paralelamente, la policía australiana empezó a investigar la concesión de la sede mundialista. Y una vez más estaba metido Warner. En una carta el presidente de la federación, Frank Lowy, hizo referencia a un pago de medio millón de dólares a la Concacaf. Supuestamente era un pago para proyectos de desarrollo. Más tarde se supo que Warner había cometido malversación con ese dinero. Lowy se lamentó explícitamente de las recomendaciones de la dirigencia de la FIFA de contratar asesores para las candidaturas, que, dicho suavemente, resultaron ser ineficaces. Dos de los tres lobbistas de Australia, que en total habrían cobrado 9 millones de euros, fueron Fedor Radmann (íntimo de Beckenbauer) y su socio alemán Andreas Abold. Franz Beckenbauer dijo no saber nada sobre chanchullos en la directiva de la FIFA durante las concesiones de los Mundiales a Rusia (2018) y Catar (2022). «En temas de corrupción —dijo en 2014— no soy el interlocutor ideal.»

Las investigaciones demostrarán si es así. Mientras tanto, Warner y Blazer también participaron en estas dos elecciones de sedes para el Mundial y podrían haberse beneficiado de sobornos. Como testigo arrepentido Blazer había trabajado incluso en misiones de espionaje. En 2012 habría tramado un encuentro de directivos al margen de los Juegos Olímpicos de Londres y grabado la reunión para el FBI, utilizando un micrófono oculto en un llavero.

Ante la presión de la opinión pública, la FIFA se había dedicado a investigar brevemente si en las concesiones de las sedes para los Mundiales se obraba de una manera totalmente limpia. Las conclusiones de su propia investigación, dirigida por el jefe inspector García: todo limpio, ningún indicio de corrupción. O al menos así fue como el juez ético Eckert interpretó el informe.

Esto provocó duras críticas, sobre todo porque García había llegado a documentar flujos de dinero enviados por Catar a directivos de África y Asia. Y porque el equipo de la candidatura rusa no cooperó en absoluto. No facilitó ninguna clase de datos, con el rebuscado argumento de que los ordenadores que había usado para la candidatura (nada menos que para ese negocio de millones que era el Mundial 2018) habían sido alquilados vaya a saber dónde, y que tras su devolución el dueño había borrado todos los datos.

García se enfureció tanto con las conclusiones de la FIFA, y en especial con su complaciente juez ético, el alemán Hans-Joachim Eckert, que renunció protestando duramente. Quién sabe si a partir de ahí colaboró con las investigaciones de Estados Unidos. La mujer de García es agente del FBI.

La predisposición ilimitada de Jack Warner también se pone de manifiesto en el caso de los misteriosos cien millones donados por la pobre Sudáfrica. Mientras Warner, interrogado por los periodistas de Trinidad, no puede mencionar un solo proyecto de desarrollo al que haya ido a parar el dinero de la FIFA, el camino del dinero puede seguirse a través de extractos bancarios. La FIFA había realizado tres transferencias para enviarle el dinero a Warner. La primera de 616.000 dólares (4 de enero de 2008), luego una de 1,6 millones de dólares (1 de febrero) y finalmente el resto, la mayor parte de 7,78 millones, el 10 de marzo. Después se produjo un exceso de movimientos bancarios, extracciones en efectivo y pagos con tarjeta. Y un clásico modelo del lavado de dinero: solo 4,86 millones de dólares fueron a la cadena de supermercados JTA. Según los investigadores norteamericanos, este dinero habría llegado finalmente a Warner, «en moneda local» (BBC, 7 de junio de 2015).

El préstamo personal más grande que Warner se dio a sí mismo fue de 410.000 dólares, y el mayor pago con tarjeta de crédito fue de 87.000. El ministro de Deporte, Brent Sancho, dijo sentirse «destrozado, pues ese dinero estaba destinado al desarrollo del fútbol y a los niños que practican este deporte». Todo era como una gran «burla». Warner supuestamente tuvo que responder a muchas preguntas, y como de costumbre negó todas las acusaciones.

Poco después se reunió con el siguiente candidato. Antes de la concesión de la sede para el Mundial 2010, Warner habría pedido dinero a Egipto. «No podía creer que la FIFA fuera tan corrupta —dijo el exministro de Deportes Aley Eddine Helal—. Antes de la elección, Warner pidió 7 millones de dólares.» Helal siguió explicando que Warner le había presentado su propuesta al jefe de la federación egipcia, El Dahshori, durante un encuentro en los Emiratos Árabes. Sin embargo Egipto no había pagado (*The Guardian*, 7.06.15). En 2004 el país no recibió ningún voto de la directiva de la FIFA.

Algo todavía más absurdo: de pronto surgieron dudas sobre si este Mundial realmente se le había concedido a Sudáfrica por mayoría de votos. Periodistas del *Sunday Times* de Londres andaban con cámaras ocultas. Esta vez cayó en la trampa el exdirectivo Ismail Bhamjee. Como es sabido, el hombre de Botswana también cayó en la videotrampa durante el Mundial de Alemania, cuando intentaba vender entradas en el mercado negro. La FIFA lo suspendió y lo mandó para casa.

En esta ocasión Bhamjee dijo que en la adjudicación de la sede a Sudáfrica, el país favorito de Blatter, fue Marruecos el que obtuvo la mayoría durante la votación, lo que habría dado lugar a conversaciones posteriores en el círculo de directivos en Zúrich. Bhamjee también dio detalles acerca de sobornos por parte de la candidatura marroquí, como asimismo de supuestos enredos de Warner con Marruecos y Sudáfrica. En el vídeo se dice que Marruecos ofreció 300.000 dólares a cada delegado africano. Warner no habría mostrado interés. Para una oferta más elevada se habría dirigido a Sudáfrica.

Las primeras exposiciones de los juristas estadounidenses preocuparon aún más a la FIFA. Según estas, las autoridades judiciales podrían actuar contra la federación, en tanto que podría probarse que existe una cultura de cohecho en la organización. Aquí sientan precedente los procesos contra la banca internacional. Si las cosas se ponen feas, la FIFA tendría que pagar una multa elevada para comprar su libertad, lo que podría hacer que se evaporen sus reservas, estimadas en 1.400 millones de dólares (*Schweiz am Sonntag*, 7.06.15).

En realidad, según la legislación estadounidense, la complicidad con la corrupción ya es suficiente para acabar en el molino de la justicia. Eso también se lo explicó el juez Raymond Dearie al testigo arrepentido Blazer en 2013, en una sala del Tribunal de Brooklyn.

Y con estas palabras comienza el ocaso de los dioses para Joseph S. Blatter.

Conclusión

*T*odavía hay una esperanza para el fútbol: que exploten todas las minas en el monopolio de la FIFA, una federación que puede seguir invirtiendo sus crecientes ingresos en muros de contención. Ya sea en abogados, asesores, investigadores o estrategas de la imagen. En todo lo que el dinero puede comprar. Más de un buen nombre está en manos de gobernantes ocultos, más de una institución está conectada al suero del dinero. Eso resulta inquietante. Son señales de alarma que se extienden más allá del mundo del deporte.

¿Y qué hay de la política, de los representantes del estado? El Consejo de Europa ha dado el primer paso. Y en Brasil la sociedad sometió al gobierno de Dilma Rousseff a una presión masiva. Pero son muchísimos los que todavía sucumben a la atracción diabólica del negocio del fútbol. Es un sector que, citando a Blatter, ha superado a todas las religiones. Es el mayor agujero negro de nuestra época.

«El deporte podría ser una fuente de esperanza —filosofaba Mark Pieth el día que aceptaba su cargo—. Podría convertirse en un modelo contrario a la cultura de la corrupción, tan expandida.» Pero veía a la FIFA muy lejos de eso. «Para eso, primero deben crearse las estructuras pertinentes y conseguir que directivos ejemplares accedan a los órganos directivos.» [447]

Un momento. ¿Es que Sepp Blatter no es ejemplar? El patrón de la FIFA no lo ve así. Dice: «A menudo me califican de misionero. No me destruyáis. Porque hacer algo con el fútbol en beneficio de la gente es realmente una misión». [448]

«No me destruyáis»: qué gran frase. Como si el fútbol hablara.

Siglas

AFA: Asociación de Fútbol Argentino
AFC: Confederación Asiática de Fútbol
AIM: American International Media, Broadcasting
ASO: Amaury Sport Organisation
BIG: Instituto de Gobernanza de Basilea
BKA: Policía Federal Criminal de Alemania
CAF: Confederación Africana de Fútbol
CBF: Confederación Brasileña de Fútbol
CECAFA: Consejo de Asociaciones de Fútbol para el Centro
    y Este de África
CFU: Federación Caribeña de Fútbol
COI: Comité Olímpico Internacional
Concacaf: Confederación de Fútbol de América del Norte,
    Central y el Caribe
Conmebol: Confederación Sudamericana de Fútbol
DFB: Federación Alemana de Fútbol
DDPD: Departamento Federal de Defensa, Protección de la
    Población y Deporte
EBU: Unión Europea de Radiodifusión
ECA: Asociación de Clubes Europeos
ECN: European Consultancy Network
EWS: Early Warning System
ExCo: acrónimo de Comité Ejecutivo, en inglés
FFA: Federación Australiana de Fútbol
FFU: Federación Ucraniana de Fútbol
FIFA: Federación Internacional de Fútbol Asociación
FINA: Federación Internacional de Natación
FRF: Federación Rumana de Fútbol
FSE: Colectivo Europeo de Aficionados

GIG: Global Interactive Gambling
IAAF: Asociación Internacional de Federaciones de Atletismo
IACA: Academia Internacional Anticorrupción
ICSS: Centro Internacional de Seguridad Deportiva
IGC: Comisión Independiente de Gobernabilidad
IMG: International Management Group
INEA: Institute for European Affairs
ISL: International Sport & Leisure
ISMM: Sociedad Matriz de ISL
JaWOC: Comité Organizador japonés del Mundial'2002
KoWOC: Comité Organizador coreano del Mundial'2002
LOC: Comité Organizador del Mundial de Sudáfrica
MFA: Federación de Fútbol de Malta
OCA: Consejo Olímpico de Asia
OCDE: Organización para la Cooperación y el Desarrollo
OFC: Confederación de Fútbol de Oceanía
PETA: Personas por el Trato Ético de los Animales
PZPN: Asociación Polaca de Fútbol
QIA: Fondo Soberano de Inversión en Catar
TAS. Tribunal Arbitral del Deporte
TI: Transparencia Internacional
Trace: Transparent Agents and Contracting Entities
UEFA: Unión de Asociaciones de Fútbol Europeas
UFAUFA: Film & TV Production GmbH
USSF: Federación de Fútbol de Estados Unidos

Bibliografía

Bianchetti, Sonia, *Gebrochenes Eis: Intrigen aus der Welt des Eiskunstlaufs*, Viena, 2006.

Galeano, Eduardo, *El fútbol a sol y sombra*, Siglo XXI de España, Madrid, 1995.

Gebauer, Gunter, *Olympische Spiele: die andere Utopie der Moderne*, Fráncfort, 1996.

Grupe, Paulheinz, *Horst Dassler: Revolution im Weltsport*, Múnich, 1992.

Guelfi, Andre, *L'Originale*, París, 1999.

Hill, Declan, *Juego sucio: fútbol y crimen organizado*, Alba Editorial, Barcelona, 2010.

Hutchison, Robert, *Die heilige Mafia des Paptes*, Múnich, 1998.

Jennings, Andrew, *Tarjeta Roja: el libro secreto de la mafia*, Ediciones de la Tempestad, Barcelona, 2006.

Jennings, Andrew, *Los señores de los anillos: dinero, poder y doping en los Juegos Olímpicos*, Transparencia, Barcelona, 1992.

Kistner, Thomas / Schulze: *Die Spielmacher*, Múnich, 2001.

Kistner, Thomas / Weinreich, Jens: *Muskelspiele: ein Abgesang auf Olympia*, Berlín, 1996.

Kistner, Thomas / Weinreich, Jens: *Das Milliardenspiel*, Fráncfort, 1998.

Kistner, Thomas / Weinreich, Jens: *Der Olympische Sumpf*, Múnich, 2000.

Kuper: *Fútbol contra el enemigo*, Contra, Barcelona, 2014.

Méndez, Eugenio: *Almirante Lacoste, ¿quién mató al general Actis?*, El Cid Editor, Buenos Aires, 1984.

Payne, Michael: *Oro Olímpico*, Lid Editorial, Madrid, 2008.

Roth, Jürgen: *Unfair Play: wie korrupte Manager, skrupellose Funktionäre und Zocker den Sport beherrschen*, Fráncfort, 2011.

Smit, Barbara: *Hermanos de sangre*, Lid Editorial, Madrid, 2007.

Smith: *Ces messieurs Afrique*, París, 1997.

Strasser / Becklund: *Nike*, Norma, 1992.

Sugden / Tomlinson: *Badfellas: FIFA family at war*, Londres, 2003.

Vassort: *Mafia: et comportement mafieux*, Caen, 2010.

Weinreich, Jens: *Korruption im Sport: mafiose Dribblings, organisiertes Schweigen*, Leipzig, 2006.

Personas importantes

Abramovich, Roman: oligarca ruso, propietario del Chelsea.
Adamu, Amos: directivo de la FIFA suspendido por corrupción (Nigeria).
Addo, Farah: presidente de la federación de Etiopía.
Al-Dabal, Abdullah: exdirectivo de la FIFA (Arabia Saudí).
Al-Khalifa, Salman Bin Ibrahim: presidente de la Federación de Baréin.
Almajid, Phaedra: colaboradora de la candidatura de Catar para el Mundial 2022. Informante que más tarde retiró sus denuncias.
Aloulou, Slim: exdirectivo de la FIFA (Túnez).
Al Thani, Hamad Bin Khalifa: emir de Catar.
Al Thani, Jassim: hijo del emir.
Al-Thawadi, Hassan: hijo del emir.
Anissina, Marina: bailarina de patinaje artístico de origen ruso. En 2002 ganó la medalla de oro en los Juegos Olímpicos de invierno de Salt Lake City compitiendo por Francia.
Anouma, Jacques: directivo de la FIFA (Costa de Marfil)
Arantes do Nascimento, Edson (Pelé): ídolo del fútbol brasileño, ministro de Deportes de 1998 a 2002.
Austin, Lisle: presidente de la federación de Bahamas, suspendido por la FIFA.
Balmelli, Marco: miembro del Instituto de Gobernanza de Basilea (BIG).
Battaini, Flavio: exmánager de la FIFA.
Bauer, Thomas: síndico de la quiebra de la agencia de mercadotecnia ISL.
Beauvois, Daniel: mánager de la ISL.

Beckenbauer, Franz: director de la candidatura alemana para el Mundial, directivo de la FIFA, presidente honorario del Bayern de Múnich.

Ben Ali, Zine el Abidine: expresidente de Túnez, derrocado en 2011..

Berlioux, Monique: exdirectora general del Comité Olímpico Internacional (COI).

Berlusconi, Silvio: expresidente de Italia y del AC Milan.

Bin Hammam, Mohamed: exvicepresidente de la FIFA, expresidente de la AFC, íntimo amigo de Blatter durante muchos años, suspendido de por vida en la FIFA por corrupción.

Blair, Tony: exprimer ministro de Reino Unido.

Blatter, Corinne: hija de Sepp Blatter.

Blatter, Marco: hermano de Sepp Blatter.

Blatter, Sepp: presidente de la FIFA desde 1998, antes secretario general desde 1981. Está en la FIFA desde 1975.

Blazer, Chuck: directivo de la FIFA (Estados Unidos).

Blazer, Jason: hijo de Chuck Blazer.

Blazer, Marci: hija de Chuck Blazer.

Bonadio, Claudio: juez federal (Argentina).

Botta, Charles: arquitecto suizo con contactos en la FIFA.

Botta Salzmann, Christine: esposa de Charles Botta, directora del Departamento Presidencial de Blatter.

Bouchardeau, Lucien: árbitro de Nigeria.

Boutros Boutros: vicepresidente del Área de Comunicación del patrocinador Emirates Airlines.

Braun, Egidius: expresidente de la DFB.

Brennan, Mel: colaborador de la Concacaf en Nueva York.

Brooks, Rebekah: directora ejecutiva de *News International*, perteneciente a News Corp, el grupo mediático de Rupert Murdoch.

Brown, Selby: jefe de la cadena de televisión CSTN de Trinidad & Tobago.

Büchel, Roland Rino: legislador suizo, exdirector de cuentas de la ISL.

Byrom, Enrique: empresario que gestiona la venta de entradas de los Mundiales entre otras cosas. Socio duradero de la FIFA.

Byrom, Jaime: hermano de Enrique.

Cameron, David: primer ministro británico.

Carraro, Franco: directivo del deporte en Italia.

Casillas, Iker: capitán de la selección española de fútbol y del Real Madrid.

Champagne, Jérôme: asesor político de Blatter entre 1999 y 2009.

Chung Mong-joon: directivo de la FIFA hasta 2011.

Clinton, Bill: expresidente de Estados Unidos.

Codesal, Edgardo: exdirector de árbitros de la Concacaf.

Coe, Sebastian: director de la Comisión Ética de la FIFA.

Coelho, Antonio Carlos: empresario brasileño.

Collins, Damian: diputado británico.

Collins, John: abogado norteamericano de la Concacaf.

D'Alessandro, John: consejero delegado del patrocinador olímpico John Hancock.

Damaseb, Petrus: presidente de la Comisión Ética de la FIFA (Namibia).

Dassler, Horst: director de Adidas, fundador de la ISL.

De Andrade, Castor: empresario de apuestas en Brasil.

De Coubertin, Pierre: fundador del COI.

De Gregorio, Walter: jefe de comunicación de la FIFA.

De Luca, Eduardo: secretario general de la Conmebol.

Demajo, Norman Darmanin: presidente de la Federación de Malta.

Dempsey, Charles: presidente de la Confederación de Fútbol de Oceanía.

D'Hooge, Michael: directivo de la FIFA (Bélgica).

Diack, Lamine: presidente de la Asociación Internacional de Federaciones de Atletismo (Senegal).

Drossart, Eric: director del grupo IMG (Bélgica).

Eaton, Chris: exdirector de la Interpol, exjefe de Seguridad de la FIFA, actual colaborador del ICSS de Catar.

Ebersol, Dick: director de la cadena NBC.

Erzik, Senes: directivo de la FIFA (Turquía).

Freeh, Louis: exdirector del FBI, asesor de la FIFA.

Fusimalohi, Ahongalu: exdirectivo de la FIFA (Reino de Tonga).

Gagg, Walter: colaborador de la FIFA (Suiza).

Galán, Miguel: exdirector de la FIFA (Chile).

Grondona, Julio: directivo de la FIFA, interino de Blatter (Argentina).

Guelfi, André: empresario francés.

Gulati, Sunil: presidente de la Federación de Estados Unidos.

Gurría, Ángel: secretario general de la OCDE.

Hahn, Dieter: gerente del grupo Kirch.

Hainer, Herbert: jefe de Adidas.

Hargitay, Peter: asesor especial de Sepp Blatter.

Havelange, João (Jean Marie Faustin Godefroid Havelange): presidente honorario de la FIFA de 1974 a 1998 (Brasil).

Hayatou, Issa: vicepresidente de la FIFA, presidente de la Federación Africana (Camerún).

Herren, Andreas: exportavoz de la FIFA.

Herson, Richard: empresario norteamericano.

Hildbrand, Thomas: juez instructor en la causa de ISL.

Hill, Declan: periodista experto en manipulación de apuestas (Canadá).

Hirsch, Günter: expresidente del Tribunal Supremo Federal de Alemania, miembro de la Comisión de Ética de la FIFA (Alemania).

Hubmann, Urs: fiscal (Suiza).

Infantino, Gianni: secretario general de la UEFA (Suiza).

Jeannette, Christian: colaborador de Horst Dassler.

Jennings, Andrew: periodista de investigación especializado en la FIFA (Inglaterra).

Johansson, Lennart: exvicepresidente de la FIFA, presidente de la UEFA de 1990 a 2007 (Suecia).

Jordaan, Danny: jefe de la candidatura de Sudáfrica y director del comité organizador del Mundial 2010.

Kafelnikov, Jewgeni: tenista profesional (Rusia).

Kaladze, Kakha: futbolista profesional (Georgia).

Kamel, Saleh Abdullah: empresario (Arabia Saudí).

Kanhai, Angenie: secretaria general de la CFU.

Kfouri, Leo: periodista (Brasil).

Killanin, Michael: expresidente del COI (Irlanda).

Kirch, Leo: empresario televisivo.

Kissinger, Henry: exministro de Exteriores de Estados Unidos.

Koloskov, Wjatscheslaw: exdirectivo de la FIFA y presidente de la Federación Rusa.

Köppel, Roger: periodista (Suiza).

Lacoste, Carlos Alberto: jefe del comité organizador del Mundial 1978, integrante de la Junta Militar de Argentina, directivo de la FIFA.

Lato, Grzegorz: presidente de la Federación de Polonia, jugador en los Mundiales de 1974 y 1978.

Lee, Mike: asesor de la candidatura de Catar para 2022.

Lefkaritis, Mario: directivo de la FIFA y la UEFA (Chipre).

Leoz, Nicolás: directivo de la FIFA, presidente de la Conmebol.

Limacher, Peter: exdirector de Disciplina y jefe investigador de la UEFA (Suiza).

Linsi, Urs: exsecretario general de la FIFA, antes director de Finanzas.

López Nieto, Antonio Jesús: árbitro mundialista.

Lord, Frederick: colaborador de la Interpol, Australia.

Louis Dreyfus, Robert: director de Adidas, copropietario de Infront.

Lowy, Frank: empresario y directivo (Australia).

Lüthi, Cesar: empresario de derechos deportivos (Suiza).

Machline, Matías: empresario (Brasil).

Makudi, Worawi: directivo de la FIFA, presidente de la Federación de Tailandia.

Malms, Christoph: presidente del consejo de administración de ISL.

Mamic, Zdravko: directivo del fútbol croata.

Mandela, Mandla: nieto de Nelson Mandela.

Mandela, Zenani: bisnieta de Nelson Mandela.

Manzo, Rodolfo: jugador de la selección peruana.

Marangos, Spyros: directivo (Chipre).

Markovic, Vlatko: presidente de la Federación de Croacia.

Maurer, Ueli: miembro del Consejo Federal (Suiza).

Mayer Vorfelder, Gerhard: exdirectivo de la FIFA, expresidente de la DFB.

Mbeki, Thabo: presidente de Sudáfrica.

Mehles, Thorsten: fundador de la agencia Prevent.

Meier, Urs: árbitro mundialista (Suiza).

Merkel, Ángela: canciller alemana.
Mifsud, Joseph: exdirectivo de la FIFA y la UEFA.
Moreno, Byron: árbitro mundialista (Ecuador).
Mucha, Joanna: ministra de Deporte (Polonia).
Murdoch, Rupert: empresario mediático (Australia).
Mutko, Witali: directivo de la FIFA (Rusia).
Mutschke, Ralf: exmiembro de la Interpol y la BKA, jefe de seguridad de la FIFA.
Nally, Patrick: experto en publicidad (Inglaterra).
Neocleous, Neoclis: abogado (Chipre).
Netzer, Günter: miembro de la agencia Infront, antes futbolista de la selección alemana.
Nobel, Peter: abogado (Suiza).
Noble, Ronald: secretario general de la Interpol.
Obama, Barack: presidente de Estados Unidos.
Oblitas, Juan: futbolista de la selección peruana.
Ogi, Adolf: exministro de Defensa y Deportes (Suiza).
Olsson, Lars Christer: exdirector general de la UEFA (Suecia).
Paiva, Rodrigo: asistente de Ricardo Teixeira (Brasil).
Paterno, Joe: entrenador de fútbol americano (Estados Unidos).
Payne, Michael: experto en márketing deportivo (Inglaterra).
Perumal, Wilson Raj: manipulador de apuestas deportivas sentenciado (Singapur).
Pieth, Mark: experto en cumplimiento, director del Instituto de Gobernanza de Basilia.
Platini, Laurent: hijo de Michel Platini, gerente del Fondo Soberano de Inversión en Catar.
Platini, Michel: presidente de la UEFA, vicepresidente de la FIFA, exjugador de la selección francesa.
Preska, Loretta: jueza, Nueva York.
Putin, Vladimir: presidente de Rusia.
Radmann, Fedor: experto en candidaturas olímpicas y mundialistas (Alemania).
Raouraoua, Mohamed: directivo de la FIFA (Argelia).
Rida, Hany Abo: directivo de la FIFA (Egipto).
Rodrigues, Christopher: director de VISA, Estados Unidos.

Rogge, Jacques: expresidente del COI (Bélgica).

Rosell, Sandro: expresidente del Fútbol Club Barcelona, exmánager de Nike.

Rothenberg, Alan: abogado, exdirectivo de la Concacaf, jefe de la Federación de Estados Unidos.

Rous, Stanley: presidente inglés de la FIFA que precedió a João Havelange.

Rummenigge, Karl: presidente del FC Bayern, presidente de la Asociación de Clubes Europeos (Alemania).

Salguero, Rafael: directivo de la FIFA (Guatemala).

Sandu, Mircea: directivo de la UEFA (Rumanía).

Sarkozy, Nicolas: expresidente de Francia.

Schenk, Sylvia: experta en política deportiva, Transparencia Internacional (Alemania).

Schevtschenko, Andrej: futbolista de la selección ucraniana.

Schmid, Hans: mánager de la ISL (Suiza).

Schröder, Gerhard: excanciller alemán.

Segmüller, Pius: exjefe de Seguridad de la FIFA, antes jefe de la Guardia Suiza.

Selander, Robert: presidente de Mastercard.

Siegler, Markus: exjefe de Prensa de la FIFA (Suiza).

Siegwart, Marc: juez de lo criminal del cantón de Zug (Suiza).

Sommaruga, Simonetta: política (Suiza).

Sulser, Claudio: director de la Comisión de Ética de la FIFA (Suiza).

Surkis, Grigori: directivo de la UEFA (Ucrania).

Teixeira, Ricardo: exdirectivo de la FIFA, expresidente de la CFB y del COL.

Temarii, Reynald: directivo de la FIFA suspendido por corrupción (Tahití).

Tochtachunow, Alimsan: directivo del fútbol (Rusia).

Tognoni, Guido: exjefe de prensa y relaciones públicas de la FIFA (Suiza).

Triesman, David: director de la candidatura mundialista de Inglaterra para 2018.

Valcke, Jérôme: secretario general de la FIFA (Francia).

Villar Llona, Ángel María: directivo de la FIFA, presidente de la Federación Española.

Villiger, Marco: representante legal de la FIFA (Suiza).

Wahl, Grant: periodista (Estados Unidos).

Warner, Darryan: hijo de Jack Warner.

Warner, Jack: exvicepresidente de la FIFA, expresidente de la Concacaf y la CFU, suspendido y retirado tras denuncias de corrupción en 2011 (Trinidad).

Weber, Jean Marie: gerente de la ISL (Francia).

Will, David: exdirectivo de la FIFA (Escocia).

Zen-Ruffinen, Michael: secretario general de la FIFA de 1998 a 2002.

Zwanziger, Theo: directivo de la FIFA, antes presidente de la DFB.

Notas

INTRODUCCIÓN
1. KPMG, «Informe de revisión intermedia», 2000
2. *Frankfurter Allgemeine Zeitung*, 25.1.2012
3. *Tages-Anzeiger*, Zúrich, 10.12.2011
4. *Frankfurter Allgemeine Zeitung*, 25.1.2012
5. BBC Radio 5 Live, 11.7.2010

UN CLUB DE CABALLEROS
6. SRF (Suiza), 22.12.2013
7. www.fifa.com, 2.11.2009

UN HOMBRE QUIERE ASCENDER
8. Smit: *Hermanos de sangre*, Lid Editorial, Madrid, 2007
9. Smit: *Hermanos de sangre*, Lid Editorial, Madrid, 2007
10. Gruppe: *Horst Dassler, Revolution im Weltsport*. Biografía, Múnich, 1992
11. Gruppe: *Horst Dassler, Revolution im Weltsport*. Biografía, Múnich, 1992
12. Smit: *Hermanos de sangre*, Lid Editorial, Madrid, 2007
13. *Der Spiegel*, «Dassler will alles kontrollieren», número 23, 2.6.1986
14. *Bild*, «Präsidentenstuhl durch Bestechung?», 1.3.1974
15. Keith Bosworth, *Sunday Times*, sobre *Tarjeta roja: el libro secreto de la FIFA*, de Andrew Jennings, 2006
16. *20 Minutos*, edición digital, Suiza, 28.6.2008
17. Los informes de «Gaviota» para la Stasi aparecen en numerosos libros.
18. Kistner /Weinreich: *Muskelspiele − Ein Abgesang auf Olympia*. Berlín, 1996
19. Agencia Alemana de Prensa (DPA), 28.9.2011
20. Smit: *Hermanos de sangre*, Lid Editorial, Madrid, 2007
21. Smit: *Hermanos de sangre*, Lid Editorial, Madrid, 2007
22. Smit: *Hermanos de sangre*, Lid Editorial, Madrid, 2007
23. Smit: *Hermanos de sangre*, Lid Editorial, Madrid, 2007
24. Kistner / Weinreich: *Das Milliardenspiel*. Fránkfurt, 1998
25. Carta de Cavan al abogado René Simon, 3.9.1981

26. Entrevista del autor con la viuda de Käser, 1997
27. Smit: *Hermanos de sangre*, Lid Editorial, Madrid, 2007
28. *Der Spiegel*, «Dassler will alles kontrollieren», número 23, 2.6.1986
29. Smit: *Hermanos de sangre*, Lid Editorial, Madrid, 2007
30. *Weltwoche*, número 21, Suiza, 2007
31. www.fifa.com, 7.11.2011
32. *Sonntagszeitung*, Suiza, 1.1.2011
33. Entrevista en *Weltwoche*, «Ich brachte menschliche Wärme», número 21, 2007
34. *NZZ*, edición digital, 17.9.2011
35. *Sonntagszeitung*, Suiza, 1.1.2011
36. Smit: *Hermanos de sangre*, Lid Editorial, Madrid, 2007
37. *Neue Zürcher Zeitung*, número 5, «Don Pallone», 2006
38. *Weltwoche*, «Ich brachte menschliche Wärme», número 21, 2007
39. *WirtschaftsWoche*, 30.3.2006
40. Kistner / Weinreich: *Das Milliardenspiel*. Fránkfurt, 1998
41. Entrevista del autor con Pelé, septiembre 1997
42. *Süddeutsche Zeitung*, 27.9.1997
43. Entrevista del autor con Ellert Schramm, primavera de 1998
44. *Berliner Zeitung*, 3.4.2008
45. Autor presente en el proceso los días 11 y 12 de marzo en Zug. Informe en el *Süddeutsche Zeitung*, en las ediciones del 12 y 13.3.2008, entre otras.
46. Autor presente en el proceso los días 11 y 12 de marzo en Zug. Informe en el *Süddeutsche Zeitung*, en las ediciones del 12 y 13.3.2008, entre otras.
47. Carta de Drossart a Blatter, archivo del autor
48. Carta de Drossart a Blatter, archivo del autor
49. Kistner / Weinreich: *Das Milliardenspiel*. Fránkfurt, 1998
50. *The Sunday Times*, 12.11.1995. Fuente: Reuters
51. Associated Press, 21.3.1998
52. *Süddeutsche Zeitung*, 9.6.1998
53. «The Untold Campaign of FIFA Presidency around East Africa», Farah Addo, presidente de la Federación de Somalia, 5.3.2002

EL PRIMERO ENTRE IGUALES

54. *Tages-Anzeiger*, Zúrich, 29. 10. 2010
55. Memorándum de Schallhart referente a Sutter Kontroll AG, enviado a Zen-Ruffinen, 8.6.2000, archivo del autor
56. KPMG, «Informe de revisión intermedia», 2000, archivo del autor
57. Correo electrónico de la secretaría general a Battaini, 8.8.2000, archivo del autor
58. Carta de Johansson a Blatter, 23.12.2001, archivo del autor
59. Carta de Zen-Ruffinen a Weber, 7.9.1998, archivo del autor
60. Carta de NKF al director de finanzas de la FIFA Linsi, 19.5.2000

61. Carta de Blatter a Weber, 12.2.2001, archivo del autor
62. Nota interna de Jon Doviken, 19.5.2001, archivo del autor
63. *Süddeutsche Zeitung*, 29. 5. 2001
64. *Sonntagszeitung*, Suiza, 1.1.2011
65. Carta de NKF a Blatter, 28.5.2001, archivo del autor
66. Correo electrónico de Zen-Ruffinen a Linsi, 11.6.2001, archivo del autor
67. *Bilanz*, «Sepp Blatter – der Pate gewinnt immer», 30.6.2004
68. Carta de Johansson a Blatter, 11.6.2001, archivo del autor
69. Correo electrónico de Chuck Blazer a Sepp Blatter, 18.4.2001
70. Carta de Blatter a Johansson, 2.7.2001, archivo del autor
71. *Süddeutsche Zeitung*, 18.4.2002
72. Carta de Johansson a todas las federaciones nacionales de la FIFA, 25.3.2002, archivo del autor
73. Documento plan de ahorro interno Score, presupuesto 2002, archivo del autor
74. Correo electrónico de la secretaría de Blatter, 8.5.2001, archivo del autor
75. Nota sobre el correo electrónico de la secretaría de Blatter, 10.5.2001, archivo del autor
76. Nota interna de la FIFA, 4.4.2002, archivo del autor
77. Acta autentificada, notariado de Meilen, 2.5.2002, archivo del autor
78. Denuncia «contra Blatter por sospecha de estafa y prácticas comerciales desleales», 10.5.2002, archivo
79. Memorándum al director de finanzas Linsi, 18.11.2000, archivo del autor
80. *Frankfurter Allgemeine Zeitung*, 30.4.2011
81. Providencia de sobreseimiento, Fiscalía I de Zúrich, 20.11.2002
82. Aclaración, el presidente de la FIFA Blatter responde a las acusaciones del secretario general de 3.5.2022. Documento del 18.5.2002, archivo del autor
83. *Süddeutsche Zeitung*, 14.1.2012
84. Carta de Bin Hammam a Chung, 22.5.2002, archivo del autor
85. Carta de Gaddafi a Blatter, 6.3.2002, archivo del autor
86. Carta de Dasmunsi al presidente de la FIFA, 25.4.2002, archivo del autor
87. Carta de Khan al secretario general Zen-Ruffinen, 26.4.2001, archivo del autor
88. *Blick*, 30.5.2002
89. Declaración en presencia del autor
90. Sentencia del Tribunal Federal de Suiza, 11.7.2005
91. Archivo del autor
92. Entrevista en *Der Spiegel*, digital, 28.5.2004
93. *Süddeutsche Zeitung*, reportaje del autor
94. Declaración de Winfried Herrmann

95. *Sonntagszeitung*, Suiza, 1.1.2011
96. *Süddeutsche Zeitung*, 25.6.2010
97. *Sonntagszeitung*, Suiza, 27.6.2010
98. Entrevista de Thomas Hildbrand con el autor
99. *Weltwoche*, número 49, 10 de diciembre de 2010
100. Ver vídeo de la conferencia de prensa en el blog nationofswine.ch, entre otros
101. Tertulia de fútbol Liga Total, 13.12.2011
102. Sentencia del Juzgado de Manhattan, Distrito Sur de Nueva York
103. B&T, servicios de márketing, Australia, 2.11.2011
104. www.sportfachhandel.com, 1.7.2011
105. Payne, *Oro olímpico*, Lid Editorial, Madrid, 2008
106. Sentencia del Juzgado de Manhattan, Distrito Sur de Nueva York
107. *Sonntagszeitung*, Suiza, 28.10.2007
108. Correo electrónico de Warner al autor, 11.1.2012
109. *Berliner Zeitung*, 28.6.2007
110. Intercambio de correos electrónicos con Mastercard, 7.1.2012
111. Correo electrónico de la FIFA al autor, 17.1.2012
112. Correo electrónico de la FIFA al autor, 17.1.2012
113. Payne, *Oro olímpico*, Lid Editorial, Madrid, 2008
114. *Sonntagszeitung*, Suiza, 8.10.2006
115. *Scottish Mail on Sunday*
116. transparencyinsport.org
117. *The Guardian*, 29.5.2007
118. Agencia Alemana de Prensa (DPA)
119. *Süddeutsche Zeitung*, 3.2.2003
120. *Der Spiegel*, 3.2.2003
121. MSEshort, 29.6.2005
122. *International Herald Tribune*, 6.8.2006
123. *Sunday Express*, Escocia, 3.1.2010
124. *Süddeutsche Zeitung*, 5.1.2010
125. *WirtschaftsWoche*, 7.6.2002
126. *Süddeutsche Zeitung*, 3.9.2010
127. *Süddeutsche Zeitung*, 3.9.2010
128. *Dagbladet*
129. Agencia Alemana de Prensa (DPA), 5.9.2011
130. Kistner / Schulze: *Die Spielmacher*. DVA, 2001
131. *Süddeutsche Zeitung*, 22.4.2003
132. *Süddeutsche Zeitung*, 22.4.2003
133. *Süddeutsche Zeitung*, 21.2.2003
134. *Süddeutsche Zeitung*, 27.2.2003
135. *Süddeutsche Zeitung*, 15.7.2000
136. *Süddeutsche Zeitung*, 15.7.2000
137. *11Freunde*, 24.2.2011
138. www.tunisia-live.net, 19.12.2011

139. *Süddeutsche Zeitung*, 3.2.2012
140. Jennings, *Tarjeta Roja: el libro secreto de la mafia*, Ediciones de la Tempestad, Barcelona, 2006

EL SEGUNDO TIEMPO DE BLATTER

141. Correo electrónico de Warner del 12.1.2012
142. *The Sunday Times*, 31.10.2011
143. ZDF, televisión pública alemana, 18.12.2011
144. *L'Équipe*, 13.2.2010
145. *The Guardian*, 29.8.2011
146. Entrevista con el autor, marzo de 2011 en Catar
147. ARD, radio pública de Alemania, 1.6.2011
148. *Le Monde*, 14.1.2012
149. Memorándum de Linsi para Blatter
150. Jennings, *Tarjeta Roja: el libro secreto de la mafia*, Ediciones de la Tempestad, Barcelona, 2006
151. AroundTheRings.com, 28.2.2012
152. *Sunday Herald*, 6.4.2008
153. *Sonntagszeitung*, Suiza, 1.1.2011
154. *Sydney Morning Herald*, 1.7.2010
155. *Sydney Morning Herald*, 1.7.2010
156. *Weltwoche*, 24.2.2012
157. Kistner / Weinreich: *Der Olympische Sumpf*, 2000
158. Carta de L. Sandri, 11.1.2001
159. *Blick*, 10.1.2002
160. Carta de la Fundación Limmat a Zen-Ruffinen, 10.1.2002
161. Agencia Alemana de Prensa (DPA), 18.3.2009
162. *Berliner Zeitung*, 23.11.1994
163. *Der Spiegel*, 3.11.2010
164. Roth: *Unfair Play*, 2011
165. Informe interno de la UEFA, 7.1.2010
166. *Süddeutsche Zeitung*, 2.12.2011
167. www.stern.de, 12.1.2012
168. Bloomberg, 13.1.2012
169. Informe interno de la FIFA, archivo del autor
170. Correo electrónico del 1.12.2010 recibido por el autor
171. *Stern*, número 38, 2010
172. BBC, 10.6.2010
173. www.linkedin.com/in/chriseatonfifa
174. *Aargauer Zeitung*, 1.12.2010
175. *Daily Telegraph*, 6.1.2011
176. Jennings, *Tarjeta roja: el libro secreto de la mafia*, Ediciones de la Tempestad, Barcelona, 2006
177. *The Wall Street Journal*, 19.11.2011
178. *The Independent*, 12.12.2011

179. *Süddeutsche Zeitung*, 3.2.2012
180. *Die Zeit*, 1.3.2012
181. Focus, portal digital, 18.1.2012
182. Correo electrónico recibido por el autor
183. *The Indian Express*, 24.6.2011
184. *Basler Zeitung*, 15.11.2010
185. Contrato proyecto Offside, 26.1.2010
186. *The Telegraph*, 7.2.2011
187. *Tages-Anzeiger*, Zúrich, 13.2.2009
188. *Blick*, 13.3.2009
189. *Süddeutsche Zeitung*, 5.3.2008
190. Concepto del Consejo Federal para una política deportiva en Suiza, 30.11.2000
191. *Le Monde*, 14.1.2012
192. Informe financiero 2010, pág. 104.
193. Informe financiero FIFA 2012; de.fifa.com/mm/docum ent/affede-ration/administration/02/03/94/ 62/fr12_de.pdf
194. www.fifa.com, 2.11.2009
195. Comunicado de BaSpo, Bundesamt für Sport, 7.10.2011
196. *Süddeutsche Zeitung*, 6.10.2011
197. *Süddeutsche Zeitung*, 30.11.2011
198. Jusletter, 14.3.2011
199. *Sonntagszeitung*, Suiza, 1.1.2012
200. *Daily Mail*, 23.1.2012
201. www.insideworldfootball.biz, 28.1.2012
202. *Süddeutsche Zeitung*, 5.3.2012
203. *Süddeutsche Zeitung*, 14.12.2006
204. *Taz*, 29.5.1998
205. *Süddeutsche Zeitung*, 20.5.1998
206. Associated Press, 5.6.1998
207. *Taz*, 29.5.1998
208. *Süddeutsche Zeitung*, 3.2.2011
209. Entrevista con el autor, 22.10.2010
210. *Süddeutsche Zeitung*, 23.10.2010
211. Comunicado de prensa de la UEFA, 30.10.2010
212. Roth: *Unfair Play*, 2011
213. *Süddeutsche Zeitung*, 3.2.2011
214. Agencia Alemana de Prensa, 31.10.2010
215. *Süddeutsche Zeitung*, 29.1.2011
216. *Süddeutsche Zeitung*, 29.1.2011
217. www.foot01.com, 22.1.2012
218. www.insideworldfootball.biz, 28.1.2012
219. *Journal de Dimanche*, Foot01, 22.1.2012
220. *Die Welt*, 2.7.2011
221. www.20min.ch, 27.1.2012

222. *Daily Mail*, 29.9.2011
223. www.sportspromedia.com, 27.1.2012
224. www.uefa.com, 17.2.2012
225. www.arabianbusiness.com, 27.1.2010
226. *Tribuna da Bahia*, 17.2.2012
227. www.eurosport.yahoo.com, 16.2.2012
228. *Deutschlandfunk*, 17.12.2011
229. *Deutschlandfunk*, 23.2.2012
230. Informe de investigación de FAIR (Foro de Periodistas de Investigación para África): «Killing Soccer in Africa», septiembre 2010
231. *Ibidem*
232. FAS, 20.11.2011
233. Entrevistas con el autor, www.footballspeak.com
234. *Ibidem*
235. www.blogs.wsj.com, 6.10.2011
236. Reuters, 16.8.2011
237. Reuters, 16.8.2011
238. Correo electrónico al periodista Andrew Jennings, que inició esta causa
239. Correo electrónico, 16.9.2011
240. Correo electrónico, 31.8.2011
241. Archivo del autor
242. Correo electrónico, 19.12.2001
243. Archivo del autor 27.03.2002
244. Archivo del autor
245. www.fifa.com
246. Jennings, *Tarjeta Roja: el libro secreto de la mafia*, Ediciones de la Tempestad, Barcelona, 2006
247. www.playthegame.org, 29.9.2006
248. *Businessweek*, 28.12.2011
249. *Daily Mail*, 9.2.2012
250. *Süddeutsche Zeitung*, WM-Bibliothek, 2006
251. Archivo del autor
252. *Las Vegas Review Journal*, 15.9.2011
253. *National Journal Daily*, 11.10.2011
254. *Independent*, Australia, 18.8.2011
255. Archivo del autor 28.5.2001
256. Reuters, 16.8.2011
257. *The Telegraph*, 14.12.2011
258. Entrevistas, archivo del autor
259. *Daily Telegraph*, 7.12.2011
260. *Daily Telegraph*, 7.12.2011

TIEMPO DE DESCUENTO
261. www.worldfootballinsider, 8.2.2011

262. ARD, radio pública de Alemania, 1.6.2011
263. ZDF, televisión pública alemana, 18.12.2011
264. *The Guardian*, 1.12.2001
265. La lista de garantías completa se puede encontrar en: www.transparencyinsport.org
266. *The Guardian*, 19.11.2007
267. *Süddeutsche Zeitung*, 9.9.2000
268. Juri Felshtinsky, entre otros: *Der KGB spielt Schach*. Editorial Terra, 2009
269. www.faz.net, 7.1.2011
270. RIA Novosti, agencia de noticias rusa, 19.1.2012
271. *Süddeutsche Zeitung*, 1.4.2011
272. www.arabianbusiness.com/power500/?skip=10
273. Revista *Piauí*, número 58/11
274. Documentos en archivos del autor
275. *Daily Telegraph*, 6.5.2011
276. *Daily Telegraph*, 6.5.2011
277. Informe confidencial de abril a julio de 2011, archivo del autor
278. Comunicado de prensa de la FIFA, 9.5.2011
279. Comunicado de prensa de la BKA, 31.1.2012
280. Reuters, 30.4.2011
281. Correspondencia por correo electrónico entre Noble y el autor, noviembre y diciembre de 2011
282. Correspondencia por correo electrónico entre Noble y el autor, noviembre y diciembre de 2011
283. Agencia Associated Press, 12.5.2011
284. Schweizer Fernsehen, televisión pública para la Suiza alemana, 9.5.2011
285. *Süddeutsche Zeitung*, 11.5.2011
286. www.worldfootballinsider, 6.5.2011
287. Informe confidencial de abril a julio de 2011, archivo del autor
288. Correspondencia por correo electrónico entre Noble y el autor, noviembre y diciembre de 2011
289. *Die Zeit*, edición digital, 29.9.2011
290. Declaraciones de Warner en *The Guardian*, entre otros, 18.10.2011
291. www.sky.com, 30.5.2011
292. Comunicado de prensa de Valcke, 30.5.2011
293. Carta de Valcke al ministro, 5.3.2012
294. www.globoesporte.com, 6.3.2012
295. www.sky.com, 30.5.2011
296. Declaraciones de Warner en *The Guardian*, entre otros, 18.10.2011
297. www.sky.com, 30.5.2011
298. www.sky.com, 30.5.2011
299. *The Australian*, 29.11.2011
300. Intercambio de correspondencia con Marangos, 2/6.3.2012

301. www.insideworldfootball.biz, 29.5.2011
302. *Weltwoche*, número 21, 2007
303. *Mirror*, 30.5.2011
304. www.sky.com, 30.5.2011
305. www.sky.com, 30.5.2011
306. www.sportsillustrated.cnn.com, 18.1.2012
307. www.bloomberg.com, 31.5.2011
308. Invitación de Petersen, «Revelations of Bribery», 30.5.2011
309. Comunicado de la Oficina Federal para la Justicia (BJ), 31.5.2011
310. Revista *Piauí*, número 58, 2011
311. *Handelszeitung*, 11.5.2011
312. «2018 World Cup Bid», Informe de la Comisión de Cultura, Medios de Comunicación y Deporte, 5.7.2011
313. Carta a la Comisión, 9.5.2011, archivo del autor
314. *The Guardian*, 10.7.2010
315. *The Guardian*, 10.7.2011
316. Entrevista de Al-Thawadi con el autor, Doha, Catar, 30.3.2011
317. «2018 World Cup Bid», Informe de la Comisión de Cultura, Medios de Comunicación y Deporte, 5.7.2011
318. «2018 World Cup Bid», Informe de la Comisión de Cultura, Medios de Comunicación y Deporte, 5. 7. 2011
319. *Handelszeitung*, 7. 12. 2011
320. *Handelszeitung*, 7. 12. 2011
321. http:blogs.wsj.com/corruption-currents/2012/01/26/qa-alexandra-wrageon-the-new-fifa-governance-committee/
322. www.transparencyinsport.org
323. *Tages-Anzeiger*, Zúrich, 10.12.2011
324. Comunicado de prensa de la Interpol, 2.12.2011
325. *Tages-Anzeiger*, Zúrich, 10.12.2011
326. www.transparency.org/about_us/organisation/individual, Stand Januar/Februar 2012
327. www.bild.de, 1.2.2012
328. *Süddeutsche Zeitung*, 19.12.2011
329. *Süddeutsche Zeitung*, edición digital, 31.12.2011
330. Rodrigo Paiva, conversación telefónica con el autor, 28.1.2012
331. Comunicado de prensa de la Interpol, 2.12.2011
332. *Süddeutsche Zeitung*, 2.1.2012
333. *Handelszeitung*, 27.3.2013
334. *Tages-Anzeiger*, Zúrich, 10.12.2011
335. www.faz.net, 25.1.2012
336. *Die Zeit*, edición digital, 2.2.2012
337. www.faz.net 25.1.2012
338. *The Guardian*, 14.2.2012
339. Intercambio de correos electrónicos entre Ronald Noble y el autor, noviembre y diciembre 2011

340. Intercambio de correos electrónicos entre Ronald Noble y el autor, noviembre y diciembre 2011
341. Comunicado de prensa de la BKA, 31.1.2012
342. http://de.wikipedia.org /wiki /Internationale_Anti-Korruptionsakademie
343. Memorándum de acuerdo entre IACA und BIG, 2.9.2010
344. www.parlament.ch/ab/frameset/d/n/4901/370606/d_n_4901_37060 6_3706 51.htm
345. *The Guardian*, 10.2.2012
346. Dapd, 30.1.2012
347. www.fifa.com, 17.2.2012
348. *Der Spiegel*, 12.9.2011
349. Correo electrónico enviado al autor, 4.1.2012
350. *Süddeutsche Zeitung*, 4/5.2.2012
351. *Der Standard*, 9.12.2011
352. www.bloomberg.com, 9.12.2011
353. Hrsport, blog, 16.12.2011
354. Schweizer Fernsehen, televisión pública para la Suiza alemana, 9.5.2011
355. Intercambio de correos electrónicos entre Ronald Noble y el autor, noviembre y diciembre 2011
356. www.businessweek, 16.12.2011
357. www.diepresse.com, 30.1.2012
358. www.spiegel.de, 10.11.2011
359. www.espn.go.com, 19.1.2012
360. Correo electrónico de Warner al autor
361. Declaración de Petrus Damaseb, 20.10.2011
362. *The Guardian*, 18.10.2011
363. *Süddeutsche Zeitung*, 14.1.2012
364. Archivo del autor
365. Correo electrónico enviado al autor, 28.7.2011
366. Correo electrónico enviado al autor, 5.9.2011
367. Hassan al-Thawadi, entrevista con el autor, 30.3.2011
368. *Daily Telegraph*, 28.11.2011
369. transparency.de/Tabellarisches-Ranking.2021.0.html
370. Programa de TV *Frontline*, 13.9.2011
371. *The Independent*, 12.12.2011
372. www.hackinginquiry.org, 6.3.2012
373. *Wiesbadener Tagblatt*, 17.3.2012
374. *Daily Mail*, 9.3.2012
375. www.sueddeutsche.de, 2.12.2010
376. *Novaja Gazeta*, 20.4.2009
377. www.vesti.ru, portal de noticias ruso, 8.12.2009
378. *Neue Zürcher Zeitung*, 28.8.2002
379. *Sunday Herald*, 25.1.2009

380. *Financial Times*, Alemania, 8.12.2010
381. Kistner / Weinreich: *Der Olympische Sumpf* , Múnich, 2000
382. Roth: *Unfair Play*, 2011
383. www.aktuell.ru/russland/panorama/eislauf_und_mafi a_skandaltra echtig_ verquickt_65print.html
384. *Neue Zürcher Zeitung*, 28.8.2002
385. Comunicado de prensa del FBI, 16.4.2013
386. *The New York Times*, 1.6.2013
387. Radio Svoboda, 17.6.2011
388. www.footballspeak.com, 31.3.2013
389. Reuters, 22.4.2013
330. Associated Press, 20.4.2013
391. www.bigsoccer.com, 19.3.2013
392. Reuters, 20.4.2013
393. *Trinidad Express*, 14./15.4.2013
394. *Trinidad Express*, 14./15.4.2013
395. www.transparencyinsport, 25.7.2013
396. *Miami Herald*, 31.7.2013
397. *Sonntagszeitung*, Suiza, 27.6.2010
398. Cantón de Zug, Sala de Recurso n.º 1, sentencia del 22.12.2011
399. Cantón de Zug, Sala de Recurso n.º 1, sentencia del 22.12.2011
400. assembly.coe.int/ASP/NewsManager/EMB_NewsManagerView.asp ?ID =7453&L=2
401. *Handelszeitung*, Suiza, 7.3.2012
402. *TagesWoche*, 20.4.2012
403. BBC Sport, 8.6.2012
404. *Süddeutsche Zeitung*, 26.5.2012
405. *The Times*, 31.10.2012
406. *Frankfurter Allgemeine Zeitung*, 28.5.2013
407. *Forbes*, 23.4.2013
408. *NZZ Sonntag*, 21.10.2012
409. www.srf.ch/sendungen/schawinski/roger-schwinski-imgespraechm it-mark-pieth
410. *France Football*, 18.1.2013
411. Sid, Sport Informations Dienst, 10.2.2013
412. *The Mirror*, 22.9.2013
413. *Bild*, 22.3.2013
414. France Football, 1.10.2013
415. *Die Zeit*, 19.1.2013
416. *Daily Mail*, 14.9.2013
417. *Bild*, 22.9.2013
418. *Die Zeit*, 19.9.2013
419. *The Independent*, 5.10.2013
420. Associated Press (AP), 25.9.2013
421. *Spiegel*, edición digital, 8.1.2012

422. *Süddeutsche Zeitung*, 19.6.2013
423. Bloomberg, 23.11.2010
424. *Sport Illustrated*, 11.7.2013
425. *11 Freunde*, 2.2.2013
426. *Süddeutsche Zeitung*, 5.7.2013
427. Portal UOL, Brasil, 4.9.2013
428. *Lance*, 4.9.2013
429. Agencia Alemana de Prensa (DPA), 6.9.2013
430. *O Estado do São Paulo*, 27.8.2013
431. Foxsports, 29.8.2013
432. *Folha de São Paulo*, 12.3.2013
433. www.insideworldfootball, 3.9.2013
434. *Ibidem*
435. Sid, 5.12.2013
436. *Süddeutsche Zeitung*, 21/22.12.2013
437. FTD, 17.7.2012
438, Portal UOL, Brasil, 29.10.2011
439. WDR, radio y televisión pública de Renania del Norte-Westfalia, «Sport Inside», 14.10.2013
440. *Le Monde*, 28.5.2012
441. *Ibidem*
442. www.fifa.com, 30.9.2013
443. www.estadao.com, 19.9.2013
444. www.expansion.com, 4.10.2011
445. *O Estado do São Paulo*, 15.10.2013
446, Autor presente, 11.9.2013, Buenos Aires

CONCLUSIÓN

447. *Die Zeit* edición digital, 2.2.2012
448. ARD, radio pública de Alemania, 1.6.2011

Este libro utiliza el tipo Aldus, que toma su nombre
del vanguardista impresor del Renacimiento
italiano Aldus Manutius. Hermann Zapf
diseñó el tipo Aldus para la imprenta
Stempel en 1954, como una réplica
más ligera y elegante del
popular tipo
Palatino

* * *

* *

*

FIFA MAFIA

SE ACABÓ DE IMPRIMIR
UN DÍA DE VERANO DE 2015,
EN LOS TALLERES GRÁFICOS DE LIBERDÚPLEX, S.L.U.
CRTA. BV-2249, KM 7,4, POL. IND. TORRENTFONDO
SANT LLORENÇ D'HORTONS (BARCELONA)

* * *

* *

*